AF238055

## *ACCESO GRATIS a la Lectura en la Nube + Formularios online*

Para visualizar el libro electrónico en la nube de lectura envíe junto a su nombre y apellidos una fotografía del código de barras situado en la contraportada del libro y otra del ticket de compra a la dirección:

ebooktirant@tirant.com

En un máximo de 72 horas laborables le enviaremos el código de acceso con sus instrucciones.

# FORMULARIOS HABITUALES DE COMPLIANCE

# FORMULARIOS HABITUALES DE COMPLIANCE

Javier Puyol Montero
Carlos Franco Blanco

**tirant lo blanch**
Valencia, 2023

© TIRANT LO BLANCH
EDITA: TIRANT LO BLANCH
C/ Artes Gráficas, 14 - 46010 - Valencia
TELFS.: 96/361 00 48 - 50
FAX: 96/369 41 51
Email:tlb@tirant.com
www.tirant.com
Librería virtual: https://editorial.tirant.com/cl
DEPÓSITO LEGAL: V-2007-2023
ISBN: 978-84-1169-463-6
MAQUETA: Tink Factoría de Color

Si tiene alguna queja o sugerencia, envíenos un mail a: atencioncliente@tirant.com. En caso de no ser atendida su sugerencia, por favor, lea en www.tirant.net/index.php/empresa/politicas-de-empresa nuestro procedimiento de quejas.

Responsabilidad Social Corporativa: http://www.tirant.net/Docs/RSCTirant.pdf

"A Federico Fernández de Bujan,
maestro, compañero y amigo".

# ÍNDICE

## C) NORMATIVA APLICABLE

## D) OTRA NORMATIVA A CONSIDERAR

# INTRODUCCIÓN

La presente Obra titulada "*Formularios Habituales de Compliance*", muy vinculada a la práctica del funcionamiento del Canal de Comunicaciones tiene su fundamento en el Modelo de Cumplimiento a implantar por cada persona jurídica, organización o empresa, sobre la base del Código de Ético o de Cumplimiento Normativo habitualmente establecido por toda persona jurídica al implantar un Modelo de Cumplimiento Normativo, el cual reconoce no solo la misión y la visión sobre su actividad, sino de manera principal, los valores, principios y pautas éticas y de conducta que conforman la gestión de Compliance de toda organización, conformando la cultura organizacional de la misma, constituyendo ello el eje de lo que debe ser el comportamiento de todos los directivos, los empleados y los stakeholders sujetos a la autoridad y control de la persona jurídica sin excepción alguna.

La legislación actual en materia de Compliance, principalmente el contenido del artículo 31 bis y concordantes de la Leyes Orgánicas 5/2010, de 22 de junio; 1/2015, de 30 de marzo y 2/2019, de 1 de marzo y 14/2022, de 12 de enero todas ellas modificativas del Código Penal Español, y la Directiva UE 2019/1937 del Parlamento Europeo y del Consejo, de 23 de octubre de 2019, relativa a la protección de las personas que informen sobre infracciones del Derecho de la Unión Europea, y su trasposición al derecho interno español, mediante la Ley 2/2023, de 20 de febrero, reguladora de la protección de las personas que informen sobre infracciones normativas y de lucha contra la corrupción, dentro del esquema de establecer una verdadera cultura ética y de cumplimiento, así como de un Modelo de Cumplimiento para la prevención, detección y reacción ante delitos, establece como uno de los requisitos de dicho Modelo la obligación de informar de posibles riesgos, infracciones e incumplimientos al órgano de cumplimiento, conformando todo ello un conjunto bastante amplio de prácticas, donde la adecuada gestión se constituye en un elemento esencial, que exige diligencia y celeridad en el modo de funcionamiento que cada organización establezca. Todo ello, aconseja el uso de plantillas y de formularios, con la finalidad de facilitar tanto la planificación del Modelo de Cumplimiento Normativo, de la gestión del propio modelo en sí, así como para la eficacia y la eficiencia de los sistemas de información que se hayan implantado o que se puedan establecer en un futuro inmediato, como consecuencia de la aplicación de las normas y pautas establecidas a través de la normativa antes indicada en este ámbito de actuación.

Todo ello exige hacer frente a estas prácticas ya generalizadas y a los mecanismos detección de incumplimientos implantados, que constituyen un elemento esencial de la validez del Modelo.

Se concede, por lo tanto, un especial valor al descubrimiento y la investigación de ilícitos por la propia persona jurídica, puesto que no solo evidencia la eficacia del Modelo, sino su consonancia con la cultura de cumplimiento corporativo. De ahí la necesidad tal como señala la Ley 2/2023 del fortalecimiento de la cultura de la información, de las infraestructuras de integridad de las organizaciones y el fomento de la cultura de la información o comunicación como mecanismo para prevenir y detectar amenazas al interés público.

Consecuentemente con ello, se considera necesario fomentar una cultura de buena comunicación y responsabilidad social persona jurídica en las organizaciones, en virtud de la cual se considere que los Informantes contribuyen de manera significativa a la autocorrección y la excelencia del funcionamiento de cualquier organización, de ahí la necesidad de poner a disposición de las organizaciones aquellos medios e instrumentos precisos para posibilitar y facilitar la gestión que se lleve a cabo en el ámbito del Compliance.

Se requiere que todos los directivos y empleados, así como aquellos colaboradores que actúen en nombre y/o por cuenta de la persona jurídica, lleven a cabo sus actividades cumpliendo con la legislación y la normativa vigentes, así como con los códigos de conducta, las políticas y los procedimientos internos de la persona jurídica. Igualmente, es indispensable la cooperación de todos los directivos y empleados en la detección de conductas irregulares o ilícitas que pudieran poner en riesgo a de la persona jurídica.

Debe tenerse presente, por ello, no solamente exigir el cumplimiento, sino que debe tenerse presente que, además, las personas que trabajan para una organización o están en contacto con ella en el contexto de sus actividades laborales, profesionales o comerciales son a menudo las primeras en tener conocimiento de amenazas o perjuicios para el interés de la organización que se plantean en ese contexto. Por ello, al «delatar» las personas vinculadas con el Modelo de cumplimiento desempeñan un papel clave a la hora descubrir y prevenir las infracciones de la ley que lesionan el interés de la persona jurídica. En este sentido, un adecuado comportamiento de las personas sujetas favorecerá un correcto funcionamiento y una buena imagen de la persona jurídica. Sin embargo, el comportamiento inadecuado de una sola persona en el marco de la persona jurídica puede comprometer seriamente el Modelo de Cumplimiento y la estabilidad reputacional de la misma de manera casi inmediata. Por este motivo, se debe prevenir y tratar de evitar de forma activa esta posibilidad mediante una gestión activa, eficaz y al mismo tiempo, altamente eficiente.

Sobre estas premisas, la presente Obra contiene una rigurosa selección de los formularios de uso más frecuente en distintos ámbitos de la práctica del Compliance, tanto desde una perspectiva sustantiva como meramente procesal o de gestión del procedimiento, abarcando desde aquellos hitos fundamentales en la implantación del Modelo de Cumplimiento Normativo, como el funcionamiento del Canal de Comunicaciones y/o Cumplimiento, donde las informaciones, las comunicaciones y las denuncias recibidas juegan un papel esencial, y donde hay que saber gestionar, e investigar adecuadamente las mismas, a los efectos de tomar las decisiones correspondientes que evalúen acertadamente las mismas sobre la base de todas las circunstancias concurrentes en cada comunicación recibida, de acuerdo con los hechos a que hagan referencia.

Se trata básicamente de una Obra con un enfoque eminentemente práctico, puesto que su finalidad es la de ayudar a los profesionales del derecho y del Compliance en el día a día de su actividad, ofreciendo modelos y guías de actuación adecuadas, que sirvan principalmente, como una herramienta y un instrumento útil de trabajo, que permita tener una visión rápida y sobre todo fiable, ofreciendo respuestas y caminos de actuación certeros y adecuados

La construcción de esta Obra se ha llevado a cabo en la necesidad de implementar, y favorecer la "proactividad" del responsable del Órgano de Cumplimiento Normativo en su actuación, y ello en paralelo a la "accountability", en el sentido de resaltar la importancia de la existencia de un repositorio documental con relación a las actuaciones que se desarrollen al amparo del Compliance, a los efectos de posibilitar la dación de cuenta de las decisiones adoptadas y la justificación del contenido de las mismas.

El valor añadido de este libro es que trata profesionalmente el ámbito del Compliance desde el punto de vista de la experiencia práctica, acercando al profesional en la materia a aquellas situaciones más usuales en este ámbito de práctica profesional de manera sistemática y lógica, lo que facilita su uso y su aplicación real, tanto aquellos formularios más sencillos y habituales como aquellos más complejos, con la finalidad de dar respuestas tanto a aquellos expertos en la materia como quien se inicia en el ámbito del Cumplimiento Normativo, y su más rápida localización.

La Obra incluye un doble formato, papel y también un software permanentemente actualizado mediante el cual de una manera sencilla y accesible el profesional puede acceder fácilmente al formulario escogido, personalizarlo e imprimirlo o archivarlo en su ordenador a los efectos de posibilitar la tarea de su búsqueda, y su utilización eficaz de una manera flexible y rápida.

Los autores

# A) FORMULARIOS HABITUALES DE COMPLIANCE

## 1. FASE PREVIA DE DENUNCIA/COMUNICACIÓN

### Denuncia/comunicación

D. ..., mayor de edad, actuando en nombre y representación propias, con número de DNI ... y domicilio a efectos de comunicaciones en ... ante el Órgano de Cumplimiento Normativo comparezco y como mejor proceda en Derecho, DIGO:

Que habiendo tenido conocimiento directo de hechos considerados irregulares cometidos por D. ..., vengo a formular la siguiente DENUNCIA/COMUNICACIÓN:

**PRIMERA.–** ...

**SEGUNDA.–** ...

**TERCERA.–** ...

En su virtud,

**SOLICITO AL ÓRGANO DE CUMPLIMIENTO:** Que habiendo por presentado este escrito con los documentos que lo acompañan, se sirva admitirlo y acuerde la investigación de los hechos comunicados.

Lugar, fecha y Firma.

## Denuncia/comunicación anónima

Yo, de forma anónima, en virtud de lo dispuesto en el artículo 7.3 de la Ley 2/2023, de 20 de febrero, reguladora de la protección de las personas que informen sobre infracciones normativas y de lucha contra la corrupción, con domicilio a efectos de comunicaciones en … (si se desea tener conocimiento del expediente) ante el órgano de cumplimiento comparezco y como mejor proceda en Derecho, DIGO:

Que habiendo tenido conocimiento directo de hechos considerados irregulares cometidos por D. …, vengo a formular la siguiente DENUNCIA/COMUNCIACIÓN:

**PRIMERA.–** …

**SEGUNDA.–** …

**TERCERA.–** …

En su virtud,

**SOLICITO AL ÓRGANO DE CUMPLIMIENTO:** Que habiendo por presentado este escrito con los documentos que lo acompañan, se sirva admitirlo y acuerde la investigación de los hechos comunicados.

Lugar, fecha y Firma.

## Diligencia de constancia del Compliance Officer de recepción de la denuncia/comunicación

Órgano de Cumplimiento Normativo de ...

Número de expediente:

### DILIGENCIA DE CONSTANCIA

Dada cuenta, extiendo yo el Compliance Officer o el responsable del sistema de información, la presente para hacer constar que en fecha......... se ha recibido denuncia/comunicación de hechos considerados presuntamente irregulares.

Así lo extiendo, en Lugar, fecha y Firma.

## Acuse de recibo de la recepción de la denuncia/comunicación. Comunicación de constancia de la información proporcionada al informante

### ACUSE DE RECIBO

Dentro del plazo de siete días naturales fijados en el artículo 9.2.c) de la Ley 2/2023, de 20 de febrero, reguladora de la protección de las personas que informen sobre infracciones normativas y de lucha contra la corrupción, acusamos recibo de la denuncia/comunicación formulada por usted sobre una presunta infracción de la legislación o normativa interna de la empresa … cuya competencia corresponde a este Órgano de Cumplimiento Normativo.

A su comunicación se le ha asignado el número de código … con el que tendrá acceso al expediente generado a través de la intranet de este Órgano de Cumplimiento Normativo.

Pongo en su conocimiento que, por el Instructor del presente expediente, previa comprobación de los hechos comunicados se tramitará, en su caso, el correspondiente procedimiento de investigación contra el afectado o las personas que resulten responsables, para determinar las irregularidades que hubieran podido cometerse y la aplicación subsiguiente de las sanciones que procedan.

Agradecemos su colaboración para lograr el más adecuado cumplimiento de la legislación y normativa interna de la empresa y, en su momento, se le informará de las actuaciones practicadas.

## Modelo de inscripción de la comunicación en el registro de comunicaciones

Órgano de Cumplimiento Normativo de ...

Número de expediente:

Fecha: ...

En fecha ... tuvo entrada en el Registro de este Órgano de Cumplimiento Normativo comunicación de hechos presuntamente irregulares.

En virtud de lo dispuesto en el artículo 26 de la Ley 2/2023, de 20 de febrero, reguladora de la protección de las personas que informen sobre infracciones normativas y de lucha contra la corrupción, se procede a dar debida inscripción de la comunicación en el registro de comunicaciones interno de ...

Firma y sello.

**Dación de cuenta en su caso de la recepción de la comunicación al Comité de Cumplimiento Normativo y/o al Consejo de Administración**

Registro de documentos del Órgano de Cumplimiento Normativo de …

Número de expediente:

Fecha: …

Recibida en este Registro comunicación sobre hechos presuntamente irregulares, dese cuenta de la misma al Comité de Cumplimiento Normativo y/o al Consejo de Administración de … para que adopte las medidas oportunas.

Firma y sello.

## Resolución por la que se solicita al informante ampliación de los hechos o de la fundamentación de la denuncia/comunicación

Órgano de Cumplimiento Normativo de ...

Número de expediente:

Fecha: ...

### ANTECEDENTES DE HECHO

**PRIMERO.–** En fecha ... se presenta por la informante comunicación de hechos supuestamente irregulares cometidos por su superior D. ..., director del departamento de ventas.

**SEGUNDO.–** Que los hechos expuestos en la comunicación no son indiciariamente constitutivos de alguna infracción de la normativa legal o interna de la empresa.

**TERCERO.–** Se requiere, por ello, al informante que proceda a ampliar los hechos expresados en la denuncia/comunicación efectuada.

### FUNDAMENTO JURÍDICO

**ÚNICO.–** El artículo 9.2.e) de la Ley 2/2023, de 20 de febrero, reguladora de la protección de las personas que informen sobre infracciones normativas y de lucha contra la corrupción, prevé la posibilidad de mantener la comunicación con el informante y, si fuera necesario, de solicitar al informante información adicional. Por lo expuesto,

### RESUELVO

**PRIMERO.–** Requerir al informante para que amplíe los hechos de la comunicación en atención a observar indiciariamente la comisión de alguna falta o infracción del ordenamiento jurídico o normativa interna de la empresa por parte de D. ...

**SEGUNDO.–** Advertir que, en el supuesto de no presentar escrito de ampliación de la denuncia/comunicación se procederá sin más trámite al archivo del presente expediente.

Firma y sello.

**Solicitud del informante solicitando asesoramiento e información previo y gratuito**

### AL ÓRGANO DE CUMPLIMIENTO NORMATIVO DE ...

D. ... actuando en nombre y representación propios en calidad de informante en momento procedimental anterior a presentar denuncia/comunicación comparezco y como mejor proceda en Derecho, DIGO:

**ÚNICA.–** Que en virtud de lo establecido en el artículo 37.1.a) de la Ley 2/2023, de 20 de febrero, reguladora de la protección de las personas que informen sobre infracciones normativas y de lucha contra la corrupción, solicito asesoramiento e información legal, previa, independiente y gratuita a la interposición de comunicación de hechos considerados irregulares.

En su virtud,

**SOLICITO AL ÓRGANO DE CUMPLIMIENTO NORMATIVO:** Que, habiendo interpuesto este escrito, tenga a bien admitirlo y acuerde la concesión de asesoramiento e información legal previa y gratuita a la interposición de la comunicación a mi favor.

Lugar, fecha y Firma.

## Requerimiento por parte del Compliance Officer y/o al Responsable del Sistema de Información de informes preliminares sobre la comunicación recibida

Órgano de Cumplimiento Normativo de …

Número de expediente:

Fecha: …

### REQUERIMIENTO

En este Órgano ha tenido entrada en fecha … comunicación de hechos irregulares contra el afectado D. ….

En virtud de lo dispuesto en el artículo 8 de la Ley 2/2023, de 20 de febrero, reguladora de la protección de las personas que informen sobre infracciones normativas y de lucha contra la corrupción, este órgano tiene la competencia para conocer e investigar los hechos comunicados, procediendo a solicitar informes preliminares necesarios para el esclarecimiento de los hechos. En su virtud,

### ACUERDO

**PRIMERO.–** Requerir al Departamento de Recursos Humanos de la Empresa para que en el plazo de diez días aporte contrato en vigor de D. …, así como la documentación relativa a las faltas disciplinarias que obren en su expediente personal.

**SEGUNDO.–** Dar traslado de la presente resolución a las partes interesadas.

Firma y sello.

# 2. FASE DE INSTRUCCIÓN/AVERIGUACIÓN

**Resolución por la que se considera que los hechos objeto de denuncia/comunicación pudieran ser constitutivos de infracción de normativa jurídica/infracción de normativa interna/contrario a los valores de la compañía**

Órgano de Cumplimiento Normativo de la Entidad …

Número de expediente:

Fecha: …

## RESOLUCIÓN

En este Órgano de Cumplimiento Normativo ha tenido entrada en fecha … comunicación de hechos irregulares contra el afectado D. ….

En virtud de lo dispuesto en el artículo 8 de la Ley 2/2023, de 20 de febrero, reguladora de la protección de las personas que informen sobre infracciones normativas y de lucha contra la corrupción, este órgano tiene la competencia para conocer e investigar los hechos comunicados y, considerando que los mismos pudieran ser constitutivos de infracción de normativa jurídica/infracción de normativa interna/contrario a los valores de la compañía,

## RESUELVO

**PRIMERO.–** Incoar expediente de investigación toda vez que los hechos son indiciarios de ser constitutivos de infracción de normativa jurídica/infracción de normativa interna/contrario a los valores de la compañía.

**SEGUNDO.–** Dar traslado de la presente resolución a las partes interesadas.

Firma y sello.

## Requerimiento para la determinación de la identidad del afectado

Órgano de Cumplimiento Normativo de la Entidad ...

Número de expediente:

Fecha: ...

### REQUERIMIENTO

En este Órgano de Cumplimiento Normativo ha tenido entrada en fecha ... comunicación de hechos presuntamente irregulares sin que se haya determinado el presunto infractor.

En virtud de lo dispuesto en el artículo 8 de la Ley 2/2023, de 20 de febrero, reguladora de la protección de las personas que informen sobre infracciones normativas y de lucha contra la corrupción, este órgano tiene la competencia para conocer e investigar los hechos comunicados y, considerando que el informante tiene constancia de la identidad del presunto infractor,

### RESUELVO

**PRIMERO.–** Requerir, en base a lo dispuesto en el artículo 9.2.e) de la Ley 2/2023, de 20 de febrero, reguladora de la protección de las personas que informen sobre infracciones normativas y de lucha contra la corrupción, al informante para que en el plazo de quince días comunique la identidad del presunto afectado por los hechos expuestos en su escrito de denuncia/comunicación.

**SEGUNDO.–** Que, en el supuesto de no contestar este requerimiento, se le informa que se procederá al archivo del expediente.

Firma y sello.

## Resolución por la que se nombra instructor del expediente

Órgano de Cumplimiento Normativo de ...

Número de expediente:

Fecha: ...

### RESOLUCIÓN

En este Órgano ha tenido entrada en fecha ... comunicación de hechos irregulares contra el afectado D. ....

En virtud de lo dispuesto en el artículo 8 de la Ley 2/2023, de 20 de febrero, reguladora de la protección de las personas que informen sobre infracciones normativas y de lucha contra la corrupción, este Órgano de Cumplimiento Normativo tiene la competencia para conocer e investigar los hechos comunicados, procediendo a designar Instructor del presente expediente. En su virtud,

### RESUELVO

**PRIMERO.–** Nombrar como instructor del expediente referenciado a D. ... miembro del Órgano de Cumplimiento Normativo de ...

**SEGUNDO.–** Dar traslado de la presente resolución a las partes interesadas.

Firma y sello.

## Cédula de citación del instructor a los efectos de que acepte su cargo

Órgano de Cumplimiento Normativo de la Entidad ...

Número de expediente:

Fecha: ...

### CÉDULA DE CITACIÓN

Muy Sr./a nuestro/a:

Por la presente le comunicamos que, habiéndose decidido iniciar expediente de investigación al directivo/trabajador D. ..., se le ha nombrado Instructor a Ud. del referido expediente, debiendo actuar con la debida diligencia, imparcialidad e independencia.

Rogamos firme la aceptación del cargo.

Firma y sello.

## Acta de aceptación del cargo de Instructor

Órgano de Cumplimiento Normativo de ...

Número de expediente:

Fecha: ...

### ACEPTACIÓN

Que habiendo resultado designado D. ..., como Instructor del expediente referenciado incoado contra D. ..., acepta su nombramiento, comprometiéndose a realizar su cargo, bajo los principios de la buena fe e imparcialidad, hasta la finalización de las actuaciones

Firma.

## Escrito por el que se recusa al Instructor

### AL ÓRGANO DE CUMPLIMIENTO NORMATIVO DE ...

D. ... actuando en nombre y representación propias en calidad de afectado por la información en expediente ..., ante el Órgano de Cumplimiento Normativo de ... comparezco y como mejor proceda en Derecho, DIGO:

Que habiéndose notificado en fecha ... resolución del Órgano de Cumplimiento Normativo por la que se acuerda incoar expediente de investigación contra esta parte, promuevo a RECUSACIÓN del Instructor D. ... y ello en base a la siguiente

### ALEGACIÓN

**ÚNICA.-** Esta parte interpuso querella por un supuesto delito de apropiación indebida contra D. ..., con lo que será de aplicación lo previsto en el artículo 219.4 LOPJ, así como lo dispuesto en el apartado 9 del mismo precepto, relativo a enemistad manifiesta con la aludida persona, ahora Instructor del presente expediente.

Se acompaña copia de la querella como documento número 1º debidamente sellada por el Juzgado de Guardia.

En su virtud,

**SOLICITO AL ÓRGANO DE CUMPLIMIENTO NORMATIVO:** Que tenga por presentado este escrito con el documento que se acompaña, lo admita y tenga por promovido incidente de RECUSACIÓN contra el Instructor D. ..., y tras los trámites oportunos se estime tal resolución, designando Instructor diferente para investigar y resolver los hechos comunicados.

Lugar, fecha y Firma.

## Diligencia recibiendo el incidente de recusación del instructor a prueba

Órgano de Cumplimiento Normativo de ...

Número de expediente:

Fecha: ...

### DILIGENCIA

Se acuerda recibir el incidente de recusación a prueba, por un periodo de 15 días, y a tenor de lo dispuesto en el artículo ... de la política o estrategia del sistema interno de información de la organización ... declarándose pertinente la prueba aportada por el afectado.

Dese traslado del incidente de recusación al Instructor del expediente número ....... para que proceda a realizar las alegaciones que estime oportunas.

Lugar, fecha y Firma.

## Resolución del Órgano de Cumplimiento Normativo relativa al incidente de recusación

Órgano de Cumplimiento Normativo de ...

Número de expediente:

Fecha: ...

Visto el escrito presentado por (mención de las circunstancias personales del interesado)

### ANTECEDENTES DE HECHO

**PRIMERO.–** En fecha ... fue presentado escrito del afectado en el que se promovía la recusación de D. ..., instructor del presente expediente, sobre la base de la causa contemplada en la letra del artículo ... de la política o estrategia del sistema interno de información.

**SEGUNDO.–** Al día siguiente a la presentación del escrito, el Instructor recusado manifestó que no concurría en su persona causa de alguna de recusación

**TERCERO.–** Se han efectuado las comprobaciones y solicitado los informes que se han estimado oportunos

### FUNDAMENTOS JURÍDICOS

**PRIMERO.–** Es competente este Órgano de Cumplimiento Normativo de la empresa ... en virtud de lo establecido en el artículo ... de la política o estrategia del sistema interno de información.

**SEGUNDO.–** El artículo ... de la política o estrategia del sistema interno de información establece que, si el recusado niega la causa de recusación, el órgano superior resolverá sobre la misma en el plazo de ... días.

**TERCERO.–** En el presente caso, y a la vista de las actuaciones practicadas, debe concluirse que no concurre la causa de recusación alegada por el afectado, puesto que (explicación de los motivos por los cuales se estima la no concurrencia de las causas de recusación que hubieran sido alegadas).

### RESUELVO

**PRIMERO.–** Desestimar la recusación planteada por (mención de las circunstancias personales del afectado)

**SEGUNDO.–** Notifíquese la presente resolución al afectado por la comunicación.

Firma y sello.

## Resolución del Instructor concretando los hechos y la causa jurídica de la investigación

Órgano de Cumplimiento Normativo de …

Número de expediente:

Fecha: …

## RESOLUCIÓN

### ANTECEDENTES DE HECHO

**PRIMERO.-** En este Órgano ha tenido entrada en fecha … comunicación de hechos presuntamente irregulares contra el afectado D. ….

**SEGUNDO.-** En la comunicación expuesta en el Antecedente Primero, tienen lugar consideraciones relativas a relaciones interpersonales que deben ser excluidas del presente expediente, concretando al exclusivo conocimiento de los hechos presuntamente irregulares relativos a …. En su virtud,

### RESUELVO

**PRIMERO.-** Concretar los hechos de la comunicación interpuesta por presuntos hechos irregulares relativos … por parte del afectado D. … excluyendo toda alusión de relaciones interpersonales expuestas en la denuncia/comunicación en atención a lo dispuesto en el artículo … de …

**SEGUNDO.-** Notificar de la presente resolución a las partes personadas.

Firma y sello.

## Resolución del instructor acordando la práctica de diligencias de instrucción en orden a verificar la falsedad de la denuncia/comunicación recibida

Órgano de Cumplimiento Normativo de la Entidad ...

Número de expediente:

Fecha: ...

### RESOLUCIÓN

### ANTECEDENTES DE HECHO

**PRIMERO.–** En este Órgano de Cumplimiento Normativo ha tenido entrada en fecha ... comunicación anónima de hechos presuntamente irregulares contra el afectado D. ....

**SEGUNDO.–** Practicada declaración del afectado, afirma que el día de los hechos comunicados no trabajó debido a que se encontraba indispuesto, habiendo comunicado en tiempo y forma este extremo a su superior. En su virtud,

### RESUELVO

**PRIMERO.–** Acordar de oficio, a tenor de lo dispuesto en el artículo ... de ..., la práctica testifical del director del departamento de logística del turno del afectado, en orden a acreditar la comunicación de su indisposición y ausencia al trabajo por parte del afectado en el día de los hechos.

**SEGUNDO.–** Notificar de la presente resolución a las partes personadas.

Firma y sello.

## Resolución del Instructor teniendo por falsa la denuncia/comunicación recibida

Órgano de Cumplimiento Normativo de la Entidad ...

Número de expediente:

Fecha: ...

## RESOLUCIÓN

### ANTECEDENTES DE HECHO

**PRIMERO.-** En este Órgano ha tenido entrada en fecha ... comunicación anónima de hechos presuntamente irregulares contra el afectado D. ....

**SEGUNDO.-** Practicada declaración del afectado, afirma que el día de los hechos informados no trabajó debido a que se encontraba indispuesto, habiendo comunicado en tiempo y forma este extremo a su superior.

**TERCERO.-** Practicada prueba testifical del director de departamento del afectado, confirma su ausencia en el día de los hechos comunicados. En su virtud,

### RESUELVO

**PRIMERO.-** Evidenciar la presunta falsedad de la comunicación presentada, procediendo al archivo de la presente denuncia/comunicación, al no cumplir con las exigencias legales para su toma en consideración y tramitación.

**SEGUNDO.-** Proceder a la inmediata supresión de la información en los términos del artículo 32.3 de la Ley 2/2023, de 20 de febrero, reguladora de la protección de las personas que informen sobre infracciones normativas y de lucha contra la corrupción.

**TERCERO.-** Notificar de la presente resolución a las partes personadas.

Firma y sello.

## Resolución del Instructor acordando medidas de apoyo al informante y/o terceros, de manera específica en evitación de represalias directas o indirectas

Órgano de Cumplimiento Normativo de la Entidad ...

Número de expediente:

Fecha: ...

## RESOLUCIÓN

## ANTECEDENTES DE HECHO

**PRIMERO.–** En este Órgano de Cumplimiento Normativo ha tenido entrada en fecha ... comunicación de hechos presuntamente irregulares contra el afectado D. ..., director de la oficina sita en la localidad ....

**SEGUNDO.–** Se ha practicado la prueba consistente en documental aportada por el informante y la declaración del afectado, observándose los preceptos normativos aplicables oportunos.

**TERCERA.–** Que el informante ha resultado suspendido de empleo y sueldo durante sesenta días, sin que haya podido acreditarse justa causa. En su virtud,

## RESUELVO

**PRIMERO.–** Acordar, a tenor de lo dispuesto en el artículo ... de ..., medidas de apoyo en favor del informante, en forma de revocación de la suspensión de empleo y sueldo de sesenta días.

**SEGUNDO.–** Proceda a abonarse los salarios de tramitación oportunos desde el momento de dicha suspensión.

**TERCERO.–** Requiérase al responsable del Departamento de Recursos Humanos para que, de forma inmediata, proceda a la cancelación de la falta interpuesta contra el afectado.

**CUARTO.–** Notificar de la presente resolución a las partes personadas.

Firma y sello.

**Resolución del Instructor garantizando que no se produzcan daños irreversibles para los consumidores y/o en la persona jurídica/empresa**

Órgano de Cumplimiento Normativo de la Entidad ...

Número de expediente:

Fecha: ...

## RESOLUCIÓN

### ANTECEDENTES DE HECHO

**PRIMERO.-** En este Órgano de Cumplimiento Normativo ha tenido entrada en fecha ... comunicación de hechos presuntamente irregulares consistentes en ....

**SEGUNDO.-** Dada la especial naturaleza de los hechos y los eventuales daños irreversibles que podrían causar tanto para los consumidores como para la reputación de esta empresa se considera imperativo ....

Por lo expuesto,

### RESUELVO

**PRIMERO.-** Acordar, a tenor de lo dispuesto en el artículo ... de la política o estrategia del Sistema Interno de Información, a la inmediata ....

**SEGUNDO.-** Acordar la tramitación preferente del presente expediente en orden a lo dispuesto en el artículo ... de la política o estrategia del sistema interno de información.

**TERCERO.-** Notifíquese a todos los agentes implicados en los hechos citados en el Ordinal Primero para su inmediata ....

Firma y sello.

## Cédula de citación del informante al que se le instruye sobre los derechos que le asisten

Órgano de Cumplimiento Normativo de la Entidad ...

Expediente número ............

### CÉDULA DE CITACIÓN CON INFORMACIÓN DE DERECHOS DEL INFORMANTE

Nombre y apellidos: ...

DNI/Pasaporte: ...

Domicilio a efectos de notificaciones:

Teléfono:

Lugar y fecha:

En el presente expediente, se ha dictado resolución de fecha ... en la que se acuerda incoar expediente de investigación por presuntos hechos irregulares, así como la pertinente citación al informante para que el día ... a las ... horas comparezca ante el Órgano de Cumplimiento Normativo de ... al objeto de prestar declaración, informándole de los derechos que asisten al informante en todo expediente de cumplimiento interno, a tenor de lo dispuesto en los artículos ... de la política o estrategia del sistema interno de información que son los siguientes:

A) Derecho a mostrarse parte en el proceso como perjudicado, con la posibilidad de nombrar Abogado y/o Procurador que le asistan.

a) Derecho a ejercitar las acciones que procedan.

b) Estar informado de todas las actuaciones del expediente.

c) Proponer y practicar pruebas a las del Instructor del expediente.

d) Solicitar sanción y/o indemnizaciones distintas a las pedidas por el Instructor del expediente, para cobrar la indemnización que le corresponda, o recuperar lo que le fue sustraído.

e) Posibilidad de recurrir la resolución si no está conforme con la misma

f) Posibilidad de colaborar en la averiguación de los bienes y propiedades del sancionado, para cobrar la indemnización que le corresponda, o recuperar lo que le fue sustraído.

g) Derecho a renunciar a la restitución de la cosa, reparación del daño e indemnización de perjuicios causados.

B) Aún en el caso de no personarse en la causa y no hacer renuncia ni reserva de acciones, el Instructor del expediente ejercitará, además de las acciones que procedan, aquéllas que correspondan, salvo renuncia expresa por parte del mismo o su representante legal.

Asimismo, y aunque no se persone en el expediente:

Será notificado de las resoluciones que acuerden: resolución por la que se acuerde no iniciar el expediente o la resolución que ponga fin al mismo.

C) Derecho a la traducción e interpretación gratuita de todo perjudicado o perjudicado que no hable o no entienda el castellano o lengua oficial.

D) Derecho a la protección durante la investigación interna en virtud de los artículos ... de la política o estrategia del sistema interno de información y en particular las medidas de apoyo, medidas de protección frente a represalias y programas de clemencia previstos en dicha política o estrategia del sistema interno de información.

En prueba de quedar informado de sus derechos, firma conmigo la presente, haciéndole entrega de copia de la misma.

Y para que sirva de cédula de citación en forma al afectado D. ... extiendo la presente en ... a ... de ... de ...

Lugar, fecha y Firma.

## Cédula de citación del afectado al que se informa de los derechos que le asisten

Órgano de Cumplimiento Normativo de la Entidad ...

Expediente número ...

### CÉDULA DE CITACIÓN CON INFORMACIÓN DE DERECHOS DEL AFECTADO

Nombre y apellidos: ...

DNI/Pasaporte: ...

Domicilio a efectos de notificaciones:

Teléfono:

Lugar y fecha:

En el presente expediente, se ha dictado resolución de fecha ... en la que se acuerda incoar expediente de investigación por presuntos hechos irregulares, así como la pertinente citación al afectado D. ... para que el día ... a las ... horas comparezca ante el Órgano de Cumplimiento Normativo de ... al objeto de prestar declaración, informándole de los derechos asisten al afectado en todo expediente de cumplimiento interno, a tenor de lo dispuesto en los artículos ... de la política o estrategia del sistema interno de información que son los siguientes:

A) Derecho a no declarar.

B) Derecho a no declarar contra sí mismo

C) Derecho a no confesarse culpable.

D) Derecho a la presunción de inocencia.

E) Derecho a contar en este expediente con la asistencia de Abogado que le defienda y represente.

F) Derecho a estar informado de todas las actuaciones del expediente.

G) Derecho de proponer y practicar pruebas a las del Instructor del expediente.

H) Derecho a recurrir la resolución si no está conforme con la misma.

I) Derecho a la traducción e interpretación gratuita de todo afectado que no hable o no entienda el castellano o lengua oficial.

J) Derecho a la protección durante la investigación interna en virtud de los artículos ... de la política o estrategia del sistema interno de información.

Y para que sirva de cédula de citación en forma al afectado D. ... extiendo la presente en ... a ... de ... de ...

Lugar, fecha y Firma.

## Declaración del afectado a presencia del Instructor

Órgano de Cumplimiento Normativo de la Entidad ...

Número de expediente:

Fecha: ...

### DECLARACIÓN DEL AFECTADO

Prestada ante el Instructor del expediente de referencia, ante el Órgano de Cumplimiento Normativo de ..., a las ... horas del día ... de ... de 2022.

D. ..., con DNI ..., empleado de ... asignado al departamento de ... actuando en nombre y representación propios en calidad de afectado.

El Instructor hace saber al referenciado, al comienzo del acto, que le asisten los derechos reconocidos por el artículo 24.2º de la Constitución a no declarar, a no hacerlo contra sí mismo, a no confesarse culpable y a la presunción de inocencia. Así como a contar en este procedimiento con la asistencia de Abogado que le defienda.

Asiste a la declaración el afectado, y a su elección, sin la asistencia de Abogado.

El instructor indica al afectado que este acto se celebra en cumplimiento de lo previsto en el artículo ... de la política o estrategia del sistema interno de información en relación con la resolución de incoación del presente expediente que le fue notificado con fecha ... de ... de ....

Preguntado por sus datos personales, manifiesta que los reseñados son correctos.

Preguntado si es representante de los trabajadores o comité de empresa manifiesta que no.

Preguntado si ... manifiesta que ...

Preguntado si ... manifiesta que ...

Preguntado por si desea realizar alguna aclaración adicional, manifiesta que no.

En este punto se da por terminado el acto. Y leída la presente por todos los asistentes, la encuentran conforme y la firman.

## Negativa del afectado a declarar

Órgano de Cumplimiento Normativo de la Entidad ...

Número de expediente:

Fecha: ...

### DECLARACIÓN DEL AFECTADO

Prestada ante el Instructor del expediente de referencia, ante el Órgano de Cumplimiento Normativo de ..., a las ... horas del día ... de ... de ...

D. ..., con DNI ..., empleado de ... asignado al departamento de ... actuando en nombre y representación propios en calidad de afectado.

El Instructor hace saber al referenciado, al comienzo del ato, que le asisten los derechos reconocidos por el artículo 24.2° de la Constitución a no declarar, a no hacerlo contra sí mismo, a no confesarse culpable y a la presunción de inocencia. Así como a contar en este procedimiento con la asistencia de Abogado que le defienda.

Asiste a la declaración el afectado, y a su elección, sin la asistencia de Abogado.

El instructor indica al afectado que este acto se celebra en cumplimiento de lo previsto en el artículo ... de ... en relación con la resolución de incoación del presente expediente que le fue notificado con fecha ... de ... de ....

Preguntado por sus datos personales, manifiesta que los reseñados son correctos.

Preguntado si es representante de los trabajadores o comité de empresa manifiesta que no.

Preguntado para que diga, si desea prestar voluntariamente declaración, manifiesta que no.

En este punto se da por terminado el acto. Y leída la presente por todos los asistentes, la encuentran conforme y la firman.

**Negativa del afectado a responder a preguntas del Instructor y si al abogado de su libre designación.**

Órgano de Cumplimiento Normativo de la Entidad …

Número de expediente:

Fecha: …

## DECLARACIÓN DEL AFECTADO

Prestada ante el Instructor del expediente de referencia, ante el Órgano de Cumplimiento Normativo de …, a las … horas del día … de … de 2022.

D. …, con DNI …, empleado de … asignado al departamento de … actuando en nombre y representación propios en calidad de afectado.

El Instructor hace saber al referenciado, al comienzo del acto, que le asisten los derechos reconocidos por el artículo 24.2º de la Constitución a no declarar, a no hacerlo contra sí mismo, a no confesarse culpable y a la presunción de inocencia. Así como a contar en este procedimiento con la asistencia de Abogado que le defienda.

Asiste a la declaración el afectado, y a su elección, con la asistencia de Abogado.

El instructor indica al afectado que este acto se celebra en cumplimiento de lo previsto en el artículo … de … en relación con la resolución de incoación del presente expediente que le fue notificado con fecha … de … de ….

Preguntado por sus datos personales, manifiesta que solamente va a declarar a las preguntas que realice su Letrado.

Se otorga turno de pregunta al Abogado que asiste al afectado preguntando …

Preguntado para que diga …

Preguntado para que diga …

En este punto se da por terminado el acto. Y leída la presente por todos los asistentes, la encuentran conforme y la firman.

## Escrito del afectado solicitando intérprete para declaración ante el Instructor

### AL ÓRGANO DE CUMPLIMIENTO NORMATIVO DE ...

D. ..., con DNI ... actuando en nombre y representación propios en calidad de afectado, ante este Órgano de Cumplimiento Normativo en el expediente número ... comparezco y como mejor proceda en Derecho, DIGO:

Que habiendo recibido esta parte cédula de citación por la que se emplaza para comparecer como afectado en el presente expediente el día ... de ... vengo a formular las siguiente

### ALEGACIÓN

ÚNICA.- Debido al insuficiente conocimiento de la lengua castellana por parte del afectado, se solicita a este Órgano de Cumplimiento Normativo en virtud de lo establecido en el artículo ... de la política o estrategia del sistema de información interno, designe intérprete del idioma ... y castellano y viceversa con el fin de asegurar una correcta comunicación en la aludida comparecencia, garantizándose así su derecho de defensa y facilitando a su vez las labores del Instructor a la hora de esclarecer los hechos.

En su virtud,

**SOLICITO AL ÓRGANO DE CUMPLIMIENTO NORMATIVO:** Que tenga por presentado este escrito, se sirva admitirlo y designe intérprete para la comparecencia del próximo día ... en los términos contenidos en el cuerpo del escrito.

Lugar, fecha y Firma.

## Escrito del afectado designando abogado de libre designación para la instrucción del expediente

### AL ÓRGANO DE CUMPLIMIENTO DE ...

D..., actuando en nombre y representación propios en calidad de afectado en expediente número ..., comparezco y como mejor proceda en Derecho, DIGO:

Que se comunica a este órgano al que me dirijo que la defensa del afectado va a ser asumida a partir de este momento por el Letrado del Ilustre Colegio de Abogados de ..., D. ..., Colegiado número ..., lo que pongo en conocimiento del Órgano de Cumplimiento Normativo de ... a los efectos pertinentes en Derecho.

Por lo expuesto,

**SOLICITO AL ÓRGANO DE CUMPLIMIENTO NORMATIVO:** Que teniendo por presentado este escrito, en tiempo y forma, se sirva admitirlo y que tenga por designado al Letrado del Ilustre Colegio de Abogados de ..., D. ..., Colegiado número ... en defensa del afectado.

## Escrito del afectado efectuando alegaciones de descargo

### AL ÓRGANO DE CUMPLIMIENTO DE …

D…, actuando en nombre y representación propios en calidad de afectado en expediente número …, comparezco y como mejor proceda en Derecho, DIGO:

Que, habiendo sido notificado de apertura de expediente de investigación contra esta parte, a tenor de lo dispuesto en los artículos … de …, vengo a formular las siguientes

### ALEGACIONES DE DESCARGO

**PRIMERA.–** …

**SEGUNDA.–** …

**TERCERA.–** …

En su virtud,

**SOLICITO AL ÓRGANO DE CUMPLIMIENTO NORMATIVO:** Que habiendo por presentado este escrito, lo admita y tenga por realizadas ALEGACIONES DE DESCARGO.

Lugar, fecha y Firma.

## Escrito del afectado solicitando la práctica de determinadas diligencias en la instrucción del expediente

### AL ÓRGANO DE CUMPLIMIENTO DE ...

D..., actuando en nombre y representación propios en calidad de afectado en expediente número ..., comparezco y como mejor proceda en Derecho, DIGO:

Que, habiendo sido notificado de apertura de expediente de investigación contra esta parte, a tenor de lo dispuesto en los artículos ... de ..., vengo a formular las siguientes

### ALEGACIONES

**PRIMERA.–** ...

**SEGUNDA.–** ...

**TERCERA.–** ...

En su virtud,

**SOLICITO AL ÓRGANO DE CUMPLIMIENTO NORMATIVO:** Que habiendo por presentado este escrito, lo admita y tenga por realizadas las anteriores ALEGACIONES.

Lugar, fecha y Firma.

OTROSÍ DIGO: Como prueba se propone:

– Documental: Consistente en ...

– Testifical: D. ... compañero de trabajo presente en el lugar y momento de los hechos.

**SOLICITO NUEVAMENTE AL ÓRGANO DE CUMPLIMIENTO NORMATIVO:** Que tenga por propuesta la anterior prueba y la admita en su totalidad, indicando lugar y fecha para su celebración.

En lugar y fecha *ut supra*.

## Cédula de citación a testigo

Órgano de Cumplimiento Normativo de la Entidad ...

Expediente número ...

En el presente expediente, se ha dictado resolución de esta fecha en la que se acuerda citar al testigo D. ... para que el día ... a las ... horas comparezca ante el Órgano de Cumplimiento Normativo de ... al objeto de prestar declaración, apercibiéndole de que, de no comparecer, incurrirá en una sanción disciplinaria grave/muy grave prevista en el artículo ... de la política o estrategia del sistema interno de información, debiendo presentar la copia de esta cédula de citación.

Y para que sirva de cédula de citación en forma al testigo D. ... con domicilio en ... extiendo la presente en ... a ... de ... de ...

## Llamamiento al perjudicado para que haga alegaciones

Órgano de Cumplimiento Normativo de la Entidad ...

Expediente número ...

D. (Instructor del procedimiento)

Cítese ante este Órgano de Cumplimiento Normativo a D...., cuyos datos constan en la causa e instrúyasele de lo preceptuado en el artículo ... de la política o estrategia del sistema interno de información, del derecho a realizar las alegaciones que estime oportunas respecto de los hechos que se dirimen en el presente expediente.

Lugar, fecha y Firma.

## Declaración del perjudicado por la comunicación /denuncia

Órgano de Cumplimiento Normativo de la Entidad …

Expediente número …

### DECLARACIÓN

Nombre y apellidos: …

DNI/Pasaporte: …

Domicilio a efectos de notificaciones:

Teléfono:

Lugar y fecha:

Ante el Instructor del expediente, comparece la persona arriba identificada, a quien se le hacen las prevenciones legales pertinentes y, manifiesta:

A las generales de la Ley, manifiesta: Que el declarante es trabajador por cuenta ajena de la empresa … con el cargo de ….

Que el declarante lleva soportando episodios de … por parte de D. … en forma de … desde hace varios meses.

Que manifiesta que son testigos de los hechos sus compañeros de trabajo D. … y Dña. …

Actos seguido, por parte del Instructor del expediente se le hace el ofrecimiento a estar personado como parte en el mismo, informándole de los derechos del perjudicado recogidos en el artículo … de la política o estrategia del sistema interno de información y manifiesta quedar enterado y reclama o que en derecho le corresponda.

Leída es hallada conforme y la Firma.

## Declaración del perjudicado, renunciando a cualquier reclamación

Órgano de Cumplimiento Normativo de la Entidad ...

Expediente número ...

### DECLARACIÓN

Nombre y apellidos: ...

DNI/Pasaporte: ...

Domicilio a efectos de notificaciones:

Teléfono:

Lugar y fecha:

Ante el Instructor del expediente, comparece la persona arriba identificada, a quien se le hacen las prevenciones legales pertinentes y, manifiesta:

A las generales de la Ley, manifiesta: Que el declarante es trabajador por cuenta ajena de la empresa ... con el cargo de ....

Que el declarante lleva soportando ... por parte de D. ... en forma de ... desde hace varios meses.

Que manifiesta que son testigos de los hechos sus compañeros de trabajo D. ... y Dña. ...

Acto seguido, por parte del Instructor del expediente se le hace el ofrecimiento a estar personado como parte en el mismo, informándole de los derechos del perjudicado recogidos en el artículo ... de la política o estrategia del sistema interno de información.

Manifiesta que no desea reclamar nada, renunciando a mostrarse parte en la causa, así como a su derecho.

Leída es hallada conforme y la Firma.

## Diligencia de información de derechos al perjudicado

Órgano de Cumplimiento Normativo de la Entidad...

Expediente número ...

### DILIGENCIA DE INFORMACIÓN DE DERECHOS
### AL OFENDIDO O PERJUDICADO

Nombre y apellidos: ...

DNI/Pasaporte: ...

Domicilio a efectos de notificaciones:

Teléfono:

Lugar y fecha:

Yo, el Instructor del expediente, teniendo en mi presencia a D. le instruyo de los derechos que asisten al perjudicado en todo expediente de cumplimiento interno, a tenor de lo dispuesto en los artículos ... de la política o estrategia del sistema interno de información que son los siguientes:

A) Derecho a mostrarse parte en el proceso como perjudicado, con la posibilidad de nombrar Abogado y/o Procurador que le asistan.

a) Derecho a ejercitar las acciones que procedan. Este derecho deberá de ejercitarse antes del trámite para la calificación de la sanción.

b) Estar informado de todas las actuaciones del expediente.

c) Proponer y practicar pruebas a las del Instructor del expediente.

d) Solicitar sanción y/o indemnizaciones distintas a las pedidas por el Instructor del expediente, para cobrar la indemnización que le corresponda, o recuperar lo que le fue sustraído.

e) Posibilidad de recurrir la resolución si no está conforme con la misma

f) Posibilidad de colaborar en la averiguación de los bienes y propiedades del sancionado, para cobrar la indemnización que le corresponda, o recuperar lo que le fue sustraído.

g) Derecho a renunciar a la restitución de la cosa, reparación del daño e indemnización de perjuicios causados.

B) Aún en el caso de no personarse en la causa y no hacer renuncia ni reserva de acciones, el Instructor del expediente ejercitará, además de las acciones que procedan, aquéllas que correspondan, salvo renuncia expresa por parte del mismo o su representante legal.

Asimismo, y aunque no se persone en el expediente:

Será notificado de las resoluciones que acuerden: resolución por la que se acuerde no iniciar el expediente o la resolución que ponga fin al mismo.

C) Derecho a la traducción e interpretación gratuita de todo perjudicado o perjudicado que no hable o no entienda el castellano o lengua oficial.

D) Derecho a la protección durante la investigación interna en virtud de los artículos 35 y siguientes de la Ley 2/2023, de 20 de febrero, reguladora de la protección de las personas que informen sobre infracciones normativas y de lucha contra la corrupción y en particular las medidas de apoyo, medidas de protección frente a represalias y programas de clemencia previstos en la política o estrategia del sistema interno de información.

E) Derecho al ejercicio de los derechos reconocidos en la legislación sobre protección de datos personales.

En prueba de quedar informado de sus derechos, firma conmigo la presente, haciéndole entrega de copia de la misma.

**Escrito del informante solicitando la notificación de actas u otros documentos relativos a determinadas actuaciones de averiguación o instrucción**

## AL ÓRGANO DE CUMPLIMIENTO NORMATIVO DE ...

D. ..., actuando en nombre y representación propias, con DNI ... y domicilio a efectos de notificaciones en..., en calidad de informante, ante el Órgano de Cumplimiento Normativo comparezco en expediente número ... y como mejor proceda en Derecho, DIGO:

Que habiendo prestado declaración el pasado día ... ante el Órgano de Cumplimiento Normativo al que me dirijo, solicito: Ser notificado de las actas y otros documentos relativos a actuaciones de averiguación o instrucción adoptados en el presente expediente.

En su virtud,

**SOLICITO AL ÓRGANO DE CUMPLIMIENTO NORMATIVO DE ...:** Que tenga por presentado este escrito y acuerde la notificación de las actas y otros documentos relativos a actuaciones de averiguación o instrucción adoptados en el presente expediente.

Lugar, fecha y Firma.

**Escrito de la víctima solicitando poder ser acompañada por letrado o persona del comité de empresa para su toma de declaración ante el Instructor**

## AL ÓRGANO DE CUMPLIMIENTO NORMATIVO DE ...

D. ..., actuando en nombre y representación propias, con DNI ... y domicilio a efectos de notificaciones en..., en calidad de perjudicado, ante el Órgano de Cumplimiento Normativo comparezco en expediente número ... y como mejor proceda en Derecho, DIGO:

Habiendo sido citado para prestar declaración para el día ..., y en aplicación de lo dispuesto en el artículo ... de la política o estrategia del sistema interno de información pongo en conocimiento del Órgano de Cumplimiento Normativo de ... que asistiré a dicha declaración acompañado del Abogado D. ... colegiado número ... del Ilustre Colegio de Abogados de ... o D. ... del comité de empresa.

Por ello,

**SOLICITO AL ÓRGANO DE CUMPLIMIENTO NORMATIVO DE...:** Que tenga por presentado este escrito y tenga por comunicada la asistencia del Abogado D. ... colegiado número ... del Ilustre Colegio de Abogados de ... o D. ... del comité de empresa.

Lugar, fecha y Firma.

## Diligencia de careo

Órgano de Cumplimiento Normativo de la Entidad …

Expediente número …

### CAREO

Lugar y fecha

Ante el Instructor del expediente, comparecen el testigo D. … y el afectado D. … cuyos datos ya constan, al primero de ellos se le hace saber la obligación que tiene de ser veraz, y de las sanciones que la política o estrategia del sistema interno de información sanciona el falso testimonio en un expediente de esta naturaleza.

Instruyendo al afectado nuevamente de los derechos constitucionales que le amparan, manifestando quedar enterado y ser su deseo el prestar declaración, estando asistido en este acto por el Letrado D. … y estando presente la letrada Dña. … que defiende los intereses del perjudicado.

Por el Instructor del expediente se procede a leer las declaraciones de ambos que constan en los folios número … y número … del expediente de investigación. Ambos manifiestan que se afirman y ratifican en el contenido de las mismas.

Por el Instructor del expediente se les manifiesta las discrepancias existentes en los que se refiere a: lo afirmado por el testigo de que el afectado referido a ….

El testigo indica al afectado ….

Por el afectado se niega este extremo.

No habiéndose puesto de acuerdo los careados, se da por finalizada esta diligencia que ha durado … minutos.

Leída es hallada conforme y la firman el Instructor del expediente y los presentes.

## Resolución por la que se acuerda el nombramiento de perito

Órgano de Cumplimiento Normativo de la Entidad…

Expediente número …

Resolución de (lugar y fecha)

D. (Instructor del procedimiento)

A tenor de lo hasta ahora instruido, y a los efectos de lograr un mayor esclarecimiento de los hechos se acuerda la práctica de prueba pericial de D. …, colegiado número … del Colegio de Economistas de …

Póngase esta resolución en conocimiento de las partes.

Lugar, fecha y Firma.

## Citación del perito

Órgano de Cumplimiento Normativo de la Entidad ...

Expediente número ...

Resolución de (lugar y fecha)

D. (Instructor del procedimiento)

Habiendo dictado resolución de fecha ... por la que se nombra como perito a D. ..., cítese a éste, al objeto de jurar su cargo, así como hacerle saber cuál es el objeto de la pericia. Cítese asimismo a las partes personadas para el próximo día ... a las ... horas.

Lugar, fecha y Firma.

## Escrito por el que se recusa al perito

### AL ÓRGANO DE CUMPLIMIENTO NORMATIVO DE LA ENTIDAD ...

D. ... actuando en nombre y representación propias en su calidad de afectado en expediente número ..., ante el Órgano de Cumplimiento Normativo de ... comparezco y como mejor proceda en Derecho, DIGO:

Mediante Resolución de fecha ... se ha notificado a esta parte el nombramiento del perito D... del Colegio Oficial de Economistas de ...

Que vengo a formular recusación del referido perito en base a las siguientes:

### ALEGACIONES

**PRIMERA.-** La recusación se plantea por escrito, y antes de empezar la diligencia pericial, a tenor de lo dispuesto en el artículo ... de la política o estrategia del sistema interno de información.

**SEGUNDA.-** La causa de recusación es la expresada en el artículo ... de la política o estrategia del sistema interno de información, existiendo una enemistad manifiesta con el mismo.

Se aporta expediente disciplinario donde se aprecia la identidad del perito y esta parte como documento número 1°.

En su virtud,

**SOLICITO AL ÓRGANO DE CUMPLIMIENTO NORMATIVO DE ...:** Que tenga por presentado este escrito con los documentos que se acompañan, tenga por solicitada la RECUSACIÓN del perito D. ... y acuerde haber lugar a ella nombrando nuevo perito.

## Comparecencia del perito

Órgano de Cumplimiento Normativo de la Entidad ...

Expediente número ...

### COMPARECENCIA

Ante el Instructor y las partes personadas en el expediente.

COMPARECEN D. ..., arquitecto titulado perteneciente al Ilte. Colegio Oficial de Arquitectos de esta ciudad, y estando presentes las partes personadas en el presente expediente, se procede a prestar juramento o promesa por el primero.

Se le hace saber que el objeto de la pericia es valorar las causas y motivos existentes del ..., para ello se les proporciona todos los materiales y datos de los que se dispone.

Concedida la palabra al perito, por este se manifiesta la necesidad de estudiar detenidamente todos los datos y evacuar informe en el plazo más breve posible.

Por el Instructor del expediente se aceptan estas manifestaciones, dándose el presente acto por concluido y firmando conmigo todos los presentes.

Lugar, fecha y Firma.

## Diligencia citando a las partes y al perito para ratificación del informe pericial

Órgano de Cumplimiento Normativo de la Entidad …

Expediente número …

### DILIGENCIA

El Instructor del expediente.

Habiendo presentado en fecha … informe pericial sobre… mediante la presente se da traslado del mismo a las partes personadas y se cita de comparecencia al perito y las partes, para el próximo día … a las … horas.

Lugar, fecha y Firma.

## Escrito solicitando reconstrucción de los hechos

### AL ÓRGANO DE CUMPLIMIENTO NORMATIVO DE LA ENTIDAD ...

D. ... actuando en nombre y representación propias en calidad de perjudicado en expediente ..., ante el Órgano de Cumplimiento Normativo de ... comparezco y como mejor proceda en Derecho, DIGO:

Que mediante el presente escrito y para el mejor esclarecimiento de los hechos, solicito la práctica de prueba, consistente en que por el Órgano de Cumplimiento Normativo se acuerde la reconstrucción de los hechos, a los efectos de que en el lugar de los mismos y por las personas que allí se encontraba, se clarifiquen las posiciones de cada uno de ellos.

La diligencia de prueba de reconstrucción de los hechos es considerada por la Jurisprudencia y la doctrina como una diligencia de prueba mixta entre el puro reconocimiento judicial y la declaración de testigos, víctima e imputados, así viene calificada entre otras, en la STS de 21 de noviembre de 1983. Consideramos que la práctica de la diligencia solicitada puede esclarecer de manera precisa, las diferentes versiones de los hechos en el presente expediente de investigación.

En su virtud,

**SOLICITO AL ÓRGANO DE CUMPLIMIENTO NORMATIVO DE ...:** Que tenga por presentado este escrito, lo admita y acuerde la práctica de la prueba de reconstrucción de los hechos, con citación de las partes personadas en el presente expediente y testigos, señalado al efecto día y hora para su realización.

Lugar, fecha y Firma.

**Escrito del perjudicado solicitando la práctica de diligencias de averiguación o instrucción**

### AL ÓRGANO DE CUMPLIMIENTO NORMATIVO DE LA ENTIDAD...

D. ... actuando en nombre y representación propias en calidad de perjudicado en expediente ..., ante el Órgano de Cumplimiento Normativo de ... comparezco y como mejor proceda en Derecho, DIGO:

Que habiendo tenido conocimiento de lo hasta ahora actuado en el presente expediente, solicito, a tenor de lo previsto en el artículo ... de la política o estrategia del sistema interno de información, la práctica de las siguientes diligencias de averiguación o instrucción:

1.- Se reciba declaración en calidad de testigo a D. ..., empleado de esta empresa adscrito al departamento de ....

2.- Se reciba declaración en calidad de testigo a D. ..., empleada de esta empresa adscrita al departamento de ....

3.- Que a los efectos de poder acreditar suficientemente cómo acontecieron los hechos que se instruyen, así como el lugar en que se produjeron, se solicita la diligencia de reconstrucción de los mismos.

En su virtud,

**SOLICITO AL INSTRUCTOR DEL EXPEDIENTE:** Que tenga por presentado este escrito, se sirva admitirlo, tenga por propuestos los anteriores medios de averiguación y los admita en su totalidad, indicando lugar, fecha y hora para su celebración y práctica.

Lugar fecha y Firma.

## Escrito impugnando determinadas diligencias de averiguación o instrucción por ilícitas

### AL ÓRGANO DE CUMPLIMIENTO NORMATIVO DE LA ENTIDAD ...

D. ... actuando en nombre y representación propias en calidad de perjudicado en expediente ..., ante el Órgano de Cumplimiento Normativo de ... comparezco y como mejor proceda en Derecho, DIGO:

Que habiendo sido notificado de escrito de fecha ... por la que se admiten los documentos aportados por el informante números ... a ..., ambos inclusive, esta parte entiende que dicha prueba es considerada ilícita en base a las siguientes

### ALEGACIONES

**PRIMERA.–** En escrito del informante de fecha ... se aportan por el ... documentos numerados. Los documentos ... a ... son ....

En los referidos documentos consta ...

**SEGUNDA.–** A tenor de lo anterior, la única posibilidad que se presenta es que el informante del presente expediente haya accedido a dicha información y documentación ilícitamente a través de ...

**TERCERA.–** Los referidos documentos aportados a este expediente se han obtenido por D. ... vulnerando el secreto a las comunicaciones, toda vez que ... sin que se obtuviese consentimiento o autorización de esta parte.

**CUARTA.–** Las pruebas obtenidas ilícitamente son radicalmente nulas e inutilizables en el expediente, como lo es también que, conforme a los artículos 238 y 11.1 LOPJ no surtirán efecto alguno las pruebas logradas directa o indirectamente, violentando derechos y libertades fundamentales y que ello es aplicable en lo que respecta a la aportación de las facturas telefónicas que privativamente se enviaron a esta parte denunciada.

En este sentido se ha pronunciado entre muchas otras la STS 63/1999, de 15 de enero[1].

La prohibición de la prueba constitucionalmente ilícita y de su efecto reflejo pretende otorgar el máximo de protección a los derechos fundamentales constitucionalmente garantizados y, al mismo tiempo, ejercer un efecto disuasorio de conductas anticonstitucionales en los agentes encargados de la investigación criminal.

La prohibición alcanza tanto a la prueba en cuya obtención se haya vulnerado un derecho fundamental como a aquellas otras que, habiéndose obtenido lícitamente, se basan, apoyan o deriven de la anterior, ("directa o indirectamente"), pues sólo de este modo se asegura que la prueba ilícita inicial no surta efecto alguno en el proceso. Prohibir el uso directo de estos medios probatorios y tolerar su aprovechamiento indirecto constituiría una proclamación vacía de

---

[1] Roj:STS 72/1999 - ECLI:ES:TS:1999:72.

contenido efectivo, e incluso una incitación a la utilización de procedimientos inconstitucionales que, indirectamente, surtirían efecto. Los frutos del árbol envenenado deben estar, y están (art. 11.1 LOPJ), jurídicamente contaminados.

El efecto expansivo prevenido en el art. 11.1 LOPJ únicamente faculta para valorar pruebas independientes, es decir que no tengan conexión causal con la ilícitamente practicada, debiéndose poner especial atención en no confundir "prueba diferente" (pero derivada), con "prueba independiente" (sin conexión causal).

En el caso actual, la totalidad de la prueba de cargo practicada procede directa o indirectamente de intromisiones en la intimidad constitucionalmente ilícitas, por lo que procede dictar resolución absolutoria, en virtud del principio de presunción de inocencia.

**QUINTA.–** Esta parte considera que ha de procederse a declarar la nulidad de las pruebas obtenidas con violación del derecho fundamental de D. … al secreto de las comunicaciones, sin que dicho documental pueda ser utilizable en el expediente, si bien esta parte se reserva las acciones pertinentes contra el informante por la obtención de dicha prueba.

En su virtud,

**SOLICITO AL INSTRUCTOR DEL EXPEDIENTE:** Que tenga por presentado este escrito, lo admita y de conformidad con lo expuesto declare la nulidad de las pruebas aportadas por el informante en su escrito de fecha … como documentos números … a … ambos inclusive, por haberse obtenido ilícitamente con vulneración del derecho fundamental al secreto de las comunicaciones del expedientado y procediendo a su inmediata supresión.

Lugar, fecha y Firma.

## Requerimiento del instructor a la persona jurídica/empresa para que concrete su posición con relación a los hechos que son objeto de la averiguación/instrucción

Órgano de Cumplimiento Normativo de la Entidad ...

Número de expediente:

Fecha: ...

### REQUERIMIENTO

### ANTECEDENTES DE HECHO

**PRIMERO.–** En este Órgano en fecha ... ha tenido entrada comunicación de hechos presuntamente irregulares sin que se haya determinado el presunto infractor.

**SEGUNDO.–** En virtud de lo dispuesto en el artículo ... de la política o estrategia del sistema interno de información y del artículo 8 de la Ley 2/2023, de 20 de febrero, reguladora de la protección de las personas que informen sobre infracciones normativas y de lucha contra la corrupción, este órgano tiene la competencia para conocer e investigar los hechos comunicados

**TERCERO.–** Desconociéndose la posición de la persona jurídica con relación a los hechos que son objeto de la instrucción, se dicta el siguiente

### REQUERIMIENTO

**PRIMERO.–** Requerir al representante de la persona jurídica para que, en el plazo de cinco días, concrete su posición con relación a los hechos que son objeto de la instrucción.

**SEGUNDO.–** Que, en el supuesto de no contestar este requerimiento, se le informa que se le tendrá por desistido en el expediente, continuándose su tramitación.

**TERCERO.–** Notifíquese el presente requerimiento a todas las partes personadas en el expediente.

Firma y sello.

**Escrito de alegaciones de la empresa concretando su posición jurídica con relación a la instrucción/averiguación de los hechos que sean objeto de la denuncia/comunicación**

### AL ÓRGANO DE CUMPLIMIENTO NORMATIVO DE LA ENTIDAD ...

D. ... actuando en nombre y representación de la mercantil ... como consta acreditando en expediente ..., ante el Órgano de Cumplimiento Normativo de ... comparezco y como mejor proceda en Derecho, DIGO:

Que habiendo sido requerido en fecha ... para que esta parte concrete su posición jurídica con relación a la instrucción de los hechos objeto de la denuncia/comunicación vengo a formular las siguientes

### ALEGACIONES

**PRIMERA.–** Los valores de mi representada plasmados en su Código Ético obligan a posicionarse siempre en búsqueda de la verdad y del cumplimiento íntegro de las normas que conforman su actividad.

**SEGUNDA.–** Que, respetando en todo momento los principios de presunción de inocencia y defensa del afectado, esta parte se posiciona como acusación particular en el presente expediente.

En su virtud,

**SOLICITO AL INSTRUCTOR DEL EXPEDIENTE:** Que tenga por presentado este escrito, se sirva admitirlo y tenga por concretada la posición jurídica de esta parte como acusación particular.

Lugar fecha y Firma.

**Requerimiento del instructor a la persona jurídica por el que se solicita la determinación de los daños producidos y la valoración económica del importe de los mismos**

Órgano de Cumplimiento Normativo de la Entidad ...

Número de expediente:

Fecha: ...

## REQUERIMIENTO

## ANTECEDENTES DE HECHO

**PRIMERO.–** En este Órgano de Cumplimiento Normativo se están tramitando diligencias de averiguación de los hechos comunicados en fecha ... contra D. ... como presunto infractor.

**SEGUNDO.–** Que, habiéndose ocasionado distintos desperfectos y daños en varios ordenadores y mesas, resulta imprescindible para la valoración de los hechos su determinación y valoración económica. Por lo expuesto,

## ACUERDO

**PRIMERO.–** Requerir al representante de la persona jurídica para que, en el plazo de quince días determine los daños producidos y la valoración económica del importe de los mismos.

**SEGUNDO.–** Que, en el supuesto de no contestar este requerimiento, se le informa que se continuará la tramitación teniendo por cierta la determinación y valoración económica del afectado.

**TERCERO.–** Notifíquese el presente requerimiento a todas las partes personadas en el expediente.

Firma y sello.

**Escrito de alegaciones de la empresa concretando la valoración de los daños y perjuicios producidos con relación a los hechos que son objeto de la instrucción/averiguación**

### AL ÓRGANO DE CUMPLIMIENTO NORMATIVO DE LA ENTIDAD ...

D. ... actuando en nombre y representación de la mercantil ... como consta acreditando en expediente ..., ante el Órgano de Cumplimiento Normativo de ... comparezco y como mejor proceda en Derecho, DIGO:

Que habiendo sido requerido en fecha ... para que esta parte determine los daños producidos y la valoración económica del importe de los mismos, vengo a formular las siguientes

### ALEGACIONES

**PRIMERA.–** Que los daños ocasionados consisten en:

– Tres ordenadores portátiles de la marca ... modelo ...

**SEGUNDA.–** Se aportan facturas de los ordenadores comprados en fecha ... alcanzando la suma de ... Euros (... €).

En su virtud,

**SOLICITO AL INSTRUCTOR DEL EXPEDIENTE:** Que tenga por presentado este escrito, se sirva admitirlo y tenga por determinado y valorado el daño económico en ... Euros (...).

Lugar fecha y Firma.

## Informe pericial general

Emitido a solicitud de ....

Sobre ...

Nombre: ....

Profesión: ...

Índice

Antecedentes

Procesales

Objeto del dictamen

Antecedentes materiales

Metodología

Dictamen

Limitaciones

Conclusiones

Datos de identificación del perito: ...

1. Antecedentes procesales

Este informe se emite con la finalidad de incorporarse al escrito de demanda /o de contestación a la demanda, que presenta el letrado D. ..., miembro del Ilustre Colegio de Abogados de ... con el número ..., en representación de D. ....

2. Objeto del dictamen

Constituye el objeto del presente informe la emisión de un dictamen pericial por el que se dé respuesta a la siguiente cuestión .... Por tanto, se solicita de este perito economista la realización de un dictamen con el fin de ....

3. Antecedentes materiales

Los documentos utilizados en la elaboración de este trabajo han sido: ...

4. Metodología

La metodología aplicada ha consistido en realizar un análisis de ....

5. Dictamen

De todo lo anterior resulta el siguiente Dictamen a tenor de la pregunta plantea- da, para cuya respuesta se ha requerido a este perito, que consiste en ....

6. Limitaciones

No hemos encontrado limitaciones en la realización de nuestro trabajo: ...

Hemos encontrado las siguientes limitaciones: …

7. Conclusiones

Del trabajo realizado, podemos concluir que ….

Cuanto antecede es el resultado del leal saber y entender del perito economista que suscribe, quien somete su opinión a cualquier otra mejor fundada en Economía/Derecho.

El dictamen ha sido emitido con arreglo a los datos aportados por …, haciendo constar que la posible existencia de otros datos podría haber determinado un resultado distinto del expuesto en el dictamen, en cuya elaboración el que suscribe ha puesto su mejor voluntad, buena fe, lealtad y conocimiento.

De acuerdo con lo establecido en el art. 335.2º de la Ley 1/2000, de 7 de enero de Enjuiciamiento Civil aplicado por analogía, este perito jura o promete que cuanto antecede es verdad y que ha actuado y en su caso actuará con la mayor objetividad posible, tomando en consideración tanto lo que pueda favorecer como lo que sea susceptible de causar perjuicio a cualquiera de las partes, y que conoce las sanciones penales en las que podrá incurrir si incumpliere su deber como perito.

El presente dictamen se emite a los únicos efectos de ser utilizado para los fines necesarios en el procedimiento en cuestión, no autorizando su uso para otra finalidad que la prevista en el mismo, salvo expresa autorización del Juez o de quien suscribe.

En, a de … de …


Firmado


Datos de identificación del perito

Dictamen pericial emitido en interés de D. …, que suscribe el perito:

Nombre: …

Profesión: …

D.N.I.: número …

Dirección:…

Teléfono: …

Fax: …

Correo Electrónico: …

Otros datos identificativos: …

## Informe pericial médico

Órgano de Cumplimiento Normativo de la Entidad ...

Expediente número ...

### INFORME MÉDICO

Ante el Instructor del expediente, comparece D. ... facultativo médico colegiado número ... del Colegio de Médicos de ..., quien emite el siguiente

### INFORME MÉDICO

Que ha reconocido a D. ...

D. ... precisó como consecuencia de sus lesiones de una primera asistencia facultativa, con diagnóstico de ...

Ha necesitado para su curación de ... días, permaneciendo incapacitado para su profesión habitual de ... durante ... días y hospitalizado ... días.

Y habiendo quedado las siguientes secuelas: ...

Observaciones: En la actualidad persiste dolor en ...

Leído que le fue, se ratifica y firman los presentes.

## Pericial psicológica

Órgano de Cumplimiento Normativo de la Entidad...

Expediente número ...

### PERICIAL PSICOLÓGICA

Ante el Instructor del expediente, comparece D. ... psicólogo colegiado número ... del Colegio de Médicos de ..., quien emite el siguiente

Que ha reconocido a D. ...

D... no presenta signos de lesión y disfunción cerebral, tiene una capacidad intelectual dentro del promedio, es una persona inestable emocionalmente, con un tipo de sistema nervioso fuerte – desequilibrado, por ello es impulsivo, agresivo violento, posee baja autoestima, es inseguro y hermético frente a su comportamiento, no mantiene buenas relaciones interpersonales, es despreocupado en sus labores profesionales.

Como tratamiento precisa de psicoterapia individual, terapia de relajación, modificación de la conducta y psicoterapia de apoyo.

Observaciones: Se valora positivamente cambio a un puesto de trabajo independiente, sin relaciones con compañeros.

Leído que le fue, se ratifica y firman los presentes.

**Escrito del afectado alegando la existencia de obligaciones legales o contractuales (cláusulas de fidelidad, cláusulas de confidencialidad y no publicidad, etc.) a no revelar la información solicitada**

### AL ÓRGANO DE CUMPLIMIENTO DE LA ENTIDAD ...

D..., actuando en nombre y representación propios en calidad de afectado en expediente número ..., comparezco y como mejor proceda en Derecho, DIGO:

Que habiendo sido notificado en fecha ... por la que se requiere a esta parte que aporte cierta documentación que hace mención la comunicación promotora del presente expediente, vengo a formular las siguientes

### ALEGACIONES

**PRIMERA.-** En requerimiento de fecha ... se notifica a esta parte de la necesidad de aportar documentación relativa a la *due diligence* realizada a la mercantil ... con objeto de su absorción.

**SEGUNDA.-** Que esta parte se encuentra obligada mediante obligación contractual a la confidencialidad de los datos obrantes en el expediente expuesto en el anterior numeral.

Se aporta contrato con cláusula de confidencialidad como documento número 1°.

En su virtud,

**SOLICITO AL ÓRGANO DE CUMPLIMIENTO NORMATIVO:** Que habiendo por presentado este escrito con el documento que se acompaña, lo admita, y acuerde la no aportación de la documental requerida en fecha ...

Lugar, fecha y Firma.

## Resolución del instructor rechazando las obligaciones legales o contractuales (cláusulas de fidelidad, cláusulas de confidencialidad y no publicidad, etc.) para no revelar la información solicitada

Órgano de Cumplimiento Normativo de la Entidad ...

Número de expediente:

Fecha: ...

### RESOLUCIÓN

En este Órgano ha tenido entrada en fecha ... escrito de alegaciones del afectado por el que se solicita la no aportación de los documentos requeridos en fecha ... Ello en base a los siguientes

### ANTECEDENTES DE HECHO

**PRIMERO.–** El afectado participó en la operación de absorción de la mercantil ... por la empresa ... formalizando cláusula de confidencialidad de la susodicha operación.

**SEGUNDO.–** El artículo ... de la política o estrategia del sistema interno de información establece que el órgano de cumplimiento de ... tiene la autoridad para solicitar cualquier tipo de documentación obrante en la mercantil, así como aquélla de su personal relativa a los servicios en la misma.

**TERCERO.–** La cláusula de confidencialidad alegada por el afectado tiene su ámbito objetivo en personal ajeno a la empresa, así como a empleados que carezcan de competencia sobre el referido expediente, sin que en ningún caso pueda referirse al Órgano de Cumplimiento Normativo.

### RESUELVO

**PRIMERO.–** Rechazar la alegación del afectado que solicitaba no aportar la documentación obrante en su poder referida a la operación de absorción de la empresa ...

**SEGUNDO.–** Requiérase al afectado para que en el plazo de diez días aporte la documentación contenida en requerimiento de fecha ...

**TERCERO.–** Advertir que, de no aportar la documentación requerida, podría incurrir en una infracción leve prevista en el artículo 63.3.b) de la Ley 2/2023, de 20 de febrero, reguladora de la protección de las personas que informen sobre infracciones normativas y de lucha contra la corrupción.

Firma y sello.

## Resolución del Instructor sobre reconocimiento del derecho a la protección del informante

Órgano de Cumplimiento Normativo de la Entidad …

Número de expediente:

Fecha: …

### RESOLUCIÓN

En este Órgano ha tenido entrada en fecha … escrito de alegaciones del informante por el que se solicita su protección en la presente investigación en base a los siguientes

### ANTECEDENTES DE HECHO

**PRIMERO.–** El informante comunicó mediante escrito de fecha … las presuntas irregularidades investigadas en el presente expediente.

**SEGUNDO.–** Que en la comunicación existen indicios razonables para pensar que la información referida es veraz.

**TERCERO.–** Que se han cumplido los requerimientos previstos tanto en la Ley 2/2023, de 20 de febrero, reguladora de la protección de las personas que informen sobre infracciones normativas y de lucha contra la corrupción como en la política o estrategia del sistema interno de información. En su virtud,

### RESUELVO

**PRIMERO.–** Reconocer la protección al informante en el presente expediente en los términos previstos en la Ley 2/2023, de 20 de febrero, reguladora de la protección de las personas que informen sobre infracciones normativas y de lucha contra la corrupción, así como en la política o estrategia del sistema interno de información.

**SEGUNDO.–** Notifíquese esta resolución a las partes.

Firma y sello.

## Diligencia de información al afectado del estado de las diligencias de instrucción y/o investigación

Órgano de Cumplimiento Normativo de la Entidad ...

Número de expediente:

Fecha: ...

Visto por el Instructor del expediente escrito del afectado por la información por el que solicita información del estado de las diligencias de instrucción le notifico

### DILIGENCIA DE INFORMACIÓN

**PRIMERO.–** En este Órgano se está tramitando expediente de investigación incoado mediante resolución de fecha ... dirigido contra Ud. en calidad de afectado por una supuesta ....

**SEGUNDO.–** Que, a la fecha actual, el expediente se encuentra en fase de instrucción, habiéndose practicado las pruebas siguientes:

– Documental aportada por departamento de recursos humanos.

– Declaración del afectado.

– Declaración de testigo.

**TERCERO.–** En aplicación de lo dispuesto en el artículo 9.2.f) de la Ley 2/2023, de 20 de febrero, reguladora de la protección de las personas que informen sobre infracciones normativas y de lucha contra la corrupción, se comunica el estado de las diligencias de instrucción al afectado a los efectos que estimen oportunos.

Firma y sello.

## Diligencia de preclusión del plazo de averiguación y/o instrucción

Órgano de Cumplimiento Normativo de la Entidad ...

Número de expediente:

Fecha: ...

### DILIGENCIA

**PRIMERO.–** En este Órgano se está tramitando expediente de investigación incoado mediante resolución de fecha ... dirigido contra D. ... en calidad de afectado.

**SEGUNDO.–** Que ha transcurrido el plazo de tres meses previsto en el artículo 9.2.d) de la Ley 2/2023, de 20 de febrero, reguladora de la protección de las personas que informen sobre infracciones normativas y de lucha contra la corrupción sin que se haya determinado la complejidad del expediente.

**TERCERO.–** Procede declarar la preclusión del plazo de instrucción del presente expediente.

**CUARTO.–** Que no habiéndose determinado la persona que ha cometido los hechos irregulares, procede el archivo del expediente.

**QUINTO.–** Notifíquese esta resolución a las partes personadas.

Firma y sello.

## Resolución del Instructor acordando la prórroga del periodo de instrucción/investigación del expediente

Órgano de Cumplimiento Normativo de la Entidad ...

Número de expediente:

Fecha: ...

### RESOLUCIÓN

### ANTECEDENTES DE HECHO

**PRIMERO.–** En este Órgano se está tramitando expediente de investigación incoado mediante resolución de fecha ... dirigido contra D. ... en calidad de afectado.

**SEGUNDO.–** Que en fecha ... se dictó resolución por la que se declaraba el expediente de especial complejidad.

**TERCERO.–** Que a fecha de la firma de la presente resolución concluye el plazo de tres meses legalmente establecido para la conclusión del expediente.

**CUARTO.–** Que en atención a lo dispuesto en el artículo 9.2.d) de la Ley 2/2023, de 20 de febrero, reguladora de la protección de las personas que informen sobre infracciones normativas y de lucha contra la corrupción procede la prórroga por tres meses adicionales del presente expediente interno de investigación debido a su especial complejidad. En su virtud,

### RESUELVO

**PRIMERO.–** Prorrogar el presente expediente por tres meses adicionales debido a su especial complejidad.

**SEGUNDO.–** Notifíquese esta resolución a las partes personadas.

Firma y sello.

## Escrito de conclusiones del instructor y propuesta de resolución

Órgano de Cumplimiento Normativo de la Entidad ...

Número de expediente:

Fecha: ...

### PROPUESTA DE RESOLUCIÓN

VISTO el procedimiento sancionador relativo al expediente número ..., iniciado mediante comunicación anónima de fecha ... por presunta infracción consistente en ... contra el afectado D. ..., y teniendo en consideración los siguientes:

### ANTECEDENTES DE HECHO

**PRIMERO.–** Notificado a los interesados el acuerdo de fecha ..., sobre incoación del expediente de investigación, se presentó escrito de alegaciones por parte del afectado solicitando la inexistencia de la infracción o responsabilidad presuntamente imputada y, en consecuencia, el archivo de las actuaciones.

**SEGUNDO.–** En síntesis, el presunto responsable por los hechos objeto del expediente de investigación manifestó:

a) ...

b) ...

c) ...

**TERCERO.–** A la vista de las actuaciones practicadas resultan probados los siguientes hechos:

a) ...

b) ...

c) ...

A los anteriores hechos les son de aplicación los siguientes

### FUNDAMENTOS DE DERECHO

**PRIMERO.–** Los hechos declarados anteriormente probados, son constitutivos de una infracción disciplinaria muy grave, prevista en el artículo ... de la Ley 2/2023, de 20 de febrero, reguladora de la protección de las personas que informen sobre infracciones normativas y de lucha contra la corrupción y tipificada con sanción de ...

**SEGUNDO.–** De la infracción cometida aparece como sujeto responsable D. ...

**TERCERO.–** De acuerdo a lo previsto en el artículo ... del Convenio colectivo de ... y en el artículo 54.2.d) del Real Decreto Legislativo 2/2015, de 23 de octubre, por el que se aprueba el texto refundido de la Ley del Estatuto de los Trabajadores, procede la imposición de la sanción consistente en el despido disciplinario de D. ...

**CUARTO.–** Corresponde a ..., adoptar la resolución definitiva del presente expediente, conforme a lo establecido en el artículo ... de ...

Por todo lo que antecede, y en su virtud, se formula la siguiente,

## PROPUESTA DE RESOLUCIÓN

**PRIMERO.–** Se propone imponer a D. ..., la sanción consistente en despido disciplinario por la comisión de la infracción objeto del presente expediente.

**SEGUNDO.–** Dar traslado del expediente al afectado concediéndoles a los interesados un plazo de quince días para que puedan formular las alegaciones y presentar los documentos que estimen pertinentes.

Transcurrido el plazo de quince días señalado, la presente propuesta de resolución se cursará inmediatamente al órgano competente para resolver el expediente, junto con todos los documentos, alegaciones e informaciones que obren en el mismo.

Firma y sello.

## Comunicación a los representantes de los trabajadores del estado de las diligencias de instrucción/ investigación

Órgano de Cumplimiento Normativo de la Entidad...

Número de expediente:

Fecha: ...

### COMUNICACIÓN

**PRIMERO.–** En este Órgano se está tramitando expediente de investigación incoado mediante resolución de fecha ... dirigido contra D. ... en calidad de afectado por una supuesta ...

**SEGUNDO.–** Que, a la fecha actual, el expediente se encuentra en fase de instrucción, habiéndose practicado las pruebas siguientes:

– Documental aportada por departamento de recursos humanos.

– Declaración del afectado.

– Declaración de testigo.

**TERCERO.–** Se comunica el estado de las diligencias de investigación a los representantes de los trabajadores a los efectos que estimen oportunos.

Firma y sello.

## Comunicación a los representantes de los trabajadores de la propuesta de resolución del Instructor

Órgano de Cumplimiento Normativo de la Entidad …

Número de expediente:

Fecha: …

### COMUNICACIÓN

**PRIMERO.–** En este Órgano se está tramitando expediente de investigación incoado mediante resolución de fecha … dirigido contra D. … en calidad de afectado por una supuesta …

**SEGUNDO.–** Que en el citado expediente se ha propuesto una sanción disciplinaria consistente en una falta muy grave prevista en el artículo … de … con una sanción aparejada de …

**TERCERO.–** Se acompaña a la presente comunicación propuesta de resolución dictada por el instructor del expediente de investigación.

**CUARTO.–** Se comunica el estado de las diligencias de investigación a los representantes de los trabajadores a los efectos que estimen oportunos.

Firma y sello.

# 3. FORMULARIOS VINCULADOS A LA ACTUACIÓN DEL COMITÉ ÉTICO

## Recusación de algún miembro del Comité Ético

### AL COMITÉ ÉTICO DE ...

D. ... actuando en nombre y representación propias en calidad de perjudicado en expediente ..., ante el Órgano de Cumplimiento Normativo de ... comparezco y como mejor proceda en Derecho, DIGO:

Que habiéndose notificado en fecha ... propuesta de resolución del Órgano de Cumplimiento Normativo por la que propone el despido de esta parte y se da traslado del expediente al Comité Ético, promuevo la RECUSACIÓN del miembro D. ... del Comité Ético de ... y ello en base a la siguiente

### ALEGACIÓN

**ÚNICA.–** Esta parte interpuso querella por un supuesto delito de ... contra D. ..., con lo que será de aplicación analógica lo previsto en el artículo 219.4 LOPJ, así como lo dispuesto en el apartado 9 del mismo precepto, relativo a enemistad manifiesta con la aludida persona.

Se acompaña copia de la querella como documento número 1° debidamente sellada por el Juzgado de Guardia.

En su virtud,

**SOLICITO AL COMITÉ ÉTICO DE ...:** Que tenga por presentado este escrito con el documento que se acompaña, lo admita y tenga por promovido incidente de RECUSACIÓN contra D. ..., y tras los trámites oportunos designe miembro del Comité Ético diferente para resolver los hechos comunicados.

Lugar, fecha y Firma.

## Comunicaciones vinculadas a la recusación de cualquier miembro del Comité Ético

Comité Ético de …

Número de expediente:

Fecha: …

### COMUNICACIÓN

**PRIMERO.-** En este Comité Ético se está tramitando expediente de recusación, incoado mediante admisión de incidente de recusación de fecha …… dirigido contra D. … en calidad de miembro del Comité Ético.

**SEGUNDO.-** Que en el citado expediente y hasta la fecha no se ha producido la abstención voluntaria.

**TERCERO.-** Conforme se determina en el ordinal anterior, por este Comité Ético se acuerda la suspensión del procedimiento hasta que se resuelva el mismo.

Firma y sello.

## Cédula de citación y convocatoria ante el Comité Ético

Comité Ético de la Entidad ...

Número de expediente:

Fecha: ...

### CITACION Y CONVOCATORIA

Por haberse así acordado en resolución de fecha ... dictada en el procedimiento arriba referenciado, deberá comparecer ante este Comité Ético en el lugar habilitado al efecto a fin de prestar declaración en calidad de afectado.

Se le hace saber que tiene el derecho de comparecer asistido de Abogado.

Se le apercibe que de no comparecer se tendrá por realizado el presente acto salvo que acredite justa causa que lo impida procediéndose a señalar nueva fecha al efecto.

Y para que sirva de citación a la persona cuyo nombre y dirección consta al pie de la presente, extiendo esta cédula en ..., a ... de ... de ...

Firma y sello.

**Escrito del Comité Ético al instructor solicitando cualquier aclaración a su propuesta de Resolución**

Comité Ético de la Entidad...

Número de expediente:

Fecha: ...

## ACLARACIÓN PROPUESTA DE RESOLUCIÓN

Habiendo recibido expediente de irregularidades iniciado mediante comunicación de fecha ..., concluido mediante propuesta de resolución de fecha ... por la que se propone sancionar al afectado con ... se realizan las siguientes manifestaciones:

**PRIMERA.–** Del expediente remitido, solamente consta a este Comité Ético la práctica de prueba consistente en la comunicación inicial. No consta declaración del afectado, ratificación de los hechos por el informante, testificales o documental adicional a la antedicha denuncia.

**SEGUNDA.–** A la vista de la propuesta de resolución remitida en consonancia con el escaso acervo probatorio obrante en el expediente hace suponer a este Comité Ético que se ha extraviado dicha documentación.

**TERCERA.–** Que, en caso contrario, este Comité Ético requiere al instructor del presente expediente aclare la propuesta de sanción consistente en ... de forma que se pruebe de manera suficiente la culpabilidad del afectado.

En su virtud,

**SOLICITO AL INSTRUCTOR DEL EXPEDIENTE:** Que habiendo por presentado este escrito, tenga a bien admitirlo y aclare su propuesta de resolución emitida.

Lugar, fecha y Firma.

## Resolución del Comité Ético

Comité Ético de ...

Número de expediente:

Fecha: ...

### RESOLUCIÓN

VISTO el procedimiento sancionador relativo al expediente número ..., iniciado mediante comunicación anónima de fecha ... por presunta infracción consistente en ... contra el afectado D. ..., y teniendo en consideración los siguientes:

### ANTECEDENTES DE HECHO

**PRIMERO.–** Notificado a los interesados el acuerdo de fecha ..., sobre incoación del expediente de investigación, se presentó escrito de alegaciones por el afectado en el que terminaba solicitando la inexistencia de la infracción o responsabilidad presuntamente imputada y, en consecuencia, el archivo de las actuaciones.

**SEGUNDO.–** En síntesis, el afectado por los hechos objeto del expediente de investigación manifestó:

a) ...

b) ...

c) ...

TERCERO. A la vista de las actuaciones practicadas resultan probados los siguientes hechos:

a) ...

b) ...

c) ...

A los anteriores hechos les son de aplicación los siguientes

### FUNDAMENTOS DE DERECHO

**PRIMERO.–** Los hechos declarados anteriormente probados, son constitutivos de una infracción disciplinaria muy grave, prevista en el artículo ... de ..., y tipificada con sanción de ...

**SEGUNDO.–** De la infracción cometida aparece como sujeto responsable D. ...

**TERCERO.–** De acuerdo con lo previsto en el artículo ... de ..., en el artículo ... del Convenio colectivo de ... y en el artículo 54.2.d) del Real Decreto Legislativo 2/2015, de 23 de octubre, por el que se aprueba el texto refundido de la Ley del Estatuto de los Trabajadores, procede la imposición de la sanción consistente en ... contra D. ...

Por todo lo que antecede, y en su virtud, se formula la siguiente,

## RESOLUCIÓN

Imponer a D. ..., la sanción consistente en ... por la comisión de la infracción objeto del presente expediente.

Firma y sello.

## Notificación de la resolución del Comité Ético al informante

Comité Ético de la Entidad ...

Número de expediente:

Fecha: ...

### NOTIFICACIÓN

**PRIMERO.-** En este Comité Ético se ha tramitado expediente de infracción por una supuesta ... iniciado a su instancia mediante comunicación de fecha ... de ...

**SEGUNDO.-** Que en el citado expediente se ha acordado una sanción disciplinaria consistente en ... prevista en el artículo ... de ... con una sanción aparejada de ... contra D. ...

**TERCERO.-** Se notifica la resolución acordada a los efectos oportunos.

Firma y sello.

## Notificación de la resolución del Comité Ético al afectado

Comité Ético de la Entidad ...

Número de expediente:

Fecha: ...

### NOTIFICACIÓN

**PRIMERO.-** En este Comité Ético se ha tramitado expediente de infracción por una supuesta ... iniciado mediante comunicación anónima de fecha ... de ...

**SEGUNDO.-** Que en el citado expediente se ha acordado una sanción disciplinaria consistente en ... prevista en el artículo ... de ... con una sanción aparejada de ... contra Ud.

**TERCERO.-** Se notifica la resolución acordada a los efectos oportunos.

Firma y sello.

## Resolución del Comité Ético cuando el informante haya obtenido la información y/o los documentos mediante la comisión de una infracción penal

Comité Ético de la Entidad ...

Número de expediente:

Fecha: ...

### RESOLUCIÓN

Visto el procedimiento sancionador relativo al expediente número ..., iniciado mediante comunicación de fecha ... por presunta infracción consistente en ... contra el afectado D. ..., y teniendo en consideración los siguientes:

### ANTECEDENTES DE HECHO

**PRIMERO.–** Notificado a los interesados el acuerdo de fecha ..., sobre incoación del expediente de investigación, se presentaron escritos de alegaciones en los que tras alegar lo que tuvieron por conveniente, terminaban solicitando la inexistencia de la infracción o responsabilidad presuntamente imputada y, en consecuencia, el archivo de las actuaciones.

**SEGUNDO.–** En síntesis, el afectado manifiesta que, por las características del puesto laboral del informante, es imposible que haya tenido acceso a la información consistente en ... y aportada como documentos número ... en la comunicación inicial.

**TERCERO.–** A la vista de las alegaciones realizadas por el afectado en su declaración de fecha ... y en escrito de alegaciones de fecha ... se investiga la procedencia de la información obrante en el presente expediente.

**CUARTO.–** Que el domingo día ... de ... se observa a través de las cámaras de videovigilancia cómo el informante accede sin que conste ningún tipo de autorización al despacho del afectado extrayendo documentos procediendo a su copia en la fotocopiadora donde consta registro de su actividad.

**QUINTO.–** A la vista de las actuaciones practicadas resultan probados los siguientes hechos:

a) El afectado ha tenido acceso a la información contenida en la comunicación promotora del presente expediente como él mismo reconoce.

b) Que dicha documentación fue sustraída por el informante en fecha ... procediendo a su copia para su incorporación a la comunicación que da inicio al presente expediente.

A los anteriores hechos les son de aplicación los siguientes

## FUNDAMENTOS DE DERECHO

**PRIMERO.–** El artículo 11.1 LOPJ dispone que "En todo tipo de procedimiento se respetarán las reglas de la buena fe. No surtirán efecto las pruebas obtenidas, directa o indirectamente, violentando los derechos o libertades fundamentales".

Dado que la documentación aportada junto con la comunicación consiste en la información privilegiada que obraba en poder del afectado y se tuvo acceso a la misma de forma violenta, desautorizada y vulnerando el derecho a la intimidad del afectado, procede su inadmisión como prueba al presente expediente.

**SEGUNDO.–** El artículo … de la política o estrategia del sistema interno de información, así como la aplicación analógica del artículo 20.2°.a) de la Ley 2/2023, de 20 de febrero, reguladora de la protección de las personas que informen sobre infracciones normativas y de lucha contra la corrupción establece el archivo del expediente y la retirada de la protección al informante prevista en dicha Ley cuando la comunicación debiera haber sido inadmitida por concurrir alguna de las causas previstas en el artículo 18.2.a).

**TERCERO.–** El artículo 9.2°.j) de la Ley 2/2023, de 20 de febrero, reguladora de la protección de las personas que informen sobre infracciones normativas y de lucha contra la corrupción establece la remisión de la información al Ministerio Fiscal con carácter inmediato cuando los hechos pudieran ser indiciariamente constitutivos de delito.

**CUARTO.–** El artículo 38.2° de la Ley 2/2023, de 20 de febrero, reguladora de la protección de las personas que informen sobre infracciones normativas y de lucha contra la corrupción permite la responsabilidad de los informantes cuando la adquisición o acceso de la información comunicada constituya delito.

Por todo lo que antecede, y en su virtud, se formula la siguiente,

## RESOLUCIÓN

**PRIMERO.–** Dar inmediato traslado al Ministerio Fiscal del presente expediente por la existencia de indicios de la comisión de un delito.

**SEGUNDO.–** Corresponde el archivo del presente expediente.

**TERCERO.–** Retirar las medidas de protección al informante.

**CUARTO.–** Notificar de la presente resolución a las partes personadas en el presente expediente.

Firma y sello.

## Comunicación a los representantes de los trabajadores de la resolución del Comité Ético

Comité Ético de la Entidad …

Número de expediente:

Fecha: …

### COMUNICACIÓN

**PRIMERO.–** En este Comité Ético se ha tramitado expediente de infracción por una supuesta entrada en la intranet y utilizando fraudulentamente sus claves iniciados mediante comunicación anónima de fecha … de …

**SEGUNDO.–** Que en el citado expediente se ha acordado una sanción disciplinaria consistente en una falta muy grave prevista en el artículo … de … con una sanción aparejada de suspensión de empleo y sueldo por un periodo de 16 días.

**TERCERO.–** Se notifica la resolución acordada a los efectos oportunos.

Firma y sello.

# B) FORMULARIOS CANAL INTERNO DE INFORMACIÓN SEGÚN LA LEY 2/2023, DE 20 DE FEBRERO, REGULADORA DE LA PROTECCIÓN DE LAS PERSONAS QUE INFORMEN SOBRE INFRACCIONES NORMATIVAS Y DE LUCHA CONTRA LA CORRUPCIÓN

## Política de funcionamiento del Canal de Comunicaciones

### ÍNDICE

1. INTRODUCCIÓN.
2. ÁMBITO SUBJETIVO DEL CANAL DE COMUNICACIONES.
   2.1. ¿Quiénes deben llevar a cabo informaciones a través del Canal de Comunicaciones?
   2.2. ¿Quiénes pueden ser afectados a través del Canal de Comunicaciones?
3. ÁMBITO OBJETIVO DEL CANAL DE COMUNICACIONES.
   3.1. ¿Qué tipo de irregularidades pueden ser objeto de comunicación?
4. PRINCIPIOS GENERALES
   4.1. Protección de la identidad del informante
   4.2. Protección de los informantes
   4.3. Prohibición de represalias
   4.4. La protección de terceros en el procedimiento
   4.5. El asesoramiento al informante
   4.6. Las obligaciones legales o contractuales como causa de inadmisión de comunicaciones
   4.7. La inmunidad del informante
   4.8. La tutela de la privacidad en el Canal de Comunicaciones
   4.9. La protección de los representantes de los trabajadores
   4.10. Existencia y gestión del conflicto de intereses
5. MEDIOS PARA LA REALIZACIÓN DE LAS COMUNICACIONES.
6. TRAMITACIÓN DE COMUNICACIONES.
   6.1. Recepción de la comunicación
   6.2. Tramitación de la comunicación que afecte al Modelo de Cumplimiento
   6.3. Notificación de las actuaciones al informante
   6.4. Revisión judicial de los hechos objetos de la comunicación
   6.5. Subsanación del contenido de las comunicaciones
   6.6. Inadmisión de la comunicación

6.7. La realización de las comunicaciones de las actuaciones al afectado
7. PROCEDIMIENTO
   7.1. Designación del instructor
   7.2. Diligencias de investigación
   7.3. Plazo de la investigación y de formulación de propuesta de resolución
   7.4. Deber de cooperación
   7.5. Propuesta de resolución
   7.6. Ejecución de la sanción o medidas que procedan en cada caso
   7.7. La protección de datos en el Canal de Cumplimiento Normativo. La Cláusula informativa sobre protección de datos de carácter persona
   7.8. Principio de proporcionalidad
   7.9. Medidas de seguridad y confidencialidad
8. COMUNICACIÓN DE LA PRESENTE POLÍTICA
9. LA OBLIGACIÓN DE REPORTE DEL ÓRGANO DE CUMPLIMIENTO NORMATIVO
10. ACTUALIZACIÓN Y REVISIÓN DE LA POLÍTICA

ANEXO
Anexo 1. CONDUCTAS COMUNICABLES A TRAVÉS DEL CANAL DE COMUNICACIONES
Anexo 2. FORMULARIO DE CITACION AL AFECTADO

## 1. INTRODUCCIÓN

La presente Política de uso del Canal de Comunicaciones dimana del Código Ético establecido por la Empresa ......................................... (en adelante "La Empresa"), el cual reconoce los valores, principios y pautas éticas y de conducta que conforman la cultura organizacional de la misma, constituyendo éstos el reflejo de lo que debe ser el comportamiento de todas las personas sujetas a la autoridad y control de la Fundación sin excepción alguna. La legislación actual (artículo 31 bis y concordantes de la L.O. 1/2015 y 1/2019 de modificación del Código Penal), la Directiva UE 2019/1937 del Parlamento Europeo y del Consejo, de 23 de octubre de 2019, relativa a la protección de las personas que informen sobre infracciones del Derecho de la Unión Europea, y la Ley 2/2023 de 20 de febrero, reguladora de la protección de las personas que informen sobre infracciones normativas y de lucha contra la corrupción, dentro del esquema de establecer una verdadera cultura ética y de cumplimiento, así como de un Modelo de Cumplimiento para la prevención, detección y reacción ante delitos, establece como uno de los requisitos de dicho Modelo, la obligación de informar de posibles riesgos, infracciones e incumplimientos al Compliance Officer. Establecen que estos mecanismos de detección de incumplimientos constituyen un elemento esencial de la validez del Modelo.

## 2. ÁMBITO DEL CANAL DE COMUNICACIONES

### 2.1. ¿Quiénes deben llevar a cabo informaciones a través del Canal de Comunicaciones?

Todos los directivos y empleados, con independencia de cuál sea la modalidad jurídica que determine su relación laboral o de servicios, voluntarios, proveedores, patrocinadores, colaboradores, agentes, miembros de los diferentes órganos colegiados de la Fundación deberán comunicar, a través del Canal de Comunicaciones, cualquier irregularidad o incumplimiento de los que tengan conocimiento y que estén incluidos en su ámbito objetivo, sin el temor a ser objeto de despido, o de cualquier otro tipo de represalia, y, con la seguridad de que la información proporcionada será tratada con la más absoluta confidencialidad.

### 2.2. ¿Quiénes pueden ser afectados a través de las comunicaciones derivadas del Canal de Comunicaciones?

Tienen la capacidad de ser afectadas, todas aquellas personas que estén sujetas o vinculadas a la autoridad y control de la Fundación, sobre la base de una relación de índole laboral o mercantil, y que actúen por cuenta y en beneficio de la misma, que hayan cometido alguna irregularidad o conducta de las previstas en el ámbito objetivo que se detalla a continuación. En este sentido, a modo de ejemplo, pueden ser afectados: los directivos y los empleados, los colaboradores y los proveedores, y cualquier otra persona vinculada al Modelo de Cumplimiento Normativo de la Empresa.

## 3. ÁMBITO OBJETIVO

### 3.1. ¿Qué tipo de irregularidades pueden ser objeto de comunicación?

El ámbito objetivo de aplicación del Canal de Comunicaciones abarca todas aquellas conductas que vulneren la normativa interna de la Empresa, sus políticas, el Código Ético y especialmente aquellas:

a) Que se encuentren tipificadas como constitutivas de delito en el Código Penal.

b) Que supongan una infracción de carácter administrativa.

c) Que puedan atribuir responsabilidad o cualquier clase de perjuicio, o descredito a la Empresa.

d) Cualquier información, conocimiento, experiencia, o cualquier otra circunstancia que la persona sujeta o vinculada, considere oportuno o conveniente poner en conocimiento de la Empresa por tener relación directa con asuntos éticos de la gestión interna de la Fundación y/o de cumplimiento normativo.

Estas acciones o conductas tienen que ser atribuibles a cualquier persona, Empresa o entidad vinculada a la Empresa. Consecuentemente con ello, el Canal de Comunicaciones puede ser utilizado por todos los directivos y empleados, con independencia de cuál sea la modalidad jurídica que determine su relación laboral o de servicios, los proveedores, los patrocinadores, los colaboradores, los agentes, y los miembros de los diferentes órganos colegiados de la Empresa, quienes deberán comunicar, a través del Canal de Comunicaciones, cualquier irregularidad o incumplimiento de los que tengan conocimiento y que esté incluido en su ámbito objetivo. Igualmente, se facilita este Canal para poder formular cualquier consulta de tipo ético a la Empresa, con relación a los valores, principios, normas o criterios contenidos en su Código de Cumplimiento Normativo, o cualquier otra normativa interna de la misma.

## 4. PRINCIPIOS GENERALES

### 4.1. Protección de la identidad del informante

La Empresa pretende garantizar la máxima protección en el funcionamiento del Canal de Comunicaciones, principalmente al informante, pero también a todos sus empleados y demás personas vinculadas de con la misma, con independencia de la categoría laboral que tengan, o las funciones que desempeñen en el seno de la Empresa, especialmente en lo que atañe a la confidencialidad. Como medida para garantizar dicha confidencialidad se hace constar expresamente que el ejercicio del derecho de acceso por parte del afectado no supone, en ningún caso, el acceso a los datos relativos a la identidad del informante. Las personas que excepcionalmente, por necesidades imperativas para la investigación y decisión, tengan conocimiento de las comunicaciones que se realicen a través del Canal de Comunicaciones están obligadas a guardar secreto profesional sobre los datos de la persona informante, en particular los relativos a su identidad. No obstante, lo anterior la protección de la confidencialidad del informante o de terceros no se aplicará cuando se haya revelado por los mismos de manera intencionada su identidad en el contexto de una revelación pública.

### 4.2. Protección de los informantes

Para gozar de protección, los informantes deben creer razonablemente, a la luz de las circunstancias y de la información de que dispongan en el momento de la comunicación, que los hechos que se comunican son ciertos. Se trata de una salvaguardia esencial contra comunicaciones malintencionadas, frívolas o abusivas, que garantiza que quienes, en el momento de comunicar, comuniquen deliberada y conscientemente información incorrecta o engañosa no gocen de protección. Al mismo tiempo, dicha protección no se perderá cuando el informante comunique información inexacta por error cometido de buena fe. En cualquiera de los casos, los motivos del informante para llevar a cabo su comunicación son irrelevantes con relación al buen funcionamiento del Canal. Se concede también protección a las personas que no aporten pruebas concluyentes pero que planteen dudas o sospechas razonables sobre los hechos afectados. La protección del informante se facilitará frente a las represalias tomadas contra la persona jurídica de la que el informante sea propietario, para la que trabaje o con la que esté relacionado de otra forma en un contexto laboral, como la denegación de prestación de servicios, o de cualquier otra práctica análoga. Asimismo, las represalias indirectas incluirán las medidas adoptadas contra los compañeros o familiares del informante que también mantengan una relación laboral con la Empresa.

### 4.3. Prohibición de represalias y medidas de apoyo y protección al informante

Por el término «represalia» se expresa la estrecha relación (de causa y efecto) que debe existir entre la comunicación y el trato desfavorable sufrido, directa o indirectamente, por el informante, de modo que dicha persona pueda gozar de protección jurídica. Por ello, aquellas personas que de buena fe comuniquen la presunta comisión de una conducta comprendida en el ámbito objetivo de aplicación del Canal de Comunicaciones estarán protegidos frente a cualquier tipo de represalia, discriminación y penalización por motivo de las comunicaciones realizadas.

La prohibición de represalias prevista en el párrafo anterior no impedirá la adopción de las correspondientes medidas disciplinarias que sean procedentes, cuando la investigación interna determine que la comunicación realizada es falsa, y, que la persona que la ha realizado es consciente de su falsedad.

La Empresa velará activamente por la aplicación de las medidas de apoyo y de protección al informante, de acuerdo con las circunstancias concurrentes en cada momento,

### 4.4. La protección de los afectados y de los terceros en el procedimiento

Los procedimientos vinculados al Canal de Comunicaciones deben posibilitar la protección de la identidad de las personas afectadas y/o de los terceros a que se refiera la comunicación (por ejemplo, testigos, etc.) en todas las fases del procedimiento. Las personas que revelen directa y públicamente infracciones también recibirán la correspondiente protección, siempre que a juicio del órgano de cumplimiento normativo existan motivos fundados para sospechar que existe un peligro inminente o manifiesto para el interés de la Empresa o un riesgo de daños irreversibles, incluido un peligro para la integridad física. Del mismo modo, dichas personas recibirán protección, cuando a juicio del órgano de cumplimiento normativo tenga motivos fundados para pensar que, si presentaran una comunicación externa, correrían el riesgo de sufrir represalias o sería poco probable que la infracción se resolviera de manera efectiva, dadas las circunstancias particulares del caso.

### 4.5. El asesoramiento al informante

El órgano de cumplimiento normativo será el encargado de prestar y proporcionar el asesoramiento individualizado y la información precisa al informante, con relación al ejercicio responsable de su facultad de llevar a cabo una comunicación

### 4.6. Las obligaciones legales o contractuales como causa de inadmisión de comunicaciones.

Las obligaciones legales o contractuales de las personas, como las cláusulas de fidelidad o los acuerdos de confidencialidad y no publicidad, no podrán ser invocadas para impedir las comunicaciones, para denegar la protección o para penalizar a los informantes por haberlas presentado cuando la transmisión de información que esté contemplada en dichas cláusulas o acuerdos sea necesaria para revelar la infracción. Cuando se cumplan estas condiciones, no se podrá imputar a los informantes responsabilidad alguna, ya sea civil, penal, administrativa o laboral. Dicha exención no debe hacerse extensiva a la información superflua o desconectada causalmente con los hechos objeto de la comunicación, que el interesado hubiera revelado sin basarse en motivos fundados.

### 4.7. La inmunidad del informante

Cuando el informante hubiera obtenido de manera legal acceso a la información comunicada o los documentos que la contienen, tendrá inmunidad con relación a la responsabilidades civil, administrativa o laboral derivada de la comunicación presentada. Esto se aplica tanto a los casos en los que el informante revele el contenido de documentos a los que tenga acceso legalmente como a aquellos en los que realice copias de los mismos o los retire de los locales de la organización de la cual es empleado en contravención de cláusulas contractuales o de otro tipo que estipulen que dichos documentos son propiedad de la organización. Cuando el informante haya obtenido la información o documentos mediante la comisión de una infracción penal como la intromisión física o informática, su responsabilidad penal ha de regirse por la legislación que en cada caso sea aplicable. No obstante, lo anterior, el informante será responsable de las acciones y omisiones que no guarden relación con la comunicación o no resulten necesarias para revelar una infracción.

#### 4.8. La tutela de la privacidad en el Canal de Comunicaciones

Todos los datos personales derivados de la formulación de cualquier comunicación están especialmente protegidos por la normativa vigente en cada momento sobre protección de datos de carácter personal. Esta protección se hace extensiva no sólo a aquellas conductas que por su carácter irregular presuntamente puedan atentar contra la legislación general o sectorial, sino también a aquellos datos personales, vinculados a las presuntas vulneraciones de las políticas o normativas internas de la Empresa, así como a los códigos éticos que por esta se puedan desarrollar y mantener vigentes en cada momento.

#### 4.9. La protección de los representantes de los trabajadores

Sin perjuicio de la protección de la que disfrutan los representantes de los trabajadores en su condición de tales en virtud de su normativa laboral específica, disfrutan de la correspondiente protección por parte de la Empresa tanto si comunican infracciones en su calidad de trabajadores como si han prestado asesoramiento y apoyo al informante.

#### 4.10. Existencia y gestión del Conflicto de Intereses

En todo momento se asegurará la gestión del conflicto de intereses por parte del órgano de cumplimiento normativo de la Empresa para que en ningún caso la persona vinculada con la comunicación participe o pueda tener voz o voto en dicho expediente durante la tramitación del mismo.

### 5. MEDIOS PARA LA REALIZACIÓN DE LAS COMUNICACIONES

El informante siempre tendrá la capacidad de determinar si pretende efectuar una comunicación de llevarla a cabo de forma confidencial o anónima.

El informante debe poder elegir el cauce de comunicación más adecuado en función de las circunstancias particulares del asunto. No obstante, se recomienda, que las comunicaciones se comuniquen a través de una triple vía, a elección del informante:

a) Mediante correo electrónico a la siguiente dirección: compliance@empresa.com

b) A través del formulario habilitado para comunicar cualquier incidencia,

c) Mediante comunicación dirigida al Órgano de Cumplimiento Normativo

Tanto si la comunicación se realiza por correo electrónico, como si se comunica mediante correo ordinario, se deberá utilizar obligatoriamente el formulario de comunicación que se adjunta en la presente Política como Anexo I, y que estará a disposición en la página web de la Empresa.

No se admitirá ninguna comunicación fuera de estos cauces, pudiéndose proceder a su rechazo y destrucción sin necesidad de trámite alguno o de comunicación, salvo que excepcionalmente así lo determine el órgano competente de la Empresa.

En todo caso, en el funcionamiento del Canal de Comunicaciones se incluirá información clara y fácilmente accesible sobre los procedimientos de comunicación externa ante las autoridades competentes y, en su caso, ante las instituciones, órganos u organismos de la Unión Europea.

En el presente caso, el Canal de Comunicaciones está diseñado, establecido y gestionado de manera segura, a los efectos de garantizar la confidencialidad de la identidad del informante y cualquier tercero mencionado en la comunicación este suficientemente protegido, impidiéndose el acceso a ella al personal no autorizado

## 6. TRAMITACIÓN LAS COMUNICACIONES Y/O DE COMUNICACIONES

### 6.1. Recepción de comunicaciones y/o de comunicaciones

Es competencia directa del órgano de Cumplimiento Normativo de la Empresa, la recepción y valoración de todas las comunicaciones y/o comunicaciones que se informen a través del Canal de Comunicaciones, dándose con ello cumplimiento a la exigencia de la designación de una persona competente para seguir la tramitación de las comunicaciones de manera diligente, la cual mantendrá la comunicación con el Informante o informante y, en su caso, le solicitará la subsanación de la comunicación a la misma, el cual dará respuesta a dicha comunicación.

### 6.2. Tramitación de la comunicación que afecte al Modelo de cumplimiento

Si el contenido de la comunicación recibida se refiere a una presunta vulneración legal o reglamentaria del ordenamiento jurídico vigente, de la normativa interna de la Empresa, de su Código de Cumplimiento Normativo o de cualquier otra circunstancia que contradiga o pudiera contradecir el Modelo de Cumplimiento de la Empresa, el órgano de cumplimiento normativo procederá a la designación de un Instructor del expediente, entre profesionales de reconocida experiencia en el ámbito del Cumplimiento Normativo.

Si el contenido de la comunicación recibida contuviere otro tipo de información, el órgano de cumplimiento normativo adoptará la decisión que proceda en cada caso.

### 6.3. Notificación de las actuaciones al informante

Dentro de los 7 días hábiles siguientes a la recepción de la comunicación, el órgano de cumplimiento normativo procederá a acusar recibo de la misma al informante, al que se comunicarán las medidas previstas o adoptadas para tramitar la comunicación y los motivos de dicha tramitación. En todos los casos, el informante será informado de los progresos y el resultado de la investigación.

### 6.4. Revisión judicial de los hechos objetos de la comunicación

El informante tendrá derecho a una revisión judicial de la comunicación efectuada.

### 6.5. Subsanación del contenido de las comunicaciones

Si el órgano de cumplimiento normativo detectara deficiencias en la comunicación, éste informará de las mismas al informante. Si en el plazo de 5 días hábiles a contar desde el día siguiente al de la notificación, no se subsanaran los requerimientos, se procederá a la inadmisión de la comunicación y a su consiguiente archivo, no iniciándose, por tanto, una investigación. El órgano de cumplimiento normativo evidenciará la recepción de la comunicación, de la decisión adoptada y de su archivo, haciéndose constar los motivos en los que se haya basado para adoptar tal decisión. Esta resolución del órgano de cumplimiento normativo no impedirá la iniciación posterior de una investigación si se recibiera información de carácter adicional a la ya valorada. En todo supuesto de inadmisión, el órgano de cumplimiento normativo procederá a informar al informante, por escrito y en la dirección de contacto por él facilitada, de la decisión de inadmisión, indicando y motivando suficientemente la causa de inadmisión que concurra. Adicionalmente, en el transcurso de cualquier investigación, se le podrá pedir al informante que proporcione información adicional, pero éste no tendrá la obligación de hacerlo. Asimismo, cuando todavía se esté considerando la tramitación apropiada, el informante será informado de ello, así como de cualquier otra respuesta que deba esperar. La tramitación y la respuesta al informante se producirá en un plazo razonable no superior a tres meses, con el fin de remediar con prontitud el problema objeto de la comunicación, así como de evitar la revelación pública innecesaria de información. No obstante, lo anterior, dicho plazo podrá ampliarse a seis siempre que sea necesario debido a circunstancias específicas del caso, en particular la naturaleza y la complejidad del asunto, que puedan justificar una investigación larga. El expediente quedará cerrado con la realización de dicha notificación. El informante podrá aportar aquella información que considere oportuna, a efectos de volver a abrir el expediente.

### 6.6. Inadmisión de comunicaciones

Si la comunicación no cumple con los requisitos de forma exigidos, o los hechos comunicados no suponen una infracción de las previstas en el ámbito objetivo del Canal de Comunicaciones, se comunicará al informante su inadmisión, y con relación a los datos personales contenidos en ella, se eliminarán de manera inmediata, de acuerdo con las causas de inadmisibilidad de las comunicaciones y/o comunicaciones previstas en el presente apartado.

Son causas de inadmisión entre otras:

a) Las comunicaciones y/o comunicaciones que se reciban por cauces distintos a lo establecido en esta Política del Canal de Comunicaciones.

b) El incumplimiento de los requisitos de forma exigidos.

c) Cuando los hechos afectados no tengan encaje en el alcance objetivo del Canal de Comunicaciones.

d) Cuando se produzca la descripción de los hechos de forma genérica, imprecisa o inconcreta.

e) Cuando la comunicación realizada se refiera a hechos que nada tengan que ver con la Empresa.

Las comunicaciones que sean una mera repetición de la anterior no serán admitidas.

### 6.7. La realización de las comunicaciones de las actuaciones al afectado

Cualquier persona que haya sido objeto de comunicación (el afectado) será informado tras la recepción de la comunicación sobre:

a) La recepción de la comunicación.

b) El hecho del que se le acusa

c) Los departamentos y terceros que podrán ser destinatarios de la comunicación.

d) Cómo ejercitar sus derechos sobre protección de datos, de conformidad con la normativa vigente sobre la misma.

No obstante, lo anterior, si - a juicio del órgano de cumplimiento normativo- existe riesgo de que la notificación al afectado comprometa la investigación, se destruyan evidencias o pruebas o se comprometa el normal funcionamiento de la Empresa, dicha comunicación podrá aplazarse hasta que el citado riesgo desaparezca. En todo caso, el plazo para informar al afectado no excederá de un (1) mes desde que se haya recibido la comunicación, con la posibilidad de extender dicho plazo a un máximo de tres (3) meses si existen razones justificadas para ello. Todo ello sin perjuicio de que la ley pueda establecer, expresamente y de forma vinculante, unos plazos distintos, en cuyo caso éstos serán los que se deban atender.

### 6.8. Plazo de la investigación y de formulación de propuesta de resolución

La investigación no podrá exceder del plazo de tres meses (3) desde la recepción de la comunicación, debiéndose formular la propuesta de resolución antes de dicho plazo. Este plazo podrá ser mayor -otros tres meses adicionales-, si hay motivos extraordinarios y necesarios que lo justifiquen y así lo aprueba la Comisión de Cumplimiento. En este caso, se informará expresamente al informante y al afectado de los motivos que justifican dicha ampliación

### 6.9. Aplicación concreta de la protección de datos en el Canal de Comunicaciones. Cláusula informativa sobre protección de datos de carácter personal

Los datos personales recabados en el marco del Canal de Comunicaciones serán tratados con la exclusiva finalidad de tramitar las comunicaciones y/o comunicaciones al amparo del artículo 24 de la Ley Orgánica 3/2018 de 5 de diciembre, a los efectos de gestionar y en su caso investigar la realidad de los hechos objeto de la comunicación. Aquellos datos personales que se recaben en el marco de una comunicación y que den lugar a la apertura de la correspondiente investigación se integrarán en el tratamiento denominado "Canal de Comunicaciones", respecto del que la Empresa ostenta la condición de responsable del tratamiento. En cambio, se hace constar expresamente que los datos personales contenidos en aquellas comunicaciones y/o comunicaciones que no sean admitidas a trámite, no se incorporarán a ningún tratamiento, procediéndose a su eliminación o borrado seguro con carácter inmediato. Los datos personales recabados en el marco de la investigación podrán comunicarse al Órgano de Cumplimiento, y a la dirección de la Empresa. Tanto el informante como el afectado serán informados debidamente, en cada caso, de las personas y órganos concretos a los cuales se van a comunicar sus datos personales. Los interesados podrán ejercitar sus derechos de acceso, rectificación, cancelación y oposición y cualesquiera otros derechos previstos en la normativa vigente sobre protección de datos personales, a través de la dirección de correo electrónico compliance@empresa.com adjuntando una copia de un documento oficial de identidad. No obstante, lo anterior, el derecho de acceso del afectado estará limitado a sus propios datos de carácter personal, no teniendo acceso a los datos sobre la identidad del informante dado el carácter confidencial de dichos datos vinculados al Canal de Comunicaciones, ni a otros datos personales de terceros obrantes en el expediente.

Finalmente debe tenerse en consideración que la comunicación y de los empleados y terceros deberán conservarse en el sistema de comunicaciones únicamente durante el tiempo imprescindible para decidir sobre la procedencia de iniciar una investigación sobre los hechos afectados.

En todo caso, transcurridos tres meses desde la introducción de los datos, deberá procederse a su supresión del sistema de comunicaciones, salvo que la finalidad de la conservación sea dejar evidencia del funcionamiento del modelo de prevención de la comisión de delitos por la persona jurídica. Las comunicaciones a las que no se haya dado curso solamente podrán constar de forma anonimizada, sin que sea de aplicación la obligación de bloqueo prevista en el artículo 32 de esta ley orgánica.

Transcurrido el plazo mencionado en el párrafo anterior, los datos podrán seguir siendo tratados, por el órgano al que corresponda, conforme al apartado 2 de este artículo, la investigación de los hechos afectados, no conservándose en el propio sistema de información de comunicaciones internas.

## 7. PROCEDIMIENTO

### 7.1. Designación del instructor

Si la comunicación y/o denuncia cumple con todos los requisitos formales exigidos y el Comité de Cumplimiento Normativo considera que pudieran existir razones suficientes para abrir una investigación, éste dará traslado de la comunicación y/o denuncia recibida, al instructor designado.

Para garantizar la máxima transparencia en las designaciones, la primera designación recaerá en el miembro de la del Comité de Cumplimiento Normativo de mayor edad, y así sucesivamente.

El director del Comité de Cumplimiento Normativo quedará exento del nombramiento como Instructor.

### 7.2. Diligencias de investigación

En el marco de una investigación, el Instructor podrá recabar cuanta información y documentación considere necesaria o conveniente para tratar de esclarecer los hechos denunciados.

A tales efectos podrá practicar aquellas diligencias de investigación que sean necesarias a tales fines, garantizando en todo momento los derechos que asistan a todas las personas, que sean objeto de dicho proceso de investigación.

El Instructor podrá adoptar aquellas medidas incidentales que sean necesarias o convenientes para la mejor tramitación del expediente de investigación.

### 7.3. Plazo de la investigación y de formulación de propuesta de resolución

La investigación no podrá exceder del plazo de tres meses (3) desde la recepción de la comunicación y/o denuncia/comunicación debiéndose formular la propuesta de resolución antes de dicho plazo. Este plazo podrá ser mayor, si hay motivos extraordinarios y necesarios que lo justifiquen y así lo aprueba el Comité de Cumplimiento Normativo. En este caso, se informará expresamente a denunciante y denunciado de los motivos que justifican dicha ampliación.

## 7.4. Deber de cooperación

Todas las personas vinculadas con el Modelo de Cumplimiento de la Empresa deberán cooperar en las labores de investigación que se lleven a cabo cuando sean requeridos para ello, poniendo a disposición del Instructor cuanta información sobre los hechos objeto de la investigación o de cualquier otra forma se les solicite, siempre de acuerdo con lo previsto en el ordenamiento jurídico.

## 7.5. Propuesta de resolución

Una vez concluida la investigación o transcurrido el plazo para el desarrollo de la misma, el Instructor, propondrá a la dirección o Comité ejecutivo de la Empresa alguna de las siguientes propuestas con relación a las personas sujetas a las normas disciplinarias contenidas en el Convenio Colectivo:

i. El archivo de la denuncia y de las actuaciones realizadas, cuando no hayan quedado suficientemente acreditados los hechos denunciados, o éstos no sean constitutivos de una infracción incluida en el ámbito objetivo del Canal de Cumplimiento Normativo.

La dirección de la Empresa o Comité Ejecutivo, en el caso de que se trate de una investigación sujeta a las normas disciplinarias del Convenio Colectivo dictará la correspondiente resolución exponiendo los resultados alcanzados y acordando el archivo de la denuncia/comunicación salvo que proceda otra resolución, de acuerdo con las circunstancias concurrentes.

En el caso de que la persona física o jurídica investigada no esté sujeta a las normas disciplinarias contenidas en el Convenio Colectivo de la Empresa, dicha competencia corresponderá a la dirección de la Empresa.

ii. Formulará una propuesta de resolución, debidamente justificada, de las posibles medidas a adoptar, si los hechos denunciados han quedado suficientemente acreditados, y, además, son constitutivos de una infracción incluida en el ámbito objetivo del Canal de Cumplimiento Normativo.

En el caso de que se juzgue conveniente, se podrá recurrir a la mediación como fuente de resolución alternativa del conflicto una vez investigado.

## 7.6. Ejecución de la sanción o medidas que procedan en cada caso

El Comité de Cumplimiento Normativo asegurará que se apliquen de manera efectiva las sanciones o medidas que procedan en cada caso.

La ejecución de dichas sanciones o medidas se llevará a cabo por la persona o personas que tengan atribuidas dichas funciones en la Empresa

## 7.7. La protección de datos en el Canal de Cumplimiento Normativo. La Cláusula informativa sobre protección de datos de carácter personal

Los datos personales recabados en el marco del Canal de Cumplimiento Normativo serán tratados con la exclusiva finalidad de tramitar las comunicaciones y/o denuncias al amparo del artículo 24 de la Ley Orgánica 3/2018 de 5 de diciembre, a los efectos de gestionar y en su caso investigar la realidad de los hechos objeto de la comunicación y/o denuncia.

Aquellos datos personales que se recaben en el marco de una comunicación y/o denuncia y que den lugar a la apertura de la correspondiente investigación se integrarán en el tratamiento denominado "Canal de Cumplimiento Normativo", respecto del que la Empresa ostenta la condición de responsable del tratamiento.

En cambio, se hace constar expresamente que los datos personales contenidos en aquellas comunicaciones y/o denuncias que no sean admitidas a trámite, no se incorporarán a ningún tratamiento, procediéndose a su eliminación o borrado seguro con carácter inmediato.

Los datos personales recabados en el marco de la investigación de una denuncia podrán comunicarse al Comité de Cumplimiento Normativo, y a la Dirección de la Empresa. Tanto el denunciante como el denunciado serán informados debidamente, en cada caso, de las personas y órganos concretos a los cuales se van a comunicar sus datos personales.

Los interesados podrán ejercitar sus derechos de acceso, rectificación, cancelación y oposición y cualesquiera otros derechos previstos en la normativa vigente sobre protección de datos personales, a través de la dirección de correo electrónico compliance@empresa.xxx adjuntando una copia de un documento oficial de identidad (DNI/NIE, carné de conducir o Pasaporte).

No obstante, lo anterior, el derecho de acceso del denunciado estará limitado a sus propios datos de carácter personal, no teniendo acceso a los datos sobre la identidad del denunciante dado el carácter confidencial de dichos datos vinculados al Canal de Cumplimiento Normativo, ni a otros datos personales de terceros obrantes en el expediente.

## 7.8. Principio de proporcionalidad

Los datos personales recabados en el marco del Canal de Cumplimiento Normativo:

a) Se limitarán a los estricta y objetivamente necesarios para tramitar las comunicaciones y/o denuncias y, si procede, comprobar la realidad de los hechos objeto de información.

b) Serán tratados en todo momento de conformidad con la normativa de protección de datos personales vigente, para fines legítimos y específicos en relación con la gestión y la investigación que pueda surgir como consecuencia de la comunicación y/o denuncia.

c) No se utilizarán para otros fines diferentes a los ya indicados.

d) Serán adecuados y no excesivos en relación con las citadas finalidades.

e) Dichos datos personales serán objeto de tratamiento el tiempo imprescindible para garantizar la adecuada investigación y la resolución del expediente.

f) Transcurridos tres meses desde la formulación de la denuncia/comunicación los mismos serán tratados a los efectos de la aplicación del artículo 24.4 de la Ley Orgánica 3/2018, de 5 de diciembre de Protección de Datos Personales y garantías de los derechos digitales, en el ámbito del expediente sancionador que, en su caso, se incoe.

## 7.9. Medidas de seguridad y confidencialidad

La Empresa se asegurará de que se adopten todas las medidas técnicas y organizativas necesarias para preservar la seguridad e integridad de los datos personales objeto de las comunicaciones y/o denuncias recibidas, así como cualquier otro dato de carácter personal derivado de la gestión e investigación de las mismas, al objeto de protegerlos de divulgaciones o accesos no autorizados.

A estos efectos, la Empresa ha adoptado las medidas apropiadas para garantizar el secreto profesional, la confidencialidad, la seguridad y la integridad de todos los datos personales que son objeto de tratamiento, y se asegurará especialmente en garantizar la seguridad de los datos personales relativos a la identidad del denunciante, a los efectos de que no sean divulgados al denunciado o terceros en cualquier fase o momento de la investigación, incluso cuando la misma haya concluido, respetando, en todo caso, los derechos y las libertades fundamentales de la persona, sin perjuicio de las acciones que, en su caso, puedan adoptar las autoridades judiciales y/o los reguladores de protección de datos personales que sean competentes. Estas garantías se extenderán también a los datos personales de terceros obrantes en el expediente.

## 8. COMUNICACIÓN DE LA PRESENTE POLÍTICA

La presente política deberá ser comunicada a todos los directivos y empleados de la Empresa, y a las demás personas físicas o jurídicas vinculadas a la misma, y sujetas al Modelo de cumplimiento de la Empresa.

## 9. LA OBLIGACIÓN DE REPORTE DEL ÓRGANO DE CUMPLIMIENTO NORMATIVO

El órgano de cumplimiento normativo reportará periódicamente a la Dirección de la Empresa la aplicación de la presente Política y su cumplimiento efectivo, y al menos lo hará una vez al año.

## 10. ACTUALIZACIÓN Y REVISIÓN DE LA POLÍTICA

Esta Política será revisada y actualizada bianualmente, fomentándose el intercambio de buenas prácticas para garantizar que el procedimiento establecido sea adecuado con relación a la finalidad del funcionamiento del Canal de Comunicaciones.

## ANEXO

### Anexo 1. Formulario de comunicación de comunicaciones

a) *Menciones generales.*

☐ Nombre, apellidos y DNI – NIE- Número de pasaporte del informante:

☐ Fecha de la comunicación (podrá ser campo automático en formulario web):

☐ En caso de ser empleado de la Empresa, Departamento/Área al que pertenece el informante:

☐ En caso de no ser empleado de la Fundación, descripción de su relación con la misma:

☐ Dirección o medio a efectos de notificaciones elegido por el informante (correo electrónico, correo postal):

☐ Nombre y apellidos de la/las persona/a implicada/as, y en el caso de que se conozcan, sus datos de comunicación:

☐ Fechas o momentos aproximados de ocurrencia de los hechos afectados:

☐ Descripción de los hechos que sean objeto de comunicación.

b) *Tipo de infracción. (Marcar con una X)*

☐ Cohecho.

☐ Tráfico de influencias.

☐ Corrupción en los negocios

☐ Corrupción en las transacciones internacionales

☐ Estafa

☐ Descubrimiento y revelación de secretos de la Empresa

☐ Delitos contra la intimidad personal y familiar.

☐ Fraude a la Hacienda Pública.

☐ Fraude a la Seguridad Social.

☐ Incumplimiento y falsedad de obligaciones contables.

☐ Fraude de subvenciones.

☐ Fraude a los presupuestos generales de la Unión Europea

☐ Frustración de la ejecución

☐ Insolvencias punibles

☐ Delitos contra la Propiedad Intelectual.

☐ Delitos contra la Propiedad Industrial.

☐ Daños informáticos.

☐ Manipulación de sustancias tóxicas, corrosivas y otras

☐ Delitos contra los recursos naturales y el medio ambiente.

☐ Delito contra la salud pública.

☐ Delito bursátil

☐ Financiación ilegal de partidos políticos

☐ Contra los derechos de los ciudadanos extranjeros

☐ Contrabando

☐ Blanqueo de Capitales.

☐ Financiación del terrorismo.

☐ Tráfico de órganos

☐ Publicidad engañosa

☐ Manipulación genética

☐ Obstrucción a la actividad inspectora

☐ Libertad sexual

☐ Otra: (describirla):

c) *Consideraciones sobre los hechos que sean objeto de comunicación.*

☐ Descripción del hecho afectado, o comentario, consulta o sugerencia de mejora.

☐ Con el fin de obtener la mejor información se recomienda que, en la medida de lo posible, describa en que consiste la conducta potencialmente irregular con descripción pormenorizada de los hechos que se comunican, donde han ocurrido y las posibles personas implicadas o responsables (afectadas). Y si los conoce, los medios utilizados para llevar a cabo los hechos, cual es el área de actividad afectada, el posible impacto relevante en los procesos de trabajo de la Empresa y si tiene o no impacto económico, y una cuantificación aproximada (en euros).

☐ En cualquier caso, la comunicación debe ser lo más descriptiva, concreta y detallada posible, facilitando de esta forma al receptor la identificación de la conducta potencialmente irregular y de la/las persona/s o departamento/s implicados. Los mensajes no deben contener palabras ofensivas.

☐ Adjuntar la documentación soporte en la que se basa la comunicación o evidencias de los hechos de la comunicación de los que disponga.

☐ Manifiesto que la presente comunicación la realizo de buena fe y que, salvo error u omisión involuntaria, los datos consignados son ciertos. Del mismo modo, manifiesto que conozco el tratamiento que podrá darse a los datos personales consignados en la presente comunicación y el contenido de la "Política de Uso del Canal de Comunicaciones".

☐ El presente documento será custodiado en las dependencias de la Empresa.

De acuerdo a lo que establece el artículo 13 del Reglamento (UE) 2016/679, del Parlamento Europeo y del Consejo, de 27 de abril de 2016, relativo a la protección de las personas físicas en lo que respecta al tratamiento de datos personales y a la libre circulación de estos datos y por el que se deroga la Directiva 95/46/CE: Reglamento general de protección de datos (RGPD) y el artículo 11 de la Ley Orgánica 3/2018, de 5 de diciembre, de protección de datos y garantía de los derechos digitales (LOPDGDD) le informamos de lo siguiente:

**Responsable del tratamiento**

La Empresa ..., con domicilio en la Calle ... número ... CP .... Madrid

Datos de contacto del delegado de protección de datos

La Empresa ..., con domicilio en la Calle .... Número ..., CP ... Madrid

Calle ..., Localidad ..., CP ...

## Finalidad del tratamiento de sus datos personales

Tramitar las comunicaciones y/o comunicaciones al amparo del artículo 24 de la LOPDG-DD a los efectos de gestionar y en su caso investigar la realidad de los hechos objeto de la comunicación.

Transferencias internacionales de datos personales

No están previstas transferencias internacionales de sus datos personales

Base jurídica del tratamiento de sus datos personales

La base jurídica del tratamiento de sus datos personales es la existencia de un interés público, de acuerdo con lo establecido en el artículo 6.1.e) del RGPD y el artículo 24 de la LOPDGDD.

Destinatarios a los que se comunicaran los datos personales

Los datos personales no serán comunicados a terceros salvo previo requerimiento judicial o petición del Ministerio Fiscal o de las Administraciones Públicas en el ejercicio de sus potestades. Los datos personales del informante no se comunicarán a la persona afectada

## Plazo de conservación de sus datos personales

Los datos personales serán conservados durante el tiempo imprescindible para la gestión de su comunicación, en los términos previstos en el artículo 24 de la LOPDGDD.

## Derechos de protección de datos personales

Podrá ejercer los derechos siguientes:

- Acceso

- Rectificación

- Supresión

- Oposición

- Portabilidad de los datos personales

- Derecho a no ser objeto de una decisión basada en el tratamiento automatizado de los datos personales

- Limitación del tratamiento de los datos personales.

Para ejercer estos derechos podrá dirigirse por escrito, acreditando su identidad, a la Calle ..., Localidad ..., CP ..., o a la siguiente dirección de correo electrónico: xxxxxxxxxxxxxxx@empresa.com

## Derecho a presentar una reclamación ante la Agencia Española de Protección De Datos

Si considera que el tratamiento de datos personales que le conciernen infringe la normativa en vigor sobre protección de datos personales puede presentar una reclamación ante la Agencia Española de Protección de Datos, calle Jorge Juan, 6, 28001 Madrid (www.aepd.es)

**Anexo II. Formulario de citación al afectado**

**Citación al afectado**

En Madrid a ... de ... de ....

D./Doña .........................., en su calidad de miembro del Órgano de Cumplimiento Normativo de la Empresa ... le cita a Usted para que comparezca ante dicho Órgano de Cumplimiento Normativo sito en ......................... a las ............+...... horas del día ......................... de ......................... de 2023, a los efectos de practica la diligencia consistente en ......................................................................................................................... ............................................................................................................................................. ................................................. como consecuencia de la comunicación formulada contra Usted.

La ausencia injustificada a la citación que se le efectúa puede dar origen a la existencia de responsabilidad disciplinaria.

**Información sobre derechos**

De acuerdo con la política interna del Canal de Comunicaciones de la Empresa le indicamos:

- Usted tiene derecho a ser informado de la comunicación formulada contra usted

- Usted tiene derecho a una investigación de la comunicación recibida que se lleve a cabo con todas las garantías

- Usted tiene derecho a comparecer asistido de letrado de su libre designación o venir acompañado de un abogado de su libre designación

- Usted tiene derecho a la defensa

- Usted tiene derecho a no declarar contra sí mismo y/o a confesarse culpable

- Usted tiene derecho a utilizar aquellos medios de prueba que considere pertinentes

- Usted tiene derecho a una investigación que se lleve a efecto sin dilaciones indebidas

- Usted tiene derecho a la presunción de inocencia

En .........................., a XX de XXXXXXX de 2023.

**Anexo que debe incorporarse donde el trabajador y cualquier persona con quien esté vinculada manifiesten haber sido informados de la existencia del canal de información**

### ANEXO AL CONTRATO DE TRABAJO

En cumplimiento de lo establecido en la normativa vigente en materia de protección de datos y prevención de infracciones normativas, se informa al trabajador de la existencia de un canal de información a través del cual se pueden comunicar posibles infracciones normativas que se hayan cometido o que se estén cometiendo en el seno de la empresa.

El canal de comunicaciones tiene como objetivo facilitar la detección y gestión de situaciones irregulares o contrarias a la normativa aplicable, y se puede utilizar de forma anónima y confidencial.

Asimismo, se informa al trabajador de que cualquier persona con quien esté vinculado (por ejemplo, clientes, proveedores, colaboradores, etc.) también puede utilizar el canal de información para comunicar posibles infracciones normativas.

Se recuerda al trabajador que el uso del canal de información no implica una obligación de denuncia/comunicación pero se espera que se utilice de manera responsable y únicamente en aquellos casos en que se tenga conocimiento o sospecha de alguna irregularidad o incumplimiento normativo.

En caso de que el trabajador o cualquier otra persona con quien esté vinculado decida utilizar el canal de información, se garantizará su protección y confidencialidad, así como el cumplimiento de los principios de proporcionalidad, presunción de inocencia, debido proceso, imparcialidad y justicia.

Se requiere que tanto el trabajador como cualquier persona con quien esté vinculado firmen este anexo para dejar constancia de que han sido informados de la existencia del Canal de comunicaciones y de los derechos y garantías que se ofrecen a los usuarios del mismo.


Firmado por:


[Nombre del trabajador]

[Nombre de la persona con quien esté vinculado]


Fecha: [Fecha de firma del anexo]

## Apartado en la página web que informa cómo llevar a cabo una comunicación paso a paso y las medidas de protección en defensa del informante

En [nombre de la organización] estamos comprometidos con el cumplimiento de todas las normativas aplicables y con una cultura de integridad y transparencia en todas nuestras operaciones. Por este motivo, hemos habilitado un canal de información confidencial y anónimo para que cualquier persona que tenga información relevante sobre posibles infracciones normativas en nuestra organización pueda comunicarla de manera segura.

A continuación, presentamos los pasos para comunicar hechos presuntamente constitutivos de infracción normativa:

1. Acceda a nuestro sitio web y busque la sección "Canal de Comunicaciones".

2. Seleccione la opción "Comunicar Hechos" y siga las instrucciones para proporcionar su información.

3. Si lo desea, puede hacer uso de la opción de comunicación anónima para proteger su identidad.

4. Programe una cita para comunicar de forma verbal su información o bien, proporcione información adicional por medio del canal en línea.

Todas las comunicaciones recibidas serán tratadas de forma confidencial y se protegerá la identidad del informante. Asimismo, se garantiza el cumplimiento de los principios de proporcionalidad, presunción de inocencia, debido proceso, imparcialidad y justicia en todo el proceso de gestión de la información.

Agradecemos su colaboración en la promoción de una cultura ética y transparente en nuestra organización. Juntos, podemos garantizar el cumplimiento de todas las normativas aplicables y trabajar en la prevención de infracciones normativas.

Si tiene alguna pregunta o necesita ayuda para utilizar el canal de información, no dude en ponerse en contacto con nosotros. Estamos aquí para ayudarle.

Comunicación sobre acciones u omisiones que puedan constituir infracciones del Derecho de la Unión Europea siempre que entren dentro del ámbito de aplicación de los actos de la Unión Europea enumerados en el Anexo de la Directiva (UE) 2019/1937 del Parlamento Europeo y del Consejo, de 23 de octubre de 2019, relativa a la protección de las personas que informen sobre infracciones del Derecho de la Unión, con independencia de la calificación que de las mismas realice el ordenamiento jurídico interno.

## Modelo de Comunicación

### AL ÓRGANO DE CUMPLIMIENTO NORMATIVO

D. ..., mayor de edad, actuando en nombre y representación propios, con número de DNI ... y domicilio a efectos de comunicaciones en ... ante el órgano de cumplimiento comparezco y como mejor proceda en Derecho, DIGO:

Que habiendo tenido conocimiento directo de hechos considerados irregulares de los enumerados en el Anexo de la Directiva (UE) 2019/1937 del Parlamento Europeo y del Consejo, de 23 de octubre de 2019, relativa a la protección de las personas que informen sobre infracciones del Derecho de la Unión cometidos por D. ..., vengo a formular la siguiente Comunicación:

**PRIMERA.–** ...

**SEGUNDA.–** ...

**TERCERA.–** ...

En su virtud,

**SOLICITO AL ÓRGANO DE CUMPLIMIENTO:** Que habiendo por presentado este escrito con los documentos que lo acompañan, se sirva admitirlo y acuerde el inicio de la investigación de los hechos irregulares enumerados en el Anexo de la Directiva (UE) 2019/1937 del Parlamento Europeo y del Consejo, de 23 de octubre de 2019, relativa a la protección de las personas que informen sobre infracciones del Derecho de la Unión.

Lugar, fecha y Firma.

## Comunicación sobre infracciones que afecten a los intereses financieros de la Unión Europea, tal y como se contemplan en el artículo 325 del TFUE (fraude y actividades ilegales que afecten a los intereses de la Unión Europea)

### A LA FISCALÍA DE LA UNIÓN EUROPEA

D. ..., mayor de edad, actuando en nombre y representación propios, con número de DNI ... y domicilio a efectos de comunicaciones en ... ante la Fiscalía Europea comparezco y como mejor proceda en Derecho, DIGO:

Que habiendo tenido conocimiento directo de infracciones que afecten a los intereses financieros de la Unión Europea, tal y como se contemplan en el art. 325 TFUE cometidos por D. ..., vengo a formular la siguiente Comunicación:

**PRIMERA.–** ...

**SEGUNDA.–** ...

**TERCERA.–** ...

En su virtud,

**SOLICITO A LA FISCALÍA EUROPEA:** Que habiendo por presentado este escrito con los documentos que lo acompañan, se sirva admitirlo y tenga por interpuesta comunicación de infracciones que afecten a los intereses financieros de la Unión Europea.

Lugar, fecha y Firma.

**Comunicación sobre infracciones que incidan en el mercado interior, tal como se contempla en el artículo 26, apartado 2° del TFUE**

### AL ÓRGANO DE CUMPLIMIENTO NORMATIVO DE LA ENTIDAD ...

D. ..., mayor de edad, actuando en nombre y representación propios, con número de DNI ... y domicilio a efectos de comunicaciones en ... ante el órgano de cumplimiento comparezco y como mejor proceda en Derecho, DIGO:

Que habiendo tenido conocimiento directo de infracciones que incidan en el mercado interior, tal como se contempla en el art. 26.2 TFUE cometidos por D. ..., vengo a formular la siguiente Comunicación:

**PRIMERA.–** ...

**SEGUNDA.–** ...

**TERCERA.–** ...

En su virtud,

**SOLICITO AL ÓRGANO DE CUMPLIMIENTO NORMATIVO:** Que habiendo por presentado este escrito con los documentos que lo acompañan, se sirva admitirlo y tenga por interpuesta comunicación de infracciones que incidan en el mercado interior.

Lugar, fecha y Firma.

## Comunicación sobre infracciones de las normas de la Unión Europea en materia de competencia

### AL ÓRGANO DE CUMPLIMIENTO NORMATIVO DE LA ENTIDAD ...

D. ..., mayor de edad, actuando en nombre y representación propios, con número de DNI ... y domicilio a efectos de comunicaciones en ... ante el órgano de cumplimiento comparezco y como mejor proceda en Derecho, DIGO:

Que habiendo tenido conocimiento directo de infracciones de las normas de la Unión Europea en materia de competencia cometidos por ..., vengo a formular la siguiente Comunicación:

**PRIMERA.–** ...

**SEGUNDA.–** ...

**TERCERA.–** ...

En su virtud,

**SOLICITO AL ÓRGANO DE CUMPLIMIENTO NORMATIVO:** Que habiendo por presentado este escrito con los documentos que lo acompañan, se sirva admitirlo y tenga por interpuesta comunicación de infracciones de las normas de la Unión Europea en materia de competencia.

Lugar, fecha y Firma.

## Comunicación sobre infracciones de las normas de la Unión Europea en materia de ayudas otorgadas por los Estados Miembros

### AL ÓRGANO DE CUMPLIMIENTO NORMATIVO DE LA ENTIDAD ...

D. ..., mayor de edad, actuando en nombre y representación propios, con número de DNI ... y domicilio a efectos de comunicaciones en ... ante el órgano de cumplimiento comparezco y como mejor proceda en Derecho, DIGO:

Que habiendo tenido conocimiento directo de infracciones de las normas de la Unión Europea en materia de ayudas otorgadas por los estados cometido por ..., vengo a formular la siguiente Comunicación:

**PRIMERA.–** ...

**SEGUNDA.–** ...

**TERCERA.–** ...

En su virtud,

**SOLICITO AL ÓRGANO DE CUMPLIMIENTO NORMATIVO:** Que habiendo por presentado este escrito con los documentos que lo acompañan, se sirva admitirlo y tenga por interpuesta comunicación de infracciones de las normas de la Unión Europea en materia de ayudas otorgadas por los estados.

Lugar, fecha y Firma.

**Comunicación sobre infracciones de las normas de la Unión Europea relativas al mercado interior, en relación con los actos que infrinjan las normas del impuesto de sociedades, o con prácticas cuya finalidad sea obtener una ventaja fiscal que desvirtúe el objeto, o la finalidad aplicable al impuesto de sociedades**

### AL ÓRGANO DE CUMPLIMIENTO NORMATIVO DE LA ENTIDAD ...

D. ..., mayor de edad, actuando en nombre y representación propios, con número de DNI ... y domicilio a efectos de comunicaciones en ... ante el órgano de cumplimiento comparezco y como mejor proceda en Derecho, DIGO:

Que, habiendo tenido conocimiento directo de infracciones de las normas de la Unión Europea relativas al mercado interior, en relación con los actos que infrinjan las normas del impuesto de sociedades, o con prácticas cuya finalidad sea obtener una ventaja fiscal que desvirtúe el objeto, o la finalidad aplicable al impuesto de sociedades cometidos por ..., vengo a formular la siguiente Comunicación:

**PRIMERA.–** ...

**SEGUNDA.–** ...

**TERCERA.–** ...

En su virtud,

**SOLICITO AL ÓRGANO DE CUMPLIMIENTO NORMATIVO:** Que habiendo por presentado este escrito con los documentos que lo acompañan, se sirva admitirlo y tenga por interpuesta comunicación de infracciones de las normas de la Unión Europea relativas al mercado interior, en relación con los actos que infrinjan las normas del impuesto de sociedades, o con prácticas cuya finalidad sea obtener una ventaja fiscal que desvirtúe el objeto, o la finalidad aplicable al impuesto de sociedades.

Lugar, fecha y Firma.

**Comunicación sobre infracciones penales o administrativas graves o muy graves que impliquen quebranto económico para la Hacienda Pública y para la Seguridad Social**

### AL ÓRGANO DE CUMPLIMIENTO NORMATIVO DE LA ENTIDAD ...

D. ..., mayor de edad, actuando en nombre y representación propios, con número de DNI ... y domicilio a efectos de comunicaciones en ... ante el órgano de cumplimiento comparezco y como mejor proceda en Derecho, DIGO:

Que habiendo tenido conocimiento directo de hechos considerados irregulares que suponen un quebranto económico para la Hacienda Pública / Seguridad Social cometidos por D. ..., vengo a formular la siguiente Comunicación:

**PRIMERA.–** ...

**SEGUNDA.–** ...

**TERCERA.–** ...

En su virtud,

**SOLICITO AL ÓRGANO DE CUMPLIMIENTO:** Que habiendo por presentado este escrito con los documentos que lo acompañan, se sirva admitirlo y acuerde el inicio de la investigación de los hechos irregulares que suponen un quebranto económico para la Hacienda Pública / Seguridad Social.

Lugar, fecha y Firma.

## Comunicación sobre Derecho laboral en materia de seguridad y salud en el trabajo

### AL ÓRGANO DE CUMPLIMIENTO NORMATIVO DE LA ENTIDAD ...

D. ..., mayor de edad, actuando en nombre y representación propios, con número de DNI ... y domicilio a efectos de comunicaciones en ... ante el órgano de cumplimiento comparezco y como mejor proceda en Derecho, DIGO:

Que, habiendo tenido conocimiento directo de hechos considerados irregulares en materia de seguridad y salud en el trabajo, vengo a formular la siguiente Comunicación:

**PRIMERA.–** ...

**SEGUNDA.–** ...

**TERCERA.–** ...

En su virtud,

**SOLICITO AL ÓRGANO DE CUMPLIMIENTO:** Que habiendo por presentado este escrito con los documentos que lo acompañan, se sirva admitirlo y acuerde el inicio de la investigación de los hechos irregulares en materia de seguridad y salud en el trabajo.

Lugar, fecha y Firma.

## Comunicación de trabajador en activo

### AL ÓRGANO DE CUMPLIMIENTO NORMATIVO DE LA ENTIDAD ...

D. ..., mayor de edad, actuando en nombre y representación propios, con número de DNI ... y domicilio a efectos de comunicaciones en ..., actuando en calidad de trabajador en activo de la organización ..., ante el órgano de cumplimiento comparezco y como mejor proceda en Derecho, DIGO:

Que habiendo tenido conocimiento directo de hechos considerados irregulares cometidos por D. ... y en virtud de lo dispuesto en la Ley 2/2023, de 20 de febrero, reguladora de la protección de las personas que informen sobre infracciones normativas y de lucha contra la corrupción, vengo a formular la siguiente Denuncia/Comunicación:

**PRIMERA.–** ...

**SEGUNDA.–** ...

**TERCERA.–** ...

En su virtud,

**SOLICITO AL ÓRGANO DE CUMPLIMIENTO:** Que habiendo por presentado este escrito con los documentos que lo acompañan, se sirva admitirlo y acuerde el inicio de la investigación de los hechos considerados irregulares.

Lugar, fecha y Firma.

## Comunicación de trabajador autónomo con relación laboral y/o contractual con la empresa

### AL ÓRGANO DE CUMPLIMIENTO NORMATIVO DE LA ENTIDAD

D. ..., mayor de edad, actuando en nombre y representación propios, con número de DNI ... y domicilio a efectos de comunicaciones en ..., actuando en calidad de trabajador autónomo con relación laboral y/o contractual con la organización ..., ante el órgano de cumplimiento comparezco y como mejor proceda en Derecho, DIGO:

Que habiendo tenido conocimiento directo de hechos considerados irregulares cometidos por D. ... y en virtud de lo dispuesto en la Ley 2/2023, de 20 de febrero, reguladora de la protección de las personas que informen sobre infracciones normativas y de lucha contra la corrupción, vengo a formular la siguiente Denuncia/Comunicación:

**PRIMERA.–** ...

**SEGUNDA.–** ...

**TERCERA.–** ...

En su virtud,

**SOLICITO AL ÓRGANO DE CUMPLIMIENTO:** Que habiendo por presentado este escrito con los documentos que lo acompañan, se sirva admitirlo y acuerde el inicio de la investigación de los hechos considerados irregulares.

Lugar, fecha y Firma.

## Comunicación anónima

### AL ÓRGANO DE CUMPLIMIENTO NORMATIVO DE LA ENTIDAD ...

El informante de la organización ..., ante el órgano De Cumplimiento Normativo comparezco y como mejor proceda en Derecho, DIGO:

Que habiendo tenido conocimiento directo de hechos considerados irregulares cometidos por D. ... y en virtud de lo dispuesto en la Ley 2/2023, de 20 de febrero, reguladora de la protección de las personas que informen sobre infracciones normativas y de lucha contra la corrupción, vengo a formular la siguiente Denuncia/Comunicación:

**PRIMERA.–** ...

**SEGUNDA.–** ...

**TERCERA.–** ...

En su virtud,

**SOLICITO AL ÓRGANO DE CUMPLIMIENTO:** Que habiendo por presentado este escrito con los documentos que lo acompañan, se sirva admitirlo y acuerde el inicio de la investigación de los hechos considerados irregulares.

Lugar, fecha y Firma.

**OTROSÍ DIGO:** Que el informante que suscribe rechaza recibir comunicaciones relacionadas con el presente expediente. Por ello,

**SOLICITO AL ÓRGANO DE CUMPLIMIENTO:** Que tenga por realizada la anterior manifestación acordando la no remisión de comunicaciones al informante.

En lugar y fecha *ut supra*.

**Comunicación de accionista, partícipe y persona perteneciente al órgano de administración, dirección o supervisión de una empresa, incluidos los miembros no ejecutivos**

### AL ÓRGANO DE CUMPLIMIENTO NORMATIVO DE LA ENTIDAD ...

D. ..., mayor de edad, actuando en nombre y representación propios, con número de DNI ... y domicilio a efectos de comunicaciones en ..., actuando en calidad de accionista, partícipe o persona perteneciente al órgano de administración, dirección o supervisión de la organización ..., ante el órgano de cumplimiento comparezco y como mejor proceda en Derecho, DIGO:

Que habiendo tenido conocimiento directo de hechos considerados irregulares cometidos por D. ... y en virtud de lo dispuesto en la Ley 2/2023, de 20 de febrero, reguladora de la protección de las personas que informen sobre infracciones normativas y de lucha contra la corrupción, vengo a formular la siguiente Denuncia/Comunicación:

**PRIMERA.–** ...

**SEGUNDA.–** ...

**TERCERA.–** ...

En su virtud,

**SOLICITO AL ÓRGANO DE CUMPLIMIENTO:** Que habiendo por presentado este escrito con los documentos que lo acompañan, se sirva admitirlo y acuerde el inicio de la investigación de los hechos considerados irregulares.

Lugar, fecha y Firma.

## Comunicación de trabajador de contratista, subcontratista o proveedor

### AL ÓRGANO DE CUMPLIMIENTO NORMATIVO DE LA ENTIDAD ...

D. ..., mayor de edad, actuando en nombre y representación propios, con número de DNI ... y domicilio a efectos de comunicaciones en ..., actuando en calidad de trabajador de contratista, subcontratista o proveedor de la organización ..., ante el órgano de cumplimiento comparezco y como mejor proceda en Derecho, DIGO:

Que habiendo tenido conocimiento directo de hechos considerados irregulares cometidos por D. ... y en virtud de lo dispuesto en la Ley 2/2023, de 20 de febrero, reguladora de la protección de las personas que informen sobre infracciones normativas y de lucha contra la corrupción, vengo a formular la siguiente Denuncia/Comunicación:

**PRIMERA.–** ...

**SEGUNDA.–** ...

**TERCERA.–** ...

En su virtud,

**SOLICITO AL ÓRGANO DE CUMPLIMIENTO:** Que habiendo por presentado este escrito con los documentos que lo acompañan, se sirva admitirlo y acuerde el inicio de la investigación de los hechos considerados irregulares.

Lugar, fecha y Firma.

## Comunicación de representante legal de las personas trabajadoras en el ejercicio de sus funciones de asesoramiento y apoyo al informante

### AL ÓRGANO DE CUMPLIMIENTO NORMATIVO DE LA ENTIDAD

D. ..., mayor de edad, actuando en nombre y representación de las personas trabajadoras en el ejercicio de sus funciones de asesoramiento y apoyo al informante, con número de DNI ... y domicilio a efectos de comunicaciones en ..., ante el órgano de cumplimiento comparezco y como mejor proceda en Derecho, DIGO:

Que habiendo tenido conocimiento directo de hechos considerados irregulares cometidos por D. ... y en virtud de lo dispuesto en la Ley 2/2023, de 20 de febrero, reguladora de la protección de las personas que informen sobre infracciones normativas y de lucha contra la corrupción, vengo a formular la siguiente Denuncia/Comunicación

**PRIMERA.–** ...

**SEGUNDA.–** ...

**TERCERA.–** ...

En su virtud,

**SOLICITO AL ÓRGANO DE CUMPLIMIENTO:** Que habiendo por presentado este escrito con los documentos que lo acompañan, se sirva admitirlo y acuerde el inicio de la investigación de los hechos considerados irregulares.

Lugar, fecha y Firma.

## Comunicación del representante legal de una empresa

### AL ÓRGANO DE CUMPLIMIENTO NORMATIVO DE LA ENTIDAD ...

D. ..., mayor de edad, actuando en nombre y representación legal de la empresa ..., con número de CIF ... y domicilio a efectos de comunicaciones en ..., ante el órgano de cumplimiento comparezco y como mejor proceda en Derecho, DIGO:

Que habiendo tenido conocimiento directo de hechos considerados irregulares cometidos por D. ... y en virtud de lo dispuesto en la Ley 2/2023, de 20 de febrero, reguladora de la protección de las personas que informen sobre infracciones normativas y de lucha contra la corrupción, vengo a formular la siguiente Denuncia/Comunicación:

**PRIMERA.–** ...

**SEGUNDA.–** ...

**TERCERA.–** ...

En su virtud,

**SOLICITO AL ÓRGANO DE CUMPLIMIENTO:** Que habiendo por presentado este escrito con los documentos que lo acompañan, se sirva admitirlo y acuerde el inicio de la investigación de los hechos considerados irregulares.

Lugar, fecha y Firma.

## Comunicación del representante legal de una sociedad no mercantil

**AL ÓRGANO DE CUMPLIMIENTO NORMATIVO DE LA ENTIDAD**

D. ..., mayor de edad, actuando en nombre y representación de la sociedad no mercantil ..., con número de CIF ... y domicilio a efectos de comunicaciones en ..., ante el órgano de cumplimiento comparezco y como mejor proceda en Derecho, DIGO:

Que habiendo tenido conocimiento directo de hechos considerados irregulares cometidos por D. ... y en virtud de lo dispuesto en la Ley 2/2023, de 20 de febrero, reguladora de la protección de las personas que informen sobre infracciones normativas y de lucha contra la corrupción, vengo a formular la siguiente Denuncia/Comunicación:

**PRIMERA.–** ...

**SEGUNDA.–** ...

**TERCERA.–** ...

En su virtud,

**SOLICITO AL ÓRGANO DE CUMPLIMIENTO:** Que habiendo por presentado este escrito con los documentos que lo acompañan, se sirva admitirlo y acuerde el inicio de la investigación de los hechos considerados irregulares.

Lugar, fecha y Firma.

## Comunicación del representante legal de una entidad sin personalidad jurídica

### AL ÓRGANO DE CUMPLIMIENTO NORMATIVO DE LA ENTIDAD ...

D. ..., mayor de edad, actuando en nombre y representación de la sociedad sin personalidad jurídica ..., con domicilio a efectos de comunicaciones en ..., ante el órgano de cumplimiento comparezco y como mejor proceda en Derecho, DIGO:

Que habiendo tenido conocimiento directo de hechos considerados irregulares cometidos por D. ... y en virtud de lo dispuesto en la Ley 2/2023, de 20 de febrero, reguladora de la protección de las personas que informen sobre infracciones normativas y de lucha contra la corrupción, vengo a formular la siguiente Denuncia/Comunicación:

**PRIMERA.–** ...

**SEGUNDA.–** ...

**TERCERA.–** ...

En su virtud,

**SOLICITO AL ÓRGANO DE CUMPLIMIENTO:** Que habiendo por presentado este escrito con los documentos que lo acompañan, se sirva admitirlo y acuerde el inicio de la investigación de los hechos considerados irregulares.

Lugar, fecha y Firma.

**Comunicación de stakeholder no incluido en el catálogo de legitimación apartado d) artículo 3 de la Ley 2/2023, de 20 de febrero**

### AL ÓRGANO DE CUMPLIMIENTO NORMATIVO DE LA ENTIDAD ...

D. ..., mayor de edad, actuando en nombre y representación propios, con número de DNI ... y domicilio a efectos de comunicaciones en ..., actuando en calidad de stakeholder o persona con interés legítimo, ante el órgano de cumplimiento comparezco y como mejor proceda en Derecho, DIGO:

Que habiendo tenido conocimiento directo de hechos considerados irregulares cometidos por D. ... y en virtud de lo dispuesto en la Ley 2/2023, de 20 de febrero, reguladora de la protección de las personas que informen sobre infracciones normativas y de lucha contra la corrupción, vengo a formular la siguiente Denuncia/Comunicación:

**PRIMERA.–** ...

**SEGUNDA.–** ...

**TERCERA.–** ...

En su virtud,

**SOLICITO AL ÓRGANO DE CUMPLIMIENTO:** Que habiendo por presentado este escrito con los documentos que lo acompañan, se sirva admitirlo y acuerde el inicio de la investigación de los hechos considerados irregulares.

Lugar, fecha y Firma.

## Comunicación de contratista

### AL ÓRGANO DE CUMPLIMIENTO NORMATIVO DE LA ENTIDAD ...

D. ..., mayor de edad, actuando en nombre y representación propios, con número de DNI ... y domicilio a efectos de comunicaciones en ..., actuando en calidad de contratista de la organización ..., ante el órgano de cumplimiento comparezco y como mejor proceda en Derecho, DIGO:

Que habiendo tenido conocimiento directo de hechos considerados irregulares cometidos por D. ... y en virtud de lo dispuesto en la Ley 2/2023, de 20 de febrero, reguladora de la protección de las personas que informen sobre infracciones normativas y de lucha contra la corrupción, vengo a formular la siguiente Denuncia/Comunicación:

**PRIMERA.–** ...

**SEGUNDA.–** ...

**TERCERA.–** ...

En su virtud,

**SOLICITO AL ÓRGANO DE CUMPLIMIENTO:** Que habiendo por presentado este escrito con los documentos que lo acompañan, se sirva admitirlo y acuerde el inicio de la investigación de los hechos considerados irregulares.

Lugar, fecha y Firma.

## Comunicación de subcontratista

### AL ÓRGANO DE CUMPLIMIENTO NORMATIVO DE LA ENTIDAD ...

D. ..., mayor de edad, actuando en nombre y representación propios, con número de DNI ... y domicilio a efectos de comunicaciones en ..., actuando en calidad de subcontratista de la organización ..., ante el órgano de cumplimiento comparezco y como mejor proceda en Derecho, DIGO:

Que habiendo tenido conocimiento directo de hechos considerados irregulares cometidos por D. ... y en virtud de lo dispuesto en la Ley 2/2023, de 20 de febrero, reguladora de la protección de las personas que informen sobre infracciones normativas y de lucha contra la corrupción, vengo a formular la siguiente Denuncia/Comunicación:

**PRIMERA.–** ...

**SEGUNDA.–** ...

**TERCERA.–** ...

En su virtud,

**SOLICITO AL ÓRGANO DE CUMPLIMIENTO:** Que habiendo por presentado este escrito con los documentos que lo acompañan, se sirva admitirlo y acuerde el inicio de la investigación de los hechos considerados irregulares.

Lugar, fecha y Firma.

## Comunicación de proveedor

### AL ÓRGANO DE CUMPLIMIENTO NORMATIVO DE LA ENTIDAD ...

D. ..., mayor de edad, actuando en nombre y representación propios, con número de DNI ... y domicilio a efectos de comunicaciones en ..., actuando en calidad de proveedor de la organización ..., ante el órgano de cumplimiento comparezco y como mejor proceda en Derecho, DIGO:

Que habiendo tenido conocimiento directo de hechos considerados irregulares cometidos por D. ... y en virtud de lo dispuesto en la Ley 2/2023, de 20 de febrero, reguladora de la protección de las personas que informen sobre infracciones normativas y de lucha contra la corrupción, vengo a formular la siguiente Denuncia/Comunicación:

**PRIMERA.–** ...

**SEGUNDA.–** ...

**TERCERA.–** ...

En su virtud,

**SOLICITO AL ÓRGANO DE CUMPLIMIENTO:** Que habiendo por presentado este escrito con los documentos que lo acompañan, se sirva admitirlo y acuerde el inicio de la investigación de los hechos considerados irregulares.

Lugar, fecha y Firma.

## Comunicación de trabajador con relación laboral o estatutaria ya finalizada

### AL ÓRGANO DE CUMPLIMIENTO NORMATIVO DE LA ENTIDAD ...

D. ..., mayor de edad, actuando en nombre y representación propios, con número de DNI ... y domicilio a efectos de comunicaciones en ..., ante el órgano de cumplimiento comparezco y como mejor proceda en Derecho, DIGO:

Que habiendo tenido conocimiento directo de hechos considerados irregulares cometidos por D. ... y en virtud de lo dispuesto en la Ley 2/2023, de 20 de febrero, reguladora de la protección de las personas que informen sobre infracciones normativas y de lucha contra la corrupción, vengo a formular la siguiente Denuncia/Comunicación:

**PRIMERA.–** Que en fecha ... la persona que suscribe comenzó una relación laboral en la empresa ... mediante contrato de trabajo indefinido que se acompaña como documento número 1°.

**SEGUNDA.–** En fecha ... se resuelve el contrato voluntario por baja voluntaria del trabajador.

**TERCERA.–** ...

En su virtud,

**SOLICITO AL ÓRGANO DE CUMPLIMIENTO:** Que habiendo por presentado este escrito con los documentos que lo acompañan, se sirva admitirlo y acuerde el inicio de la investigación de los hechos considerados irregulares.

Lugar, fecha y Firma.

## Comunicación de voluntario

### AL ÓRGANO DE CUMPLIMIENTO NORMATIVO DE LA ENTIDAD ...

D. ..., mayor de edad, actuando en nombre y representación propios, con número de DNI ... y domicilio a efectos de comunicaciones en ..., actuando en calidad de voluntario de la organización ..., ante el órgano de cumplimiento comparezco y como mejor proceda en Derecho, DIGO:

Que habiendo tenido conocimiento directo de hechos considerados irregulares cometidos por D. ... y en virtud de lo dispuesto en la Ley 2/2023, de 20 de febrero, reguladora de la protección de las personas que informen sobre infracciones normativas y de lucha contra la corrupción, vengo a formular la siguiente Denuncia/Comunicación:

**PRIMERA.–** ...

**SEGUNDA.–** ...

**TERCERA.–** ...

En su virtud,

**SOLICITO AL ÓRGANO DE CUMPLIMIENTO:** Que habiendo por presentado este escrito con los documentos que lo acompañan, se sirva admitirlo y acuerde el inicio de la investigación de los hechos considerados irregulares.

Lugar, fecha y Firma.

## Comunicación de becario

### AL ÓRGANO DE CUMPLIMIENTO NORMATIVO DE LA ENTIDAD ...

D. ..., mayor de edad, actuando en nombre y representación propios, con número de DNI ... y domicilio a efectos de comunicaciones en ..., actuando en calidad de becario de la organización ..., ante el órgano de cumplimiento comparezco y como mejor proceda en Derecho, DIGO:

Que habiendo tenido conocimiento directo de hechos considerados irregulares cometidos por D. ... y en virtud de lo dispuesto en la Ley 2/2023, de 20 de febrero, reguladora de la protección de las personas que informen sobre infracciones normativas y de lucha contra la corrupción, vengo a formular la siguiente Denuncia/Comunicación:

**PRIMERA.–** ...

**SEGUNDA.–** ...

**TERCERA.–** ...

En su virtud,

**SOLICITO AL ÓRGANO DE CUMPLIMIENTO:** Que habiendo por presentado este escrito con los documentos que lo acompañan, se sirva admitirlo y acuerde el inicio de la investigación de los hechos considerados irregulares.

Lugar, fecha y Firma.

## Comunicación de trabajador en periodo de formación

### AL ÓRGANO DE CUMPLIMIENTO NORMATIVO DE LA ENTIDAD ...

D. ..., mayor de edad, actuando en nombre y representación propios, con número de DNI ... y domicilio a efectos de comunicaciones en ..., actuando en calidad de trabajador en periodo de formación de la organización ..., ante el órgano de cumplimiento comparezco y como mejor proceda en Derecho, DIGO:

Que habiendo tenido conocimiento directo de hechos considerados irregulares cometidos por D. ... y en virtud de lo dispuesto en la Ley 2/2023, de 20 de febrero, reguladora de la protección de las personas que informen sobre infracciones normativas y de lucha contra la corrupción, vengo a formular la siguiente Denuncia/Comunicación:

**PRIMERA.–** ...

**SEGUNDA.–** ...

**TERCERA.–** ...

En su virtud,

**SOLICITO AL ÓRGANO DE CUMPLIMIENTO:** Que habiendo por presentado este escrito con los documentos que lo acompañan, se sirva admitirlo y acuerde el inicio de la investigación de los hechos considerados irregulares.

Lugar, fecha y Firma.

## Comunicación de trabajador en proceso de selección

### AL ÓRGANO DE CUMPLIMIENTO NORMATIVO DE LA ENTIDAD ...

D. ..., mayor de edad, actuando en nombre y representación propios, con número de DNI ... y domicilio a efectos de comunicaciones en ..., actuando en calidad de trabajador en proceso de selección de la organización ..., ante el órgano de cumplimiento comparezco y como mejor proceda en Derecho, DIGO:

Que habiendo tenido conocimiento directo de hechos considerados irregulares cometidos por D. ... y en virtud de lo dispuesto en la Ley 2/2023, de 20 de febrero, reguladora de la protección de las personas que informen sobre infracciones normativas y de lucha contra la corrupción, vengo a formular la siguiente Denuncia/Comunicación

**PRIMERA.–** ...

**SEGUNDA.–** ...

**TERCERA.–** ...

En su virtud,

**SOLICITO AL ÓRGANO DE CUMPLIMIENTO:** Que habiendo por presentado este escrito con los documentos que lo acompañan, se sirva admitirlo y acuerde el inicio de la investigación de los hechos considerados irregulares.

Lugar, fecha y Firma.

## Comunicación de trabajador en negociación precontractual

### AL ÓRGANO DE CUMPLIMIENTO NORMATIVO DE LA ENTIDAD ...

D. ..., mayor de edad, actuando en nombre y representación propios, con número de DNI ... y domicilio a efectos de comunicaciones en ..., actuando en calidad de trabajador en negociación precontractual de la organización ..., ante el órgano de cumplimiento comparezco y como mejor proceda en Derecho, DIGO:

Que habiendo tenido conocimiento directo de hechos considerados irregulares cometidos por D. ... y en virtud de lo dispuesto en la Ley 2/2023, de 20 de febrero, reguladora de la protección de las personas que informen sobre infracciones normativas y de lucha contra la corrupción, vengo a formular la siguiente Denuncia/Comunicación:

**PRIMERA.–** ...

**SEGUNDA.–** ...

**TERCERA.–** ...

En su virtud,

**SOLICITO AL ÓRGANO DE CUMPLIMIENTO:** Que habiendo por presentado este escrito con los documentos que lo acompañan, se sirva admitirlo y acuerde el inicio de la investigación de los hechos considerados irregulares.

Lugar, fecha y Firma.

## Resolución de admisión de comunicación

Órgano de Cumplimiento Normativo de la Entidad ...

Número de expediente: ...

Fecha: ...

### RESOLUCIÓN

VISTO el expediente [número de expediente] correspondiente a la comunicación de hechos presuntamente constitutivos de infracciones normativas recibida por este canal de información en fecha, y considerando que la comunicación reúne los requisitos formales establecidos en la Ley 2/2023, de 20 de febrero, reguladora de la protección de las personas que informen sobre infracciones normativas y de lucha contra la corrupción y en la política del canal interno de información, y que se han cumplido los plazos y las formalidades establecidas,

### RESUELVO:

**PRIMERO.–** Admitir a trámite la comunicación de hechos presuntamente constitutivos de infracciones normativas recibida por este canal de información.

**SEGUNDO.–** Ordenar la apertura del correspondiente expediente, en el que se recogerán todas las actuaciones necesarias para la averiguación y comprobación de los hechos comunicados.

**TERCERO.–** Notificar la presente resolución a la persona que presentó la comunicación.

**CUARTO.–** Comunicar esta resolución al responsable del sistema interno de información para su conocimiento y efectos oportunos.

Lugar, fecha y Firma.

## Resolución de inadmisión de la comunicación

Órgano de Cumplimiento Normativo de la Entidad ...

Número de expediente: ...

Fecha: ...

### RESOLUCIÓN

Vistos los hechos presentados por el informante, a través del canal de información de la organización ..., mediante [forma de comunicación] de fecha ..., en la que se detalla la supuesta infracción normativa cometida por [nombre del implicado].

Considerando que el presente expediente ha sido revisado por el responsable del canal de información de la organización y se han tomado las medidas necesarias para salvaguardar la confidencialidad del informante, y de la información proporcionada.

Considerando que, después de realizar una evaluación preliminar, se ha determinado que la comunicación presentada no cumple con los requisitos establecidos en la política del canal de información de la organización ... para ser considerada una comunicación de hechos presuntamente constitutivos de infracción normativa.

### RESUELVO

**PRIMERO.–** Inadmitir la comunicación presentada por las razones expuestas.

**SEGUNDO.–** Comunicar al interesado que, en caso de que disponga de nueva información que permita subsanar los defectos observados, podrá realizar una nueva comunicación a través del canal de información de la organización.

Lugar, fecha y Firma.

## Aplicación de las medidas de protección a los representantes legales de las personas trabajadoras en el ejercicio de sus funciones de asesoramiento y apoyo al informante

Órgano de Cumplimiento Normativo de la Entidad …

Número de expediente:

Fecha: …

## RESOLUCIÓN

### ANTECEDENTES DE HECHO

**PRIMERO.-** En este Órgano de Cumplimiento Normativo ha tenido entrada en fecha … comunicación de hechos presuntamente irregulares presentada por D. …, representante legal de los trabajadores en el ejercicio de sus funciones de asesoramiento y apoyo al informante, contra el afectado D. …, director de la oficina sita en la localidad ….

**SEGUNDO.-** En dicha comunicación se solicita la aplicación de las medidas de protección contenidas en el Título VII de la Ley 2/2023, de 20 de febrero, reguladora de la protección de las personas que informen sobre infracciones normativas y de lucha contra la corrupción.

**TERCERO.-** En virtud de lo establecido en la Ley 2/2023, de 20 de febrero, reguladora de la protección de las personas que informen sobre infracciones normativas y de lucha contra la corrupción y en la Directiva (UE) 2019/1937 del Parlamento Europeo y del Consejo, de 23 de octubre de 2019, relativa a la protección de las personas que informen sobre infracciones del Derecho de la Unión, procede la aplicación de las medidas de protección en favor de D. … en su calidad de representante de las personas trabajadoras en el ejercicio de sus funciones de asesoramiento y apoyo al informante.

### RESUELVO

**PRIMERO.-** Acordar, a tenor de lo dispuesto en Título VII de la Ley 2/2023, de 20 de febrero, reguladora de la protección de las personas que informen sobre infracciones normativas y de lucha contra la corrupción y Capítulo VI de la Directiva (UE) 2019/1937 del Parlamento Europeo y del Consejo, de 23 de octubre de 2019, relativa a la protección de las personas que informen sobre infracciones del Derecho de la Unión, las medidas de protección en favor de D. … en su calidad de representante de las personas trabajadoras en el ejercicio de sus funciones de asesoramiento y apoyo al informante.

**SEGUNDO.-** Requiérase al departamento de recursos humanos para que, de forma inmediata, proceda a …

**TERCERO.-** Notificar de la presente resolución a las partes personadas.

Firma y sello.

**Aplicación de las medidas de protección a las personas físicas que, en el marco de la organización en la que preste servicios el informante, y que asistan al mismo en el proceso**

Órgano de Cumplimiento Normativo de la Entidad ...

Número de expediente:

Fecha: ...

## RESOLUCIÓN

### ANTECEDENTES DE HECHO

**PRIMERO.–** En este Órgano de Cumplimiento Normativo ha tenido entrada en fecha ... comunicación de hechos presuntamente irregulares presentada por D. ..., en su calidad de persona que presta servicios de asistencia al informante, contra el afectado D. ..., director de la oficina sita en la localidad ....

**SEGUNDO.–** En dicha comunicación se solicita la aplicación de las medidas de protección contenidas en el Título VII de la Ley 2/2023, de 20 de febrero, reguladora de la protección de las personas que informen sobre infracciones normativas y de lucha contra la corrupción.

**TERCERO.–** En virtud de lo establecido en la Ley 2/2023, de 20 de febrero, reguladora de la protección de las personas que informen sobre infracciones normativas y de lucha contra la corrupción y en la Directiva (UE) 2019/1937 del Parlamento Europeo y del Consejo, de 23 de octubre de 2019, relativa a la protección de las personas que informen sobre infracciones del Derecho de la Unión, procede la aplicación de las medidas de protección en favor de D. ... en su calidad de persona que presta servicios de asistencia al informante.

### RESUELVO

**PRIMERO.–** Acordar, a tenor de lo dispuesto en Título VII de la Ley 2/2023, de 20 de febrero, reguladora de la protección de las personas que informen sobre infracciones normativas y de lucha contra la corrupción y Capítulo VI de la Directiva (UE) 2019/1937 del Parlamento Europeo y del Consejo, de 23 de octubre de 2019, relativa a la protección de las personas que informen sobre infracciones del Derecho de la Unión, las medidas de protección en favor de D. ... en su calidad de persona que presta servicios de asistencia al informante.

**SEGUNDO.–** Requiérase al departamento de recursos humanos para que, de forma inmediata, proceda a ...

**TERCERO.–** Notificar de la presente resolución a las partes personadas.

Firma y sello.

## Aplicación de las medidas de protección a las personas físicas que estén relacionadas con el informante, y que puedan sufrir represalias, como compañeros de trabajo o familiares del informante

Órgano de Cumplimiento Normativo de la Entidad …

Número de expediente:

Fecha: …

## RESOLUCIÓN

### ANTECEDENTES DE HECHO

**PRIMERO.–** En este Órgano de Cumplimiento Normativo ha tenido entrada en fecha … comunicación de hechos presuntamente irregulares presentada por D. …, contra el afectado D. …, director de la oficina sita en la localidad ….

**SEGUNDO.–** En dicha comunicación se solicita la aplicación de las medidas de protección a personas físicas relacionadas con el informante y que puedan sufrir represalias contenidas en el Título VII de la Ley 2/2023, de 20 de febrero, reguladora de la protección de las personas que informen sobre infracciones normativas y de lucha contra la corrupción.

**TERCERO.–** En virtud de lo establecido en la Ley 2/2023, de 20 de febrero, reguladora de la protección de las personas que informen sobre infracciones normativas y de lucha contra la corrupción y en la Directiva (UE) 2019/1937 del Parlamento Europeo y del Consejo, de 23 de octubre de 2019, relativa a la protección de las personas que informen sobre infracciones del Derecho de la Unión, procede la aplicación de las medidas de protección a personas físicas relacionadas con el informante y que puedan sufrir represalias.

### RESUELVO

**PRIMERO.–** Acordar, a tenor de lo dispuesto en Título VII de la Ley 2/2023, de 20 de febrero, reguladora de la protección de las personas que informen sobre infracciones normativas y de lucha contra la corrupción y Capítulo VI de la Directiva (UE) 2019/1937 del Parlamento Europeo y del Consejo, de 23 de octubre de 2019, relativa a la protección de las personas que informen sobre infracciones del Derecho de la Unión, las medidas de protección a personas físicas relacionadas con el informante y que puedan sufrir represalias.

**SEGUNDO.–** Requiérase al departamento de recursos humanos para que, de forma inmediata, proceda a …

**TERCERO.–** Notificar de la presente resolución a las partes personadas.

Firma y sello.

## Personas jurídicas, para las que trabaje el informante o con las que mantenga cualquier otro tipo de relación en un contexto laboral o en las que ostente una participación significativa

Órgano de Cumplimiento Normativo de la Entidad …

Número de expediente:

Fecha: …

### RESOLUCIÓN

### ANTECEDENTES DE HECHO

**PRIMERO.-** En este Órgano de Cumplimiento Normativo ha tenido entrada en fecha … comunicación de hechos presuntamente irregulares presentada por D. …, contra el afectado D. …, director de la oficina sita en la localidad ….

**SEGUNDO.-** En dicha comunicación se solicita la aplicación de las medidas de protección a personas jurídicas, para las que trabaje o con las que mantenga cualquier otro tipo de relación en un contexto laboral o en las que ostente una participación significativa contenidas en el Título VII de la Ley 2/2023, de 20 de febrero, reguladora de la protección de las personas que informen sobre infracciones normativas y de lucha contra la corrupción.

**TERCERO.-** En virtud de lo establecido en el artículo 3.4.c) de la Ley 2/2023, de 20 de febrero, reguladora de la protección de las personas que informen sobre infracciones normativas y de lucha contra la corrupción serán de aplicación las medidas de protección del informante a las personas jurídicas, para las que trabaje o con las que mantenga cualquier otro tipo de relación en un contexto laboral o en las que ostente una participación significativa.

A estos efectos, se entiende que la participación en el capital o en los derechos de voto correspondientes a acciones o participaciones es significativa cuando, por su proporción, permite a la persona que la posea tener capacidad de influencia en la persona jurídica participada.

### RESUELVO

**PRIMERO.-** Acordar, a tenor de lo dispuesto en el artículo 3.4.c) en relación con el Título VII de la Ley 2/2023, de 20 de febrero, reguladora de la protección de las personas que informen sobre infracciones normativas y de lucha contra la corrupción y Capítulo VI de la Directiva (UE) 2019/1937 del Parlamento Europeo y del Consejo, de 23 de octubre de 2019, relativa a la protección de las personas que informen sobre infracciones del Derecho de la Unión, las medidas de protección a personas jurídicas, para las que trabaje o con las que mantenga cualquier otro tipo de relación en un contexto laboral o en las que ostente una participación significativa.

**SEGUNDO.-** Requiérase al departamento de recursos humanos para que, de forma inmediata, proceda a ...

**TERCERO.-** Notificar de la presente resolución a las partes personadas.

Firma y sello.

## Creación de un sistema interno de información por parte del Órgano de Administración de la persona jurídica

Órgano de Administración de la Empresa …

Fecha: …

En [ciudad], a [fecha], reunido el Órgano de administración de [nombre de la persona jurídica], en sesión extraordinaria, se acuerda por unanimidad la creación de un sistema interno de información en los términos establecidos por la Ley 2/2023, de 20 de febrero, reguladora de la protección de las personas que informen sobre infracciones normativas y de lucha contra la corrupción.

El sistema interno de información tendrá como objetivo la gestión y el control de la información de la persona jurídica, garantizando la seguridad, la integridad y la confidencialidad de los datos.

Se establece que el sistema interno de información cumplirá con las obligaciones establecidas en la Ley 2/2023, de 20 de febrero, reguladora de la protección de las personas que informen sobre infracciones normativas y de lucha contra la corrupción y se adaptará a las medidas de seguridad exigidas por la Agencia Española de Protección de Datos.

Se acuerda también la designación de un encargado del sistema interno de información, quien será responsable de la gestión, el control y el mantenimiento del sistema.

Asimismo, se establece que se llevará a cabo un plan de formación y sensibilización para todos los empleados de la persona jurídica en relación con el uso correcto y seguro del sistema interno de información.

Se autoriza al representante legal de la persona jurídica a tomar todas las medidas necesarias para la implementación y el cumplimiento de esta resolución, incluyendo la contratación de servicios especializados en materia de tecnologías de la información y la comunicación.

Por último, se acuerda publicar la presente resolución en la página web de la persona jurídica y en cualquier otro medio necesario para su conocimiento y divulgación entre los empleados, colaboradores y terceros que tengan relación con la persona jurídica.

Sin más asuntos que tratar, se levanta la sesión siendo las [hora] horas del día [fecha].

## Consulta del Órgano de Administración a la representación legal de las personas trabajadoras para la creación del sistema interno de información

Órgano de Administración de la Entidad ...

Fecha: ...

### CONSULTA

Por medio de la presente nos dirigimos a usted para consultarle acerca de la creación de un sistema interno de información en los términos establecidos por la Ley 2/2023, de 20 de febrero, reguladora de la protección de las personas que informen sobre infracciones normativas y de lucha contra la corrupción.

Este sistema interno de información tendría como objetivo la gestión y el control de la información de la persona jurídica, garantizando la seguridad, la integridad y la confidencialidad de los datos.

Dado que la implementación del sistema podría tener implicaciones en los derechos de las personas trabajadoras de la empresa, nos gustaría conocer su opinión y recibir sus recomendaciones sobre los términos y condiciones que deberían incluirse en el sistema para asegurar el cumplimiento de la normativa laboral vigente y la protección de los derechos de las personas trabajadoras.

Agradecemos de antemano su colaboración y esperamos su pronta respuesta.

Atentamente,

[Nombres y apellidos del órgano de administración de la persona jurídica]

## Resolución del Órgano de Administración integrando los distintos canales internos de comunicación dentro de la propia Entidad

Órgano de Administración de la Entidad …

Fecha: …

Teniendo en cuenta la necesidad de mejorar la gestión de la información y la comunicación interna de la empresa, y considerando que la integración de los distintos canales internos permitirá una mayor eficiencia en la transmisión de información y la toma de decisiones, se acuerda por unanimidad la adopción de la siguiente RESOLUCIÓN:

**PRIMERO.–** Se procederá a la integración de los distintos canales internos existentes en la empresa en un único sistema que permita una gestión más eficiente y coordinada de la información y la comunicación.

**SEGUNDO.–** Se asignará la responsabilidad de la implantación del nuevo sistema a la Dirección de Sistemas de Información, en colaboración con el Departamento de Recursos Humanos y el Departamento de Comunicación Corporativa.

**TERCERO.–** Se establecerá un plazo máximo de tres meses para la implantación del nuevo sistema de integración de canales internos.

**CUARTO.–** Se informará a todas las áreas de la empresa sobre los cambios que se van a producir, y se realizarán las acciones necesarias para que los empleados reciban la formación y el soporte necesario para la utilización adecuada del nuevo sistema.

**QUINTO.–** Se establecerán los procedimientos necesarios para garantizar la confidencialidad, seguridad y privacidad de los datos gestionados en el nuevo sistema, en cumplimiento de la normativa vigente en materia de protección de datos.

**SEXTO.–** Se autoriza al Presidente de la empresa para que, en su caso, proceda a la firma de los acuerdos necesarios para la implementación del nuevo sistema de integración de canales internos.

**SÉPTIMO.–** Se acuerda la invitación a los representantes de los trabajadores a participar en la planificación y ejecución de esta medida, a fin de garantizar que los intereses de los trabajadores y de la empresa se tengan en cuenta en todo momento.

**OCTAVO.–** Se acuerda por unanimidad la publicación de esta resolución en el tablón de anuncios y en la página web de la empresa.

## Publicidad a nivel interno del sistema interno de información y defensa del informante

Estimados empleados,

Nos complace anunciarles que, con el objetivo de garantizar una gestión transparente y ética de la entidad, se ha creado un sistema interno de información y defensa del informante.

Este sistema permitirá a cualquier empleado/a que observe o tenga conocimiento de cualquier conducta irregular o ilegal dentro de la empresa, informar de manera confidencial y segura, sin temor a represalias o sanciones. Asimismo, se garantizará que cualquier información proporcionada por el informante sea tratada con la máxima confidencialidad y se investigará de manera imparcial cualquier comunicación recibida.

Este sistema se rige por la Ley 2/2023, de 20 de febrero, reguladora de la protección de las personas que informen sobre infracciones normativas y de lucha contra la corrupción, y resto de normativa vigente aplicable.

Es responsabilidad de todos los empleados/as de la empresa mantener un ambiente de trabajo ético y transparente, y este sistema es una herramienta importante para lograrlo.

Por favor, si tienen alguna duda o desean más información sobre el sistema interno de información y defensa del informante, no duden en contactar con el responsable del área de cumplimiento normativo.

Procedimiento de gestión de las informaciones recibidas

El procedimiento de gestión de las informaciones recibidas a través del sistema interno de información y defensa del informante se establece de la siguiente manera:

1. Recepción de la información: La información será recibida a través del canal interno de información habilitado para tal fin, el cual garantizará la confidencialidad de la información recibida, así como el anonimato del informante.

2. Registro de la información: La información recibida será registrada en un registro específico, en el cual se incluirán todos los datos relevantes, como la fecha de recepción, el canal utilizado, el contenido de la denuncia/comunicación y cualquier otra información relevante.

3. Evaluación preliminar de la información: La información recibida será evaluada por el responsable del proyecto para determinar su credibilidad y relevancia. Si se considera que la información no es creíble o no es relevante, se procederá a su archivo sin más trámite.

4. Investigación de la información: Si se considera que la información es creíble y relevante, se procederá a su investigación. La investigación se llevará a cabo de manera imparcial y confidencial, y se garantizarán los derechos de las partes involucradas.

5. Informe de la investigación: Una vez finalizada la investigación, se elaborará un informe detallado en el que se recogerán todas las conclusiones de la investigación. Si se ha detectado alguna irregularidad o ilegalidad, se procederá a tomar las medidas oportunas para remediar la situación.

6. Comunicación al informante: En caso de que se haya identificado al informante, se le informará de las conclusiones de la investigación. En caso contrario, se indicará que la información ha sido recibida y tratada, sin ofrecer detalles de la investigación.

7. Protección del informante: En todo momento se garantizará la protección del informante, y se tomarán las medidas necesarias para evitar cualquier tipo de represalias o sanciones en su contra.

Este procedimiento garantiza la gestión transparente y ética de las informaciones recibidas a través del sistema interno de información y defensa del informante, y cumple con todas las obligaciones establecidas en la Ley 2/2023, de 20 de febrero, reguladora de la protección de las personas que informen sobre infracciones normativas y de lucha contra la corrupción.

**Resolución del Consejo de Administración estableciendo las garantías para la protección de los informantes en el ámbito de la propia entidad u organismo**

Consejo de Administración de la Empresa …

Fecha: …

Teniendo en cuenta las obligaciones establecidas en la Ley 2/2023, de 20 de febrero, reguladora de la protección de las personas que informen sobre infracciones normativas y de lucha contra la corrupción, y con el objetivo de garantizar la protección de los informantes en el ámbito de nuestra entidad, se ha decidido establecer una serie de garantías que aseguren la confidencialidad y protección de aquellos que decidan informar sobre posibles irregularidades, a través de la presente Resolución:

Por medio de la presente se establecen las siguientes garantías para la protección de los informantes:

1. Protección de datos personales: Se asegurará que toda información proporcionada por el informante se tratará con la máxima confidencialidad y protección de datos personales.

2. Confidencialidad: Se garantizará la confidencialidad de la identidad del informante, excepto en los casos en que sea necesario para la investigación de la denuncia.

3. Prohibición de represalias: Se prohíbe cualquier tipo de represalia o sanción contra el informante por haber proporcionado información, y se tomarán las medidas necesarias para evitar cualquier tipo de represalia.

4. Investigación imparcial: Se realizará una investigación imparcial y objetiva de la información proporcionada por el informante, y se tomarán las medidas necesarias para solucionar cualquier irregularidad detectada.

5. Comunicación con el informante: Se establecerá una comunicación fluida con el informante para mantenerlo informado sobre el estado de la investigación.

Estas garantías serán de aplicación inmediata en nuestra entidad y se comunicarán a todos los empleados y trabajadores de la empresa para que estén informados de su existencia.

## Contrato de prestación de servicios (Encargo de tratamiento) a favor de tercero para la gestión del sistema interno de información

Reunidos,

En ..., a ... de .... de .....

**DE UNA PARTE,** D. ..., con N.I.F. número ..., en nombre y representación de la entidad ..., (en adelante, ENCARGADO DE TRATAMIENTO), con C.I.F. número ..., y con domicilio social en ..., C/ ...., número ... CP ...

**Y DE OTRA PARTE,** D. ..., con N.I.F. número ..., en nombre y representación de la entidad ..., (en adelante, RESPONSABLE DE TRATAMIENTO), con C.I.F. número ..., y con domicilio social en ..., C/ ...., número ... CP ...

Ambas partes reconociéndose capacidad jurídica y de obrar suficiente para el otorgamiento del presente acuerdo de colaboración,

### EXPONEN

**I.** Que el RESPONSABLE DE TRATAMIENTO es una empresa cuyo objeto social es ... inscrita en el Registro Mercantil de ..., (datos registrales) ...

**II.** Que el ENCARGADO DE TRATAMIENTO es una entidad dedicada a ..... inscrita en el Registro Mercantil de ..., (datos registrales) ...

**III.** Que el ENCARGADO DE TRATAMIENTO, como consecuencia de la prestación de los servicios que se detallan en la Estipulación Primera a favor del RESPONSABLE DE TRATAMIENTO (en adelante, el Servicio), podrá acceder y proceder al tratamiento de determinados tratamientos de titularidad del RESPONSABLE DE TRATAMIENTO.

**IV.** Que, con el fin de dar cumplimiento a la normativa de Protección de Datos Personales, ambas partes firman el presente Contrato de Encargo de Tratamiento, el cual comprende las siguientes:

### ESTIPULACIONES

### 1. Condiciones del encargo

El presente Contrato tiene por objeto ....

Al objeto de cumplir con las obligaciones de este Contrato, de conformidad con lo dispuesto en el artículo 28 del RGPD y demás normativa aplicable, EL RESPONSABLE DE TRATAMIENTO autoriza al ENCARGADO DE TRATAMIENTO:

(i) EL RESPONSABLE DE TRATAMIENTO actúa en calidad de Responsable de los tratamientos, puesto que necesita tratar datos de carácter personal y es quien decide sobre la finalidad, contenido y uso de los tratamientos.

(ii) EL ENCARGADO DE TRATAMIENTO actúa en calidad de ENCARGADO DE tratamiento, puesto que debe tratar datos personales por cuenta del RESPONSABLE DE TRATAMIENTO.

(iii) El acceso por parte del ENCARGADO DE TRATAMIENTO a los datos del RESPONSABLE DE TRATAMIENTO se realizará en el marco de la prestación de los servicios de XXXXXXXXXXX, de conformidad con el presente Contrato ... siendo necesario para la ejecución de los mismos y no considerándose, por lo tanto, comunicación o cesión de dichos datos en virtud de lo dispuesto en el artículo 28 del citado RGPD.

(iv) Los datos objeto de tratamiento del presente Contrato son:

(v) La tipología de los datos utilizados son los que se describen a continuación: ...

(vi) EL ENCARGADO DE TRATAMIENTO únicamente tratará los datos facilitados por EL RESPONSABLE DE TRATAMIENTO conforme a sus instrucciones, y no los aplicará o utilizará con fines distintos a los previstos en el presente Contrato, ni los comunicará o cederá a otras personas, ni siquiera para su conservación.

(vii) En el caso de que EL ENCARGADO DE TRATAMIENTO destine los datos facilitados por EL ENCARGADO DE TRATAMIENTO a otra finalidad, los comunique o los utilice incumpliendo los acuerdos establecidos en el presente Contrato, será considerado, también, Responsable del tratamiento, respondiendo de las infracciones en que hubiera incurrido personalmente.

(viii) EL ENCARGADO DE TRATAMIENTO aplicará a los datos personales que trate por cuenta del RESPONSABLE DE TRATAMIENTO las medidas de seguridad necesarias y suficientes de conformidad con lo previsto en el artículo 32 del RGPD y demás normativa aplicable, siempre conforme a la legislación aplicable vigente en cada momento.

(ix) Una vez cumplida la prestación contractual, los datos de carácter personal serán destruidos o devueltos al RESPONSABLE DE TRATAMIENTO por parte del ENCARGADO DE TRATAMIENTO, al igual que cualquier soporte o documentos en que conste algún dato de carácter personal objeto del tratamiento.

(x) EL ENCARGADO DE TRATAMIENTO cumplirá con el deber de secreto profesional respecto a los datos de carácter personal, aun después de finalizar sus relaciones contractuales con EL RESPONSABLE DE TRATAMIENTO.

(xi) EL ENCARGADO DE TRATAMIENTO garantiza el cumplimiento de las obligaciones que le correspondan como ENCARGADO DE tratamiento en virtud de la normativa que le resulte de aplicación en materia de protección de datos personales. El RESPONSABLE DE TRATAMIENTO se reserva la facultad de verificar el cumplimiento por el ENCARGADO DE TRATAMIENTO de las obligaciones especificadas en el presente Contrato, de manera periódica y siempre con previo aviso sobre la realización de la auditoría y procurando la mínima molestia.

## 2. Subcontratación

EL RESPONSABLE DE TRATAMIENTO prohíbe al ENCARGADO DE TRATAMIENTO a subcontratar todo o parte de los Servicios objeto del presente contrato salvo autorización previa, expresa, por escrito y por medios fehacientes previa otorgada por el primero.

## 3. Derechos de acceso, cancelación rectificación y oposición, y cuantos otros derechos se encuentran previstos en la normativa vigente sobre protección de datos

En el caso de que los afectados, cuyos datos se encuentren en los tratamientos responsabilidad del RESPONSABLE DE TRATAMIENTO, ejercitasen sus derechos ante el ENCARGADO DE TRATAMIENTO, éste deberá dar traslado de la solicitud de forma inmediata al RESPONSABLE DE TRATAMIENTO y, a no más tardar, dentro del plazo de tres días naturales a contar desde su recepción, para que el RESPONSABLE DE TRATAMIENTO resuelva debidamente dicha solicitud.

No obstante, lo indicado en el párrafo anterior, El ENCARGADO DE TRATAMIENTO podrá atender, por cuenta del RESPONSABLE DE TRATAMIENTO, las solicitudes de ejercicio por los afectados de sus derechos de acceso, rectificación, cancelación u oposición, lo que habrá de acordarse por ambas partes.

### 4. Datos de firmantes del Contrato

Los datos personales de los firmantes del presente Contrato, así como los relativos a las personas de contacto en cada entidad, serán incluidos en los tratamientos de las partes intervinientes, con el fin de gestionar y cumplir la relación establecida, siendo la base legitimadora de dicho tratamiento de datos personales, el interés legítimo de las entidades firmantes del presente Contrato (artículo 6.1.f. del RGPD)

El RESPONSABLE DE TRATAMIENTO informa de que los datos de proveedores podrán ser cedidos, en su caso, a la Agencia Tributaria y demás administraciones públicas, para el cumplimiento de obligaciones fiscales, así como a entidades financieras para la gestión de cobros y pagos.

Para el ejercicio de los derechos de acceso, rectificación, cancelación u oposición, y demás derechos previstos en la normativa de privacidad deberá remitirse un escrito identificado con la referencia "Protección de Datos", en el que se concrete la solicitud correspondiente y al que acompañe fotocopia de un documento oficial de identidad del interesado, dirigido a las direcciones del encabezamiento.

### 5. Entrada en vigor

El presente Contrato entra en vigor en la fecha de su firma y estará vigente hasta la fecha de terminación de la relación de prestación del Servicio por parte del ENCARGADO DE TRATAMIENTO a favor del RESPONSABLE DE TRATAMIENTO y se hayan cumplido las obligaciones contempladas en el presente Contrato, con independencia de cualquier otra obligación de carácter legal que fuera aplicable a las partes tras la terminación de dicha relación.

Y en prueba de conformidad con cuanto antecede y con voluntad de obligarse, las partes firman el presente documento en duplicado ejemplar en el lugar y fecha indicados.

## Contrato de corresponsables de tratamiento de datos personales sobre el canal interno de comunicaciones

### REUNIDOS

De una parte, D. ..., con NIF ..., actuando en nombre y representación de ..., con CIF ..., y domicilio en ... en virtud de poder de representación que se incorpora como anexo n° 1 (en adelante Holding)

De otra, D. ..., con NIF ..., actuando en nombre y representación de ..., con CIF ..., y domicilio en ... en virtud de poder de representación que se incorpora como anexo n° 2 (en adelante **EMPRESA 1**)

De otra, D. ..., con NIF ..., actuando en nombre y representación de ..., con CIF ..., y domicilio en ... en virtud de poder de representación que se incorpora como anexo n° 3 (en adelante **EMPRESA 2**)

Los contratantes se reconocen recíprocamente con el carácter en que intervienen, plena capacidad jurídica para contratar y en el caso de representar a terceros, cada uno de los intervinientes asegura que el poder con el que actúa no ha sido revocado ni limitado, y que es bastante para obligar a sus representados en virtud de este Contrato Marco, y a tal objeto.

### EXPONEN

**PRIMERO.–** Que el HOLDING tiene como objeto social entre otros ..., para lo cual dispondrá de la correspondiente organización de medios materiales y personales.

Que el Holding tiene personalidad jurídica propia, plena capacidad de obrar para el cumplimiento de sus fines y jurisdicción en los asuntos de su competencia.

**SEGUNDO.–** Que la EMPRESA (1) tiene como objeto social ...

Que la EMPRESA (2) tiene como objeto social ...

**TERCERO.–** Que es voluntad del HOLDING y de las EMPRESAS 1 y 2, ambas incluidas, regular las relaciones en materia de protección de datos respecto del canal interno de información que deben presidir entre las citadas entidades.

A tales efectos pactan las siguientes

### ESTIPULACIONES

#### PRIMERA.– Objeto de este Contrato

1.1. El objeto de este Contrato consiste en regular las relaciones entre el HOLDING y las EMPRESAS 1 y 2, respecto de la protección de datos, a efectos del Reglamento (UE) 2016/679, del Parlamento Europeo y del Consejo, de 27 de abril de 2016, relativo a la protección de las personas físicas en lo que respecta al tratamiento de datos personales y a la libre circulación de datos (Reglamento General de Protección de Datos) (en adelante, "RGPD") y de la Ley Orgánica 3/2018 de Protección de Datos y Garantía de los Derechos Digitales y cualquier otra normativa que la sustituya de acuerdo con el contenido de la presente Estipulación en relación con el canal interno de información regulado en la Ley 2/2023, de 20 de febrero, reguladora de la protección de las personas que informen sobre infracciones normativas y de lucha contra la corrupción.

**SEGUNDA.–Corresponsables del Tratamiento.**

I. Que los Responsables del Tratamiento serán las EMPRESAS 1 y 2, ambas incluidas y el HOLDING.

II. Que las EMPRESAS 1 y 2 han acordado de forma conjunta con el HOLDING la realización del tratamiento de datos consistente en la gestión y tramitación de expedientes de investigación y eventual resolución en el canal interno de comunicaciones al amparo de lo dispuesto en los artículos 12 de la Ley 2/2023, de 20 de febrero, reguladora de la protección de las personas que informen sobre infracciones normativas y de lucha contra la corrupción, el artículo 26 del Reglamento (UE) 2016/679, del Parlamento Europeo y del Consejo, de 27 de abril de 2016, relativo a la protección de las personas físicas en lo que respecta al tratamiento de datos personales y a la libre circulación de datos (Reglamento General de Protección de Datos) y el artículo 29 de la Ley Orgánica 3/2018 de Protección de Datos y Garantía de los Derechos Digitales.

III. Que a tales efectos las partes contratantes cuentan con la debida autorización de los titulares de los datos personales a los efectos de la comunicación de los datos, como corresponsable del tratamiento.

IV. Que en cumplimiento del RGPD UE 2016/679, de Protección de Datos de Carácter Personal, y de la Ley Orgánica 3/2018, de 5 de diciembre de Protección de Datos Personales y garantía de los derechos digitales, las partes contratantes acuerdan libremente regular el acceso y tratamiento de los datos de carácter personal mencionados, de conformidad con los Estipulaciones establecidas en este Contrato.

V. Los tratamientos que contengan datos de carácter personal puestos a disposición de los Corresponsables del Tratamiento, respectivamente, se encuentran debidamente legalizados y legitimados.

**TERCERA.– Acceso a datos.**

El acceso a los datos por parte de los Corresponsables del Tratamiento entre sí no se considerará comunicación de datos, ya que el mismo resulta indispensable para la prestación de los servicios encargados.

**CUARTA.– Finalidad del Tratamiento.**

El acceso por parte de los Corresponsables del Tratamiento a los datos de carácter personal será única y exclusivamente para dar cumplimiento a las finalidades relacionadas en el Estipulación Segunda.

**QUINTA.– Duración.**

5.1 El contrato entrará en vigor en fecha …

5.2 El contrato se celebra por una duración de … años (… años) a contar desde la fecha de su entrada en vigor. Salvo disposición en contrario, esta duración contractual y todos los demás plazos mencionados en el contrato marco se calculan en días naturales.

5.3 El contrato puede ser renovado por idénticos periodos de tiempo de manera automática mediante su reconducción tácita, sin perjuicio del derecho atribuido a una u otra de las partes de ponerle fin en cualquier momento, siempre que se respete un preaviso de dos meses. Esta reconducción no supondrá ni modificación ni postergación de las obligaciones vigentes.

**SEXTA.– Categoría de interesados y categorías de los datos personales utilizados.**

Las categorías de interesados objeto del presente Contrato, cuyos datos van a ser objeto de tratamiento, se corresponden de manera preferente con los clientes, usuarios, empleados, proveedores y stakeholders de los Corresponsables del Tratamiento.

En lo referente a las categorías de datos personales objeto de dicho tratamiento los mismos se corresponden principalmente con las siguientes categorías:

a). Datos de identificación

b) Identificativos: Nombre, apellidos, DNI o NIE, número de seguridad social, domicilio, teléfono, correo electrónico, fotografías o audios de voz.

c) Personales: Fecha y lugar de nacimiento, edad, estado civil, datos familiares.

d) Académicos y de formación: Expediente académico, formación y titulaciones.

e) Profesionales y de empleo: Experiencia en el mundo profesional, categoría o puesto a desarrollar o desarrollado por el trabajador, expediente profesional del trabajador.

f) Económico-financieros: Datos bancarios, ingresos, rentas, créditos, préstamos, avales, plan de pensiones, jubilación.

g) Administrativos: Procedimientos administrativos, reclamaciones y recursos, sanciones, registros, solicitudes, concesiones.

h) Sociales: Ayudas o subvenciones, percepción de prestaciones de asistencia social, subsidios, pensiones.

i) Direcciones IP: La dirección IP es un conjunto de números que identifica, de manera lógica y jerárquica, a una Interfaz en red de un dispositivo, por lo que puede resultar un dato identificativo a nivel de geolocalización.

j) Comerciales: Actividades o negocios, licencias comerciales, subscripciones a publicaciones o medios de comunicación, creaciones artísticas, literarias, científicas o técnicas.

**SÉPTIMA.– Garantía y protección de los datos.**

En el tratamiento de estos datos personales, los Corresponsables del Tratamiento se comprometen a garantizar y proteger las libertades públicas y los derechos fundamentales de las personas físicas afectadas y, especialmente, su honor y su intimidad familiar y personal.

**OCTAVA.– Obligaciones de los Corresponsables del Tratamiento.**

Los Corresponsables del Tratamiento se obligan a:

1. Permitir el acceso o entregar al Responsable correspondiente los datos a los efectos de posibilitar la ejecución del presente Contrato.

2. Realizar las consultas previas que correspondan.

3. Exigirse mutuamente a cumplir con el R.G.P.D. durante todo el tratamiento de datos de carácter personal que realicen los Responsables del Tratamiento.

4. Comunicar al resto de Corresponsable del Tratamiento correspondiente cualquier variación que se produzca en los datos de carácter personal facilitados, para poder actualizarlos.

5. Atender los posibles derechos de acceso, rectificación, cancelación, oposición y todos aquellos reconocidos por el R.G.P.D. que se le puedan dirigir.

6. Utilizar los datos personales objeto del tratamiento, o los que recojan para su inclusión, sólo para la finalidad/des objeto de este encargo.

En ningún caso podrán utilizar los datos para fines propios, ni siquiera cuando los mismos no sean incompatibles con el objeto del presente Contrato, ni modificarlos, corregirlos y/o alterarlos sin autorización previa por escrito del Responsable del Tratamiento correspondiente, con la excepción de que la falta de modificación, corrección y/o alteración atente contra los derechos y libertades del titular de los datos de carácter personal, en cuyo caso, deberá notificar por escrito al Responsable del Tratamiento correspondiente, previamente, sobre la necesidad de la modificación, corrección y/o alteración, su razón y justificación legal.

7. Garantizar la fiabilidad de cualquier empleado que pueda tener acceso a los datos personales de los Corresponsables del Tratamiento, asegurando en cada caso que el acceso está estrictamente limitado a aquellas personas debidamente autorizadas que requieren el acceso a los datos personales de los Responsables del Tratamiento pertinentes.

8. Garantizar que todas las personas físicas que tengan acceso a los datos de carácter personal y los traten por cuenta de otros Corresponsables del Tratamiento:

a) Son informadas de la naturaleza confidencial de los datos de carácter personal que tratarán por cuenta de los restantes Corresponsables del Tratamiento.

b) Son conscientes de todas las obligaciones que asume el Corresponsable del Tratamiento en este contrato con relación a los datos personales que tratarán.

c) Han llevado a cabo formación apropiada con relación a las leyes de protección de datos u otras formaciones y/o certificaciones requeridas por los Responsables del Tratamiento.

d) Están sujetas a compromisos de confidencialidad u obligaciones profesionales o estatutarias de confidencialidad, habiéndose obligado por escrito y de forma expresa.

e) Están sujetas a la autenticación de usuario y a procesos de inicio de sesión cuando acceden a los datos de carácter personal para tratarlos por cuenta del Responsable del Tratamiento correspondiente, de conformidad con este contrato y con las leyes de protección de datos aplicables.

f) No comunicar los datos a terceras personas, ni subcontratar, salvo que cuente con la autorización previa, expresa y por escrito del Corresponsable del Tratamiento correspondiente.

g) En los supuestos en los que exista la obligación legal de comunicar datos personales por imperativo legal, será el Corresponsable del Tratamiento que corresponda quien llevará a cabo dicha comunicación.

9. Mantener a disposición de los Corresponsables del Tratamiento correspondientes la documentación acreditativa del cumplimiento de la obligación establecida en el punto 8.d) de la presente cláusula.

10. Cumplir con cada una de las cláusulas que forman parte del presente Contrato.

11. En la medida en que sea requerido por las leyes de protección de datos que apliquen, obtener y mantener todas las licencias, autorizaciones y permisos necesarios para tratar los datos de carácter personal por cuenta de los Corresponsables del Tratamiento correspondientes.

12. No subcontratar ninguna de las prestaciones que formen parte del objeto de este contrato que comporten el tratamiento de datos personales.

13. Si fuera necesario subcontratar algún tratamiento, este hecho se deberá comunicar previamente y por escrito a los Corresponsables del Tratamiento correspondientes, con una antelación de cinco días hábiles, deberá:

– Indicar el o los tratamientos que se pretende(n) subcontratar.

– Identificar de forma clara e inequívoca a la empresa subcontratista, que actuará como Encargado del Tratamiento y sus datos de contacto.

14. La subcontratación solo podrá llevarse a cabo si los Corresponsables del Tratamiento correspondientes manifiestan su aceptación en el plazo de ... días desde la solicitud expresa del Corresponsable de Tratamiento que lo requirió.

15. El subcontratista, que tendrá la condición de Encargado del Tratamiento, está obligado igualmente a cumplir con todas las obligaciones establecidas en este documento, como así también las instrucciones que dicten los Corresponsables del Tratamiento.

Ello debe observarse con especial rigor en todo lo atinente a las medidas de seguridad.

16. En el caso de incumplimiento por parte del Subcontratista, el Responsable del Tratamiento correspondiente es y seguirá siendo plenamente responsable ante el resto de los Responsables del Tratamiento en lo referente al cumplimiento de las obligaciones derivadas del presente Contrato.

**NOVENA.– Seguridad de los datos personales.**

Los Corresponsables del Tratamiento, teniendo en cuenta la naturaleza, alcance, contexto y finalidad del tratamiento, así como el riesgo de que una brecha de seguridad atente contra los derechos y libertades de las personas físicas, deberán implementar los procedimientos técnicos apropiados y medidas organizativas para garantizar un nivel de seguridad de los datos personales tratados apropiado para el riesgo, que incluye, pero no se limita a:

1. La capacidad de garantizar la confidencialidad, integridad, disponibilidad y flexibilidad constantes de los sistemas y servicios de tratamiento.

2. La capacidad de restablecer la disponibilidad y el acceso a los datos personales de manera oportuna en el caso de un incidente físico o técnico.

3. Adoptar y/o mantener las medidas técnicas oportunas, con arreglo a lo dispuesto en el RGPD y LOPDGDD.

4. Los Corresponsables del Tratamiento deberán mantener todas las medidas técnicas y organizativas para cumplir con los requisitos establecidos en este contrato.

### DÉCIMA.– Transferencias Internacionales de datos.

No se realizan transferencias internacionales de datos.

### UNDÉCIMA.– Brechas de seguridad.

Los Corresponsables del Tratamiento se obligan a:

1. Notificar al Corresponsable del Tratamiento correspondiente mediante correo electrónico dirigido a la siguiente dirección: ... sin demora y, en cualquier caso, dentro de las veinticuatro (24) horas a partir del conocimiento o la sospecha razonable de una violación de seguridad de los cuales sean objeto los datos personales. Dicha notificación deberá contener como mínimo:

a) Descripción de la naturaleza de la brecha de seguridad que atenta contra los datos personales.

b) Las categorías y los números de los interesados afectados, cuando sea posible.

c) Las categorías y los números de registros de los datos personales afectados, cuando sea posible.

d) Describir las posibles consecuencias de la violación de seguridad de los datos personales afectados.

e) Describir las medidas tomadas o propuestas para abordar la violación de seguridad de los datos personales.

Si no es posible facilitar la información simultáneamente, deberá facilitarse de manera gradual sin dilación indebida.

2. Los Corresponsables del Tratamiento deberán cooperar mutuamente y tomar las medidas razonables para ayudar en la investigación, mitigación y corrección de cada violación de seguridad de datos personales.

3. En caso de una violación de seguridad de datos personales, el Responsable del Tratamiento no informará a algún tercero, sin antes obtener el consentimiento previo por escrito del Corresponsable del Tratamiento correspondiente.

4. La notificación a la Autoridad de Control es responsabilidad exclusiva del Corresponsable del Tratamiento afectado, absteniéndose el Corresponsable del Tratamiento que comunicó a éste, de llevarla a cabo salvo que medie expresa autorización por escrito por parte del Corresponsable del Tratamiento correspondiente.

### DUODÉCIMA.– Borrado o devolución de los datos personales de los Corresponsables del Tratamiento.

Extinguido por cualquier causa el presente contrato, los Corresponsables del Tratamiento deberán:

1. Cuando los Corresponsables del Tratamiento lo soliciten por escrito al Corresponsable de Tratamiento correspondiente, deberán devolverle una copia completa de todos los datos personales tratados por cuenta suya, mediante transferencia segura de archivos en el formato que

estos indiquen, proporcionando por escrito un acuse de envío y recibo en el cual se especifique que se ha cumplido con la obligación aquí indicada.

2. Borrar de manera segura todas las copias, BBDD, archivos temporales y cualquier otro tipo de soportes existentes en los que consten datos de carácter personal tratados por cuenta de los Corresponsables del Tratamiento, o por cualquier Encargado del Tratamiento autorizado, proporcionando, a los Corresponsables del Tratamiento, una certificación por escrito de una empresa dedicada a la destrucción de información confidencial, o una declaración jurada emitida por el Responsable del Tratamiento correspondiente en la que se acredite y/o declare de manera efectiva, que se ha procedido a dar cumplimiento a la obligación aquí indicada.

**DECIMOTERCERA.– Copias de los datos.**

Los Corresponsable del Tratamiento se comprometen a no copiar o reproducir la información facilitada entre sí, salvo cuando sea necesario para su tratamiento y en los términos previstos en el presente Contrato.

**DECIMOCUARTA.– Obligación de confidencialidad.**

Los Corresponsables del Tratamiento deberán mantener el debido secreto profesional respecto de los datos personales a los que tienen acceso y a exigir el mismo nivel de compromiso a cualquier persona que dentro de su organización participe en cualquier fase del tratamiento de los datos personales.

Estas obligaciones subsistirán aun después de finalizar sus relaciones con el resto de responsables del tratamiento.

Los Corresponsables del Tratamiento declaran y se obligan a mantener la más estricta confidencialidad respecto de toda la información a la que tendrán o han tenido acceso, en virtud de la suscripción y vigencia del presente Contrato, y que, incluye la información que haya sido proporcionada por una parte a la otra de manera escrita, ya sea por medio electrónico y/o impreso, o aquella información a la que hayan tenido acceso.

Garantizan que dicha información recibirá un tratamiento estrictamente confidencial, y únicamente podrá utilizarse para actividades o funciones directamente relacionadas con la prestación de los servicios contratados mediante este Contrato, quedando prohibida la divulgación, reproducción o disposición de cualquier forma de esa información suministrada o aquella a que tenga acceso o conocimiento en virtud de este Contrato.

Las partes se obligan a respetar las disposiciones contenidas en la presente estipulación aún después de que haya concluido la vigencia del presente Contrato, o se haya dado por terminado este Contrato anticipadamente, quedando subsistente su obligación de no revelar la información que haya llegado a conocer, aún hasta cuando haya finalizado la relación contractual establecida entre ambas.

Esta obligación de confidencialidad se hace extensiva a todos los empleados y demás personas físicas y/o jurídicas, vinculadas con los Corresponsables del Tratamiento.

Del mismo modo, ambas partes conocen la política de privacidad de la parte contraria asumiendo la misma, y comprometiéndose a dar cumplimiento en su integridad.

Cualquier contravención grave a lo anterior, entendiendo como grave aquella que afecte negativamente y a cualquier nivel las relaciones del HOLDING con las autoridades nacionales o internacionales, o bien que se traduzca en difusión pública o comercial que lesione de cualquier manera la confidencialidad de la información del HOLDING, dará derecho a la misma a dar por terminado anticipadamente el presente contrato, sin responsabilidad alguna de su parte, para lo cual bastará la comunicación escrita.

Los Corresponsables del Tratamiento serán mutuamente responsables y acuerdan indemnizar y mantener indemne a la otra parte por los daños y perjuicios, mediatos e inmediatos que se originen, directa e indirectamente por haber revelado de cualquier forma cualquier aspecto derivado de la información que por el objeto de este Contrato sea de conocimiento.

Los Corresponsables del Tratamiento se autorizan y se facultan sin restricción alguna, a obtener, almacenar o bien procesar la información que obtengan de los mismos, así como cualquier otra información relevante, incluyendo la información relacionada con las personas físicas o naturales, sus directores, socios, representantes, o empleados, sus actividades empresariales y profesionales.

Los Corresponsables del Tratamiento convienen mantener la confidencialidad de la información recabada o recibida, excepto que dicha información podrá ser revelada por los Corresponsables del Tratamiento de la siguiente manera, en este acto aceptan dicha revelación:

(i) a las instituciones financieras de las cuales el Corresponsable del Tratamiento correspondiente obtenga fondos para financiar sus actividades;

(ii) en cumplimiento con las políticas de confidencialidad de cualquiera de los Responsables del Tratamiento;

(iii) a sus directores, empleados, asesores y representantes;

(iv) cuando sea solicitada por alguna autoridad pública que tenga competencias y facultades sobre la misma;

(v) conforme sea requerido por las Leyes o regulaciones o por alguna solicitud de la autoridad judicial;

(vi) en relación con el ejercicio de cualquier recurso contenido en el presente o el ejercicio de los derechos aquí contenidos.

Asimismo, los Corresponsables del Tratamiento están enterados de que cualquier uso indebido de la Información Confidencial a que tuvieren acceso, será considerado una violación a las obligaciones de confidencialidad y por tanto se hará acreedora a la responsabilidad civil respecto de la reparación del daño material o la indemnización por daños y perjuicios, de conformidad con lo previsto a la legislación vigente.

**DECIMOQUINTA.– Responsabilidades**

1. Las obligaciones establecidas para los Corresponsables del Tratamiento en el presente documento serán también de obligado cumplimiento para sus empleados, colaboradores, tanto externos como internos, por lo que el Responsables del Tratamiento correspondiente responderá frente a los demás Responsables del Tratamiento si tales obligaciones son incumplidas por tales empleados y subcontratistas, en su caso.

2. En el caso de que un Corresponsable del Tratamiento destinara los datos a finalidades distintas a las previstas en el presente contrato, los comunicara a terceros o los utilizara incumpliendo las estipulaciones del presente contrato, deberá responder de cualesquiera

consecuencias que pudieran derivarse de tales conductas, debiendo mantener indemne a los demás Responsables del Tratamiento por cualquier reclamación de terceros fundada en dicho incumplimiento.

3. Los Corresponsables del Tratamiento garantizan el íntegro cumplimiento de las anteriores obligaciones de confidencialidad y custodia y serán los únicos responsables de cualquier revelación no autorizada de los datos de carácter personal a terceras partes, así como de cualquier otro incumplimiento de las estipulaciones recogidas en el presente Contrato, estando, en su caso, obligado a resarcir de los daños y perjuicios ocasionados a los demás Responsables del Tratamiento directa o indirectamente.

### DECIMOSEXTA.– Propiedad de la información.

Todos los documentos, planos, libros, folletos y cualquier otro instrumento, literatura, o medio de trabajo que se obtenga, produzca o adquiera en el transcurso del presente contrato, para la realización del mismo o que resulte de él, ya sea que consten en escritos, gráficos, medios electrónicos de cualquier naturaleza, películas, cintas magnéticas, fotografías o en cualquier otro medio o instrumento son y serán propiedad de las partes contratantes, mediando la correspondiente autorización para su uso, y ello con independencia de que la misma se encuentre protegida por derechos de propiedad intelectual.

### DECIMOSÉPTIMA.– Limitación de publicidad.
Las partes contratantes no harán referencia al presente Contrato, ni a aspecto alguno del mismo, en su publicidad, en términos tales que se afirme o se dé a entender que los servicios sean objeto del presente Contrato.

### DECIMOCTAVA.– Extinción y resolución del contrato.

1. El presente Contrato se extinguirá:

a) Por las causas generales establecidas en el Código Civil y en el Código de Comercio y en especial, por incumplimiento de las obligaciones dimanantes de este contrato.

b) Por la extinción o expiración de la prestación de servicios que vincula a las partes.

c) Por las demás causas previstas en derecho.

2. En caso de incumplimiento por alguna de las partes de las obligaciones asumidas en el presente contrato, la otra parte podrá dar por resuelto enteramente el mismo, sin preaviso ni indemnización de clase alguna, siendo suficiente la comunicación de tal rescisión a la parte contraria, a no ser que la parte incumplidora remediase su incumplimiento a satisfacción de la otra en un plazo de 15 días contado desde el requerimiento que en tal sentido se efectúe.

3. Sin perjuicio de lo pactado en el párrafo anterior, cualquiera de las partes podrá resolver la relación contractual en caso de incumplimiento por la otra de las obligaciones que les correspondan conforme a las estipulaciones del presente contrato, sin perjuicio de las indemnizaciones que, por daños o perjuicios, puedan corresponder.

### DECIMONOVENA.– Miscelánea y cláusulas generales.

1. La no exigencia por cualquiera de las partes de cualquiera de sus derechos de conformidad con el presente Contrato no se considerará que constituya una renuncia a dichos derechos en el futuro.

2. El presente Contrato y las relaciones entre las partes no constituyen en ningún caso sociedad, empresa conjunta, agencia, ni contrato de trabajo entre las partes.

3. Los encabezamientos de las distintas cláusulas son sólo a efectos informativos, y no afectarán, calificarán o ampliarán la interpretación de este Contrato.

### VIGÉSIMA.– Representantes designados, comunicaciones.

1. El representante de las partes contratantes, serán los representantes legales de las mismas, para efectos de la suscripción del presente Contrato, de cualquier modificación en los términos del mismo que se haga necesaria o de cualquier comunicación relacionada con éste.

Cada una de las partes informará a la otra por escrito sobre cualquier cambio en su representación.

2. Cualquier notificación que se efectúe entre las partes se hará por escrito y será entregada personalmente o de cualquier otra forma que certifique la recepción por la parte notificada.

3. Cualquier cambio de domicilio de una de las partes deberá ser notificado a la otra de forma inmediata y por medio que garantice la recepción del mensaje. La falta de dicha comunicación implicará que se considerarán válidas las notificaciones efectuadas en dichos domicilios.

4. Para llevar a cabo las comunicaciones necesarias a lo largo de la vigencia del presente Contrato se establecen las personas y direcciones que se indican en los encabezamientos del mismo.

### VIGÉSIMO PRIMERA.– Legislación aplicable y fuero competencial.

1. En lo no previsto en este Contrato, así como en la interpretación y resolución de los conflictos que pudieran surgir entre las partes como consecuencia del mismo, será de aplicación la legislación española.

2. Para la resolución de cualquier controversia que pueda derivarse del presente Contrato, ambas partes se someterán a la jurisdicción de los Jueces y Tribunales de …, con renuncia expresa a cualquier otro fuero que pudiera corresponderles.

Las partes otorgantes del presente Contrato suscriben y firman el mismo en su integridad, en prueba de su plena conformidad, en …, a … de … de ….

## Protocolo de seguridad para evitar el acceso de personal no autorizado a la información manejada en el sistema interno de información

1. Acceso restringido: El acceso al sistema interno de información debe estar restringido únicamente al personal autorizado.

2. Contraseñas seguras: Las contraseñas de acceso al sistema deben ser seguras y se deben exigir cambios periódicos para evitar su vulnerabilidad.

3. Verificación de usuarios: Se deben verificar las identidades de los usuarios antes de permitirles el acceso al sistema. Esto puede incluir la verificación de contraseñas y la identificación mediante autenticación de dos factores.

4. Control de accesos: El sistema debe permitir la configuración de diferentes niveles de acceso según los roles y responsabilidades de cada usuario. Además, se debe establecer un sistema de registro y monitoreo de accesos, que permita la identificación de cualquier actividad sospechosa.

5. Protección de datos: Los datos manejados en el sistema interno deben ser protegidos mediante la implementación de medidas de seguridad técnicas, como la encriptación y la implementación de firewalls.

6. Formación del personal: Todos los usuarios del sistema interno deben recibir formación específica sobre las políticas de seguridad y privacidad de la información.

7. Política de limpieza: Se debe establecer una política de limpieza periódica del sistema, que incluya la eliminación de datos innecesarios y la actualización de software de seguridad.

8. Actualización de seguridad: El sistema interno debe ser actualizado regularmente para mantenerlo al día con los últimos parches y actualizaciones de seguridad.

9. Plan de contingencia: Se debe establecer un plan de contingencia en caso de un fallo de seguridad, que incluya procedimientos para notificar a los usuarios afectados, las autoridades y los empleados encargados de la gestión del sistema.

Sello y fecha.

## Instrucciones de uso del Canal de comunicaciones interno (verbal, escrito, ambas formas)

Bienvenido/a al canal interno de comunicaciones. Este canal ha sido creado para que puedas reportar cualquier conducta inapropiada que hayas presenciado o sufrido en la empresa. Para utilizar este canal, puedes seguir los siguientes pasos:

1. Identificación: Puedes presentar tu comunicación tanto de forma anónima como identificándote. En este segundo supuesto, tus datos personales serán tratados con estricta confidencialidad.

2. Describe la situación: Proporciona una descripción detallada de la situación que quieres denunciar, incluyendo fecha, hora, lugar, personas involucradas y cualquier otra información relevante.

3. Indica la forma de denuncia: Puedes realizar tu comunicación de forma verbal, escrita o ambas.

   Si deseas hacerlo de forma verbal, comunícate con el responsable del canal interno de comunicaciones o con un miembro del equipo de recursos humanos de la empresa.

   Si deseas hacerlo de forma escrita, puedes enviar un correo electrónico o llenar un formulario en línea.

   Si deseas hacerlo de ambas formas, asegúrate de indicarlo claramente al momento de realizar la denuncia.

4. Mantén la confidencialidad: La empresa se compromete a mantener la confidencialidad de tu comunicación en todo momento.

   No obstante, es importante que no compartas la información con terceros que no estén involucrados en la investigación del caso.

5. Recibe una respuesta: Una vez que se haya recibido tu denuncia/comunicación el equipo de recursos humanos o el responsable del canal interno de denuncias iniciará una investigación para determinar los hechos.

   Se te mantendrá informado/a de los avances en la investigación y se te proporcionará una respuesta en el menor tiempo posible.

Agradecemos tu colaboración en la construcción de un ambiente laboral seguro y saludable para todos.

## Canal de comunicaciones a través de correo electrónico

1. Identificación del destinatario: Es importante identificar a quién va dirigido el correo electrónico.

   Puede ser el departamento de recursos humanos, el responsable designado para recibir las denuncias o comunicaciones, una dirección de correo electrónico específica para este propósito.

2. Introducción: La introducción debe incluir una breve presentación del remitente y la razón del correo electrónico.

   Se puede mencionar que se trata de una comunicación de una situación inapropiada que se ha presenciado en la empresa.

3. Descripción detallada de la situación: Es importante proporcionar una descripción clara y detallada de la situación inapropiada que se quiere denunciar o comunicar, incluyendo la fecha, hora y personas involucradas si se conocen.

   Se pueden añadir detalles adicionales que ayuden a comprender la situación.

4. Preocupación y solicitud de medidas: Se debe expresar la preocupación por la situación descrita y solicitar que se tomen las medidas necesarias para investigar y solucionar el problema.

5. Agradecimiento y disponibilidad: Es importante agradecer de antemano la confidencialidad con la que se tratará la comunicación y ofrecerse para cualquier información adicional que se pueda necesitar.

6. Despedida: Se puede cerrar el correo electrónico de forma cordial y agradecer la atención prestada.

## Canal de comunicaciones a través de WhatsApps

1. Creación de un número de WhatsApp exclusivo para las denuncias: Se crearía un número de WhatsApp exclusivo para recibir denuncias o comunicaciones, y se promocionaría en todos los canales de comunicación de la organización.

2. Definición de un protocolo de atención: Se definiría un protocolo de atención para las denuncias recibidas a través de WhatsApp.

   Este protocolo incluiría la forma en que se debe recibir la denuncia/comunicación la información que se debe solicitar al informante, los plazos de respuesta, el tipo de información que se debe brindar, entre otros aspectos.

3. Capacitación del personal encargado: El personal encargado de recibir y atender las denuncias o comunicaciones debería recibir una capacitación previa para conocer el protocolo de atención y las mejores prácticas para la atención de denuncias.

4. Recepción de las denuncias o comunicaciones: Una vez que se recibe la comunicación a través de WhatsApp, el personal encargado deberá verificar la información recibida y solicitar cualquier información adicional necesaria para procesar la denuncia.

5. Registro y seguimiento de la denuncia: Es importante llevar un registro detallado de cada comunicación recibida, incluyendo la fecha de recepción, el tipo de denuncia/comunicación el nombre del informante, y cualquier información adicional relevante.

   Además, se deberá realizar un seguimiento periódico de cada comunicación para asegurarse de que se está atendiendo adecuadamente y se está resolviendo en un plazo razonable.

6. Respuesta y seguimiento al informante: Una vez que se ha procesado la denuncia/comunicación se deberá informar al informante sobre las medidas que se tomarán y el plazo estimado para la resolución.

   Es importante mantener una comunicación fluida y transparente con el informante durante todo el proceso.

7. Reporte de resultados: Finalmente, se deberá generar un reporte periódico sobre las denuncias recibidas, procesadas y resueltas a través de WhatsApp, incluyendo estadísticas relevantes y cualquier información adicional que sea relevante para la organización.

Es importante recordar que el uso de WhatsApp para la atención de denuncias debe cumplir con los estándares de privacidad y protección de datos personales, por lo que se debe garantizar que la información recibida se maneje de manera confidencial y se proteja adecuadamente.

## Canal de comunicaciones a través de una aplicación específica

1. Selección de una aplicación específica: La organización deberá seleccionar una aplicación específica que sea segura y adecuada para el manejo de denuncias.

   Puede ser a través de una aplicación existente en el mercado o una aplicación desarrollada a medida.

2. Creación de un formulario de denuncia/comunicación: Se deberá crear un formulario de comunicación en la aplicación, que permita a los informantes ingresar información detallada sobre la denuncia o comunicación.

   El formulario deberá incluir campos como la descripción del incidente, el nombre del informante, la fecha y hora del incidente, y cualquier otra información relevante.

3. Definición de un protocolo de atención: Se definiría un protocolo de atención para las denuncias recibidas a través de la aplicación.

   Este protocolo incluiría la forma en que se debe recibir la denuncia/comunicación la información que se debe solicitar al informante, los plazos de respuesta, el tipo de información que se debe brindar, entre otros aspectos.

4. Capacitación del personal encargado: El personal encargado de recibir y atender las denuncias o comunicaciones debería recibir una capacitación previa para conocer el protocolo de atención y las mejores prácticas para la atención de denuncias o comunicaciones recibidas.

5. Recepción de las denuncias: Una vez que se recibe la comunicación a través de la aplicación, el personal encargado deberá verificar la información recibida y solicitar cualquier información adicional necesaria para procesar la denuncia o comunicación.

6. Registro y seguimiento de la denuncia: Es importante llevar un registro detallado de cada comunicación recibida, incluyendo la fecha de recepción, el tipo de denuncia/comunicación el nombre del informante, y cualquier información adicional relevante.

   Además, se deberá realizar un seguimiento periódico de cada comunicación para asegurarse de que se está atendiendo adecuadamente y se está resolviendo en un plazo razonable.

7. Respuesta y seguimiento al informante: Una vez que se ha procesado la denuncia/comunicación se deberá informar al informante sobre las medidas que se tomarán y el plazo estimado para la resolución.

   Es importante mantener una comunicación fluida y transparente con el informante durante todo el proceso.

8. Reporte de resultados: Finalmente, se deberá generar un reporte periódico sobre las denuncias o comunicaciones recibidas, procesadas y resueltas a través de la aplicación, incluyendo estadísticas relevantes y cualquier información adicional que sea relevante para la organización.

Es importante recordar que el uso de una aplicación específica para la atención de denuncias debe cumplir con los estándares de privacidad y protección de datos personales, por lo que se debe garantizar que la información recibida se maneje de manera confidencial y se proteja adecuadamente.

## Canal de comunicaciones a través de la vía telefónica

1. Creación de un número exclusivo para las denuncias: Se crearía un número de teléfono exclusivo para recibir denuncias/comunicaciones y se promocionaría en todos los canales de comunicación de la organización.

2. Definición de un protocolo de atención: Se definiría un protocolo de atención para las denuncias o comunicaciones recibidas por vía telefónica.

   Este protocolo incluiría la forma en que se debe recibir la denuncia/comunicación la información que se debe solicitar al informante, los plazos de respuesta, el tipo de información que se debe brindar, entre otros aspectos.

3. Capacitación del personal encargado: El personal encargado de recibir y atender las denuncias debería recibir una capacitación previa para conocer el protocolo de atención y las mejores prácticas para la atención de denuncias o comunicaciones recibidas.

4. Recepción de las denuncias: Una vez que se recibe la comunicación por vía telefónica, el personal encargado deberá verificar la información recibida y solicitar cualquier información adicional necesaria para procesar la denuncia o comunicación recibida.

5. Registro y seguimiento de la denuncia: Es importante llevar un registro detallado de cada comunicación recibida, incluyendo la fecha de recepción, el tipo de denuncia/comunicación el nombre del informante, y cualquier información adicional relevante.

   Además, se deberá realizar un seguimiento periódico de cada comunicación para asegurarse de que se está atendiendo adecuadamente y se está resolviendo en un plazo razonable.

6. Respuesta y seguimiento al informante: Una vez que se ha procesado la denuncia/comunicación se deberá informar al informante sobre las medidas que se tomarán y el plazo estimado para la resolución.

   Es importante mantener una comunicación fluida y transparente con el informante durante todo el proceso.

7. Reporte de resultados: Finalmente, se deberá generar un reporte periódico sobre las denuncias recibidas, procesadas y resueltas por vía telefónica, incluyendo estadísticas relevantes y cualquier información adicional que sea relevante para la organización.

Es importante recordar que el uso de la vía telefónica para la atención de denuncias debe cumplir con los estándares de privacidad y protección de datos personales, por lo que se debe garantizar que la información recibida se maneje de manera confidencial y se proteja adecuadamente.

Además, se deberá asegurar que el personal encargado de la atención de denuncias esté disponible en todo momento para recibir las denuncias y brindar la atención necesaria.

## Canal de comunicaciones a través de una reunión presencial

1. Convocatoria de la reunión: Se deberá convocar a una reunión en la que se brindará la oportunidad de hacer denuncias o comunicaciones de manera presencial.

   La convocatoria deberá incluir información sobre el lugar, fecha, hora y objetivo de la reunión.

2. Definición de un protocolo de atención: Se deberá definir un protocolo de atención para las denuncias recibidas en la reunión presencial.

   Este protocolo incluirá la forma en que se debe recibir la denuncia/comunicación la información que se debe solicitar al informante, los plazos de respuesta, el tipo de información que se debe brindar, entre otros aspectos.

3. Capacitación del personal encargado: El personal encargado de recibir y atender las denuncias deberá recibir una capacitación previa para conocer el protocolo de atención y las mejores prácticas para la atención de denuncias en una reunión presencial.

4. Recepción de las denuncias: Durante la reunión, se deberá establecer un espacio exclusivo para recibir las denuncias de manera presencial.

   El personal encargado de la atención de las denuncias o comunicaciones deberá recibir la comunicación y verificar la información recibida.

5. Registro y seguimiento de la denuncia: Es importante llevar un registro detallado de cada comunicación recibida durante la reunión, incluyendo la fecha de recepción, el tipo de denuncia/comunicación el nombre del informante, y cualquier información adicional relevante.

   Además, se deberá realizar un seguimiento periódico de cada comunicación para asegurarse de que se está atendiendo adecuadamente y se está resolviendo en un plazo razonable.

6. Respuesta y seguimiento al informante: Una vez que se ha procesado la denuncia/comunicación se deberá informar al informante sobre las medidas que se tomarán y el plazo estimado para la resolución.

   Es importante mantener una comunicación fluida y transparente con el informante durante todo el proceso.

7. Reporte de resultados: Finalmente, se deberá generar un reporte periódico sobre las denuncias recibidas, procesadas y resueltas durante la reunión presencial, incluyendo estadísticas relevantes y cualquier información adicional que sea relevante para la organización.

Es importante recordar que el uso de una reunión presencial para la atención de denuncias debe cumplir con los estándares de privacidad y protección de datos personales, por lo que se debe garantizar que la información recibida se maneje de manera confidencial y se proteja adecuadamente.

Además, se deberá asegurar que el personal encargado de la atención de denuncias esté disponible durante toda la reunión para recibir las denuncias y brindar la atención necesaria.

## Canal de comunicaciones a través de un sistema de mensajería de voz

1. Configuración del sistema: Se deberá configurar un sistema de mensajería de voz que permita a los informante s dejar un mensaje de voz con su denuncia.

   Este sistema puede estar disponible a través de un número telefónico específico, un sistema de voz IP o una plataforma en línea.

2. Definición de un protocolo de atención: Se deberá definir un protocolo de atención para las denuncias recibidas a través del sistema de mensajería de voz.

   Este protocolo incluirá la forma en que se debe recibir la denuncia/comunicación la información que se debe solicitar al informante, los plazos de respuesta, el tipo de información que se debe brindar, entre otros aspectos.

3. Capacitación del personal encargado: El personal encargado de recibir y atender las denuncias deberá recibir una capacitación previa para conocer el protocolo de atención y las mejores prácticas para la atención de denuncias a través de un sistema de mensajería de voz.

4. Recepción de las denuncias: Los informante s podrán dejar un mensaje de voz con su comunicación en el sistema de mensajería de voz.

   El personal encargado de la atención de las denuncias o comunicaciones deberá verificar la información recibida y tomar nota de los detalles relevantes de la denuncia.

5. Registro y seguimiento de la denuncia: Es importante llevar un registro detallado de cada comunicación recibida a través del sistema de mensajería de voz, incluyendo la fecha de recepción, el tipo de denuncia/comunicación el nombre del informante, y cualquier información adicional relevante.

   Además, se deberá realizar un seguimiento periódico de cada comunicación para asegurarse de que se está atendiendo adecuadamente y se está resolviendo en un plazo razonable.

6. Respuesta y seguimiento al informante: Una vez que se ha procesado la denuncia/comunicación se deberá informar al informante sobre las medidas que se tomarán y el plazo estimado para la resolución.

   Es importante mantener una comunicación fluida y transparente con el informante durante todo el proceso.

7. Reporte de resultados: Finalmente, se deberá generar un reporte periódico sobre las denuncias recibidas, procesadas y resueltas a través del sistema de mensajería de voz, incluyendo estadísticas relevantes y cualquier información adicional que sea relevante para la organización.

Es importante recordar que el uso de un sistema de mensajería de voz para la atención de denuncias debe cumplir con los estándares de privacidad y protección de datos personales, por lo que se debe garantizar que la información recibida se maneje de manera confidencial y se proteja adecuadamente.

## Escrito del informante solicitando una reunión presencial

### AL ÓRGANO DE CUMPLIMIENTO NORMATIVO DE LA ENTIDAD ...

D. ... empleado de la mercantil ... actuando en calidad de informante, comparezco y como mejor proceda en Derecho, DIGO:

Por medio de la presente me dirijo a usted con el fin de solicitar una reunión presencial para abordar un asunto de relevancia.

Deseo tener la oportunidad de dialogar con usted en persona, para exponer con detalle una posible infracción normativa y proporcionar información adicional que considere relevante.

En mi opinión, una reunión presencial es la alternativa más idónea para expresar mis inquietudes y poder recibir una respuesta eficaz y oportuna.

Además, estoy seguro de que a través de una conversación directa podremos alcanzar una solución satisfactoria para ambas partes.

Agradecería mucho si pudiera confirmar su disponibilidad para realizar la reunión quedando a su disposición para coordinar la fecha, hora y lugar más oportuno.

Agradezco su amable atención a esta solicitud, y quedo a la espera de su respuesta.

Atentamente,

## Advertencia al informante que la comunicación va a ser grabada y documentada

### ÓRGANO DE CUMPLIMIENTO NORMATIVO DE LA ENTIDAD ...

Fecha...

Diligencia de información al informante

En relación con la información que ha brindado sobre posibles irregularidades, es importante que tenga en cuenta que la comunicación que tengamos a partir de ahora será grabada y documentada.

Este registro se realiza para garantizar la transparencia y la exactitud de la información, y para asegurarnos de que todos los procedimientos se lleven a cabo de manera adecuada.

Le aseguramos que se tomarán todas las medidas necesarias para proteger su privacidad y confidencialidad, y que la información que proporcione se manejará con el debido cuidado y discreción.

Agradecemos su cooperación y disposición para ayudarnos a investigar y prevenir cualquier irregularidad. Si tiene alguna inquietud o pregunta, no dude en comunicarse con nosotros.

Lugar y Firma.

**Información del tratamiento de datos al informante (artículo 13 RGPD)**

### ÓRGANO DE CUMPLIMIENTO NORMATIVO DE LA ENTIDAD ...

Fecha...

Diligencia de información al informante

En cumplimiento con el Reglamento General de Protección de Datos (RGPD) de la Unión Europea, nos permitimos informarle sobre el tratamiento de sus datos personales en relación con la información que nos ha proporcionado.

Responsable del tratamiento de datos personales: [Nombre de la empresa/organización] [Dirección] [Correo electrónico y/o número de teléfono de contacto]

Finalidad del tratamiento: La información que Usted ha brindado se utilizará exclusivamente para fines de investigación y análisis de posibles irregularidades y/o conductas inapropiadas.

Base legal para el tratamiento: La base legal para el tratamiento de sus datos personales se encuentra en el interés legítimo de la empresa/organización en investigar y prevenir irregularidades y/o conductas inapropiadas.

Destinatarios: Los datos personales que Usted ha proporcionado no serán compartidos con terceros, salvo en los casos en que exista una obligación legal de hacerlo.

Plazo de conservación: Los datos personales proporcionados se conservarán durante el tiempo necesario para cumplir con los fines para los que se recopilaron, o hasta que se solicite su eliminación.

Derechos del interesado: Como interesado, Usted tiene derecho a solicitar acceso, rectificación, supresión, limitación, portabilidad y oposición al tratamiento de sus datos personales, así como a presentar una reclamación ante la Autoridad de Control. Para ejercer estos derechos, por favor comuníquese con nosotros a través de los medios de contacto proporcionados.

Lugar y Firma.

## Formulario de aceptación de la grabación de la conversación por parte del informante

Yo, ..., con número de identificación ... y en calidad de informante, manifiesto mi conocimiento y aceptación de que la conversación que será mantenida por mí y el personal del Órgano de Cumplimiento Normativo de ... será grabada y documentada.

Entiendo que esta medida se toma con el objetivo de garantizar la transparencia y la exactitud de la información, y para asegurarnos de que todos los procedimientos se lleven a cabo de manera adecuada.

Asimismo, declaro que he sido informado/a sobre los derechos y garantías que me amparan en el presente expediente, sobre el tratamiento de mis datos personales de conformidad con lo dispuesto en el Reglamento General de Protección de Datos (RGPD) de la Unión Europea, y que he recibido información detallada sobre la finalidad, base legal, destinatarios y plazo de conservación de mis datos personales, así como de las medidas de protección y apoyo oportunas.

Manifiesto que he comprendido plenamente la información proporcionada, y que autorizo expresamente la grabación y documentación de la conversación que sostendré con el personal del Órgano de Cumplimiento Normativo de ....

Fecha, lugar y firma.

## Indicación del informante de un domicilio, correo electrónico o lugar seguro para recibir comunicaciones

### AL ÓRGANO DE CUMPLIMIENTO NORMATIVO DE LA ENTIDAD ...

D. ... actuando en nombre y representación propios en calidad de informante de irregularidades, ante el Órgano de Cumplimiento Normativo de ... comparezco y como mejor proceda en Derecho, DIGO:

Que habiendo sido preguntado por el Órgano de Cumplimiento Normativo al que me dirijo de la posibilidad de indicar un domicilio, correo electrónico o lugar seguro para recibir indicaciones, procedo a evacuar el trámite conferido.

Domicilio: ....

Correo electrónico: ....

Lugar seguro: ...

Lugar, fecha y firma.

## Formulario de aceptación de la transcripción de la conversación por parte del informante

Yo, ..., con documento de identidad número ..., manifiesto mi conformidad y aceptación de la transcripción de la conversación mantenida con el Órgano de Cumplimiento Normativo de ... en fecha ..., realizada por el Órgano de Cumplimiento Normativo de ...

Asimismo, manifiesto haber tenido acceso a la transcripción de la conversación para su comprobación y rectificación, en caso de ser necesario. Declaro que he revisado detenidamente la transcripción de la conversación y que no tengo ninguna objeción o corrección que hacer.

Además, reconozco que la transcripción de la conversación es precisa y completa, y que representa fielmente lo hablado durante la conversación.

Por tanto, otorgo mi conformidad y aceptación de la transcripción de la conversación mediante mi firma en este documento.

Lugar, fecha y Firma.

## Formulario de no aceptación de la transcripción de la conversación por parte del informante

Yo, ..., con documento de identidad número ..., manifiesto mi conformidad y aceptación de la transcripción de la conversación mantenida con el Órgano de Cumplimiento Normativo de ... en fecha ..., realizada por el Órgano de Cumplimiento Normativo de ...

Asimismo, manifiesto haber tenido acceso a la transcripción de la conversación para su comprobación y rectificación, y haber realizado las correcciones necesarias.

A pesar de esto, considero que la transcripción no refleja con precisión lo hablado durante la conversación y no acepto su contenido.

Por tanto, no otorgo mi conformidad y aceptación de la transcripción de la conversación mediante mi firma en este documento.

Lugar, fecha y Firma.

## Formulario de rectificación de la transcripción de la conversación por parte del informante

Yo, ..., con documento de identidad número ..., manifiesto mi conformidad y aceptación de la transcripción de la conversación mantenida con el Órgano de Cumplimiento Normativo de ... en fecha ..., realizada por el Órgano de Cumplimiento Normativo de ...

Asimismo, manifiesto haber tenido acceso a la transcripción de la conversación para su comprobación y rectificación, y haber realizado las correcciones necesarias. En este sentido, considero que la transcripción no refleja con precisión lo hablado durante la conversación y deseo realizar las siguientes rectificaciones:

- ...

- ...

- ...

Por tanto, deseo realizar las anteriores rectificaciones en la transcripción de la conversación y para su posterior aceptación.

Lugar, fecha y Firma.

**Resolución del responsable del sistema de no continuar con la tramitación de la comunicación por la no aceptación del informante con la transcripción efectuada**

## ÓRGANO DE CUMPLIMIENTO DE LA ENTIDAD ...

Número de expediente: ...

Fecha: ...

## RESOLUCIÓN

Este Órgano de Cumplimiento ha puesto a disposición del informante transcripción de la reunión presencial realizada el pasado día ... en base a los siguientes

## ANTECEDENTES DE HECHO

**PRIMERO.-** En fecha ... el Órgano de Cumplimiento de. mantuvo reunión presencial con un informante por la que manifestaba la comisión de hechos supuestamente irregulares.

**SEGUNDO.-** Se procedió a realizar transcripción de la reunión mantenida con el informante.

**TERCERO.-** El informante, no acepta la transcripción efectuada.

**CUARTO.-** El artículo 7 de la Ley 2/2023, de 20 de febrero, reguladora de la protección de las personas que informen sobre infracciones normativas y de lucha contra la corrupción indica que las comunicaciones verbales deberán documentarse.

Una de las posibilidades otorgadas por la Ley consiste en la realización de una transcripción completa y exacta de la conversación realizada por el personal responsable ofreciendo al informante la oportunidad de comprobar, rectificar y aceptar mediante su firma la transcripción de la conversación.

**QUINTO.-** Al haber sido rechazada por el informante la transcripción realizada, el órgano de cumplimiento normativo carece de prueba documental que recoja la comunicación presentada.

## RESUELVO

**ÚNICO.-** Se resuelve NO continuar con la tramitación de la comunicación presentada por el informante debido a la no aceptación de la transcripción de reunión mantenida en fecha ...

Firma y sello.

**Resolución del responsable del sistema de no continuar con la tramitación de la comunicación por razones distintas**

## ÓRGANO DE CUMPLIMIENTO NORMATIVO DE LA ENTIDAD...

Número de expediente: ...

Fecha: ...

## RESOLUCIÓN

Este Órgano de Cumplimiento ha realizado reunión presencial con el informante de hechos presuntamente irregulares realizada el pasado día ... en base a los siguientes

## ANTECEDENTES DE HECHO

**PRIMERO.-** En fecha ... el Órgano de Cumplimiento de. mantuvo reunión presencial con un informante por la que manifestaba la comisión de hechos supuestamente irregulares.

**SEGUNDO.-** Se procedió a realizar transcripción de la reunión mantenida con el informante que fue aceptada en toda su extensión

**TERCERO.-**

**CUARTO.-** El artículo ... de la política de canal interno de información de la organización ... indica que se procederá al archivo del expediente cuando ...

## RESUELVO

**ÚNICO.-** Se resuelve no continuar con la tramitación de la comunicación presentada por el informante debido a... procediendo a su archivo.

Firma y sello.

**Resolución del responsable del sistema de continuar con la gestión de la tramitación de la denuncia/comunicación pese a la no aceptación de transcripción por el informante**

### ÓRGANO DE CUMPLIMIENTO NORMATIVO DE LA ENTIDAD ...

Número de expediente: ...

Fecha: ...

### RESOLUCIÓN

Este Órgano de Cumplimiento ha puesto a disposición del informante transcripción de la reunión presencial realizada el pasado día ... en base a los siguientes

### ANTECEDENTES DE HECHO

**PRIMERO.–** En fecha ... el Órgano de Cumplimiento de. mantuvo reunión presencial con un informante por la que manifestaba la comisión de hechos supuestamente irregulares.

**SEGUNDO.–** Se procedió a realizar transcripción de la reunión mantenida con el informante.

**TERCERO.–** El informante, no acepta la transcripción efectuada.

**CUARTO.–** El artículo 7 de la Ley 2/2023, de 20 de febrero, reguladora de la protección de las personas que informen sobre infracciones normativas y de lucha contra la corrupción nada establece en relación sobre la procedencia del archivo del expediente por la no aceptación de la comunicación efectuada de forma verbal.

No obstante, el efectivo conocimiento por parte del órgano de este cumplimiento interno de la comunicación efectuada través de la reunión presencial mantenida por el informante cabe considerarse como *notitia criminis* en aplicación analógica de lo dispuesto en el artículo 269 Lecrim.

**QUINTO.–** Se procede a la investigación de los hechos comunicados por el informante, no obstante, se retira del expediente la comunicación efectuada por la no aceptación de la transcripción de la misma por el informante.

### RESUELVO

**PRIMERO.–** La continuación de las labores de investigación de los hechos comunicados por la presunta comisión de un hecho irregular.

**SEGUNDO.–** Retirar del presente expediente la comunicación del informante por no aceptación de la transcripción propuesta.

Firma y sello.

**Información relativa a la aceptación de la comunicación anónima si bien respetando la legitimación para el uso del Canal de comunicaciones y su posterior tramitación**

## ÓRGANO DE CUMPLIMIENTO NORMATIVO DE LA ENTIDAD

Número de expediente: ...

Fecha: ...

De conformidad con lo dispuesto en la Ley 2/2023, de 20 de febrero, reguladora de la protección de las personas que informen sobre infracciones normativas y de lucha contra la corrupción, se procede a poner a disposición la siguiente

## INFORMACIÓN

**PRIMERO.–** En cumplimiento de la mencionada Ley y en aras de garantizar la protección de los informantes, se ha aceptado la comunicación anónima recibida, siempre y cuando se haya hecho uso legítimo del canal de comunicaciones establecido y se haya respetado el procedimiento para su presentación.

**SEGUNDO.–** El Órgano de Cumplimiento Normativo se encargará de tramitar la comunicación anónima y realizar las correspondientes investigaciones para verificar la veracidad de los hechos comunicados.

**TERCERO.–** Se garantizará en todo momento la protección de los derechos de los implicados, en especial de la persona denunciada, así como el respeto de la normativa aplicable en materia de protección de datos personales.

En cumplimiento de nuestra obligación legal, ponemos a disposición la presente información para conocimiento de los interesados.

Fecha y Firma.

**Resolución de habilitación del Canal de comunicaciones para otras comunicaciones o informaciones no contempladas en el artículo 2 de la Ley 2/2023 de 2 de febrero (notificación de infracciones de derecho interno de la persona jurídica o de valores éticos)**

## ÓRGANO DE CUMPLIMIENTO NORMATIVO DE LA ENTIDAD ...

Fecha: ...

En virtud de las competencias atribuidas al responsable del canal de comunicaciones establecido en la Ley 2/2023, de 20 de febrero, reguladora de la protección de las personas que informen sobre infracciones normativas y de lucha contra la corrupción, y en atención a la necesidad de garantizar un adecuado tratamiento de las comunicaciones o informaciones que se reciban por este medio, se acuerda:

**PRIMERO.–** Habilitar el canal de comunicaciones para recibir otras comunicaciones o informaciones no contempladas en el artículo 2° de la Ley 2/2023, siempre que se refieran a infracciones de valores éticos.

**SEGUNDO.–** A los efectos de esta resolución, se entiende por infracciones de valores éticos aquellas conductas que, sin contravenir normas concretas, puedan afectar al funcionamiento ético de la organización y poner en peligro su reputación.

**TERCERO.–** Las comunicaciones o informaciones que se reciban por este canal deberán cumplir con los requisitos establecidos en la Ley 2/2023, de 20 de febrero, y serán objeto de tratamiento confidencial y de protección de la persona informante en los términos previstos en dicha norma.

**CUARTO.–** Se instruirá al personal responsable del canal de comunicaciones para que, en caso de recibir comunicaciones o informaciones relacionadas con infracciones de valores éticos, adopten las medidas necesarias para su investigación y tratamiento, con el fin de preservar los principios éticos de la organización.

**QUINTO.–** La presente resolución surtirá efectos desde su publicación en el tablón de anuncios de la organización.

Fecha y Firma.

## Consultas sobre normativa interna o valores éticos

### AL ÓRGANO DE CUMPLIMIENTO NORMATIVO DE LA ENTIDAD ...

D. ... actuando en nombre y representación propios en calidad de ... de la entidad ..., vengo a realizar la siguiente

### CONSULTA

**ÚNICA.–** La persona que suscribe desea conocer los principios éticos y los valores que se fomentan en nuestra empresa, así como las normas internas que rigen nuestro comportamiento y actividades empresariales. En particular, me gustaría conocer las políticas y procedimientos que se aplican en materia de prevención de la corrupción y el soborno, y cómo se garantiza su cumplimiento.

En su virtud,

**SOLICITO AL ÓRGANO DE CUMPLIMIENTO NORMATIVO DE ...:** Que habiendo por presentada la presente consulta, la admita e informe sobre los principios éticos y los valores que se fomentan en nuestra empresa, así como las normas internas que rigen nuestro comportamiento y actividades empresariales y en particular, las políticas y procedimientos aplicables en materia de prevención de la corrupción y el soborno, y cómo se garantiza su cumplimiento.

Nombre, fecha y Firma.

## Resolución del Órgano de Administración relativa al nombramiento o designación de un responsable del sistema interno de información persona física

### ÓRGANO DE ADMINISTRACIÓN DE LA ENTIDAD ....

Fecha: ...

De conformidad con lo establecido en el Título II de la Ley 2/2023, de 20 de febrero, reguladora de la protección de las personas que informen sobre infracciones normativas y de lucha contra la corrupción, se procede a la designación de ... como responsable del sistema interno de información.

### RESOLUCIÓN

**PRIMERO.–** Designar a ... como persona física encargada del sistema interno de comunicaciones del órgano de cumplimiento normativo.

**SEGUNDO.–** La persona designada estará encargada de recibir las comunicaciones e informes relacionados con posibles irregularidades o infracciones a la normativa y valores éticos de la organización, y de garantizar la confidencialidad y el anonimato de los informantes en los casos correspondientes.

**TERCERO.–** La persona designada actuará con diligencia y cuidado en el tratamiento de la información recibida y en el uso de los medios tecnológicos disponibles para la gestión del sistema interno de comunicaciones.

**CUARTO.–** La persona designada será responsable de garantizar la veracidad y exactitud de la información recibida y de la verificación de los hechos comunicados.

**QUINTO.–** La persona designada estará sujeta a las obligaciones de confidencialidad y secreto profesional previstas en la normativa aplicable, así como a las obligaciones establecidas en la política interna de la organización.

**SEXTO.–** La designación de la persona física encargada del sistema interno de comunicaciones tendrá una duración indeterminada, sin que pueda ser removida de su puesto por el desempeño de sus funciones salvo que incurriera en dolo o negligencia grave en su ejercicio.

**SÉPTIMO.–** Se garantizará la independencia dentro de la organización sin que pueda recibir instrucciones en el ejercicio de sus funciones.

**OCTAVA.–** Notificar la presente resolución a la persona designada y a los demás departamentos y áreas de la organización que correspondan.

Firma y sello.

## Aceptación del cargo por parte de la persona nombrada como responsable del sistema interno de información

### AL ÓRGANO DE ADMINISTRACIÓN DE LA ENTIDAD ...

D. ... actuando en nombre y representación (propios, de la entidad ...) y en calidad de responsable del sistema interno de información de [nombre de la organización], reconozco y acepto las siguientes responsabilidades y obligaciones derivadas de mi cargo:

1. Garantizar la confidencialidad de la información manejada en el sistema interno de información y protegerla de accesos no autorizados.

2. Salvaguardar la integridad, disponibilidad y seguridad de los datos y de la infraestructura del sistema interno de información.

3. Adoptar las medidas necesarias para cumplir con la normativa vigente en materia de protección de datos personales y asegurar el tratamiento adecuado de los datos obtenidos en el sistema interno de información.

4. Establecer procedimientos de control y seguimiento para detectar y prevenir la posible vulneración de la seguridad del sistema interno de información.

5. Capacitar al personal que tenga acceso al sistema interno de información sobre las políticas y medidas de seguridad establecidas y el uso adecuado del sistema.

6. Actuar con diligencia y responsabilidad en el desempeño de mi cargo, colaborando activamente en la protección del informante y respetando sus derechos.

Declaro solemnemente que asumo todas las obligaciones y responsabilidades inherentes a mi cargo, y que cumpliré con ellas con el máximo grado de diligencia y profesionalidad.

Asimismo, me comprometo a preservar la confidencialidad de la comunicación y de los datos obtenidos en el sistema interno de información, a fin de garantizar la protección del informante y cumplir con la normativa vigente en materia de protección de datos personales.

Fecha y Firma.

## Cese o destitución del responsable del sistema de información relativo a una persona jurídica

### ÓRGANO DE ADMINISTRACIÓN DE LA ENTIDAD ....

Fecha: ...

Visto el informe presentado por el responsable del sistema interno de comunicaciones persona jurídica, en el que se detallan las irregularidades en el funcionamiento del sistema, y considerando que dichas irregularidades ponen en riesgo la integridad y confidencialidad de la información de la empresa, se procede al cese inmediato de dicha persona jurídica como responsable del sistema interno de comunicaciones.

### RESUELVO

**PRIMERO.–** Cesar de forma inmediata a la persona jurídica como responsable del sistema interno de comunicaciones.

**SEGUNDO.–** Iniciar el procedimiento para la selección de un nuevo responsable del sistema interno de comunicaciones que garantice el correcto funcionamiento del mismo y la protección de la información de la empresa.

**TERCERO.–** Dar traslado de la presente resolución al departamento de recursos humanos para que realice las gestiones necesarias para llevar a cabo el cese de la persona jurídica y la selección de un nuevo responsable, y se establece un plazo de dos semanas para que se presente un informe detallando los procedimientos llevados a cabo y los resultados obtenidos.

**CUARTO.–** Encargar al departamento de Seguridad de la Información para que realice una evaluación exhaustiva del sistema interno de comunicaciones con el fin de detectar posibles vulnerabilidades y tomar las medidas necesarias para garantizar su correcto funcionamiento y la protección de la información de la empresa.

Fecha y sello.

## Nombramiento de un órgano colegiado como responsable de la gestión del sistema interno de información y de la tramitación de expedientes de investigación

### ÓRGANO DE ADMINISTRACIÓN DE LA ENTIDAD ....

Fecha: ...

Visto el informe presentado por el departamento legal, en el que se detalla la necesidad de crear un órgano colegiado para asumir la responsabilidad del sistema interno de información y de la tramitación de expedientes de investigación en la empresa, se procede al nombramiento de dicho órgano.

### RESUELVO

**PRIMERO.–** El órgano colegiado estará formado por tres personas: [nombres y apellidos de los miembros designados], quienes tendrán la responsabilidad conjunta del correcto funcionamiento del sistema interno de información y de la tramitación de expedientes de investigación en la empresa.

**SEGUNDO.–** Encomendar al citado órgano colegiado las siguientes funciones:

1. Asegurar el correcto funcionamiento del sistema interno de información, velando por la seguridad y privacidad de la información de la empresa.

2. Coordinar y supervisar la tramitación de expedientes de investigación en la empresa, garantizando el cumplimiento de los procedimientos establecidos y la protección de los derechos de los empleados.

3. Establecer medidas de prevención y control de riesgos relacionados con el tratamiento de la información y la tramitación de expedientes de investigación.

4. Informar periódicamente al órgano de administración sobre el funcionamiento del sistema interno de información y la tramitación de expedientes de investigación.

**TERCERO.–** Dar traslado al responsable del departamento de recursos humanos para que realice las gestiones necesarias para la constitución del órgano colegiado, y se establece un plazo de dos semanas para que se presente un informe detallando los procedimientos llevados a cabo y los resultados obtenidos.

**CUARTO.–** Informar a todos los integrantes de la entidad, así como al resto de personas enunciadas en el artículo 3 de la Ley 2/2023, de 20 de febrero, reguladora de la protección de las personas que informen sobre infracciones normativas y de lucha contra la corrupción de la constitución del órgano colegiado responsable de la gestión del sistema interno de información

Fecha y sello.

## Notificación a la AAI del nombramiento de una persona física como responsable del sistema interno de información

### A LA AUTORIDAD INDEPENDIENTE DE PROTECCIÓN DEL INFORMANTE A.A.I.

D. ..., actuando en nombre y representación propios en su calidad de responsable del sistema interno de información de la entidad ... comparezco y como mejor proceda en Derecho, DIGO:

**ÚNICO.–** Por medio de la presente, en virtud de lo dispuesto en el artículo 8.3 de la Ley 2/2023, de 20 de febrero, reguladora de la protección de las personas que informen sobre infracciones normativas y de lucha contra la corrupción, y dentro del plazo legal concedido, se procede a la notificación del nombramiento de [nombre, apellidos y DNI de la persona designada], como responsable del sistema de gestión de la entidad ...

Se acompaña resolución del órgano de administración como documento número 1°.

En su virtud,

**SOLICITO A LA AUTORIDAD INDEPENDIENTE DE PROTECCIÓN DEL INFORMANTE A.A.I.:** Que habiendo por presentado el presente escrito con el documento que se acompaña, tenga a bien admitirlo y acuerde el registro de D. ... como responsable del sistema interno de información de la entidad ...

Lugar, fecha y Firma.

## Notificación a la AAI del nombramiento de un órgano colegiado como responsable del sistema interno de información

**A LA AUTORIDAD INDEPENDIENTE DE PROTECCIÓN DEL INFORMANTE A.A.I.**

D. ..., actuando en nombre y representación propios en su calidad miembro del órgano colegiado responsable del sistema interno de información de la entidad ... comparezco y como mejor proceda en Derecho, DIGO:

**ÚNICO.–** Por medio de la presente, en virtud de lo dispuesto en el artículo 8.3º de la Ley 2/2023, de 20 de febrero, reguladora de la protección de las personas que informen sobre infracciones normativas y de lucha contra la corrupción, y dentro del plazo legal concedido, se procede a la notificación del nombramiento del órgano colegiado formado por [nombre, apellidos y DNI de las personas designadas], como responsable del sistema de gestión de la entidad ...

Se acompaña resolución del órgano de administración como documento número 1º.

En su virtud,

**SOLICITO A LA AUTORIDAD INDEPENDIENTE DE PROTECCIÓN DEL INFORMANTE A.A.I.:**
Que habiendo por presentado el presente escrito con el documento que se acompaña, tenga a bien admitirlo y acuerde el registro del órgano colegiado formado por [nombre, apellidos y DNI de las personas designadas], como responsable del sistema interno de información de la entidad ...

Lugar, fecha y Firma.

**Notificación a la AAI del cese o destitución de una persona física como responsable del sistema de gestión y las causas que lo motivan**

### A LA AUTORIDAD INDEPENDIENTE DE PROTECCIÓN DEL INFORMANTE A.A.I.

D. ..., actuando en nombre y representación de la entidad ... en su calidad de administrador como consta en escritura notarial de constitución que se acompaña como documento número 1°, comparezco y como mejor proceda en Derecho, DIGO:

**ÚNICO.–** Por medio de la presente, en virtud de lo dispuesto en el artículo 8.3 de la Ley 2/2023, de 20 de febrero, reguladora de la protección de las personas que informen sobre infracciones normativas y de lucha contra la corrupción, y dentro del plazo legal concedido, se procede a la notificación del cese y destitución de [nombre, apellidos y DNI de las personas designadas], como responsable del sistema de gestión de la entidad ...

Se acompaña resolución del órgano de administración como documento número 2°.

En su virtud,

**SOLICITO A LA AUTORIDAD INDEPENDIENTE DE PROTECCIÓN DEL INFORMANTE A.A.I.:** Que habiendo por presentado el presente escrito con el documento que se acompaña, tenga a bien admitirlo y acuerde la inscripción del cese o destitución de [nombre, apellidos y DNI de las personas designadas], en el registro oportuno como responsable del sistema interno de información de la entidad ...

Lugar, fecha y Firma.

**Notificación a la AAI del cese o destitución de un órgano colegiado como responsable del sistema de gestión y las causas que lo motivan**

### A LA AUTORIDAD INDEPENDIENTE DE PROTECCIÓN DEL INFORMANTE A.A.I.

D. ..., actuando en nombre y representación de la entidad ... en su calidad de administrador como consta en escritura notarial de constitución que se acompaña como documento número 1°, comparezco y como mejor proceda en Derecho, DIGO:

**ÚNICO.–** Por medio de la presente, en virtud de lo dispuesto en el artículo 8.3 de la Ley 2/2023, de 20 de febrero, reguladora de la protección de las personas que informen sobre infracciones normativas y de lucha contra la corrupción, y dentro del plazo legal concedido, se procede a la notificación del cese y destitución del órgano colegiado formado por [nombre, apellidos y DNI de las personas designadas], como responsable del sistema de gestión de la entidad ...

Se acompaña resolución del órgano de administración como documento número 2°.

En su virtud,

**SOLICITO A LA AUTORIDAD INDEPENDIENTE DE PROTECCIÓN DEL INFORMANTE A.A.I.:**
Que habiendo por presentado el presente escrito con el documento que se acompaña, tenga a bien admitirlo y acuerde la inscripción del cese o destitución del órgano colegiado integrado por [nombre, apellidos y DNI de las personas designadas], en el registro oportuno como responsable del sistema interno de información de la entidad ...

Lugar, fecha y Firma.

## Resolución del Consejo de Administración de la entidad acordando que el responsable del sistema desarrolle sus funciones de forma independiente y autónoma

### RESOLUCIÓN

En reunión del Consejo de Administración de la entidad ..., celebrada en el día de hoy, se ha abordado la cuestión relativa al cumplimiento del artículo 8.4 de la Ley 2/2023, de 20 de febrero, reguladora de la protección de las personas que informen sobre infracciones normativas y de lucha contra la corrupción, en relación a la independencia y autonomía del responsable del sistema interno de información.

### ANTECEDENTES DE HECHO

**PRIMERO.–** La Ley 2/2023, de 20 de febrero, establece en su artículo 8.4 que el responsable del sistema interno de información debe desarrollar sus funciones de forma independiente y autónoma.

**SEGUNDO.–** En la última reunión del Consejo de Administración se puso en conocimiento de los miembros del Consejo la necesidad de adaptar el sistema interno de información a lo establecido en la Ley.

**TERCERO.–** El responsable del sistema interno de información ha elaborado un informe en el que se recogen las medidas necesarias para garantizar su independencia y autonomía.

### RESUELVO

**PRIMERO.–** El Consejo de Administración de la entidad ... acuerda que el responsable del sistema de información desarrolle sus funciones de forma independiente y autónoma, tal y como exige el artículo 8.4 de la Ley 2/2023, de 20 de febrero.

**SEGUNDO.–** Se establecen las medidas necesarias para garantizar la independencia y autonomía del responsable del sistema interno de información, que se recogen en el informe elaborado por dicho responsable.

**TERCERO.–** Se designa a ... como responsable de garantizar el cumplimiento de la independencia y autonomía del responsable del sistema de información.

Firma y sello.

## Resolución del Consejo de Administración de la Entidad acordando abstenerse de impartir instrucciones al responsable del sistema

### RESOLUCIÓN

En reunión del Consejo de Administración de la Entidad ..., celebrada en el día de hoy, se ha abordado la cuestión relativa al cumplimiento del artículo 8.4° de la Ley 2/2023, de 20 de febrero, reguladora de la protección de las personas que informen sobre infracciones normativas y de lucha contra la corrupción, en relación a la abstención de impartir instrucciones al responsable del sistema interno de información.

### ANTECEDENTES DE HECHO

**PRIMERO.–** La Ley 2/2023, de 20 de febrero, establece en su artículo 8.4 que el Consejo de Administración debe abstenerse de impartir instrucciones al responsable del sistema interno de información.

**SEGUNDO.–** En la última reunión del Consejo de Administración se puso en conocimiento de los miembros del Consejo de Administración la necesidad de adaptar las actuaciones de la entidad a lo establecido en la Ley.

**TERCERO.–** Se ha identificado que, en ocasiones, se han impartido instrucciones al responsable del sistema interno de información.

### RESUELVO

**PRIMERO.–** El Consejo de Administración de la Entidad ... acuerda abstenerse de impartir instrucciones al responsable del sistema interno de información, tal y como exige el artículo 8.4° de la Ley 2/2023, de 20 de febrero.

**SEGUNDO.–** Se adoptarán las medidas necesarias para asegurar que el Consejo de Administración se abstenga de impartir instrucciones al responsable del sistema interno de información.

**TERCERO.–** Se designa a ... como responsable de garantizar el cumplimiento de la abstención de impartir instrucciones al responsable del sistema interno de información.

Firma y sello.

## Resolución del Consejo de Administración de la Entidad acordando la atribución de los medios personales, materiales y humanos necesarios para que el responsable del sistema desarrolle sus funciones

### RESOLUCIÓN

En reunión del Consejo de Administración de la Entidad ..., celebrada en el día de hoy, se ha abordado la cuestión relativa al cumplimiento del artículo 8.4° de la Ley 2/2023, de 20 de febrero, reguladora de la protección de las personas que informen sobre infracciones normativas y de lucha contra la corrupción, en relación a la atribución de los medios necesarios para que el responsable del sistema interno de información desarrolle sus funciones de forma autónoma e independiente.

### ANTECEDENTES DE HECHO

**PRIMERO.–** La Ley 2/2023, de 20 de febrero, establece en su artículo 8.4 que el Consejo de Administración debe atribuir los medios personales, materiales y humanos necesarios para que el responsable del sistema interno de información desarrolle sus funciones de forma autónoma e independiente.

**SEGUNDO.–** En la última reunión del Consejo de Administración se puso en conocimiento de los miembros del Consejo la necesidad de adaptar las actuaciones de la entidad a lo establecido en la Ley.

**TERCERO.–** Se ha identificado que, en la actualidad, no se han atribuido los medios necesarios para que el responsable del sistema interno de información desarrolle sus funciones de forma autónoma e independiente.

### RESUELVO

**PRIMERO.–** El Consejo de Administración de la Entidad ... acuerda atribuir los medios personales, materiales y humanos necesarios para que el responsable del sistema interno de información desarrolle sus funciones de forma autónoma e independiente, tal y como exige el artículo 8.4 de la Ley 2/2023, de 20 de febrero.

**SEGUNDO.–** Se designa a ... como responsable de garantizar la dotación de los medios necesarios para el desarrollo autónomo e independiente de las funciones del responsable del sistema interno de información.

**TERCERO.–** Se adoptarán las medidas necesarias para asegurar la disponibilidad de los medios personales, materiales y humanos necesarios para el desarrollo autónomo e independiente de las funciones del responsable del sistema interno de información.

Firma y sello.

## Resolución acordando el nombramiento de una persona física que ostente la condición de directivo como responsable del sistema de gestión

### RESOLUCIÓN

En reunión del Consejo de Administración de la Entidad ..., celebrada en el día de hoy, se ha abordado la cuestión relativa al cumplimiento del artículo 8 de la Ley 2/2023, de 20 de febrero, reguladora de la protección de las personas que informen sobre infracciones normativas y de lucha contra la corrupción, en relación al nombramiento de una persona física que ostente la condición de directivo como responsable del sistema interno de gestión.

### ANTECEDENTES DE HECHO

**PRIMERO.–** En consecuencia, se procede a nombrar a ..., con DNI ... como responsable del sistema de gestión interno de informaciones de la entidad.

**SEGUNDO.–** La persona nombrada deberá ejercer sus funciones con la diligencia y el cuidado exigibles en el desempeño del cargo, y se le otorgarán los medios y recursos necesarios para el cumplimiento de sus funciones.

**TERCERO.–** La presente resolución se comunicará a la persona nombrada, así como a los órganos internos de la entidad y a las autoridades competentes en la materia.

### RESUELVO

**PRIMERO.–** Nombrar a ..., con DNI ... como responsable del sistema de gestión de informaciones de la entidad.

**SEGUNDO.–** Encomendar a la persona nombrada el desempeño de sus funciones con la diligencia y el cuidado exigibles en el desempeño del cargo, y se le otorgarán los medios y recursos necesarios para el cumplimiento de sus funciones.

**TERCERO.–** Comunicar a la persona nombrada, así como a los órganos internos de la Entidad y a las autoridades competentes en la materia.

Fecha y Firma.

**Resolución acordando el nombramiento de una persona física como responsable del sistema de gestión compatibilizando con su actual puesto de trabajo**

### RESOLUCIÓN

**PRIMERO.–** Se procede a la designación de una persona física como responsable del sistema interno de gestión de informaciones, de acuerdo con lo dispuesto en el artículo 8 de la Ley 2/2023, de 20 de febrero, reguladora de la protección de las personas que informen sobre infracciones normativas y de lucha contra la corrupción.

**SEGUNDO.–** La persona designada para ocupar el cargo de responsable del sistema interno de gestión de informaciones será …, quien actualmente ostenta el cargo de … en esta entidad.

**TERCERO.–** La designación de … como responsable del sistema interno de gestión de informaciones será compatible con sus funciones actuales, de conformidad con lo dispuesto en el artículo 8.5 de la Ley 2/2023, de 20 de febrero.

### RESUELVO

**PRIMERO.–** Designar a … como responsable del sistema interno de gestión de informaciones de la Entidad.

**SEGUNDO.–** Autorizar la compatibilidad de las funciones de … como responsable del sistema interno de gestión de informaciones con su actual puesto de trabajo de ….

**TERCERO.–** Comunicar la presente designación a … y proceder a su inscripción en los registros correspondientes.

Fecha y Firma.

**Resolución acordando la continuación del ejercicio de sus funciones la persona que viniera ejerciendo la función de cumplimiento normativo o las políticas de integridad el nombramiento de una persona física como responsable del sistema de gestión**

## RESOLUCIÓN

**PRIMERO.–** El Consejo de Administración de la Entidad ... acuerda la continuidad en el ejercicio de sus funciones de la persona que viniera ejerciendo la función de cumplimiento normativo o las políticas de integridad en la entidad.

**SEGUNDO.–** El Consejo de Administración de la Entidad ... acuerda el nombramiento de ... como responsable del sistema interno de gestión, tal y como indica el artículo 8.6° de la Ley 2/2023, de 20 de febrero, reguladora de la protección de las personas que informen sobre infracciones normativas y de lucha contra la corrupción.

**TERCERO.–** La persona designada como responsable del sistema interno de gestión compatibilizará sus funciones con las que ya venía ejerciendo la persona que se encontraba al frente del cumplimiento normativo o las políticas de integridad en la entidad.

## RESUELVO

**PRIMERO.–** Ratificar la continuidad en el ejercicio de sus funciones de ... por venir ejerciendo la función de cumplimiento normativo o las políticas de integridad en la Entidad.

**SEGUNDO.–** Nombrar a ... como responsable del sistema interno de gestión, tal y como indica el artículo 8.6° de la Ley 2/2023, de 20 de febrero, reguladora de la protección de las personas que informen sobre infracciones normativas y de lucha contra la corrupción.

**TERCERO.–** La persona designada como responsable del sistema interno de gestión compatibilizará sus funciones con las que ya venía ejerciendo la persona que se encontraba al frente del cumplimiento normativo o las políticas de integridad en la Entidad.

Fecha y Firma.

**Resolución del Consejo de Administración u Órgano de Gobierno de cada entidad u organismo obligado por esta ley aprobando el procedimiento de gestión de informaciones**

## RESOLUCIÓN

**PRIMERO.-** El Consejo de Administración de la Entidad ... acuerda la aprobación del procedimiento de gestión de informaciones, conforme al artículo 9º de la Ley 2/2023, de 20 de febrero, reguladora de la protección de las personas que informen sobre infracciones normativas y de lucha contra la corrupción.

**SEGUNDO.-** El procedimiento de gestión de informaciones tiene por objeto establecer los protocolos y medidas necesarias para la recepción, tramitación y resolución de denuncias sobre posibles infracciones normativas y de corrupción en el seno de la entidad, garantizando la confidencialidad, protección y no represalia del informante s.

**TERCERO.-** El procedimiento de gestión de denuncias será difundido y puesto a disposición de todas las personas que integran la Entidad, a través de los canales de comunicación internos establecidos.

**CUARTO.-** Se designa a D/Doña ... como responsable de la gestión de las informaciones, quien coordinará la gestión de las denuncias y velará por el cumplimiento del procedimiento establecido.

## RESUELVO

**PRIMERO.-** Aprobar el procedimiento de gestión de informaciones, conforme al artículo 9 de la Ley 2/2023, de 20 de febrero, reguladora de la protección de las personas que informen sobre infracciones normativas y de lucha contra la corrupción.

**SEGUNDO.-** Difundir y poner a disposición de todas las personas que integran la Entidad el procedimiento de gestión de informaciones a través de los canales de comunicación internos establecidos.

**TERCERO.-** Designar a Don/Doña... como responsable de la gestión de informaciones, quien coordinará la gestión de las denuncias y velará por el cumplimiento del procedimiento establecido.

Fecha y Firma.

## Resolución del responsable del sistema interno de información comprometiéndose a una tramitación diligente

### RESOLUCIÓN

**PRIMERO.–** [Nombre del responsable del sistema interno de informaciones] se compromete a llevar a cabo una tramitación diligente de las denuncias recibidas en el marco de la Ley 2/2023, de 20 de febrero, reguladora de la protección de las personas que informen sobre infracciones normativas y de lucha contra la corrupción.

**SEGUNDO.–** [Nombre del responsable del sistema interno de informaciones] se compromete a garantizar la confidencialidad, protección y no represalia de los informante s, así como a respetar los derechos y garantías de las personas denunciadas.

**TERCERO.–** [Nombre del responsable del sistema interno de informaciones] se compromete a informar a las autoridades competentes en caso de que se hayan producido infracciones normativas o actos de corrupción, en cumplimiento de las obligaciones establecidas en la normativa vigente.

**CUARTO.–** [Nombre del responsable del sistema interno de informaciones] se compromete a llevar un registro de las denuncias recibidas y a elaborar informes periódicos sobre la gestión de las mismas, que serán presentados al Consejo de Administración de [nombre de la entidad].

### RESUELVO

**PRIMERO.–** [Nombre del responsable del sistema interno de informaciones] se compromete a llevar a cabo una tramitación diligente de las denuncias recibidas en el marco de la Ley 2/2023, de 20 de febrero, reguladora de la protección de las personas que informen sobre infracciones normativas y de lucha contra la corrupción.

**SEGUNDO.–** [Nombre del responsable del sistema interno de informaciones] se compromete a garantizar la confidencialidad, protección y no represalia de los informantes, así como a respetar los derechos y garantías de las personas denunciadas.

**TERCERO.–** [Nombre del responsable del sistema interno de informaciones] se compromete a informar a las autoridades competentes en caso de que se hayan producido infracciones normativas o actos de corrupción, en cumplimiento de las obligaciones establecidas en la normativa vigente.

**CUARTO.–** [Nombre del responsable del sistema interno de informaciones] se compromete a llevar un registro de las denuncias recibidas y a elaborar informes periódicos sobre la gestión de las mismas, que serán presentados al Consejo de Administración de [nombre de la entidad].

Fecha y Firma.

**Acuse de recibo de la comunicación recibida por el responsable de la gestión del sistema al informante**

## ACUSE DE RECIBO DE COMUNICACIÓN

Estimado informante,

Por medio de la presente, se acusa recibo de su comunicación de fecha ... en la que se comunicación una presunta irregularidad en nuestra empresa, y que ha sido recibida a través del canal interno de información.

En cumplimiento de lo dispuesto en el artículo 9.2.c) de la Ley 2/2023, de 20 de febrero, reguladora de la protección de las personas que informen sobre infracciones normativas y de lucha contra la corrupción le informamos que su comunicación ha sido recibida y será tratada de acuerdo con los procedimientos establecidos en nuestra empresa para la gestión de comunicaciones por presuntas irregularidades.

En todo caso, se garantizará su confidencialidad y se llevará a cabo una investigación exhaustiva para esclarecer los hechos comunicados.

Le agradecemos la confianza depositada en nuestra empresa y nos ponemos a su disposición para cualquier aclaración o información adicional que requiera sobre el proceso de investigación.

Fecha y Firma.

**Resolución del responsable de la gestión del sistema no acusando recibo al informante al poner en peligro la confidencialidad de la instrucción por la comunicación**

## RESOLUCIÓN

Habiendo recibido en el órgano de cumplimiento de la Entidad ... el escrito de fecha ..., por el que se comunica por un informante la comisión de una presunta infracción normativa, se dicta la presente resolución en base a los siguientes:

## ANTECEDENTES DE HECHO

**PRIMERO.–** En fecha ... tuvo entrada en el Órgano de Cumplimiento Normativo comunicación de un informante por la que se comunicaba la comisión de una presunta infracción normativa.

**SEGUNDO.–** El artículo 9.2.c) de la Ley 2/2023, de 20 de febrero, reguladora de la protección de las personas que informen sobre infracciones normativas y de lucha contra la corrupción indica que habrá de enviarse acuse de recibo de la comunicación al informante en el plazo de siete días naturales siguientes a su recepción, salvo que ello pueda poner en peligro la confidencialidad de la comunicación.

**TERCERO.–** No garantizándose la confidencialidad de la comunicación, procede la no remisión del acuse de recibo de la comunicación.

**CUARTO.–** Se procede a la continuación de la investigación e los hechos que pudieran ser constitutivos de infracción normativa.

## RESUELVO

**PRIMERO.–** Acordar la no remisión del acuse de recibo de la comunicación al informante.

**SEGUNDO.–** Continuar la tramitación de las labores afectado ras de los hechos comunicados que pudiesen ser constitutivos de infracción normativa.

Fecha y Firma.

**Diligencia de vencimiento del plazo de investigación establecido, a contar desde la recepción de la comunicación del informante**

### ÓRGANO DE CUMPLIMIENTO NORMATIVO DE LA ENTIDAD ...

Número de expediente: ...

Fecha: ...

En fecha ... tuvo entrada en este Órgano de Cumplimiento Normativo comunicación de hechos presuntamente constitutivos de infracción normativa procediéndose a las labores de investigación encomendadas.

Habiendo transcurrido tres meses desde la entrada de la comunicación, resulta de aplicación dispuesto en el artículo 9.2.d) de la Ley 2/2023, de 20 de febrero, reguladora de la protección de las personas que informen sobre infracciones normativas y de lucha contra la corrupción que establece un plazo máximo de tres meses para dar respuesta a las actuaciones de investigación, salvo casos de especial complejidad que requieren una ampliación del plazo.

Por ello, se da por concluida la investigación de los hechos comunicados, procediéndose a la elaboración de informe donde se reflejen las conclusiones obtenidas.

Fecha y Firma.

**Diligencia de vencimiento del plazo de investigación desde la recepción de la comunicación del informante cuando no se haya acusado recibo al informante**

### ÓRGANO DE CUMPLIMIENTO NORMATIVO DE LA ENTIDAD ...

Número de expediente: ...

Fecha: ...

En fecha ... tuvo entrada en este departamento comunicación de hechos presuntamente constitutivos de infracción normativa en la que se renunciaba expresamente a la recepción de comunicaciones, procediéndose a las labores de investigación encomendadas.

Habiendo transcurrido tres meses desde el vencimiento del plazo de siete días después de efectuarse la comunicación debido a la no remisión de acuse de recibo, resulta de aplicación dispuesto en el artículo 9.2°.d) de la Ley 2/2023, de 20 de febrero, reguladora de la protección de las personas que informen sobre infracciones normativas y de lucha contra la corrupción que establece un plazo máximo de tres meses para dar respuesta a las actuaciones de investigación, salvo casos de especial complejidad que requieren una ampliación del plazo.

Por ello, se da por concluida la investigación de los hechos comunicados, procediéndose a la elaboración de informe donde se reflejen las conclusiones obtenidas.

Fecha y Firma.

**Resolución acordando la extensión del plazo de investigación por otros tres meses adicionales**

### ÓRGANO DE CUMPLIMIENTO NORMATIVO DE LA ENTIDAD …

Número de expediente: …

Fecha: …

Habiendo examinado la situación actual del asunto [indique el nombre del asunto] y considerando que resulta necesario continuar con la investigación para esclarecer los hechos, se dicta la presente resolución en base a los siguientes

### ANTECEDENTES DE HECHO

**PRIMERO.–** En fecha … se inició la investigación de los hechos presuntamente irregulares debido a la recepción de comunicación por el informante.

**SEGUNDO.–** Tras realizar diversas diligencias y recabar información, se considera necesario continuar con la investigación para esclarecer los hechos.

**TERCERO.–** De acuerdo con el artículo 9.2.d) de la Ley 2/2023, de 20 de febrero, reguladora de la protección de las personas que informen sobre infracciones normativas y de lucha contra la corrupción, se puede prorrogar el plazo máximo de investigación por un periodo de tres meses adicionales.

### RESUELVO

**PRIMERO.–** Se acuerda la prórroga del plazo de investigación de los hechos presuntamente irregulares dilucidados en el presente expediente por un periodo adicional de tres meses.

**SEGUNDO.–** Dar traslado de la presente resolución a las partes personadas.

Fecha y Firma.

**Resolución por la que se acuerda solicitar al informante la subsanación de la comunicación recibida**

## ÓRGANO DE CUMPLIMIENTO NORMATIVO DE LA ENTIDAD ...

Número de expediente: ...

Fecha: ...

Habiéndose recibido en el Órgano de Cumplimiento Normativo el escrito de comunicación de fecha ..., y en cumplimiento del artículo 9.2.e) de la Ley 2/2023, de 20 de febrero, reguladora de la protección de las personas que informen sobre infracciones normativas y de lucha contra la corrupción, se dicta la presente resolución en base a los siguientes

### ANTECEDENTES DE HECHO

**PRIMERO.–** Que se recibió el escrito de comunicación de fecha ..., en el que se informa sobre la comisión de una presunta infracción normativa.

**SEGUNDO.–** Que, tras revisar el escrito de denuncia/comunicación se ha comprobado que existen errores y omisiones que impiden su correcta tramitación y, en consecuencia, se requiere su subsanación.

En este sentido, se observan las siguientes deficiencias: ...

**TERCERO.–** Que, en virtud del artículo 9.2.e) de la Ley 2/2023, de 20 de febrero, reguladora de la protección de las personas que informen sobre infracciones normativas y de lucha contra la corrupción, se procederá a comunicar al informante la necesidad de subsanar los errores u omisiones detectados en el escrito de denuncia.

### RESUELVO

**PRIMERO.–** Requerir al informante que subsane los errores y omisiones detectados en el escrito de comunicación en un plazo de quince días hábiles.

**SEGUNDO.–** Notificar al informante la presente resolución, indicando los errores y omisiones detectados en el escrito de denuncia.

**TERCERO.–** Ordenar la apertura de un nuevo plazo de investigación, una vez se haya recibido el escrito de comunicación subsanado.

Fecha y Firma.

## Resolución por la que se acuerda solicitar información adicional al informante

### ÓRGANO DE CUMPLIMIENTO NORMATIVO DE LA ENTIDAD ...

Número de expediente: ...

Fecha: ...

Habiendo recibido en este Órgano de Cumplimiento Normativo el escrito de comunicación de fecha ..., y en cumplimiento del artículo 9.2.e) de la Ley 2/2023, de 20 de febrero, reguladora de la protección de las personas que informen sobre infracciones normativas y de lucha contra la corrupción, se dicta la presente resolución en base a los siguientes

### ANTECEDENTES DE HECHO

**PRIMERO.–** Que se recibió el escrito de comunicación de fecha ..., en el que se informa sobre la comisión de una presunta infracción normativa.

**SEGUNDO.–** Que, tras revisar el escrito de denuncia/comunicación se ha comprobado que falta documentación impidiendo la correcta tramitación del presente expediente y, en consecuencia, se requiere que aporte información adicional.

En este sentido, se observan es necesario que aporte: ...

**TERCERO.–** Que, en virtud del artículo 9.2.e) de la Ley 2/2023, de 20 de febrero, reguladora de la protección de las personas que informen sobre infracciones normativas y de lucha contra la corrupción, se procederá a comunicar al informante la necesidad de aportar información adicional a la comunicación interpuesta.

### RESUELVO

**PRIMERO.–** Requerir al informante que amplíe la información indicada en el cuerpo del escrito en un plazo de quince días hábiles.

**SEGUNDO.–** Notificar al informante la presente resolución, indicando la información a ampliar respecto de su escrito de denuncia.

**TERCERO.–** Ordenar la apertura de un nuevo plazo de investigación, una vez se haya recibido el escrito ampliando la información requerida.

Fecha y Firma.

**Resolución por la que se acuerda informar de las acciones u omisiones que se le atribuyen a la persona afectada, y a ser oída en cualquier momento de acuerdo con el buen fin de la investigación**

### ÓRGANO DE CUMPLIMIENTO NORMATIVO DE LA ENTIDAD ...

Número de expediente: ...

Fecha: ...

Habiendo recibido en este Órgano de Cumplimiento Normativo, el escrito de fecha... por el que se comunica una presunta infracción normativa en la empresa..., se dicta la presente resolución en base a los siguientes

### ANTECEDENTES DE HECHO

**PRIMERO.–** El día... se recibió en el Órgano de Cumplimiento Normativo una comunicación en la que se informaba de una presunta infracción normativa en la empresa....

**SEGUNDO.–** Tras la apertura de una investigación preliminar, se han recopilado pruebas y testimonios que apuntan a una posible responsabilidad por parte de la persona denunciada.

**TERCERO.–** De acuerdo con el artículo 9.2.f) de la Ley 2/2023, se informa a la persona denunciada de las acciones u omisiones que se le atribuyen y se le concede el derecho a ser oída en cualquier momento de acuerdo con el buen fin de la investigación.

### RESUELVO

**PRIMERO.–** Informar a la persona denunciada de las acciones u omisiones que se le atribuyen en relación con la presunta infracción normativa en la empresa... y concederle el derecho a ser oída en cualquier momento de acuerdo con el buen fin de la investigación.

**SEGUNDO.–** Continuar con la investigación para determinar si efectivamente se ha producido la infracción normativa y, en su caso, adoptar las medidas necesarias para corregir la situación.

Fecha y Firma.

## Diligencia de constancia de la recepción de una comunicación fuera de los canales de comunicación establecidos

### ÓRGANO DE CUMPLIMIENTO NORMATIVO DE LA ENTIDAD ...

Número de expediente: ...

Fecha: ...

### DILIGENCIA DE CONSTANCIA

Dada cuenta, extiende el responsable del sistema interno de información la presente para hacer constar que en fecha......... se ha recibido comunicación de hechos considerados presuntamente irregulares fuera de los canales establecidos.

Así lo extiendo, en Lugar, fecha y Firma.

## Notificación de la recepción de una comunicación fuera de los canales de comunicación establecidos por persona no encargada de su recepción

### ÓRGANO DE CUMPLIMIENTO NORMATIVO DE LA ENTIDAD ...

Número de expediente: ...

Fecha: ...

### NOTIFICACIÓN

Por medio de la presente, se notifica al informante la recepción de la comunicación por persona no encargada de su recepción debido a su presentación fuera de los canales de comunicación establecidos.

Le informamos que, a pesar de haber sido recibida por persona ajena al Órgano de Cumplimiento Normativo, se han adoptado las medidas necesarias para garantizar su confidencialidad y protección del informante prevista en la Ley 2/2023, de 20 de febrero, reguladora de la protección de las personas que informen sobre infracciones normativas y de lucha contra la corrupción, así como resto de derechos en materia de protección de datos.

Finalmente, participarle que se procede a dar curso de la comunicación efectuada.

Lugar, fecha y Firma.

**Resolución acordando la remisión de la información al Ministerio Fiscal con carácter inmediato cuando los hechos pudieran ser indiciariamente constitutivos de delito**

### ÓRGANO DE CUMPLIMIENTO NORMATIVO DE LA ENTIDAD ...

Número de expediente:

Fecha: ...

### RESOLUCIÓN

En este Órgano de Cumplimiento Normativo ha tenido entrada en fecha ... comunicación de hechos que indiciariamente son constitutivos de delito.

### ANTECEDENTES DE HECHO

**PRIMERO.–** En fecha ... tuvo entrada comunicación de hechos indiciariamente constitutivos de delito.

**SEGUNDO.–** El artículo 9.2.j) de la Ley 2/2023, de 20 de febrero, reguladora de la protección de las personas que informen sobre infracciones normativas y de lucha contra la corrupción este órgano tiene la obligación de remitir la información con carácter inmediato al Ministerio Fiscal con carácter inmediato cuando los hechos pudieran ser indiciariamente constitutivos de delito.

**TERCERO.–** Procede la inmediata remisión de la información obrante en el expediente al Ministerio Fiscal.

### RESUELVO

**PRIMERO.–** Dar inmediato traslado del presente expediente al Ministerio Fiscal.

**SEGUNDO.–** Comunicar al informante el traslado de la información al Ministerio Fiscal.

Firma y sello.

## Remisión de la información a la Fiscalía de la Unión Europea cuando los hechos afecten a los intereses financieros de la misma

### ÓRGANO DE CUMPLIMIENTO NORMATIVO DE LA ENTIDAD ...

Número de expediente:

Fecha: ...

### RESOLUCIÓN

En este Órgano de Cumplimiento Normativo ha tenido entrada en fecha ... comunicación de hechos presuntamente irregulares que afecten a los intereses financieros de la Unión Europea.

### ANTECEDENTES DE HECHO

PRIMERO. En fecha ... tuvo entrada en este Órgano de Cumplimiento Normativo, una comunicación relativa a hechos presuntamente irregulares que presuntamente afectan a los intereses financieros de la Unión Europea.

**SEGUNDO.–** El artículo 9.2.j) de la Ley 2/2023, de 20 de febrero, reguladora de la protección de las personas que informen sobre infracciones normativas y de lucha contra la corrupción este Órgano tiene la obligación de remitir la información con carácter inmediato a la Fiscalía de la Unión Europea cuando los hechos afecten a los intereses financieros de la Unión Europea.

**TERCERO.–** Procede la inmediata remisión de la información obrante en el expediente a la Fiscalía de la Unión Europea.

### RESUELVO

**PRIMERO.–** Dar inmediato traslado del presente expediente a la Fiscalía de la Unión Europea.

**SEGUNDO.–** Comunicar al informante el traslado de la información a la Fiscalía de la Unión Europea.

Firma y sello.

## Acuerdo del Consejo de Administración constituyendo un canal de comunicaciones cuando no tengan su domicilio en territorio nacional

Consejo de Administración de la Empresa ...

Fecha ...

En [lugar y fecha], reunido el Consejo de Administración de [nombre de la sociedad], y en uso de las facultades que le confiere la Ley de Sociedades de Capital y los estatutos sociales,

### ACUERDA:

**PRIMERO.–** Constituir un canal de comunicaciones para recibir denuncias/comunicaciones relativas a infracciones en los términos establecidos en la Ley 2/2023, de 20 de febrero, reguladora de la protección de las personas que informen sobre infracciones normativas y de lucha contra la corrupción.

**SEGUNDO.–** Aprobar un protocolo interno para la gestión de las denuncias recibidas a través del canal de comunicaciones, que establezca los procedimientos y medidas necesarias para garantizar la confidencialidad y protección de los informante s, así como la investigación y tramitación de las denuncias recibidas.

**TERCERO.–** Designar a [nombre del responsable designado] como responsable del sistema interno de información encargado de recibir y gestionar las denuncias/comunicaciones recibidas a través del canal interno de información.

**CUARTO.–** Publicar en la página web de la sociedad y en su sede social, la existencia del canal de comunicaciones y su protocolo de funcionamiento.

**QUINTO.–** Notificar la adopción del presente acuerdo a los miembros del Consejo de Administración, así como la designación del responsable del sistema interno de informaciones a la Autoridad Administrativa de Protección del Informante, A.A.I.

**SEXTO.–** Dar cuenta del presente acuerdo en la primera Junta General de Accionistas que se celebre.

Sin más asuntos que tratar, se levanta la sesión, siendo las [hora de finalización de la reunión].

Fecha y sello.

## Acuerdo del Consejo de Administración constituyendo un canal de comunicaciones cuando desarrollen en España actividades a través de sucursales o agentes

Consejo de Administración de la Empresa ...

Fecha ...

En [lugar y fecha], reunido el Consejo de Administración de [nombre de la sociedad], y en uso de las facultades que le confiere la Ley de Sociedades de Capital y los estatutos sociales,

### ACUERDA:

**PRIMERO.–** Constituir un canal interno de comunicaciones para recibir denuncias relativas a infracciones en los términos establecidos en la Ley 2/2023, de 20 de febrero, reguladora de la protección de las personas que informen sobre infracciones normativas y de lucha contra la corrupción y particularmente lo dispuesto en el segundo párrafo del artículo 10.2.b) de dicha Ley.

**SEGUNDO.–** Aprobar un protocolo interno para la gestión de las denuncias recibidas a través del canal de comunicaciones, que establezca los procedimientos y medidas necesarias para garantizar la confidencialidad y protección de los informante s, así como la investigación y tramitación de las denuncias recibidas.

**TERCERO.–** Designar a [nombre del responsable designado] como responsable del sistema interno de información encargado de recibir y gestionar las denuncias recibidas a través del canal interno de información.

**CUARTO.–** Publicar en la página web de la Sociedad y en su sede social, la existencia del canal de comunicaciones y su protocolo de funcionamiento.

**QUINTO.–** Notificar la adopción del presente acuerdo a los miembros del Consejo de Administración, así como la designación del responsable del sistema interno de informaciones a la Autoridad Administrativa de Protección del Informante, A.A.I.

**SEXTO.–** Dar cuenta del presente acuerdo en la primera Junta General de Accionistas que se celebre.

Sin más asuntos que tratar, se levanta la sesión, siendo las [hora de finalización de la reunión].

Fecha y sello.

## Acuerdo del Consejo de Administración constituyendo un canal de comunicaciones cuando presten servicios sin establecimiento permanente

Consejo de Administración de la Entidad ...

Fecha ...

En [lugar y fecha], reunido el Consejo de Administración de [nombre de la sociedad], y en uso de las facultades que le confiere la Ley de Sociedades de Capital y los estatutos sociales,

### ACUERDA:

**PRIMERO.–** Constituir un canal de comunicaciones para recibir denuncias o comunicaciones relativas a infracciones en los términos establecidos en la Ley 2/2023, de 20 de febrero, reguladora de la protección de las personas que informen sobre infracciones normativas y de lucha contra la corrupción y particularmente lo dispuesto en el segundo párrafo del artículo 10.2.b) de dicha Ley.

**SEGUNDO.–** Aprobar un protocolo interno para la gestión de las denuncias recibidas a través del canal de comunicaciones, que establezca los procedimientos y medidas necesarias para garantizar la confidencialidad y protección de los informante s, así como la investigación y tramitación de las denuncias o comunicaciones recibidas.

**TERCERO.–** Designar a [nombre del responsable designado] como responsable del sistema interno de información encargado de recibir y gestionar las denuncias o comunicaciones recibidas a través del canal interno de información.

**CUARTO.–** Publicar en la página web de la Sociedad y en su sede social, la existencia del canal de comunicaciones y su protocolo de funcionamiento.

**QUINTO.–** Notificar la adopción del presente acuerdo a los miembros del Consejo de Administración, así como la designación del responsable del sistema interno de informaciones a la Autoridad Administrativa de Protección del Informante, A.A.I.

**SEXTO.–** Dar cuenta del presente acuerdo en la primera Junta General de Accionistas que se celebre.

Sin más asuntos que tratar, se levanta la sesión, siendo las [hora de finalización de la reunión].

Fecha y sello.

## Acuerdo del Consejo de Administración constituyendo un canal de comunicaciones de manera voluntaria cuando tengan menos de 50 trabajadores

Consejo de Administración de la Empresa …

Fecha …

En [lugar y fecha], reunido el Consejo de Administración de [nombre de la sociedad], y en uso de las facultades que le confiere la Ley de Sociedades de Capital y los estatutos sociales,

### ACUERDA:

**PRIMERO.–** Constituir un canal de comunicaciones para recibir denuncias relativas a infracciones en los términos establecidos en el artículo 10.2 de la Ley 2/2023, de 20 de febrero, reguladora de la protección de las personas que informen sobre infracciones normativas y de lucha contra la corrupción.

**SEGUNDO.–** Aprobar un protocolo interno para la gestión de las denuncias recibidas a través del canal de comunicaciones, que establezca los procedimientos y medidas necesarias para garantizar la confidencialidad y protección de los informante s, así como la investigación y tramitación de las denuncias recibidas.

**TERCERO.–** Designar a [nombre del responsable designado] como responsable del sistema interno de información encargado de recibir y gestionar las denuncias recibidas a través del canal interno de información.

**CUARTO.–** Publicar en la página web de la sociedad y en su sede social, la existencia del canal de comunicaciones y su protocolo de funcionamiento.

**QUINTO.–** Notificar la adopción del presente acuerdo a los miembros del Consejo de Administración, así como la designación del responsable del sistema interno de informaciones a la Autoridad Administrativa de Protección del Informante, A.A.I.

Sin más asuntos que tratar, se levanta la sesión, siendo las [hora de finalización de la reunión.

Fecha y sello.

## Acuerdo del Órgano de Gobierno de un partido político constituyendo un canal de comunicaciones siempre que reciba o gestione fondos públicos

Órgano de Gobierno del Partido Político ...

Fecha ...

En [lugar y fecha], reunido el Órgano de Gobierno del Partido Político [nombre del partido político], y en uso de las facultades que le confiere la Ley Orgánica 6/2002, de 27 de junio, de Partidos Políticos y los estatutos sociales,

### ACUERDA:

**PRIMERO.–** Constituir un canal de comunicaciones para recibir denuncias relativas a infracciones en aplicación de lo dispuesto en el artículo 10.1.c) de la Ley 2/2023, de 20 de febrero, reguladora de la protección de las personas que informen sobre infracciones normativas y de lucha contra la corrupción.

**SEGUNDO.–** Aprobar un protocolo interno para la gestión de las denuncias recibidas a través del canal de comunicaciones, que establezca los procedimientos y medidas necesarias para garantizar la confidencialidad y protección de los informante s, así como la investigación y tramitación de las denuncias recibidas.

**TERCERO.–** Designar a [nombre del responsable designado] como responsable del sistema interno de información encargado de recibir y gestionar las denuncias recibidas a través del canal interno de información.

**CUARTO.–** Publicar en la página web del partido político y en su sede social, la existencia del canal de comunicaciones y su protocolo de funcionamiento.

**QUINTO.–** Notificar la adopción del presente acuerdo a los miembros del Órgano de gobierno, así como la designación del responsable del sistema interno de informaciones a la Autoridad Administrativa de Protección del Informante, A.A.I.

Sin más asuntos que tratar, se levanta la sesión, siendo las [hora de finalización de la reunión].

Fecha y sello.

## Política general del Sistema interno de información para Grupos de Empresas

En cumplimiento de lo establecido en la Ley 2/2023, de 20 de febrero, reguladora de la protección de las personas que informen sobre infracciones normativas y de lucha contra la corrupción, [nombre del grupo de empresas] establece la siguiente política general del sistema interno de información:

### 1. Objeto y ámbito de aplicación

La presente política tiene por objeto establecer las medidas y procedimientos necesarios para garantizar la protección de los derechos de las personas que informen sobre infracciones normativas y de lucha contra la corrupción, en el ámbito de las empresas que conforman el grupo empresarial.

### 2. Canal de comunicaciones

Se establecerá un canal de comunicaciones que permita a los empleados, directivos y terceros vinculados al grupo empresarial, informar de manera confidencial y protegida sobre cualquier infracción o conducta irregular en el seno de las empresas del grupo, incluyendo aquellas relacionadas con corrupción, fraude, delitos económicos, incumplimientos de la normativa aplicable y cualquier otra conducta que pudiera suponer un riesgo para la reputación, imagen o integridad del grupo empresarial.

### 3. Protección del informante

Se garantizará la protección de los derechos de las personas que informen sobre infracciones normativas y de lucha contra la corrupción, y se establecerán medidas para evitar cualquier tipo de represalia, discriminación o consecuencia negativa para el informante. Asimismo, se asegurará la confidencialidad de la identidad del informante y de la información proporcionada, salvo en aquellos casos en los que resulte necesario revelar la información a las autoridades competentes.

### 4. Investigación y resolución de las denuncias o comunicaciones

Se establecerán los procedimientos y medidas necesarios para la investigación y resolución de las denuncias o comunicaciones recibidas, incluyendo la designación de un responsable encargado de la gestión del canal de comunicaciones, la realización de las investigaciones necesarias, la elaboración de informes y la adopción de medidas disciplinarias o correctivas, en su caso.

### 5. Comunicación y difusión de la política

Se comunicará y difundirá la presente política a todos los empleados, directivos y terceros vinculados al grupo empresarial, y se establecerán medidas para garantizar su conocimiento y comprensión por parte de todos los implicados.

## 6. Evaluación y seguimiento

Se llevará a cabo una evaluación y seguimiento periódico del funcionamiento del sistema interno de información, con el fin de verificar su eficacia y detectar posibles mejoras o deficiencias.

En cumplimiento de la normativa aplicable, la presente política general del sistema interno de información será revisada y actualizada periódicamente, a fin de adaptarla a las necesidades y exigencias del grupo empresarial.

[Firma del responsable designado para la gestión del sistema interno de información]

[Fecha de la aprobación de la política]

## Nombramiento de responsable de sistema, para Grupo de Empresas

En cumplimiento de la Ley 2/2023, de 20 de febrero, reguladora de la protección de las personas que informen sobre infracciones normativas y de lucha contra la corrupción, [nombre del grupo de empresas] nombra a [nombre, apellidos y DNI del responsable designado] como responsable del sistema interno de información del grupo empresarial.

El responsable designado será el encargado de gestionar el canal de comunicaciones establecido para la recepción de denuncias e informaciones relacionadas con infracciones normativas y conductas irregulares en el seno de las empresas del Grupo, y garantizará la protección de los derechos de las personas que informen sobre dichas conductas.

Entre sus funciones, se encuentran las siguientes:

- Recibir y tramitar las denuncias e informaciones recibidas a través del canal de comunicaciones.

- Coordinar y realizar las investigaciones necesarias para la comprobación de los hechos comunicados.

- Elaborar los informes correspondientes y adoptar las medidas disciplinarias o correctivas necesarias en función de los resultados obtenidos.

- Velar por la protección de los derechos de las personas que informen, evitando cualquier tipo de represalia o consecuencia negativa para ellas.

- Asegurar la confidencialidad de la identidad del informante y de la información proporcionada, salvo en aquellos casos en los que resulte necesario revelar la información a las autoridades competentes.

- Garantizar la comunicación y difusión de la política general del sistema interno de información entre los empleados, directivos y terceros vinculados al grupo empresarial.

El presente nombramiento de responsable del sistema interno de información tendrá efectos inmediatos a partir de la fecha de su Firma.

[Firma del representante legal del grupo empresarial]

[Fecha del nombramiento]

## Nombramiento de responsable de sistema para sociedad integrante de Grupo de Empresas

En cumplimiento de la Ley 2/2023, de 20 de febrero, reguladora de la protección de las personas que informen sobre infracciones normativas y de lucha contra la corrupción, [nombre de la sociedad integrante del grupo de empresas] nombra a [nombre y apellidos del responsable designado] como responsable del sistema interno de información de la sociedad.

El responsable designado será el encargado de gestionar el canal de comunicaciones establecido para la recepción de denuncias e informaciones relacionadas con infracciones normativas y conductas irregulares en el seno de la sociedad, y garantizará la protección de los derechos de las personas que informen sobre dichas conductas.

Entre sus funciones, se encuentran las siguientes:

- Recibir y tramitar las denuncias e informaciones recibidas a través del canal de comunicaciones.

- Coordinar y realizar las investigaciones necesarias para la comprobación de los hechos comunicados.

- Elaborar los informes correspondientes y adoptar las medidas disciplinarias o correctivas necesarias en función de los resultados obtenidos.

- Velar por la protección de los derechos de las personas que informen, evitando cualquier tipo de represalia o consecuencia negativa para ellas.

- Asegurar la confidencialidad de la identidad del informante y de la información proporcionada, salvo en aquellos casos en los que resulte necesario revelar la información a las autoridades competentes.

- Garantizar la comunicación y difusión de la política general del sistema interno de información entre los empleados, directivos y terceros vinculados a la sociedad.

El presente nombramiento de responsable del sistema interno de información tendrá efectos inmediatos a partir de la fecha de su Firma.

[Firma del representante legal de la sociedad]

[Fecha del nombramiento]

## Nombramiento de responsable de sistema para subgrupo o conjunto de sociedades dentro de un Grupo de Empresas

En cumplimiento de la Ley 2/2023, de 20 de febrero, reguladora de la protección de las personas que informen sobre infracciones normativas y de lucha contra la corrupción, [nombre del subgrupo o conjunto de sociedades dentro del grupo de empresas] nombra a [nombre y apellidos del responsable designado] como responsable del sistema interno de información del subgrupo o conjunto de sociedades.

El responsable designado será el encargado de gestionar el canal de comunicaciones establecido para la recepción de denuncias e informaciones relacionadas con infracciones normativas y conductas irregulares en el seno de las sociedades del subgrupo o conjunto, y garantizará la protección de los derechos de las personas que informen sobre dichas conductas.

Entre sus funciones, se encuentran las siguientes:

- Recibir y tramitar las denuncias e informaciones recibidas a través del canal de comunicaciones.

- Coordinar y realizar las investigaciones necesarias para la comprobación de los hechos comunicados.

- Elaborar los informes correspondientes y adoptar las medidas disciplinarias o correctivas necesarias en función de los resultados obtenidos.

- Velar por la protección de los derechos de las personas que informen, evitando cualquier tipo de represalia o consecuencia negativa para ellas.

- Asegurar la confidencialidad de la identidad del informante y de la información proporcionada, salvo en aquellos casos en los que resulte necesario revelar la información a las autoridades competentes.

- Garantizar la comunicación y difusión de la política general del sistema interno de información entre los empleados, directivos y terceros vinculados al subgrupo o conjunto de sociedades.

El presente nombramiento de responsable del sistema interno de información tendrá efectos inmediatos a partir de la fecha de su Firma.

[Firma del representante legal del subgrupo o conjunto de sociedades]

[Fecha del nombramiento]

## Resolución de la dirección del Grupo de Empresas acordando que el sistema interno de información sea uno para todo el Grupo

Dirección del Grupo de Empresas de ...

Fecha: ...

Habiendo sido informados en la reunión del órgano de dirección del Grupo de Empresas celebrada el día ... sobre la necesidad de implementar un sistema interno de información único para todo el grupo, se dicta la presente resolución en base a los siguientes:

### ANTECEDENTES DE HECHO

**PRIMERO.–** La Ley 2/2023, de 20 de febrero, reguladora de la protección de las personas que informen sobre infracciones normativas y de lucha contra la corrupción, establece en su artículo 11 la posibilidad de que los grupos de sociedades establezcan un sistema interno de información único para todo el grupo.

**SEGUNDO.–** Actualmente, cada una de las sociedades del grupo cuenta con su propio sistema de información, lo que dificulta el control y la gestión de la información de todo el grupo.

**TERCERO.–** La implementación de un sistema interno de información único para todo el grupo permitirá una gestión más eficiente de la información y un mayor control de la misma.

### RESUELVO

**PRIMERO.–** Acordar la implementación de un sistema interno de información único para todo el grupo de sociedades.

**SEGUNDO.–** Designar a ... como encargada de coordinar la implementación del sistema interno de información único.

**TERCERO.–** Autorizar el presupuesto necesario para la implementación del sistema interno de información único.

Fecha y Firma.

## Resolución acordando el intercambio de información entre los diferentes responsables del sistema del Grupo de Empresas

Dirección del Grupo de empresas de ...

Fecha: ...

En ... a ..., reunido el órgano de dirección del grupo de sociedades ..., se acuerda por unanimidad la adopción de la siguiente resolución:

### ANTECEDENTES DE HECHO

**PRIMERO.–** El artículo 11.3 de la Ley 2/2023, de 20 de febrero, reguladora de la protección de las personas que informen sobre infracciones normativas y de lucha contra la corrupción, establece la posibilidad de los responsables del sistema interno de información del grupo de sociedades de intercambiar información relevante y necesaria para la adecuada coordinación y el mejor desempeño de sus funciones.

**SEGUNDO.–** El intercambio de información entre los diferentes responsables del sistema interno de información del grupo permitirá una mejor gestión de las denuncias y una mayor eficacia en la detección de posibles infracciones.

### RESUELVO

**PRIMERO.–** Acordar el intercambio de información entre los diferentes responsables del sistema interno de información del grupo de sociedades ....

**SEGUNDO.–** Establecer los procedimientos necesarios para garantizar la confidencialidad y seguridad de la información intercambiada.

**TERCERO.–** Designar a un responsable del grupo encargado de coordinar el intercambio de información entre los diferentes responsables de los sistemas internos de información del grupo.

**CUARTO.–** Comunicar la presente resolución a todos los responsables de los sistemas de cada sociedad del grupo.

Fecha y Firma.

**Resolución del Consejo de Administración de la persona jurídica acordando el compartir los sistemas de información y los recursos con otras Empresas al tener entre 50 y 249 trabajadores, si la gestión la lleva cualquiera de ellas**

Consejo de Administración de la Empresa ...

Fecha: ...

Habiendo sido convocado el Consejo de Administración de la entidad [nombre de la entidad] en sesión extraordinaria, y siendo objeto del orden del día el punto referente a la posibilidad de compartir sistemas de información y recursos con otras empresas debido a que entre todas ellas suman un total de entre 50 y 249 trabajadores, y gestionando cualquiera de ellas el sistema interno de información, se dicta la presente resolución en base a los siguientes:

## ANTECEDENTES DE HECHO

**PRIMERO.–** En la sesión extraordinaria del Consejo de Administración de la entidad..., se ha debatido la necesidad de compartir sistemas de información y recursos con otras empresas que suman un total de entre 50 y 249 trabajadores.

**SEGUNDO.–** Esta decisión viene motivada por la existencia de varias empresas que gestionan sistemas internos de información, en aplicación de lo establecido en el artículo 12 de la Ley 2/2023, de 20 de febrero.

**TERCERO.–** La Ley 2/2023, de 20 de febrero, reguladora de la protección de las personas que informen sobre infracciones normativas y de lucha contra la corrupción, en su artículo 12, permite compartir sistemas de información y recursos entre empresas que sumen un total de entre 50 y 249 trabajadores.

## RESUELVO

**PRIMERO.–** Acordar la posibilidad de compartir sistemas de información y recursos con otras empresas que suman un total de entre 50 y 249 trabajadores.

**SEGUNDO.–** Acordar la responsabilidad del sistema interno de información a ....

**TERCERO.–** Designar a un responsable de cada una de las empresas que conforman el grupo de sociedades que han decidido compartir sistemas de información y recursos, para coordinar y gestionar la comunicación entre todas ellas en relación con el sistema interno de información.

**CUARTO.–** Comunicar la presente resolución a todas las empresas del grupo.

Fecha y Firma.

## Resolución del Consejo de Administración de persona jurídica acordando compartir los sistemas de información y los recursos con otras empresas, al tener entre 50 y 249 trabajadores, si la gestión se ha externalizado

Consejo de Administración de la Entidad …

Fecha: …

Habiendo sido convocado el Consejo de Administración de la Entidad … en sesión extraordinaria, se dicta la presente resolución en base a los siguientes:

### ANTECEDENTES DE HECHO

**PRIMERO.–** Que la entidad cuenta con entre 50 y 249 trabajadores.

**SEGUNDO.–** Que la gestión del sistema interno de información ha sido externalizada.

**TERCERO.–** Que, de acuerdo con el artículo 12 de la Ley 2/2023, de 20 de febrero, reguladora de la protección de las personas que informen sobre infracciones normativas y de lucha contra la corrupción, la entidad tiene la posibilidad de compartir sistemas de información y recursos con otras empresas en el mismo supuesto.

### RESUELVO

**PRIMERO.–** Acordar la puesta en marcha del sistema de información compartido con otras empresas en el mismo supuesto, tal y como se establece en el artículo 12 de la Ley 2/2023.

**SEGUNDO.–** Designar a los responsables de la entidad encargados de llevar a cabo el proceso de intercambio de información y recursos con las otras empresas implicadas.

**TERCERO.–** Establecer las medidas necesarias para garantizar la confidencialidad de la información compartida con otras empresas y la protección de los informante s que utilicen el sistema interno de información.

**CUARTO.–** Informar a los trabajadores y al comité de empresa de la puesta en marcha del sistema de información compartido.

Fecha y Firma.

## Información del uso del canal interno de comunicaciones y de los principios esenciales del procedimiento de gestión

Con el objetivo de garantizar el cumplimiento de la Ley 2/2023, de 20 de febrero, reguladora de la protección de las personas que informen sobre infracciones normativas y de lucha contra la corrupción, [nombre de la empresa] informa a sus empleados y terceros vinculados sobre el uso del canal interno de informaciones y los principios esenciales del procedimiento de gestión.

El canal interno de comunicaciones tiene como objetivo permitir la comunicación de posibles infracciones normativas o conductas irregulares en el seno de la empresa, garantizando la protección de los derechos de las personas que informen y la confidencialidad de la información recibida. La empresa se compromete a garantizar la no represalia contra las personas que informen de buena fe, y a mantener la confidencialidad de su identidad y la información proporcionada, salvo en aquellos casos en los que resulte necesario revelar la información a las autoridades competentes.

Los principios esenciales del procedimiento de gestión establecidos en el artículo 9° de la Ley 2/2023, son los siguientes:

1. Canal de comunicación: se establece un canal interno de comunicación para la recepción de denuncias e informaciones relativas a posibles infracciones normativas y conductas irregulares. El canal de comunicación será gestionado por el responsable designado para el sistema interno de información.

2. Protección de la persona que informa: se garantiza la protección de los derechos de la persona que informa, evitando cualquier tipo de represalia o consecuencia negativa para ella siempre que tengan motivos razonables para pensar que la información referida es veraz en el momento de la comunicación, aun cuando no aporten pruebas concluyentes, y que la citada información entra dentro del ámbito de aplicación de la Ley 2/2023, así como que la comunicación se haya realizado conforme a los requerimientos previstos en aquella Ley.

3. Confidencialidad: se garantiza la confidencialidad de la identidad del informante y de la información proporcionada, salvo en aquellos casos en los que resulte necesario revelar la información a las autoridades competentes.

4. Datos de contacto: El canal interno de comunicaciones será accesible por correo electrónico en la dirección ..., por correo postal en la dirección ... y por teléfono al número ... grabando en este último supuesto las conversaciones telefónicas.

5. Investigación: se llevarán a cabo las investigaciones necesarias para la comprobación de los hechos comunicados, elaborando los informes correspondientes y adoptando las medidas disciplinarias o correctivas necesarias en función de los resultados obtenidos, pudiendo solicitar al informante aclaraciones sobre la información comunicada o que aporte información adicional, todo ello en el plazo de tres meses o, si presenta especial complejidad podrá ampliarse a otros tres meses adicionales.

6. Vías de recurso: Frente a las resoluciones del Órgano de Cumplimiento Normativo podrá interponerse recurso de reposición.

7. Procedimientos para la protección frente a represalias: En cualquier momento del procedimiento, la persona que viera lesionados sus derechos por causa de su comunicación podrá solicitar la protección al órgano de cumplimiento normativo.

8. Disponibilidad de asesoramiento confidencial: Con carácter previo a la interposición de la comunicación, el informante tendrá la posibilidad de obtener información y asesoramiento completos e independientes, fácilmente accesible y gratuito, sobre los procedimientos y recursos disponibles, protección frente a represalias y derechos de la persona afectada.

9. Exención y atenuación de la sanción: Cuando una persona que hubiera participado en la comisión de la infracción administrativa objeto de la información sea la que informe de su existencia mediante la presentación de la información y siempre que la misma hubiera sido presentada con anterioridad a que hubiera sido notificada la incoación del procedimiento de investigación o sancionador, el órgano competente para resolver el procedimiento, mediante resolución motivada, podrá eximirle del cumplimiento de la sanción administrativa que le correspondiera siempre que resulte acreditado haber cesado en la comisión de la infracción en el momento de presentación de la comunicación o revelación e identificación, en su caso, al resto de las personas que hayan participado o favorecido aquella; haber cooperado plena, continua y diligentemente a lo largo de todo el procedimiento de investigación; haber facilitado información veraz y relevante, medios de prueba o datos significativos para la acreditación de los hechos comunicados, sin que haya procedido a la destrucción de estos o a su ocultación, ni haya revelado a terceros, directa o indirectamente su contenido; Haber procedido a la reparación del daño causado que le sea imputable.

Cuando estos requisitos no se cumplan en su totalidad, incluida la reparación parcial del daño, quedará a criterio de la autoridad competente, previa valoración del grado de contribución a la resolución del expediente, la posibilidad de atenuar la sanción que habría correspondido a la infracción cometida, siempre que el informante o autor de la revelación no haya sido sancionado anteriormente por hechos de la misma naturaleza que dieron origen al inicio del procedimiento

10. Comunicación y difusión: se garantiza la comunicación y difusión de la política general del sistema interno de información entre los empleados, directivos y terceros vinculados a la empresa.

11. Registro: se establece un registro de las denuncias e informaciones recibidas, investigaciones llevadas a cabo, informes elaborados y medidas adoptadas.

12. Datos de contacto de la Autoridad Independiente de Protección del Informante A.A.I.: El informante tendrá la posibilidad de presentar su comunicación mediante el canal externo de la Autoridad Independiente de Protección del Informante A.A.I. a través de los siguientes medios: dirección postal …; dirección electrónica: …; número de teléfono …; reunión presencial …

La empresa se compromete a garantizar el cumplimiento de estos principios esenciales del procedimiento de gestión y a promover un entorno de trabajo ético y responsable.

Fecha y Firma.

## Publicación por parte de las autoridades competentes a las que se refiere el artículo 24 de la Ley 2/2023 de 20 de febrero, en una sección separada, fácilmente identificable y accesible de su sede electrónica, como mínimo, la información obligatoria

El artículo 25 de la Ley 2/2023, de 20 de febrero, dedica su Artículo 25. A la "Información sobre los canales interno y externo de información". Dicho precepto señala:

*"Los sujetos comprendidos dentro del ámbito de aplicación de esta ley proporcionarán la información adecuada de forma clara y fácilmente accesible, sobre el uso de todo canal interno de información que hayan implantado, así como sobre los principios esenciales del procedimiento de gestión. En caso de contar con una página web, dicha información deberá constar en la página de inicio, en una sección separada y fácilmente identificable.*

*De igual modo, las autoridades competentes a las que se refiere el artículo 24 publicarán, en una sección separada, fácilmente identificable y accesible de su sede electrónica, como mínimo, la información siguiente:*

*a) Las condiciones para poder acogerse a la protección en virtud de esta ley;*

*b) Los datos de contacto para los canales externos de información previstos en el título III, en particular, las direcciones electrónica y postal y los números de teléfono asociados a dichos canales, indicando si se graban las conversaciones telefónicas;*

*c) Los procedimientos de gestión, incluida la manera en que la autoridad competente puede solicitar al informante aclaraciones sobre la información comunicada o que proporcione información adicional, el plazo para dar respuesta al informante, en su caso, y el tipo y contenido de dicha respuesta;*

*d) El régimen de confidencialidad aplicable a las comunicaciones y, en particular, la información sobre el tratamiento de los datos personales de conformidad con lo dispuesto en el Reglamento (UE) 2016/679 del Parlamento Europeo y del Consejo, de 27 de abril de 2016, en la Ley Orgánica 3/2018, de 5 de diciembre, y en el título VII de esta ley.*

*e) Las vías de recurso y los procedimientos para la protección frente a represalias, y la disponibilidad de asesoramiento confidencial. En particular, se contemplarán las condiciones de exención de responsabilidad y de atenuación de la sanción a las que se refiere el artículo 40.*

*f) los datos de contacto de la Autoridad Independiente de Protección del Informante, A.A.I. o de la autoridad u organismo competente de que se trate."*

Autoridad competente:

Sección separada

Información mínima que se publica (fácilmente accesible e identificable)

| INFORMACIÓN PUBLICADA | |
|---|---|
| a) | las condiciones para poder acogerse a la protección en virtud de esta ley |
| b) | los datos de contacto para los canales externos de información previstos en el título III, en particular, las direcciones electrónica y postal y los números de teléfono asociados a dichos canales, indicando si se graban las conversaciones telefónicas; |
| c) | los procedimientos de gestión, incluida la manera en que la autoridad competente puede solicitar al informante aclaraciones sobre la información comunicada o que proporcione información adicional, el plazo para dar respuesta al informante, en su caso, y el tipo y contenido de dicha respuesta; |

| | |
|---|---|
| d) | el régimen de confidencialidad aplicable a las comunicaciones y, en particular, la información sobre el tratamiento de los datos personales de conformidad con lo dispuesto en el Reglamento (UE) 2016/679 del Parlamento Europeo y del Consejo, de 27 de abril de 2016, en la Ley Orgánica 3/2018, de 5 de diciembre, y en el título VII de esta ley. |
| e) | las vías de recurso y los procedimientos para la protección frente a represalias, y la disponibilidad de asesoramiento confidencial. En particular, se contemplarán las condiciones de exención de responsabilidad y de atenuación de la sanción a las que se refiere el artículo 40 de la Ley 2/2023, de 20 de febrero. |
| f) | los datos de contacto de la Autoridad Independiente de Protección del Informante, A.A.I. o de la autoridad u organismo competente de que se trate. |

## Modelo de libro-registro de las comunicaciones recibidas y de las investigaciones internas llevadas a cabo

Dicho modelo tiene que estar fundamentado en el artículo 26 titulado "registro de informaciones" de la Ley 2/2023, de 20 de febrero, reguladora de la protección de las per5sonas que informen sobre las infracciones normativas y de lucha contra la corrupción.

En dicho artículo se indica lo siguiente:

*"Artículo 26. Registro de informaciones.*

*1. Todos los sujetos obligados, de acuerdo con lo dispuesto en esta ley, a disponer de un canal interno de informaciones, con independencia de que formen parte del sector público o del sector privado, deberán contar con un libro-registro de las informaciones recibidas y de las investigaciones internas a que hayan dado lugar, garantizando, en todo caso, los requisitos de confidencialidad previstos en esta ley.*

*Este registro no será público y únicamente a petición razonada de la Autoridad judicial competente, mediante auto, y en el marco de un procedimiento judicial y bajo la tutela de aquella, podrá accederse total o parcialmente al contenido del referido registro.*

*2. Los datos personales relativos a las informaciones recibidas y a las investigaciones internas a que se refiere el apartado anterior solo se conservarán durante el período que sea necesario y proporcionado a efectos de cumplir con esta ley. En particular, se tendrá en cuenta lo previsto en los apartados 3 y 4 del artículo 32. En ningún caso podrán conservarse los datos por un período superior a diez años".*

Seguidamente se adjunta un modelo de Libro-Registro de comunicaciones, vinculado a las recibidas en dicho Canal.

| FECHA DE RECEPCION DE LA COMUNICACIÓN | | NUMERO DE REGISTRO | INFORMANTE | AFECTADO | CONTENIDO DE LA INFORMACION |
|---|---|---|---|---|---|
| | | | | | |
| | | | | | |

| DILIGENCIAS DE INVESTIGACION REALIZADAS | FECHA EN LA QUE SE ACORDO | FECHA DE REALIZACION DE LAS MISMAS | CONTENIDO DE LA DILIGENCIA DE INVESTIGACION | DETERMINACION DE LAS PERSONAS | OTRAS CURCUNSTANCIA A TENER EN CONSIDERACION |
|---|---|---|---|---|---|
| | | | | | |
| | | | | | |

| DILIGENCIAS DE INVESTIGACION ACORDADAS | FECHA EN LA QUE SE ACORDO SU PRACTICA | FECHA DE REALIZACION DE DICHAS DILIGENCIAS |
|---|---|---|
| | | |
| | | |

| CONTENDO DE LAS DILIGENCIAS DE INVESTIGACION | |
|---|---|

| DETERMINACIÓN DE LAS PERSONAS QUE HAN INTERVENIDO EN LAS DILIGENCIAS PRACTICADAS | |
|---|---|
| EN SU CASO, CAUSA POR LA QUE NO SE PRACTICO LA MISMA | |
| OTRAS CIRCUNSTANCIAS A TENER EN CUENTA | |

**Modelo de Auto que sirve de petición razonada de la autoridad judicial para el acceso al libro-registro de comunicaciones de una Entidad**

## JUZGADO DE ...

Tipo de procedimiento

Número de Procedimiento: ........./.........

## AUTO

En ................., a ... de .... de ....

## HECHOS

**ÚNICO.–** Existen diferentes opciones

**(i)** A instancia de la parte D./Dª ..., se presentó escrito de fecha ..., realizando una serie de alegaciones y proponiendo la práctica de la diligencia consistente en que se oficie a la Entidad ... a los efectos de que se proporcione al Juzgado copia de las inscripciones obrantes en su libro-registro de comunicaciones relativas a ...

**(ii)** Lo mismo, pero en este caso a instancia del Ministerio Fiscal.

**(iii)** De oficio a instancia del propio órgano judicial.

## RAZONAMIENTOS JURÍDICOS

**PRIMERO.–** El art. 758 LECrim somete lo relativo a estas cuestiones a las normas comunes de la misma Ley, por lo que habrá que estar a lo dispuesto en el art. 311 de dicho texto legal.

**SEGUNDO.–** Por su parte, el último de los preceptos citados señala que el Juez Instructor practicará las diligencias que le propusieren las partes personadas, "si no las considera inútiles o perjudiciales".

**TERCERO.–** En primer lugar, las diligencias interesadas han de cumplir el requisito de pertinencia, es decir, que guarden estrecha relación con el objeto del proceso (los hechos que se investigan y la atribución de los mismos a los investigados); en segundo lugar, han de cumplir el requisito de utilidad, o sea, que a priori se estime han de servir para delimitar las responsabilidades penales y civiles que se deducen contra los investigados; y en tercer lugar, no han de resultar perjudiciales para el conjunto de las investigaciones, o para terceros ajenos al proceso, o incluso para los derechos fundamentales de los investigados que no sea necesario limitar o restringir.

**CUARTO.–** En atención a lo anterior se estiman convenientes y útiles las diligencias solicitadas, ya que pueden ayudar a conformar debidamente los hechos investigados, y su atribución a las personas físicas y/o jurídicas responsables de los mismos

Por lo expuesto,

**DISPONGO**

Se declaran pertinentes las diligencias de ... y para su práctica se acuerda ...

Notifíquese la presente resolución al Ministerio Fiscal y a las partes personadas, haciéndoles saber que contra las diligencias admitidas no cabe recurso alguno, y contra las diligencias denegadas podrán interponer Recurso de reforma, o reforma y subsidiario de apelación a interponer en el plazo de tres días; o recurso de apelación directo a presentar en el plazo de cinco días ante este Juzgado, en todos los casos por escrito motivado.

Así lo acuerda, manda y firma su Ilma. Sª.


Fdo: El Magistrado Juez



Ante mí, Fdo. El Letrado de la Administración de Justicia:

**DILIGENCIA:** Seguidamente se cumple lo acordado, doy fe.

El Letrado de la Administración de Justicia


Fdo:

## Resolución del Órgano de Cumplimiento Normativo de una Entidad acordando el borrado de los datos al no ser ya necesarios

### ÓRGANO DE CUMPLIMIENTO NORMATIVO DE LA ENTIDAD ...

Número de expediente: ...

Fecha: ...

Habiendo recibido la solicitud de borrado de los datos del informante, el Órgano de Cumplimiento Normativo, en base a los siguientes

### ANTECEDENTES DE HECHO

**PRIMERO.–** Se ha recibido la solicitud de borrado de los datos del informante, en cumplimiento del artículo 32.2 de la Ley 2/2023, de 20 de febrero, reguladora de la protección de las personas que informen sobre infracciones normativas y de lucha contra la corrupción.

**SEGUNDO.–** Los datos ya no son necesarios para el esclarecimiento de la presunta infracción en el presente expediente.

### RESUELVO

**PRIMERO.–** Acordar el borrado de los datos personales del informante.

**SEGUNDO.–** Notificar la presente resolución a las partes interesadas.

Fecha y firma.

**Resolución acordando el borrado de los datos al haber transcurrido un periodo de tiempo superior a los 10 años**

## ÓRGANO DE CUMPLIMIENTO NORMATIVO DE LA ENTIDAD ...

Número de expediente: ...

Fecha: ...

Habiendo transcurrido un periodo superior a diez años desde la recepción de la información sobre posibles infracciones normativas y de lucha contra la corrupción, el Órgano de Cumplimiento Normativo acuerda, en base al artículo 26 de la Ley 2/2023, de 20 de febrero, la eliminación de los datos almacenados en relación a dicha información, por no ser ya necesarios para la finalidad que motivó su recopilación.

### ANTECEDENTES DE HECHO

**PRIMERO.-** El Órgano de Cumplimiento Normativo de ... recibió una comunicación en fecha... sobre posibles infracciones normativas y de lucha contra la corrupción.

**SEGUNDO.-** La información recibida fue almacenada en el registro de informaciones de la entidad.

**TERCERO.-** Han transcurrido más de diez años desde la recepción de dicha información.

### RESUELVE

**PRIMERO.-** Acordar la eliminación de los datos almacenados en relación a la información recibida sobre posibles infracciones normativas y de lucha contra la corrupción en fecha..., al haber transcurrido más de diez años desde la recepción de dicha información.

**SEGUNDO.-** Notificar la presente resolución a los interesados.

Fecha y Firma.

## Solicitud de la persona que haya hecho una revelación pública para acogerse a las medidas de protección en virtud de la Ley 2/2023 de 20 de febrero, concurriendo los requisitos legales

### A LA AUTORIDAD INDEPENDIENTE DE PROTECCIÓN DEL INFORMANTE A.A.I.

D. ..., actuando en nombre y representación propios, en calidad de informante por revelación pública, ante este Organismo comparezco y como mejor proceda en Derecho, DIGO:

**PRIMERO.–** En fecha ... la persona que suscribe presentó por el canal interno de comunicaciones de la Entidad ... la comisión de hechos presuntamente irregulares sin que se hayan tomado medidas apropiadas al respecto en el plazo establecido.

**SEGUNDO.–** Posteriormente, en fecha ... se realizó una revelación pública indicando los hechos presuntamente irregulares en los términos y condiciones estipulados en el Título V de la Ley 2/2023, de 20 de febrero, reguladora de la protección de las personas que informen sobre infracciones normativas y de lucha contra la corrupción.

**TERCERO.–** Por todo ello solicito se reconozca la condición de informante de revelación pública aplicándose de forma efectiva las medidas de protección establecidas en la Ley 2/2023, de 20 de febrero, reguladora de la protección de las personas que informen sobre infracciones normativas y de lucha contra la corrupción.

En su virtud,

**SOLICITO A LA AUTORIDAD INDEPENDIENTE DE PROTECCIÓN DEL INFORMANTE A.A.I.:**
Que habiendo por presentado este escrito, tenga a bien admitirlo y acuerde la adopción de medidas de protección previstas en la Ley 2/2023, de 20 de febrero.

Lugar, fecha y firma.

## Solicitud de la persona que haya hecho una revelación pública para acogerse a protección en virtud de la ley, cuando haya revelado información directamente a la prensa

### A LA AUTORIDAD INDEPENDIENTE DE PROTECCIÓN DEL INFORMANTE A.A.I.

D. …, actuando en nombre y representación propios, en calidad de informante por revelación pública, ante este Organismo comparezco y como mejor proceda en Derecho, DIGO:

**PRIMERO.–** En fecha … la persona que suscribe realizó una revelación pública directamente a la prensa en su legítimo ejercicio de la libertad de expresión y de información veraz previstas constitucionalmente y en su legislación de desarrollo.

**SEGUNDO.–** En aplicación de la Ley 2/2023, de 20 de febrero, reguladora de la protección de las personas que informen sobre infracciones normativas y de lucha contra la corrupción, solicito se reconozca la condición de informante de revelación pública aplicándose de forma efectiva las medidas de protección establecidas en la Ley 2/2023, de 20 de febrero, reguladora de la protección de las personas que informen sobre infracciones normativas y de lucha contra la corrupción.

En su virtud,

**SOLICITO A LA AUTORIDAD INDEPENDIENTE DE PROTECCIÓN DEL INFORMANTE A.A.I.:** Que habiendo por presentado este escrito, tenga a bien admitirlo y acuerde la adopción de medidas de protección previstas en la Ley 2/2023, de 20 de febrero.

Lugar, fecha y firma.

## Resolución rechazando datos personales cuya pertinencia no resulte manifiesta para tratar una información específica y acuerdo de eliminación

### ÓRGANO DE CUMPLIMIENTO NORMATIVO DE LA ENTIDAD...

Número de expediente:...

Fecha:...

En este Órgano ha tenido entrada en fecha ... comunicación de informante de hechos presuntamente irregulares que se están llevando a cabo en esta entidad.

### ANTECEDENTES DE HECHO

**PRIMERO.–** En fecha ... se recibe comunicación por un informante en la que se indica la comisión de hechos presuntamente irregulares.

**SEGUNDO.–** En dicha comunicación se indican datos personales que resultan impertinentes con el objeto de la investigación a realizar.

**TERCERO.–** En consecuencia, se ha procedido a informar al informante de la pertinencia de los datos y se ha acordado la eliminación de los mismos del presente expediente.

### RESUELVO

**PRIMERO.–** Acordar el rechazo de datos personales impertinentes con el objeto del presente expediente de investigación de hechos presuntamente irregulares.

**SEGUNDO.–** Acordar la eliminación de los citados datos personales impertinentes del presente expediente.

**TERCERO.–** Comunicar al informante la presente resolución.

Firma y sello.

**Resolución rechazando datos personales que se hayan recopilado por accidente y acuerdo para su eliminación**

## ÓRGANO DE CUMPLIMIENTO NORMATIVO DE LA ENTIDAD...

Número de expediente:...

Fecha:...

En este Órgano de Cumplimiento Normativo ha tenido entrada en fecha ... comunicación de informante de hechos presuntamente irregulares que se están llevando a cabo en esta entidad.

## ANTECEDENTES DE HECHO

**PRIMERO.–** En fecha ... se recibe comunicación por un informante en la que se indica la comisión de hechos presuntamente irregulares.

**SEGUNDO.–** En la tramitación del presente expediente de investigación se han recopilado por accidente datos personales impertinentes con el objeto del mismo.

**TERCERO.–** En consecuencia, se ha procedido a informar a las partes interesadas de la pertinencia de los datos y se ha acordado la eliminación de los mismos del presente expediente.

## RESUELVO

**PRIMERO.–** Acordar el rechazo de datos personales recopilados por accidente impertinentes con el objeto del presente expediente de investigación de hechos presuntamente irregulares.

**SEGUNDO.–** Acordar la eliminación de los citados datos personales recopilados por accidente declarados impertinentes del presente expediente.

**TERCERO.–** Comunicar a las partes interesadas la presente Resolución.

Firma y sello.

**Resolución del responsable del sistema de gestión determinando, en cada caso, la base legal de tratamiento en los sistemas de comunicación interno, en aquellos supuestos obligatorios**

## ÓRGANO DE CUMPLIMIENTO NORMATIVO DE LA ENTIDAD ...

Número de expediente: ...

Fecha: ...

Resulta de aplicación la obligación de determinar la base legal de tratamiento en los sistemas de comunicación interna en los supuestos obligatorios, según lo establecido en el Título VI de la Ley 2/2023, de 20 de febrero, reguladora de la protección de las personas que informen sobre infracciones normativas y de lucha contra la corrupción, se dicta la presente resolución en base a los siguientes

### ANTECEDENTES DE HECHO

**PRIMERO.–** De conformidad con lo establecido en el Título VI de la Ley 2/2023, de 20 de febrero, reguladora de la protección de las personas que informen sobre infracciones normativas y de lucha contra la corrupción, se debe determinar la base legal de tratamiento en los sistemas de comunicación interna en los supuestos obligatorios.

**SEGUNDO.–** Es necesario establecer un procedimiento que permita la correcta identificación y fundamentación de la base legal de tratamiento de los datos personales en los sistemas de comunicación interna.

### RESUELVO

**PRIMERO.–** Se establece como procedimiento que en los supuestos obligatorios se determine la base legal de tratamiento de los datos personales en los sistemas de comunicación interna, en función de la finalidad concreta de cada tratamiento.

**SEGUNDO.–** Se informará a los trabajadores y a cualquier persona afectada por el tratamiento de sus datos personales en los sistemas de comunicación interna sobre la base legal que justifica dicho tratamiento.

**TERCERO.–** En caso de duda sobre la base legal de tratamiento, se procederá a la revisión y análisis de la normativa aplicable, así como a la consulta con el delegado de protección de datos.

Fecha y firma.

**Resolución del responsable del sistema de gestión determinando en cada caso la base legal de tratamiento en los sistemas de comunicación interno en los supuestos no obligatorios**

## ÓRGANO DE CUMPLIMIENTO NORMATIVO DE LA ENTIDAD...

Número de expediente: ...

Fecha: ...

De conformidad en lo estipulado en el Título VI de la Ley 2/2023, de 20 de febrero, reguladora de la protección de las personas que informen sobre infracciones normativas y de lucha contra la corrupción, se procede a determinar la base legal de tratamiento en los sistemas de comunicación interno en los supuestos no obligatorios.

## ANTECEDENTES DE HECHO

**PRIMERO.–** En la Ley 2/2023 se establecen las obligaciones de los responsables del tratamiento de datos en relación a la protección de las personas que informen sobre infracciones normativas y de lucha contra la corrupción.

**SEGUNDO.–** El Título VI de la Ley 2/2023 establece las medidas en materia de protección de datos del canal de cumplimiento normativo.

**TERCERO.–** La Ley 2/2023 exige que los responsables del tratamiento de datos determinen la base legal de tratamiento de los datos personales en los sistemas de comunicación internos, incluyendo los supuestos no obligatorios.

## RESUELVO

**PRIMERO.–** Que, en los supuestos no obligatorios en los que se utilicen sistemas de comunicación internos para la prevención de infracciones, la base legal de tratamiento de los datos personales será el cumplimiento de una obligación legal aplicable al responsable del tratamiento, así como la satisfacción de intereses legítimos perseguidos por el responsable del tratamiento o un tercero.

**SEGUNDO.–** Se procederá a informar a los interesados sobre la finalidad del tratamiento de sus datos personales y sobre los derechos que les asisten en relación con la protección de datos.

Fecha y firma.

## Resolución del responsable del sistema de gestión determinando en cada caso la base legal de tratamiento en los sistemas de comunicación externos

### ÓRGANO DE CUMPLIMIENTO NORMATIVO DE LA ENTIDAD ...

Número de expediente: ...

Fecha: ...

De conformidad en lo estipulado en el Título VI de la Ley 2/2023, de 20 de febrero, reguladora de la protección de las personas que informen sobre infracciones normativas y de lucha contra la corrupción, se procede a determinar la base legal de tratamiento en los sistemas de comunicación externos.

### ANTECEDENTES DE HECHO

**PRIMERO.–** Que la entidad ... es responsable del tratamiento de los datos personales en el marco de sus actividades empresariales.

**SEGUNDO.–** Que la entidad ... utiliza sistemas de comunicación externos para el envío y recepción de comunicaciones con terceros, incluyendo clientes, proveedores y autoridades.

**TERCERO.–** Que es necesario determinar la base legal de tratamiento de los datos personales en los sistemas de comunicación externos, de acuerdo con lo establecido en el Título VI de la Ley 2/2023.

### RESUELVO

**PRIMERO.–** Que la base legal de tratamiento de los datos personales en los sistemas de comunicación externos será el cumplimiento de una obligación legal y la satisfacción de intereses legítimos perseguidos por el responsable o un tercero.

**SEGUNDO.–** Comunicar la presente resolución a los interesados en el presente expediente.

Fecha y Firma.

## Resolución del responsable del sistema de gestión determinando en cada caso la base legal en el tratamiento de datos personales derivado de una revelación pública

### ÓRGANO DE CUMPLIMIENTO NORMATIVO DE LA ENTIDAD ...

Número de expediente: ...

Fecha: ...

De conformidad en lo estipulado en el Título VI de la Ley 2/2023, de 20 de febrero, reguladora de la protección de las personas que informen sobre infracciones normativas y de lucha contra la corrupción, se procede a determinar la base legal de tratamiento derivado de una revelación pública.

### ANTECEDENTES DE HECHO

**PRIMERO.–** Se ha producido una revelación pública que afecta a datos personales de los interesados en el expediente seguido en la entidad.

**SEGUNDO.–** Se hace necesario determinar la base legal de tratamiento de dichos datos personales.

### RESUELVO

**PRIMERO.–** La base legal de tratamiento de los datos personales derivados de la revelación pública será el cumplimiento de una obligación legal aplicable al responsable, así como el interés legítimo perseguido por la entidad en la defensa de sus intereses, de conformidad con lo establecido en el artículo 6.1.f del Reglamento General de Protección de Datos.

**SEGUNDO.–** Se adoptarán todas las medidas necesarias para garantizar la protección de los datos personales afectados por la revelación pública, de conformidad con lo establecido en la normativa aplicable.

**TERCERO.–** Se notificará la presente resolución a los interesados.

Fecha y Firma.

## Resolución del responsable del sistema de gestión autorizando el tratamiento de datos de categorías especiales determinando la base legal de tratamiento (art. 9.2°.g) RGPD)

### ÓRGANO DE CUMPLIMIENTO NORMATIVO DE LA ENTIDAD ...

Número de expediente: ...

Fecha: ...

De conformidad en lo estipulado en el Título VI de la Ley 2/2023, de 20 de febrero, reguladora de la protección de las personas que informen sobre infracciones normativas y de lucha contra la corrupción, se procede a autorizar el tratamiento de datos de categorías especiales.

### ANTECEDENTES DE HECHO

**PRIMERO.–** La empresa ha solicitado autorización para el tratamiento de datos de categorías especiales en el marco de la aplicación de la Ley 2/2023.

**SEGUNDO.–** Los datos relativos a las categorías especiales que serán objeto de tratamiento son las que se detallan a continuación: ...

**TERCERO.–** La finalidad del tratamiento es la gestión de las denuncias y la protección de los derechos e intereses de los informantes.

**CUARTO.–** La base legítima del tratamiento viene establecida en el artículo 9.2.g) RGPD que indica que el tratamiento es necesario por razones de un interés público esencial, sobre la base del Derecho de la Unión Europea o de los Estados miembros, que debe ser proporcional al objetivo perseguido, respetar en lo esencial el derecho a la protección de datos y establecer medidas adecuadas y específicas para proteger los intereses y derechos fundamentales del interesado;

### RESUELVO

**PRIMERO.–** Autorizar el tratamiento de datos de categorías especiales en los términos descritos en los ANTECEDENTES DE HECHO.

**SEGUNDO.–** La base legal para el tratamiento de datos de categorías especiales será la establecida en el artículo 9.2°.g) del RGPD.

**TERCERO.–** Se garantizará la seguridad y confidencialidad de los datos de categorías especiales y se adoptarán las medidas técnicas y organizativas necesarias para evitar cualquier acceso, alteración o destrucción no autorizada de los mismos.

Fecha y Firma.

**Comunicación al informante en los supuestos de información pública de que sus datos personales serán reservados, y no se comunicarán, ni a las personas a las que se refieren, ni a terceros**

### ÓRGANO DE CUMPLIMIENTO NORMATIVO DE LA ENTIDAD ...

En cumplimiento de lo establecido en la Ley 2/2023, reguladora de la protección de las personas que informen sobre infracciones normativas y de lucha contra la corrupción, se informa a los informantes de hechos presuntamente irregulares que sus datos personales serán tratados con la máxima confidencialidad y no serán comunicados a terceros sin su consentimiento expreso.

En caso de que, en el marco de una investigación penal, disciplinaria o sancionadora, la autoridad judicial, el Ministerio Fiscal o la autoridad administrativa competente requiera comunicar sus datos personales a terceros, se informará previamente al informante salvo que dicha información pudiera comprometer la investigación o el procedimiento judicial.

Se agradece la colaboración en la lucha contra la corrupción y el fomento de la transparencia y la integridad en las empresas.

Fecha y sello.

## Formularios relativos al ejercicio de los derechos de protección de datos personales por parte de los interesados (arts. 15 a 22 RGPD)

DERECHO DE ACCESO

**Datos del responsable del fichero.**

**La Empresa ...** con C.I.F ... y domicilio en la Calle ..., número ... (CP ...) localidad .....

**Datos del Interesado o Representante Legal**.

D./Dª. .............................................................................., mayor de edad, con domicilio en .................... Calle/Plaza ......................................
........................................... nº........, Localidad ..............................................
Provincia ............................................... C.P ............... Comunidad Autónoma
............................................... con D.N.I........................., del que acompaña copia, por medio del presente escrito ejerce el derecho de acceso, de conformidad con lo previsto en el artículo 15 del Reglamento General (RGPD), y, en consecuencia,

Solicita,

Que se le facilite gratuitamente el derecho de acceso a sus ficheros en el plazo máximo de un mes a contar desde la recepción de esta solicitud, y que se remita por correo la información a la dirección arriba indicada en el plazo de TREINTA DÍAS a contar desde la resolución estimatoria de la solicitud de acceso.

Asimismo, se solicita que dicha información comprenda, de modo legible e inteligible, los datos de base que sobre mi persona están incluidos en sus ficheros, los resultantes de cualquier elaboración, proceso o tratamiento, así como el origen de los mismos, los cesionarios y la especificación de los concretos usos y finalidades para los que se almacenaron.

En .....a... de... de ...

Firma

DERECHO DE ACCESO

**Instrucciones para la cumplimentación de los modelos relacionados con el derecho de acceso.**

**1.** Es necesario aportar fotocopia del D.N.I. o documento equivalente que acredite la identidad y sea considerado válido en derecho, para que el responsable del fichero pueda realizar la comprobación oportuna. En caso de que se actúe a través de representación legal deberá aportarse, además, DNI y documento acreditativo de la representación del representante.

**2.** El derecho de acceso no podrá llevarse a cabo en intervalos inferiores a 12 meses, salvo interés legítimo debidamente justificado.

**Contestación al derecho de Acceso**

## 1. Objeto

De acuerdo con el artículo 15 del Reglamento (UE) 2016/679 y el artículo 13 de la Ley Orgánica de Protección de Datos Personales y garantía de los derechos digitales, se reconoce el ejercicio del Derecho por parte del interesado y la obligación del Responsable del Fichero de atender la solicitud de Acceso ejercida por el afectado que deberá contestar en todo caso, con independencia de que figuren o no datos personales del mismo en sus ficheros.

## 2. Contenido

SI EXISTEN DATOS:

Contestación Al Ejercicio del Derecho de Acceso

ASUNTO: ................................................................................................

Muy Sr. nuestro:

Habiendo recibido su carta con fecha **[introducir fecha]** adjuntando la siguiente documentación **[Modelo de ejercicio de Derecho de Acceso y demás documentación adjunta]** mediante la que ejerce el Derecho de Acceso a sus datos que están registrados en nuestro/s fichero/s **[nombre del fichero]** y, conforme a la normativa vigente sobre protección de datos, concretamente el Artículo 15 del Reglamento (UE) y el artículo 13 de la Ley Orgánica de Protección de Datos de Carácter Personal:

[Datos sobre los que se ejerce el Derecho de Acceso]

Se le comunica que sus datos se obtuvieron como consecuencia **[origen de obtención de datos]** y que no han sido cedidos ni comunicados a ninguna persona física ni jurídica.

Le informamos que, para ejercer sus Derechos puede obtener la tutela de la Agencia Española de Protección de Datos dirigiendo su reclamación a la misma en la calle Jorge Juan número 6, Madrid 28001.

En ...................., a........de....................de ...

[Cargo del responsable del tratamiento]

Fdo.: ......................

DERECHO DE RECTIFICACIÓN

**Datos del responsable del fichero.**

**La Empresa ...** con C.I.F ... y domicilio en la Calle ..., número ... (CP ...) localidad .....

**Datos del interesado o representante legal**.

D./Dª. ...................................................................................................
............, mayor de edad, con domicilio en ....................................... Calle/Pla-

za ................................................................................................ nº........, Localidad
..................................... Provincia ........................................ C.P ................
Comunidad Autónoma ......................................... con D.N.I ........................, del que
acompaña copia, por medio del presente escrito ejerce el derecho de acceso, de conformidad
con lo previsto en el artículo 16 del Reglamento General (UE) 2016/679 (RGPD), y el artículo
14 de la Ley Orgánica 3/2018, de 5 de diciembre de Protección de datos Personales y garantía de los derechos digitales, y, en consecuencia,

Solicita,

Que se proceda a acordar la rectificación de los datos personales sobre los cuales se
ejercita el derecho, que se realice en el plazo de TREINTA DIAS a contar desde la recogida de
esta solicitud, y que se me notifique de forma escrita el resultado de la rectificación practicada.

Que en caso de que se acuerde, dentro del plazo de TREINTA DIAS hábiles, que no procede acceder a practicar total o parcialmente las rectificaciones propuestas, se me comunique
motivadamente a fin de, en su caso, solicitar la tutela de la Agencia Española de Protección
de Datos.

Que, si los datos rectificados hubieran sido comunicados previamente se notifique al responsable del fichero la rectificación practicada, con el fin de que también éste proceda a hacer las
correcciones oportunas para que se respete el deber de calidad de los datos a que se refiere
el artículo 16 del RGPD.

En.............................a.........de...........................de 20......


Firma


**Instrucciones para la cumplimentación de los modelos relacionados con el derecho de rectificación.**

(1) Este modelo se utilizará para el caso de que se deban rectificar datos inexactos o in-
completos en un fichero.

(2) Para probar el carácter inexacto o incompleto de los datos que figuran en los ficheros
resulta necesaria la aportación de la documentación que lo acredite al responsable del fichero.

(3) Debido al carácter personalísimo de los datos de carácter personal es necesario aportar
fotocopia del D.N.I. o documento equivalente que pruebe la identidad del afectado y sea
considerado válido en derecho de modo que el responsable del fichero pueda constatarla.
También puede ejercitarse a través del representante legal.


CONTESTACIÓN AL DERECHO DE RECTIFICACIÓN

## 1. Objeto

De acuerdo del Reglamento (UE) y la Ley Orgánica de Protección de Datos de Carácter
Personal, se reconoce el ejercicio del Derecho por parte del interesado y la obligación del
Responsable del Tratamiento de atender la solicitud de Supresión de datos de carácter personal

ejercida por el afectado que deberá contestar en todo caso, con independencia de que figuren o no datos personales del afectado en sus ficheros.

## 2. Contenido

Contestación al ejercicio del derecho del derecho de rectificación

ASUNTO: ............................................................

Muy Sr. nuestro:

Habiendo recibido su carta con fecha **[introducir fecha]**, adjuntando la siguiente documentación **[Modelo de ejercicio de Derecho de Rectificación y demás documentación adjunta]** mediante la que ejerce el Derecho de Cancelación de sus datos que están registrados en el Fichero **[nombre del fichero]** y, conforme a la normativa vigente sobre protección de datos, concretamente el Artículo 16 del Reglamento (UE) y el artículo 14 de la Ley Orgánica de Protección de Datos Personales y garantía de los derechos digitales, le notificamos que los Datos a cancelar, referentes a su persona, son los siguientes:

### [Datos sobre los que se ejerce el Derecho de Rectificación]

Le comunicamos que los datos sobre los que se ejerce este derecho serán bloqueados, no eliminados, de acuerdo con lo establecido en el Reglamento (UE) y la Ley Orgánica de Protección de Datos de Carácter Personal, conservándose únicamente para la atención de las posibles responsabilidades que pudieran surgir durante el plazo de prescripción de éstas. Cumplido dicho plazo deberá procederse a la supresión de los mismos.

Igualmente le informamos que, para el ejercicio de sus Derechos puede obtener la tutela de la Agencia Española de Protección de Datos dirigiendo su reclamación a la misma en la calle Jorge Juan número 6, Madrid 28001.

En ..., a ... de .... de ...

[Cargo del responsable del fichero]

Fdo.: ...............................

DERECHO DE SUPRESIÓN/ DERECHO AL OLVIDO.

### Datos del responsable del fichero.

**La Empresa ...** con C.I.F ... y domicilio en la Calle ..., número ... (CP ...) localidad .....

### Datos del interesado o representante legal.

D./Dª. ................................................................................

............................., mayor de edad, con domicilio en .......................................

Calle/Plaza ................................................................................ número

....., Localidad ......................................... Provincia .......................................

C.P .............. Comunidad Autónoma ......................................... con D.N.I...

........................, del que acompaña copia, por medio del presente escrito ejerce el derecho de acceso, de conformidad con lo previsto en el artículo 17 del Reglamento General (RGPD), y el artículo 15 de la Ley Orgánica 3/2018, de 5 de diciembre de Protección de Datos Personales y garantía de los derechos digitales, en consecuencia,

Solicita,

Que se proceda a acordar la cancelación de los datos personales sobre los cuales se ejercita el derecho, que se realice en el plazo de TREINTA DIAS a contar desde la recogida de esta solicitud, y que se me notifique de forma escrita el resultado de la cancelación practicada.

Que en caso de que se acuerde dentro del plazo de TREINTA DIAS hábiles que no procede acceder a practicar total o parcialmente las cancelaciones propuestas, se me comunique motivadamente a fin de, en su caso, solicitar la tutela de la Agencia Española de Protección de Datos, al amparo del artículo 18 de la citada Ley Orgánica 15/1999.

Que si los datos cancelados hubieran sido comunicados previamente se notifique al responsable del fichero la cancelación practicada con el fin de que también éste proceda a hacer las correcciones oportunas para que se respete el deber de calidad de los datos a que se refiere el artículo 4 de la mencionada Ley Orgánica 15/1999.

En .....a ... de ... de ...


Firma:

### Instrucciones para rellenar el formulario

(1) Consiste en la petición de cancelación de un dato que resulte innecesario o no pertinente para la finalidad con la que fue recabado. El dato será bloqueado, es decir, será identificado y reservado con el fin de impedir su tratamiento.

(2) Si Vd. desconoce la dirección del responsable del fichero puede dirigirse a la Agencia Española de Protección de Datos para solicitar esta información en el teléfono 901 100 099.

(3) También podrá ejercerse a través de representación legal, en cuyo caso, además del DNI del interesado, habrá de aportarse DNI y documento acreditativo auténtico de la representación del tercero.


CONTESTACIÓN AL EJERCICIO DEL DERECHO DE SUPRESIÓN/DERECHO AL OLVIDO

### 1. OBJETO

De acuerdo del Reglamento (UE) y la Ley Orgánica de Protección de Datos de Carácter Personal, se reconoce el ejercicio del Derecho por parte del interesado y la obligación del Responsable del Tratamiento de atender la solicitud de Supresión de datos de carácter personal ejercida por el afectado que deberá contestar en todo caso, con independencia de que figuren o no datos personales del afectado en sus ficheros.

## 2. Contenido

CONTESTACION AL EJERCICIO DEL DERECHO DEL DERECHO DE SUPRESION/DERECHO AL OLVIDO

(BLOQUEO DE DATOS)

ASUNTO:......................................................

Muy Sr. nuestro:

Habiendo recibido su carta con fecha **[introducir fecha]**, adjuntando la siguiente documentación **[Modelo de ejercicio de Derecho de Supresión y demás documentación adjunta]** mediante la que ejerce el Derecho de Supresión de sus datos que están registrados en el Fichero **[nombre del fichero]** y, conforme a la normativa vigente sobre protección de datos, concretamente el Artículo 17 del Reglamento (UE) y el artículo 15 de la Ley Orgánica de Protección de Datos Personales y garantía de los derechos digitales, le notificamos que los Datos a suprimir, referentes a su persona, son los siguientes:

### [Datos sobre los que se ejerce el Derecho de Supresión]

Le comunicamos que los datos sobre los que se ejerce este derecho serán bloqueados, no eliminados, de acuerdo con lo establecido en el Reglamento (UE) y la Ley Orgánica de Protección de Datos de Carácter Personal, conservándose únicamente para la atención de las posibles responsabilidades que pudieran surgir durante el plazo de prescripción de éstas. Cumplido dicho plazo deberá procederse a la supresión de los mismos.

Igualmente le informamos que, para el ejercicio de sus Derechos puede obtener la tutela de la Agencia Española de Protección de Datos dirigiendo su reclamación a la misma en la calle Jorge Juan número 6, Madrid 28001.

En ..., a ... de ... de ...

[Cargo del responsable del fichero]

Fdo.: ...............................

DERECHO DE LIMITACIÓN DEL TRATAMIENTO

Datos del responsable del fichero.

**La Empresa ...** con C.I.F ... y domicilio en la Calle ..., número ... (CP ...) localidad .....

**Datos del interesado o representante legal**.

D./Dª. ...............................................................................
..........................., mayor de edad, con domicilio en ...............................................
Calle/Plaza ...................................................................................... número....., Localidad................................................Provincia.......................................
C.P ............... Comunidad Autónoma ............................................ con D.N.I...
......................, del que acompaña copia, por medio del presente escrito ejerce el derecho de limitación del tratamiento, de conformidad con lo previsto en el artículo 18 del Reglamento General (RGPD), y, en consecuencia,

**EXPONGO,** *(describir la situación en la que se produce el tratamiento de sus datos personales y enumerar los motivos por los que se solicita la limitación del mismo)*

..................................................................................................................................
..................................................................................................................................
..................................................................................................................................
...............................................................

Para acreditar la situación descrita, acompaño una copia de los siguientes documentos: *(enumerar los documentos que adjunta con esta solicitud para acreditar la situación que ha descrito)*

..................................................................................................................................
..................................................................................................................................
..................................................................................................................................
...............................................................

Solicito,

Que sea atendido mi ejercicio del derecho de oposición en los términos anteriormente expuestos.

En ..., a ....de .... de 20....


Firma:

### Instrucciones para la cumplimentación de los modelos relacionados con el Derecho de oposicion

**(1)** El Modelo se utilizará por el afectado cuando desee que se limite el tratamiento a determinadas finalidades específicas de datos personales existentes en un fichero.

**(2)** Para solicitar la limitación del tratamiento de los datos que figuran en los ficheros resulta necesaria la existencia de unos motivos fundados y legítimos

**(3)** Debido al carácter personalísimo de los datos de carácter personal es necesario aportar fotocopia del D.N.I. o documento equivalente que pruebe la identidad del afectado y sea considerado válido en derecho de modo que el responsable del fichero pueda constatarla. También puede ejercitarse a través de representante legal.


CONTESTACIÓN AL EJERCICIO DEL DERECHO DE LIMITACIÓN DEL TRATAMIENTO

## 1. Objeto

De acuerdo del Reglamento (UE) y la Ley Orgánica de Protección de Datos de Carácter Personal, se reconoce el ejercicio del Derecho por parte del interesado y la obligación del Responsable del Tratamiento de atender la solicitud de limitación del tratamiento de datos de carácter personal ejercida por el afectado que deberá contestar en todo caso, con independencia de que figuren o no datos personales del afectado en sus ficheros.

## 2. Contenido

CONTESTACION AL EJERCICIO DEL DERECHO DEL DERECHO DE LIMITACION DEL TRATAMIENTO

ASUNTO:.....................................................

Muy Sr. nuestro:

Habiendo recibido su carta con fecha **[introducir fecha]**, adjuntando la siguiente documentación **[Modelo de ejercicio de Derecho de Supresión y demás documentación adjunta]** mediante la que ejerce el Derecho de Limitación del tratamiento de sus datos que están registrados en el Fichero **[nombre del fichero]** y, conforme a la normativa vigente sobre protección de datos, concretamente el Artículo 18 del Reglamento (UE) y el artículo 16 de la Ley Orgánica de Protección de Datos Personales y garantía de los derechos digitales, le notificamos que los Datos a suprimir, referentes a su persona, son los siguientes:

### [Datos sobre los que se ejerce el Derecho de Limitación del tratamiento]

Le comunicamos que puede obtener la tutela de la Agencia Española de Protección de Datos dirigiendo su reclamación a la misma en la calle Jorge Juan número 6, Madrid 28001.

En ..., a ... de ... de ...

[Cargo del responsable del fichero]

Fdo.: .....................................

EL DERECHO A LA PORTABILIDAD

### Datos del responsable del fichero

**La Empresa ...** con C.I.F ... y domicilio en la Calle ..., número ... (CP ...) localidad .....

### Datos del interesado o representante legal

D./Dª. ....................................................................
....................., mayor de edad, con domicilio en ........................ Calle/Plaza............................................................ nº........., Localidad.................................... Provincia.......................................
C.P.............. Comunidad Autónoma........................................ con
D.N.I........................., del que acompaña copia, por medio del presente escrito ejerce el derecho a la portabilidad, de conformidad con lo previsto en el artículo 20 del Reglamento General (RGPD), y el artículo 17 de la Ley Orgánica 3/2018, de 5 de diciembre de Protección de Datos Personales y garantía de los derechos digitales, en consecuencia,

**EXPONGO,** *(describir la situación en la que se produce el tratamiento de sus datos personales y enumerar los motivos por los que se solicita el ejercicio del derecho a la portabilidad de los datos de carácter personal)* ....................................................................
....................................................................
....................................................................
............................................

Solicito,

Que sea atendido mi ejercicio del derecho a la portabilidad en los términos anteriormente expuestos.

En ..., a ..., de ... de ...

Firma:

### Instrucciones para la cumplimentación de los modelos relacionados con el derecho de portabilidad

**(1)** El Modelo se utilizará por el afectado cuando desee obtener la portabilidad de los datos personales existentes en un fichero.

**(2)** Para solicitar la portabilidad a un tratamiento de los datos que figuran en los ficheros no resulta necesario la existencia de unos motivos fundados y legítimos

**(3)** Debido al carácter personalísimo de los datos de carácter personal es necesario aportar fotocopia del D.N.I. o documento equivalente que pruebe la identidad del afectado y sea considerado válido en derecho de modo que el responsable del fichero pueda constatarla. También puede ejercitarse a través de representante legal.

#### CONTESTACIÓN AL EJERCICIO DEL DERECHO A LA PORTABILIDAD

### 1. Objeto

De acuerdo del Reglamento (UE) y la Ley Orgánica de Protección de Datos de Carácter Personal, se reconoce el ejercicio del Derecho por parte del interesado y la obligación del Responsable del Tratamiento de atender la solicitud de ejercicio del derecho a la portabilidad de los datos de carácter personal objeto de tratamiento por el afectado que deberá contestar en todo caso, con independencia de que figuren o no datos personales del afectado en sus ficheros.

### 2. Contenido

#### CONTESTACION AL EJERCICIO DEL DERECHO DEL DERECHO A LA PORTABILIDAD

ASUNTO: ......................................................

Muy Sr. nuestro:

Habiendo recibido su carta con fecha **[introducir fecha]**, adjuntando la siguiente documentación **[Modelo de ejercicio de Derecho de Supresión y demás documentación adjunta]** mediante la que ejerce el Derecho a la portabilidad de sus datos que están siendo objeto de tratamiento **[nombre del tratamiento]** y, conforme a la normativa vigente sobre protección de datos, concretamente el Artículo 20 del Reglamento (UE) y el artículo 17 de la Ley Orgánica de Protección de Datos Personales y garantía de los derechos digitales, le notificamos que los Datos a suprimir, referentes a su persona, son los siguientes:

**[Datos sobre los que se ejerce el Derecho a la Portabilidad]**

Le comunicamos que puede obtener la tutela de la Agencia Española de Protección de Datos dirigiendo su reclamación a la misma en la calle Jorge Juan número 6, Madrid 28001.

En ..., a ... de ... de ...

[Cargo del responsable del fichero]

Fdo.: .......................................

### DERECHO DE OPOSICIÓN

**Datos del responsable del fichero**

**La Empresa ...** con C.I.F ... y domicilio en la Calle ..., número ... (CP ...) localidad .....

**Datos del interesado o representante legal**

D./ Dª..........................................................................................................
........................., mayor de edad, con domicilio en la Calle/Plaza ........................
.................................................................................... nº .............. Localidad
................................................ Provincia ............................................
C.P ............... Comunidad Autónoma .................................................. con D.N.I
................................., del que acompaño copia, por medio del presente escrito ejerzo el derecho de oposición, de conformidad con lo previsto en el artículo 21 del Reglamento General (RGPD), y en el artículo 18 de la Ley Orgánica 3/2018, de 5 de diciembre de Protección de Datos Personales y garantía de los derechos digitales, y, en consecuencia,

**EXPONGO,** *(describir la situación en la que se produce el tratamiento de sus datos personales y enumerar los motivos por los que se opone al mismo)* ........................................
.......................................................................................................................
.......................................................................................................................
.......................................................................................................................

Para acreditar la situación descrita, acompaño una copia de los siguientes documentos: *(enumerar los documentos que adjunta con esta solicitud para acreditar la situación que ha descrito)* .............................................................................................................
.......................................................................................................................
.......................................................................................................................
.......................................................................................................................

Solicito,

Que sea atendido mi ejercicio del derecho de oposición en los términos anteriormente expuestos.

En ..., a ... de ... de ...

Firma:

**Instrucciones para la cumplimentación de los modelos relacionados con el derecho de oposición**

**(1)** El Modelo se utilizará por el afectado cuando desee oponerse a determinados tratamientos específicos de datos personales existentes en un fichero.

**(2)** Para oponerse a un tratamiento de los datos que figuran en los ficheros resulta necesaria la existencia de unos motivos fundados y legítimos

**(3** Debido al carácter personalísimo de los datos de carácter personal es necesario aportar fotocopia del D.N.I. o documento equivalente que pruebe la identidad del afectado y sea considerado válido en derecho de modo que el responsable del fichero pueda constatarla. También puede ejercitarse a través de representante legal.

## CONTESTACIÓN AL EJERCICIO DEL DERECHO DE OPOSICIÓN

### 1. Objeto

De acuerdo del Reglamento (UE) y la Ley Orgánica de Protección de Datos de Carácter Personal, se reconoce el ejercicio del Derecho por parte del interesado y la obligación del Responsable del Tratamiento de atender la solicitud de ejercicio del derecho de oposición por el afectado que deberá contestar en todo caso, con independencia de que figuren o no datos personales del afectado en sus ficheros.

### 2. Contenido

#### CONTESTACIÓN AL EJERCICIO DEL DERECHO DEL DERECHO DE OPOSICIÓN

ASUNTO:...................................................

Muy Sr. nuestro:

Habiendo recibido su carta con fecha **[introducir fecha]**, adjuntando la siguiente documentación **[Modelo de ejercicio de Derecho de Supresión y demás documentación adjunta]** mediante la que ejerce el Derecho de oposición sobre sus datos que están siendo objeto de tratamiento **[nombre del tratamiento]** y, conforme a la normativa vigente sobre protección de datos, concretamente el Artículo 21 del Reglamento (UE) y el artículo 18 de la Ley Orgánica de Protección de Datos Personales y garantía de los derechos digitales, le notificamos que los Datos a suprimir, referentes a su persona, son los siguientes:

**[Datos sobre los que se ejerce el Derecho de oposición]**

Le comunicamos que puede obtener la tutela de la Agencia Española de Protección de Datos dirigiendo su reclamación a la misma en la calle Jorge Juan número 6, Madrid 28001.

En ..., a ... de ... de ...

[Cargo del responsable del fichero]

Fdo.: ....................

## Resolución rechazando el derecho de oposición solicitado por el afectado en los casos de comunicación

### ÓRGANO DE CUMPLIMIENTO NORMATIVO DE LA ENTIDAD ...

Número de expediente: ...

Fecha: ...

En este Órgano de Cumplimiento Normativo ha tenido entrada en fecha... escrito presentado por un afectado en el que se solicita el ejercicio del derecho de oposición en relación con el tratamiento de sus datos personales en los casos de comunicación interna de hechos presuntamente irregulares.

### ANTECEDENTES DE HECHO

**PRIMERO.–** El interesado solicita ejercer el derecho de oposición en relación con el tratamiento de sus datos personales en el presente expediente en base a lo establecido en el artículo 21 RGPD contra el decreto de admisión de la comunicación interna relativa a hechos presuntamente irregulares de fecha ...

**SEGUNDO.–** La Ley 2/2023, de 20 de febrero, reguladora de la protección de las personas que informen sobre infracciones normativas y de lucha contra la corrupción establece, en su artículo 31.4, que se presumirá que existen motivos legítimos imperiosos que legitiman el tratamiento de los datos personales en los casos de comunicación interna de hechos presuntamente irregulares.

**TERCERO.–** En el presente supuesto, el afectado no ha aportado ninguna prueba o alegación adicional que impida la aplicación de la citada presunción *iuris tantum* por lo que procede su rechazo.

### RESUELVO

**PRIMERO.–** Rechazar el ejercicio del derecho de oposición del afectado en relación con el tratamiento de sus datos personales.

**SEGUNDO.–** Notificar la presente resolución a las partes interesadas.

Firma y sello.

## Resolución rechazando el derecho de oposición por el afectado en los casos de revelación pública

### LA AUTORIDAD INDEPENDIENTE DE PROTECCIÓN DEL INFORMANTE (A.I.I.)

Número de expediente: ...

Fecha: ...

En este Organismo ha tenido entrada en fecha... escrito presentado por un afectado en el que se solicita el ejercicio del derecho de oposición en relación con el tratamiento de sus datos personales en los casos de revelación pública de hechos presuntamente irregulares.

### ANTECEDENTES DE HECHO

**PRIMERO.–** El interesado solicita ejercer el derecho de oposición en relación con el tratamiento de sus datos personales en el presente expediente en base a lo establecido en el artículo 21 RGPD debido a la revelación pública realizada por D. ... en fecha ... donde se pone de manifiesto la comisión de hechos presuntamente irregulares.

**SEGUNDO.–** La Ley 2/2023, de 20 de febrero, reguladora de la protección de las personas que informen sobre infracciones normativas y de lucha contra la corrupción establece, en su artículo 31.4, que se presumirá que existen motivos legítimos imperiosos que legitiman el tratamiento de los datos personales en los casos de revelación pública de hechos presuntamente irregulares.

**TERCERO.–** En el presente supuesto, el afectado no ha aportado ninguna prueba o alegación adicional que impida la aplicación de la citada presunción *iuris tantum* por lo que procede su rechazo.

### RESUELVO

**PRIMERO.–** Rechazar el ejercicio del derecho de oposición del afectado en relación con el tratamiento de sus datos personales.

**SEGUNDO.–** Notificar la presente resolución a las partes interesadas.

Firma y sello.

## Resolución del responsable del sistema de información limitando el conocimiento y acceso a los datos del sistema

### ÓRGANO DE CUMPLIMIENTO NORMATIVO DE LA ENTIDAD ...

Número de expediente: ...

Fecha: ...

Habiendo tomado conocimiento de la entrada en vigor de la Ley 2/2023, de 20 de febrero, reguladora de la protección de las personas que informen sobre infracciones normativas y de lucha contra la corrupción, se limita el conocimiento y acceso a los datos del sistema a las personas que carezcan de competencia o interés legítimo para ello.

### ANTECEDENTES DE HECHO

**PRIMERO.–** La Ley 2/2023, de 20 de febrero, establece en su Título VII la obligación de establecer medidas de protección de los informantes.

**SEGUNDO.–** La empresa cuenta con un sistema interno de información que permite el acceso a ciertos datos y documentos sensibles.

**TERCERO.–** Con el fin de garantizar la protección de los datos personales y la confidencialidad de la información, se considera necesario limitar el acceso y conocimiento a dichos datos a aquellas personas que carezcan de competencia o interés legítimo para ello.

### RESUELVO

**PRIMERO.–** Limitar el acceso y conocimiento a los datos sensibles del sistema interno de información a los empleados y/o colaboradores que tengan una necesidad real de acceso para el desarrollo de sus funciones, cuyos datos de identificación serán consignados en el Anexo, a la presente resolución.

**SEGUNDO.–** Se adoptarán medidas técnicas y organizativas necesarias para garantizar la protección de los datos personales y la confidencialidad de la información contenida en el sistema interno de información.

**ANEXO I.–** Relación de personas que tienen acceso a los datos e informaciones del presente expediente:

**ANEXO II.–** Relación de medidas técnicas y organizativas que de manera adicional se adoptan a los efectos de garantizar la confidencialidad de los datos e informaciones obrantes en el presente expediente:

a) Medidas técnicas que se adoptan:

b) Medidas organizativas que se adoptan:

Fecha y Firma.

## Resolución del responsable del sistema de información limitando el conocimiento y acceso a los datos del sistema en el caso de funcionarios públicos

### ÓRGANO DE CUMPLIMIENTO NORMATIVO DE LA ENTIDAD ...

Número de expediente: ...

Fecha: ...

Habiendo tomado conocimiento de la entrada en vigor de la Ley 2/2023, de 20 de febrero, reguladora de la protección de las personas que informen sobre infracciones normativas y de lucha contra la corrupción, se limita el conocimiento y acceso a los datos del sistema funcionarios públicos.

### ANTECEDENTES DE HECHO

**PRIMERO.–** La Ley 2/2023, de 20 de febrero, regula la protección de las personas que informen sobre infracciones normativas y de lucha contra la corrupción en el ámbito privado y público, estableciendo medidas para garantizar su seguridad y protección.

**SEGUNDO.–** La normativa establece la obligación de limitar el acceso y conocimiento a los datos del sistema interno de información a aquellas personas que carezcan de competencia o interés legítimo, incluidos los funcionarios públicos, a fin de garantizar la protección y seguridad de los intervinientes.

**TERCERO.–** En virtud de lo anterior, resulta necesario dictar una resolución que limite el conocimiento y acceso a los datos del sistema interno de información en el caso de funcionarios públicos.

### RESUELVO

**PRIMERO.–** Limitar el conocimiento y acceso a los datos del sistema interno de información en el caso de funcionarios públicos, de conformidad con lo establecido en la Ley 2/2023, de 20 de febrero, reguladora de la protección de las personas que informen sobre infracciones normativas y de lucha contra la corrupción.

**SEGUNDO.–** Designar a un responsable del tratamiento de los datos personales y de su control de acceso, a fin de garantizar el cumplimiento de lo dispuesto en la normativa aplicable.

**TERCERO.–** Notificar la presente resolución a todos los funcionarios públicos con acceso al sistema interno de información, para que quede constancia de su contenido y se cumpla con lo establecido en la Ley 2/2023.

Fecha y Firma.

**Resolución acordando la comunicación de los datos a terceros cuando resulte necesario para la adopción de medidas correctoras en la entidad o la tramitación de los procedimientos sancionadores o penales, que, en su caso, procedan**

### ÓRGANO DE CUMPLIMIENTO NORMATIVO DE LA ENTIDAD ...

Número de expediente: ...

Fecha: ...

De conformidad con lo dispuesto en la Ley 2/2023, de 20 de febrero, reguladora de la protección de las personas que informen sobre infracciones normativas y de lucha contra la corrupción se procede a la comunicación de datos a terceros para la adopción de medidas correctoras en la entidad o la tramitación de procedimientos sancionadores o penales.

### ANTECEDENTES DE HECHO

**PRIMERO.–** La Entidad ha recibido información sobre posibles infracciones normativas cometidas por sus empleados.

**SEGUNDO.–** La Entidad ha iniciado un proceso de investigación para determinar la veracidad de dicha información.

**TERCERO.–** Tras la realización de la investigación, se han constatado indicios de posibles infracciones normativas cometidas por los empleados de la entidad.

**CUARTO.–** Que resulta procedente comunicar los datos obtenidos en el sistema interno de información a terceros cuando resulte necesario para la adopción de medidas correctoras en la entidad o la tramitación de procedimientos sancionadores o penales al personal competente.

### RESUELVO

**PRIMERO.–** Autorizar la comunicación de los datos obtenidos en el sistema interno de información a terceros cuando resulte necesario para la adopción de medidas correctoras en la entidad o la tramitación de procedimientos sancionadores o penales en aplicación de lo dispuesto en la Ley 2/2023, de 20 de febrero, reguladora de la protección de las personas que informen sobre infracciones normativas y de lucha contra la corrupción.

**SEGUNDO.–** Garantizar en todo momento la protección de los derechos fundamentales de las personas cuyos datos sean comunicados, así como la confidencialidad y seguridad de la información.

Fecha y Firma.

## Resolución acordando la supresión inmediata de datos que no sean necesarios para el conocimiento y/o la investigación de los hechos comunicados

### ÓRGANO DE CUMPLIMIENTO NORMATIVO DE LA ENTIDAD ...

Número de expediente: ...

Fecha: ...

De conformidad con lo dispuesto en el artículo 32.2 de la Ley 2/2023, de 20 de febrero, reguladora de la protección de las personas que informen sobre infracciones normativas y de lucha contra la corrupción, se procede a la supresión inmediata de datos que no sean necesarios para el conocimiento y/o la investigación de los hechos comunicados, en base a los siguientes:

### ANTECEDENTES DE HECHO

**PRIMERO.–** En fecha ... se recibió una comunicación sobre presuntas irregularidades en [detalle de la situación denunciada].

**SEGUNDO.–** Tras la recepción de la comunicación, se inició un proceso de investigación que ha permitido obtener información relevante para el conocimiento de los hechos comunicados.

**TERCERO.–** Como resultado de la investigación, se ha detectado la existencia de datos que no son necesarios para el conocimiento y/o la investigación de los hechos comunicados.

### RESUELVO

**PRIMERO.–** Ordenar la supresión inmediata de los datos que no sean necesarios para el conocimiento y/o la investigación de los hechos comunicados, de acuerdo con lo establecido en el artículo 32.2 de la Ley 2/2023, de 20 de febrero.

**SEGUNDO.–** Notificar la presente resolución a las personas afectadas.

Fecha y Firma.

**Resolución acordando la supresión inmediata de datos que se hayan comunicado, y que se refieran a conductas que no estén en el ámbito de aplicación de la ley**

## ÓRGANO DE CUMPLIMIENTO NORMATIVO DE LA ENTIDAD ...

Número de expediente: ...

Fecha: ...

De conformidad con lo dispuesto en el artículo 32.2° de la Ley 2/2023, de 20 de febrero, reguladora de la protección de las personas que informen sobre infracciones normativas y de lucha contra la corrupción, se procede a la supresión inmediata de datos que se hayan comunicado y que se refieran a conductas que no estén en el ámbito de aplicación de dicha ley, en base a los siguientes:

### ANTECEDENTES DE HECHO

**PRIMERO.–** En fecha ... se recibió una comunicación sobre presuntas irregularidades en [detalle de la situación denunciada].

**SEGUNDO.–** Tras la recepción de la comunicación, se inició un proceso de investigación que ha permitido determinar que ciertos datos contenidos en la comunicación no se refieren a conductas incluidas en el ámbito de aplicación de la Ley 2/2023, de 20 de febrero.

**TERCERO.–** El artículo 32.2° de la Ley 2/2023, de 20 de febrero, establece la obligación de suprimir inmediatamente aquellos datos que no estén relacionados con las conductas que se enmarquen en su ámbito de aplicación.

### RESUELVO

**PRIMERO.–** Ordenar la supresión inmediata de los datos que se hayan comunicado y que no se refieran a conductas que estén en el ámbito de aplicación de la Ley 2/2023, de 20 de febrero.

**SEGUNDO.–** Notificar la presente resolución a las personas afectadas y al responsable del tratamiento de los datos, en su caso.

Fecha y Firma.

**Resolución acordando la supresión inmediata de datos que sean no veraces total o parcialmente.**

### ÓRGANO DE CUMPLIMIENTO NORMATIVO DE LA ENTIDAD ...

Número de expediente: ...

Fecha: ...

De conformidad con lo dispuesto en el artículo 32.3 de la Ley 2/2023, de 20 de febrero, reguladora de la protección de las personas que informen sobre infracciones normativas y de lucha contra la corrupción, se procede a la supresión inmediata de datos que no sean veraces total o parcialmente, en base a los siguientes:

### ANTECEDENTES DE HECHO

**PRIMERO.–** En fecha ... se recibió una comunicación sobre presuntas irregularidades en [detalle de la situación denunciada].

**SEGUNDO.–** Tras la recepción de la comunicación, se inició un proceso de investigación que ha permitido determinar que ciertos datos contenidos en la comunicación no son veraces total o parcialmente.

**TERCERO.–** El artículo 32.3° de la Ley 2/2023, de 20 de febrero, establece la obligación de suprimir inmediatamente aquellos datos que no sean veraces total o parcialmente.

### RESUELVO

**PRIMERO.–** Ordenar la inmediata supresión de los datos que no sean veraces total o parcialmente, tal y como se han determinado tras el proceso de investigación.

**SEGUNDO.–** Notificar la presente resolución a las personas afectadas y al delegado de protección de datos, en su caso.

Fecha y Firma.

**Resolución acordando la conservación de datos que sean no veraces total o parcialmente, al poder constituir los mismos un ilícito penal**

## ÓRGANO DE CUMPLIMIENTO NORMATIVO DE LA ENTIDAD …

Número de expediente: …

Fecha: …

De conformidad con lo dispuesto en el artículo 32.3° de la Ley 2/2023, de 20 de febrero, reguladora de la protección de las personas que informen sobre infracciones normativas y de lucha contra la corrupción, se procede a la conservación de datos no veraces total o parcialmente, al poder constituir los mismos un ilícito penal por el tiempo necesario durante el que se tramite el procedimiento judicial, en base a los siguientes:

## ANTECEDENTES DE HECHO

**PRIMERO.–** En fecha … se recibió una comunicación sobre presuntas irregularidades en [detalle de la situación denunciada].

**SEGUNDO.–** Tras la recepción de la comunicación, se inició un proceso de investigación que ha permitido determinar que ciertos datos contenidos en la comunicación no son veraces total o parcialmente.

**TERCERO.–** El artículo 32.3° de la Ley 2/2023, de 20 de febrero, establece la obligación de suprimir inmediatamente aquellos datos que no sean veraces total o parcialmente. No obstante, en aquellos casos en los que la conservación de los datos pueda ser necesaria para la investigación y el esclarecimiento de los hechos, se procederá a su conservación durante el tiempo necesario para la tramitación del procedimiento judicial.

## RESUELVO

**PRIMERO.–** Ordenar la conservación de los datos no veraces total o parcialmente, tal y como se han determinado tras el proceso de investigación, por el tiempo necesario durante el que se tramite el procedimiento judicial.

**SEGUNDO.–** Notificar la presente resolución a las personas afectadas y al delegado de protección de datos, en su caso.

Fecha y Firma.

## Resolución acordando la supresión de datos cuando no se hubiesen iniciado actuaciones de investigación, salvo que la finalidad de la conservación sea dejar evidencia del funcionamiento del sistema

### ÓRGANO DE CUMPLIMIENTO NORMATIVO DE LA ENTIDAD ...

Número de expediente: ...

Fecha: ...

De conformidad con lo dispuesto en el artículo 32.4° de la Ley 2/2023, de 20 de febrero, reguladora de la protección de las personas que informen sobre infracciones normativas y de lucha contra la corrupción, se procede a la supresión de datos cuando no se hayan iniciado actuaciones de investigación, salvo que la finalidad de la conservación sea dejar evidencia del funcionamiento del sistema, en base a los siguientes:

### ANTECEDENTES DE HECHO

**PRIMERO.–** En fecha ... se recibió una comunicación sobre presuntas irregularidades en [detalle de la situación denunciada].

**SEGUNDO.–** Tras la recepción de la comunicación, no se han iniciado actuaciones de investigación por considerar que la información proporcionada no es suficiente o no reviste la gravedad necesaria.

**TERCERO.–** El artículo 32.4° de la Ley 2/2023, de 20 de febrero, establece la obligación de suprimir inmediatamente aquellos datos que no sean necesarios para el conocimiento y/o la investigación de los hechos comunicados, salvo que la finalidad de la conservación sea dejar evidencia del funcionamiento del sistema.

### RESUELVO

**PRIMERO.–** Ordenar la supresión de los datos proporcionados en la comunicación recibida en fecha ..., al no haberse iniciado actuaciones de investigación y no ser necesarios para el conocimiento y/o la investigación de los hechos comunicados.

**SEGUNDO.–** Conservar los datos únicamente con la finalidad de dejar evidencia del funcionamiento del sistema.

**TERCERO.–** Notificar la presente resolución a las personas afectadas y al delegado de protección de datos, en su caso.

Fecha y Firma.

## Resolución relativa a la procedencia de la anonimización de los datos personales en aquellas comunicaciones a las que no se haya dado curso

### ÓRGANO DE CUMPLIMIENTO NORMATIVO DE LA ENTIDAD ...

Número de expediente: ...

Fecha: ...

De conformidad con lo dispuesto en el artículo 32.4° de la Ley 2/2023, de 20 de febrero, reguladora de la protección de las personas que informen sobre infracciones normativas y de lucha contra la corrupción, y tras la revisión del expediente correspondiente, se procede a dictar la siguiente resolución:

### ANTECEDENTES DE HECHO

**PRIMERO.–** En fecha ... se recibió en este Órgano de Cumplimiento Normativo una comunicación sobre presuntos hechos irregulares relativos a ...

**SEGUNDO.–** Tras la valoración del contenido de la comunicación, se determinó que no procedía dar curso a la misma al no entrar dentro del ámbito de aplicación previsto en el artículo 2 de la Ley 2/2023, de 20 de febrero.

**TERCERO.–** Dicha comunicación incluye datos que podrían permitir la identificación de la persona que realizó la comunicación.

**CUARTO.–** En aplicación de lo dispuesto en el artículo 32.4° de la Ley 2/2023, de 20 de febrero, se procede a anonimizar los datos personales contenidos en la comunicación de presuntos hechos irregulares, sin que sea de aplicación la obligación de bloqueo prevista en el artículo 32 de la Ley Orgánica 3/2018, de 5 de diciembre.

### RESUELVO

**PRIMERO.–** Acordar la anonimización de los datos personales contenidos en comunicación de presuntos hechos irregulares, sin que sea de aplicación la obligación de bloqueo prevista en el artículo 32 de la Ley Orgánica 3/2018, de 5 de diciembre, de acuerdo con lo establecido en el artículo 32.4° de la Ley 2/2023, de 20 de febrero.

**SEGUNDO.–** Dar traslado de la presente resolución al departamento correspondiente para su ejecución.

Fecha y Firma.

## Resolución acordando medidas técnicas y organizativas preservando la identificación del informante, de la persona afectada y de cualquier tercero, en el caso de que se haya identificado

### ÓRGANO DE CUMPLIMIENTO NORMATIVO DE LA ENTIDAD ...

Número de expediente: ...

Fecha: ...

De conformidad con lo dispuesto en el artículo 33.2° de la Ley 2/2023, de 20 de febrero, reguladora de la protección de las personas que informen sobre infracciones normativas y de lucha contra la corrupción, se procede a adoptar medidas técnicas y organizativas para preservar la identificación del informante, de la persona afectada y de cualquier tercero, en el caso de que se haya identificado, en base a los siguientes

### ANTECEDENTES DE HECHO

**PRIMERO.–** En fecha ... ha tenido entrada comunicación por presuntas infracciones normativas relativas a ...

**SEGUNDO.–** En el marco de la investigación de estas comunicaciones, se ha identificado a una o varias personas que podrían estar implicadas en los hechos.

**TERCERO.–** Se considera necesario adoptar las medidas técnicas y organizativas adecuadas para preservar la identificación del informante, de la persona afectada y de cualquier tercero, en cumplimiento del artículo 33.2° de la Ley 2/2023, de 20 de febrero.

### RESUELVO

**PRIMERO.–** Adoptar las medidas técnicas y organizativas adecuadas para preservar la identificación del informante, de la persona afectada y de cualquier tercero, en el caso de que se haya identificado.

**SEGUNDO.–** Establecer un protocolo de actuación que garantice la protección de los datos personales de todas las personas involucradas en el proceso.

**TERCERO.–** Informar al delegado de protección de datos personales y al personal encargado de la investigación de la necesidad de preservar la identificación del informante, de la persona afectada y de cualquier tercero.

**CUARTO.–** Dar traslado de la presente resolución a las personas afectadas para que, en el plazo de diez días realicen las alegaciones que estimen oportunas.

Fecha y Firma.

## Resolución acordando revelar la identidad del Informante a la Autoridad judicial en el marco de una investigación penal

### ÓRGANO DE CUMPLIMIENTO NORMATIVO DE LA ENTIDAD ...

Número de expediente: ...

Fecha: ...

De conformidad con lo dispuesto en el artículo 33.3° de la Ley 2/2023, de 20 de febrero, reguladora de la protección de las personas que informen sobre infracciones normativas y de lucha contra la corrupción, se procede a acordar la revelación de la identidad del informante a la autoridad judicial en el marco de una investigación penal, en base a los siguientes

### ANTECEDENTES DE HECHO

**PRIMERO.–** En fecha ... se recibió comunicación en la que se denunciaba una posible infracción normativa relativa a ...

**SEGUNDO.–** Se realizó una investigación interna para determinar la veracidad de los hechos comunicados.

**TERCERO.–** Tras la investigación, se han recopilado pruebas que indican que puede haber indicios de la comisión de un delito por parte del informante, por lo que se considera necesario revelar la identidad del informante a la autoridad judicial.

### RESUELVO

**PRIMERO.–** Acordar la revelación de la identidad del informante a la autoridad judicial en el marco de una investigación penal.

**SEGUNDO.–** Adoptar las medidas técnicas y organizativas necesarias para preservar la identidad de la persona afectada y de cualquier tercero que haya sido identificado durante la investigación.

**TERCERO.–** Notificar la presente resolución al informante y a la autoridad judicial competente.

Fecha y Firma.

## Resolución acordando revelar la identidad del Informante al Ministerio Fiscal en el marco de una investigación penal

### ÓRGANO DE CUMPLIMIENTO NORMATIVO DE LA ENTIDAD …

Número de expediente: …

Fecha: …

De conformidad con lo dispuesto en el artículo 33.3° de la Ley 2/2023, de 20 de febrero, reguladora de la protección de las personas que informen sobre infracciones normativas y de lucha contra la corrupción, se procede a acordar la revelación de la identidad del informante al Ministerio Fiscal en el marco de una investigación penal, en base a los siguientes

### ANTECEDENTES DE HECHO

**PRIMERO.–** En fecha … se recibió comunicación en la que se denunciaba una posible infracción normativa relativa a …

**SEGUNDO.–** Se realizó una investigación interna para determinar la veracidad de los hechos comunicados.

**TERCERO.–** Tras la investigación, se han recopilado pruebas que indican que puede haber indicios de la comisión de un delito por parte del informante, por lo que se considera necesario revelar la identidad del informante al Ministerio Fiscal.

### RESUELVO

**PRIMERO.–** Acordar la revelación de la identidad del informante al Ministerio Fiscal en el marco de una investigación penal.

**SEGUNDO.–** Adoptar las medidas técnicas y organizativas necesarias para preservar la identidad de la persona afectada y de cualquier tercero que haya sido identificado durante la investigación.

**TERCERO.–** Notificar la presente resolución al informante y al Ministerio Fiscal competente.

Fecha y Firma.

**Resolución acordando revelar la identidad del Informante a la Autoridad Administrativa correspondiente en el marco de una investigación disciplinaria o sancionadora**

### ÓRGANO DE CUMPLIMIENTO NORMATIVO DE LA ENTIDAD ...

Número de expediente: ...

Fecha: ...

De conformidad con lo dispuesto en el artículo 33.3° de la Ley 2/2023, de 20 de febrero, reguladora de la protección de las personas que informen sobre infracciones normativas y de lucha contra la corrupción, se procede a acordar la revelación de la identidad del informante a la Autoridad Administrativa correspondiente en el marco de una investigación disciplinaria o sancionadora, en base a los siguientes

### ANTECEDENTES DE HECHO

**PRIMERO.-** En fecha ... se recibió comunicación en la que se denunciaba una posible infracción normativa relativa a ...

**SEGUNDO.-** Se realizó una investigación interna para determinar la veracidad de los hechos comunicados.

**TERCERO.-** Tras la investigación, se han recopilado indicios y evidencias de los que cabe presumir la posible comisión de hechos que pueden dar origen a una sanción disciplinaria o sancionadora por parte del informante, por lo que se considera necesario revelar la identidad del mismo a la Autoridad Administrativa correspondiente.

### RESUELVO

**PRIMERO.-** Acordar la revelación de la identidad del informante a la Autoridad Administrativa correspondiente en el marco de una investigación disciplinaria o sancionadora.

**SEGUNDO.-** Adoptar las medidas técnicas y organizativas necesarias para preservar la identidad de la persona afectada y de cualquier tercero que haya sido identificado durante la investigación.

**TERCERO.-** Notificar la presente resolución al informante y a la Autoridad Administrativa correspondiente.

Fecha y Firma.

**Resolución acordando el traslado al informante antes de revelar su identidad que la misma va a ser comunicada a la Autoridad Judicial, al Ministerio Fiscal o a la Autoridad Administrativa correspondiente**

## ÓRGANO DE CUMPLIMIENTO NORMATIVO DE LA ENTIDAD …

Número de expediente: …

Fecha: …

De conformidad con lo dispuesto en el artículo 33.3° de la Ley 2/2023, de 20 de febrero, reguladora de la protección de las personas que informen sobre infracciones normativas y de lucha contra la corrupción, y tras haberse identificado al informante en el marco de una investigación interna, se procede a adoptar medidas para garantizar su protección y preservar su identidad hasta el momento en que se comunique su identidad a la autoridad judicial o al Ministerio Fiscal correspondiente.

### ANTECEDENTES DE HECHO

**PRIMERO.–** En fecha …, el Órgano de Cumplimiento Normativo recibió una comunicación por parte de un informante que alega haber conocido ciertos hechos que podrían constituir una infracción normativa en el ámbito de la empresa ….

**SEGUNDO.–** En cumplimiento de lo establecido en la Ley 2/2023, de 20 de febrero, se ha procedido a examinar la comunicación recibida y se ha constatado que los hechos relatados podrían ser constitutivos de una infracción normativa.

**TERCERO.–** Dado que la investigación de los hechos descritos en la comunicación requiere la identificación del informante, se ha considerado necesario trasladarle la información de que su identidad será comunicada a la autoridad judicial, al Ministerio Fiscal o a la autoridad administrativa correspondiente, de conformidad con lo establecido en el artículo 33.3° de la citada ley, previa valoración de las circunstancias del caso y en los términos establecidos por la normativa vigente.

### RESUELVO

**PRIMERO.–** Comunicar al informante que su identidad va a ser trasladada a la autoridad judicial, al Ministerio Fiscal o a la autoridad administrativa correspondiente.

**SEGUNDO.–** Otorgar un plazo de cinco días para que el informante realice las alegaciones que estime oportunas.

**TERCERO.–** Notificar la presente resolución al informante del presente expediente.

Fecha y Firma.

## Comunicación de la autoridad competente al informante, explicando los motivos de la revelación de los datos confidenciales en cuestión

Autoridad …

Número de expediente: …

Fecha: …

Estimado Informante,

Le informamos que, en relación a la comunicación presentada por usted sobre presuntos hechos irregulares, la Autoridad Independiente de Protección del Informante ha tenido que revelar ciertos datos personales y confidenciales con el fin de llevar a cabo la investigación correspondiente.

El artículo 33.3º de la Ley 2/2023, de 20 de febrero, reguladora de la protección de las personas que informen sobre infracciones normativas y de lucha contra la corrupción, establece que, en el marco de una investigación penal, disciplinaria o sancionadora, se podrán revelar los datos personales y confidenciales del informante cuando sea necesario para garantizar la eficacia y la efectividad de la investigación.

En este caso concreto, se ha considerado que era necesario revelar dichos datos para poder llevar a cabo una investigación exhaustiva y efectiva por los cauces legalmente exigidos.

Le agradecemos su colaboración y quedamos a su disposición para cualquier consulta o aclaración adicional.

Atentamente,

La Autoridad Independiente de Protección del Informante.

## Acuerdo de nombramiento de Delegado de Protección de Datos por parte de la AAI

La Autoridad Independiente de Protección del Informante (A.A.I.)

Fecha: ...

### ACUERDO

**PRIMERO.–** Se procede al nombramiento de D. ... como delegado de protección de datos, de acuerdo con lo dispuesto en el artículo 34 de la Ley 2/2023, de 20 de febrero, reguladora de la protección de las personas que informen sobre infracciones normativas y de lucha contra la corrupción.

**SEGUNDO.–** La persona designada para ocupar el cargo de delegado de protección de datos tendrá las funciones encomendadas en la normativa de protección de datos aplicable.

**TERCERO.–** De acuerdo con lo establecido en el artículo 34.3° LOPD procede comunicar a la Agencia Española de Protección de Datos la designación del delegado de protección de datos.

### RESUELVO

**PRIMERO.–** Designar a ... como delegado de protección de datos de la Autoridad Independiente de Protección del Informante.

**SEGUNDO.–** Comunicar la presente designación a la Agencia Española de Protección de Datos.

Fecha y Firma.

## Solicitud de medida de protección por suspensión del contrato de trabajo

### A LA AUTORIDAD INDEPENDIENTE DE PROTECCIÓN DEL INFORMANTE (A.A.I.)

D. ..., actuando en nombre y representación propios en calidad de informante, ante este Órgano de Cumplimiento Normativo comparezco y como mejor proceda en Derecho, DIGO:

**PRIMERO.–** En fecha ... se interpuso comunicación interna sobre hechos presuntamente irregulares acontecidos en la entidad ...

**SEGUNDO.–** En fecha ... se produce la suspensión de mi contrato de trabajo en la empresa ..., como represalia por la presentación de la comunicación descrita en el Ordinal Primero.

Se acompaña comunicación de suspensión de contrato de trabajo de la entidad ... como documento número 1°.

**TERCERO.–** Que dicha suspensión del contrato de trabajo se ha producido sin la existencia de causa justificada, en contravención de lo establecido en el Estatuto de los Trabajadores y en el convenio colectivo aplicable y en frontal oposición con lo dispuesto en el artículo 36.3.a) de la Ley 2/2023, de 20 de febrero, reguladora de la protección de las personas que informen sobre infracciones normativas y de lucha contra la corrupción.

**CUARTO.–** Procede la aplicación de las medidas de protección al informante previstas en el Título VII de la Ley 2/2023, de 20 de febrero, reguladora de la protección de las personas que informen sobre infracciones normativas y de lucha contra la corrupción.

En su virtud,

**SOLICITO A LA AUTORIDAD INDEPENDIENTE DE PROTECCIÓN DEL INFORMANTE:** Que habiendo por presentado este escrito con el documento que se acompaña, tenga a bien admitirlo y acuerde las medidas de protección al informante por suspensión del contrato de trabajo.

Lugar, fecha y Firma.

## Solicitud de medida de protección por despido

### A LA AUTORIDAD INDEPENDIENTE DE PROTECCIÓN DEL INFORMANTE (A.A.I)

D. ..., actuando en nombre y representación propios en calidad de informante, ante este órgano comparezco y como mejor proceda en Derecho, DIGO:

**PRIMERO.–** En fecha ... se interpuso comunicación interna sobre hechos presuntamente irregulares acontecidos en la entidad ...

**SEGUNDO.–** En fecha ... se produce el despido de la persona que suscribe en la empresa ..., como represalia por la presentación de la comunicación descrita en el Ordinal Primero.

Se acompaña carta de despido de la entidad ... como documento número 1°.

**TERCERO.–** Que dicho despido se ha producido sin la existencia de causa justificada, en contravención de lo establecido en el Estatuto de los Trabajadores y en el convenio colectivo aplicable y en frontal oposición con lo dispuesto en el artículo 36.3.a) de la Ley 2/2023, de 20 de febrero, reguladora de la protección de las personas que informen sobre infracciones normativas y de lucha contra la corrupción.

**CUARTO.–** Procede la aplicación de las medidas de protección al informante previstas en el Título VII de la Ley 2/2023, de 20 de febrero, reguladora de la protección de las personas que informen sobre infracciones normativas y de lucha contra la corrupción.

En su virtud,

**SOLICITO A LA AUTORIDAD INDEPENDIENTE DE PROTECCIÓN DEL INFORMANTE:** Que habiendo por presentado este escrito con el documento que se acompaña, tenga a bien admitirlo y acuerde las medidas de protección al informante por despido de la entidad ....

Lugar, fecha y Firma.

## Solicitud de medida de protección por extinción de la relación laboral o estatutaria

### A LA AUTORIDAD INDEPENDIENTE DE PROTECCIÓN DEL INFORMANTE (A.A.I.)

D. ..., actuando en nombre y representación propios en calidad de informante, ante este órgano comparezco y como mejor proceda en Derecho, DIGO:

**PRIMERO.–** En fecha ... se interpuso comunicación interna sobre hechos presuntamente irregulares acontecidos en la entidad ...

**SEGUNDO.–** En fecha ... se produce la extinción de la relación laboral o estatutaria en la empresa ..., como represalia por la presentación de la comunicación descrita en el Ordinal Primero.

Se acompaña comunicación de extinción de la relación laboral o estatutaria de la entidad ... como documento número 1º.

**TERCERO.–** Que dicha extinción de la relación laboral o estatutaria se ha producido sin la existencia de causa justificada, en contravención de lo establecido en el Estatuto de los Trabajadores y en el convenio colectivo aplicable y en frontal oposición con lo dispuesto en el artículo 36.3.a) de la Ley 2/2023, de 20 de febrero, reguladora de la protección de las personas que informen sobre infracciones normativas y de lucha contra la corrupción.

**CUARTO.–** Procede la aplicación de las medidas de protección al informante previstas en el Título VII de la Ley 2/2023, de 20 de febrero, reguladora de la protección de las personas que informen sobre infracciones normativas y de lucha contra la corrupción.

En su virtud,

**SOLICITO A LA AUTORIDAD INDEPENDIENTE DE PROTECCIÓN DEL INFORMANTE:** Que habiendo por presentado este escrito con el documento que se acompaña, tenga a bien admitirlo y acuerde las medidas de protección al informante por extinción de la relación laboral o estatutaria.

Lugar, fecha y Firma.

## Solicitud de medida de protección por no renovación

### A LA AUTORIDAD INDEPENDIENTE DE PROTECCIÓN DEL INFORMANTE (A.A.I)

D. ..., actuando en nombre y representación propios en calidad de informante, ante este órgano comparezco y como mejor proceda en Derecho, DIGO:

**PRIMERO.-** En fecha ... se interpuso comunicación interna sobre hechos presuntamente irregulares acontecidos en la entidad ...

**SEGUNDO.-** En fecha ... se produce la no renovación de contrato temporal en la empresa ..., como represalia por la presentación de la comunicación descrita en el Ordinal Primero.

Se acompaña comunicación de no renovación de contrato temporal de la entidad ... como documento número 1°.

**TERCERO.-** Que dicha no renovación de contrato temporal se ha producido sin la existencia de causa justificada, en contravención de lo establecido en el Estatuto de los Trabajadores y en el convenio colectivo aplicable y en frontal oposición con lo dispuesto en el artículo 36.3.a) de la Ley 2/2023, de 20 de febrero, reguladora de la protección de las personas que informen sobre infracciones normativas y de lucha contra la corrupción.

**CUARTO.-** Procede la aplicación de las medidas de protección al informante previstas en el Título VII de la Ley 2/2023, de 20 de febrero, reguladora de la protección de las personas que informen sobre infracciones normativas y de lucha contra la corrupción.

En su virtud,

**SOLICITO A LA AUTORIDAD INDEPENDIENTE DE PROTECCIÓN DEL INFORMANTE:** Que habiendo por presentado este escrito con el documento que se acompaña, tenga a bien admitirlo y acuerde las medidas de protección al informante por no renovación de contrato temporal.

Lugar, fecha y Firma.

**Solicitud de medida de protección por la terminación anticipada de un contrato de trabajo temporal una vez superado el período de prueba**

### A LA AUTORIDAD INDEPENDIENTE DE PROTECCIÓN DEL INFORMANTE (A.A.I.)

D. ..., actuando en nombre y representación propios en calidad de informante, ante este órgano comparezco y como mejor proceda en Derecho, DIGO:

**PRIMERO.–** En fecha ... se interpuso comunicación interna sobre hechos presuntamente irregulares acontecidos en la entidad ...

**SEGUNDO.–** En fecha ... se produce la terminación anticipada de un contrato de trabajo temporal una vez superado el período de prueba en la empresa ..., como represalia por la presentación de la comunicación descrita en el Ordinal Primero.

Se acompaña comunicación de terminación anticipada de un contrato de trabajo temporal una vez superado el período de prueba de la entidad ... como documento número 1º.

**TERCERO.–** Que dicha terminación anticipada se ha producido sin la existencia de causa justificada, en contravención de lo establecido en el Estatuto de los Trabajadores y en el convenio colectivo aplicable y en frontal oposición con lo dispuesto en el artículo 36.3º.a) de la Ley 2/2023, de 20 de febrero, reguladora de la protección de las personas que informen sobre infracciones normativas y de lucha contra la corrupción.

**CUARTO.–** Procede la aplicación de las medidas de protección al informante previstas en el Título VII de la Ley 2/2023, de 20 de febrero, reguladora de la protección de las personas que informen sobre infracciones normativas y de lucha contra la corrupción.

En su virtud,

**SOLICITO A LA AUTORIDAD INDEPENDIENTE DE PROTECCIÓN DEL INFORMANTE:** Que habiendo por presentado este escrito con el documento que se acompaña, tenga a bien admitirlo y acuerde las medidas de protección al informante por terminación anticipada de contrato de trabajo temporal una vez superado el período de prueba.

Lugar, fecha y Firma.

## Solicitud de medida de protección por anulación de contratos de bienes o servicios

### A LA AUTORIDAD INDEPENDIENTE DE PROTECCIÓN DEL INFORMANTE (A.A.I.)

D. ..., actuando en nombre y representación propios en calidad de informante, ante este órgano comparezco y como mejor proceda en Derecho, DIGO:

**PRIMERO.-** En fecha ... se interpuso comunicación interna sobre hechos presuntamente irregulares acontecidos en la entidad ...

**SEGUNDO.-** En fecha ... se produce la anulación de contratos de bienes o servicios con la empresa ..., como represalia por la presentación de la comunicación descrita en el Ordinal Primero.

Se acompaña comunicación de anulación de contratos de bienes o servicios de la entidad ... como documento número 1º.

**TERCERO.-** Que dicha anulación de contratos de bienes o servicios se ha producido sin la existencia de causa justificada, en frontal oposición con lo dispuesto en el artículo 36.3.a) de la Ley 2/2023, de 20 de febrero, reguladora de la protección de las personas que informen sobre infracciones normativas y de lucha contra la corrupción.

**CUARTO.-** Procede la aplicación de las medidas de protección al informante previstas en el Título VII de la Ley 2/2023, de 20 de febrero, reguladora de la protección de las personas que informen sobre infracciones normativas y de lucha contra la corrupción.

En su virtud,

**SOLICITO A LA AUTORIDAD INDEPENDIENTE DE PROTECCIÓN DEL INFORMANTE:** Que habiendo por presentado este escrito con el documento que se acompaña, tenga a bien admitirlo y acuerde las medidas de protección al informante por anulación de contratos de bienes o servicios.

Lugar, fecha y Firma.

## Solicitud de medida de protección por la imposición de cualquier medida disciplinaria

### A LA AUTORIDAD INDEPENDIENTE DE PROTECCIÓN DEL INFORMANTE (A.A.I.)

D. ..., actuando en nombre y representación propios en calidad de informante, ante este órgano comparezco y como mejor proceda en Derecho, DIGO:

**PRIMERO.–** En fecha ... se interpuso comunicación interna sobre hechos presuntamente irregulares acontecidos en la entidad ...

**SEGUNDO.–** En fecha ... se produce la imposición de la medida disciplinaria consistente en ... en la organización ..., como represalia por la presentación de la comunicación descrita en el Ordinal Primero.

Se acompaña comunicación de imposición de medida disciplinaria de la organización ... como documento número 1º.

**TERCERO.–** Que dicha imposición de medida disciplinaria se ha producido sin la existencia de causa justificada, en frontal oposición con lo dispuesto en el artículo 36.3.a) de la Ley 2/2023, de 20 de febrero, reguladora de la protección de las personas que informen sobre infracciones normativas y de lucha contra la corrupción.

**CUARTO.–** Procede la aplicación de las medidas de protección al informante previstas en el Título VII de la Ley 2/2023, de 20 de febrero, reguladora de la protección de las personas que informen sobre infracciones normativas y de lucha contra la corrupción.

En su virtud,

**SOLICITO A LA AUTORIDAD INDEPENDIENTE DE PROTECCIÓN DEL INFORMANTE:** Que habiendo por presentado este escrito con el documento que se acompaña, tenga a bien admitirlo y acuerde las medidas de protección al informante por imposición de medida disciplinaria consistente en ...

Lugar, fecha y Firma.

## Solicitud de medida de protección por degradación

### A LA AUTORIDAD INDEPENDIENTE DE PROTECCIÓN DEL INFORMANTE (A.A.I.)

D. ..., actuando en nombre y representación propios en calidad de informante, ante este órgano comparezco y como mejor proceda en Derecho, DIGO:

**PRIMERO.–** En fecha ... se interpuso comunicación interna sobre hechos presuntamente irregulares acontecidos en la entidad ...

**SEGUNDO.–** En fecha ... se produce la degradación en la empresa ..., como represalia por la presentación de la comunicación descrita en el Ordinal Primero.

Se acompaña comunicación de degradación de la entidad ... como documento número 1°.

**TERCERO.–** Que dicha degradación se ha producido sin la existencia de causa justificada, en contravención de lo establecido en el Estatuto de los Trabajadores y en el convenio colectivo aplicable y en frontal oposición con lo dispuesto en el artículo 36.3.a) de la Ley 2/2023, de 20 de febrero, reguladora de la protección de las personas que informen sobre infracciones normativas y de lucha contra la corrupción.

**CUARTO.–** Procede la aplicación de las medidas de protección al informante previstas en el Título VII de la Ley 2/2023, de 20 de febrero, reguladora de la protección de las personas que informen sobre infracciones normativas y de lucha contra la corrupción.

En su virtud,

**SOLICITO A LA AUTORIDAD INDEPENDIENTE DE PROTECCIÓN DEL INFORMANTE:** Que habiendo por presentado este escrito con el documento que se acompaña, tenga a bien admitirlo y acuerde las medidas de protección al informante por degradación en la entidad ....

Lugar, fecha y Firma.

## Solicitud de medida de protección por denegación de ascensos

### A LA AUTORIDAD INDEPENDIENTE DE PROTECCIÓN DEL INFORMANTE (A.A.I.)

D. ..., actuando en nombre y representación propios en calidad de informante, ante este órgano comparezco y como mejor proceda en Derecho, DIGO:

**PRIMERO.–** En fecha ... se interpuso comunicación interna sobre hechos presuntamente irregulares acontecidos en la entidad ...

**SEGUNDO.–** En fecha ... se produce la denegación de ascenso en la empresa ..., como represalia por la presentación de la comunicación descrita en el Ordinal Primero.

Se acompaña comunicación de denegación de ascenso de la entidad ... como documento número 1°.

**TERCERO.–** Que dicha denegación de ascenso se ha producido sin la existencia de causa justificada, en contravención de lo establecido en el Estatuto de los Trabajadores y en el convenio colectivo aplicable y en frontal oposición con lo dispuesto en el artículo 36.3.a) de la Ley 2/2023, de 20 de febrero, reguladora de la protección de las personas que informen sobre infracciones normativas y de lucha contra la corrupción.

**CUARTO.–** Procede la aplicación de las medidas de protección al informante previstas en el Título VII de la Ley 2/2023, de 20 de febrero, reguladora de la protección de las personas que informen sobre infracciones normativas y de lucha contra la corrupción.

En su virtud,

**SOLICITO A LA AUTORIDAD INDEPENDIENTE DE PROTECCIÓN DEL INFORMANTE:** Que habiendo por presentado este escrito con el documento que se acompaña, tenga a bien admitirlo y acuerde las medidas de protección al informante por denegación de ascenso.

Lugar, fecha y Firma.

## Solicitud de medida de protección por cualquier otra modificación sustancial de las condiciones de trabajo

**A LA AUTORIDAD INDEPENDIENTE DE PROTECCIÓN DEL INFORMANTE (A.A.I.)**

D. ..., actuando en nombre y representación propios en calidad de informante, ante este órgano comparezco y como mejor proceda en Derecho, DIGO:

**PRIMERO.-** En fecha ... se interpuso comunicación interna sobre hechos presuntamente irregulares acontecidos en la entidad ...

**SEGUNDO.-** En fecha ... se produce la modificación sustancial de las condiciones de trabajo consistentes en ... en la empresa ..., como represalia por la presentación de la comunicación descrita en el Ordinal Primero.

Se acompaña comunicación de modificación sustancial de las condiciones de trabajo de la entidad ... como documento número 1º.

**TERCERO.-** Que dicha modificación sustancial de las condiciones de trabajo se ha producido sin la existencia de causa justificada, en contravención de lo establecido en el Estatuto de los Trabajadores y en el convenio colectivo aplicable y en frontal oposición con lo dispuesto en el artículo 36.3º.a) de la Ley 2/2023, de 20 de febrero, reguladora de la protección de las personas que informen sobre infracciones normativas y de lucha contra la corrupción.

**CUARTO.-** Procede la aplicación de las medidas de protección al informante previstas en el Título VII de la Ley 2/2023, de 20 de febrero, reguladora de la protección de las personas que informen sobre infracciones normativas y de lucha contra la corrupción.

En su virtud,

**SOLICITO A LA AUTORIDAD INDEPENDIENTE DE PROTECCIÓN DEL INFORMANTE:** Que habiendo por presentado este escrito con el documento que se acompaña, tenga a bien admitirlo y acuerde las medidas de protección al informante por modificación sustancial de las condiciones de trabajo consistentes en ....

Lugar, fecha y Firma.

**Solicitud de medida de protección por la no conversión de un contrato de trabajo temporal en uno indefinido, en caso de que el trabajador tuviera expectativas legítimas de que se le ofrecería un trabajo indefinido**

### A LA AUTORIDAD INDEPENDIENTE DE PROTECCIÓN DEL INFORMANTE (A.A.I.)

D. ..., actuando en nombre y representación propios en calidad de informante, ante este órgano comparezco y como mejor proceda en Derecho, DIGO:

**PRIMERO.-** En fecha ... se interpuso comunicación interna sobre hechos presuntamente irregulares acontecidos en la entidad ...

**SEGUNDO.-** En fecha ... se produce la no conversión de contrato temporal en uno indefinido en la empresa ..., como represalia por la presentación de la comunicación descrita en el Ordinal Primero.

Advertir que la productividad de la persona que suscribe ha sido superior al 200% del resto de empleados con puesto similar y sigue vacante el puesto al que se aspiraba.

Se acompaña comunicación de suspensión de contrato de trabajo de la entidad ..., informe de productividad y oferta de empleo como documentos números 1°, 2° y 3°, respectivamente.

**TERCERO.-** Que dicha no conversión de contrato temporal en indefinido se ha producido sin la existencia de causa justificada, en contravención de lo establecido en el Estatuto de los Trabajadores y en el convenio colectivo aplicable y en frontal oposición con lo dispuesto en el artículo 36.3.a) de la Ley 2/2023, de 20 de febrero, reguladora de la protección de las personas que informen sobre infracciones normativas y de lucha contra la corrupción.

**CUARTO.-** Procede la aplicación de las medidas de protección al informante previstas en el Título VII de la Ley 2/2023, de 20 de febrero, reguladora de la protección de las personas que informen sobre infracciones normativas y de lucha contra la corrupción.

En su virtud,

**SOLICITO A LA AUTORIDAD INDEPENDIENTE DE PROTECCIÓN DEL INFORMANTE:** Que habiendo por presentado este escrito con los documentos que se acompañan, tenga a bien admitirlo y acuerde las medidas de protección al informante por no conversión de contrato temporal en indefinido.

Lugar, fecha y Firma.

## Solicitud de medida de protección por daños en general

### A LA AUTORIDAD INDEPENDIENTE DE PROTECCIÓN DEL INFORMANTE (A.A.I.)

D. ..., actuando en nombre y representación propios en calidad de informante, ante este órgano comparezco y como mejor proceda en Derecho, DIGO:

**PRIMERO.–** En fecha ... se interpuso comunicación interna sobre hechos presuntamente irregulares acontecidos en la entidad ...

**SEGUNDO.–** En fecha ... se producen, como represalia por la presentación de la comunicación descrita en el Ordinal Primero, los siguientes daños: ...

Se acompaña documental con los daños sufridos ... como documento número 1º.

**TERCERO.–** Que dichos daños se han producido sin la existencia de causa justificada, en frontal oposición con lo dispuesto en el artículo 36.3.b) de la Ley 2/2023, de 20 de febrero, reguladora de la protección de las personas que informen sobre infracciones normativas y de lucha contra la corrupción.

**CUARTO.–** Procede la aplicación de las medidas de protección al informante previstas en el Título VII de la Ley 2/2023, de 20 de febrero, reguladora de la protección de las personas que informen sobre infracciones normativas y de lucha contra la corrupción.

En su virtud,

**SOLICITO A LA AUTORIDAD INDEPENDIENTE DE PROTECCIÓN DEL INFORMANTE:** Que habiendo por presentado este escrito con el documento que se acompaña, tenga a bien admitirlo y acuerde las medidas de protección al informante por daños.

Lugar, fecha y Firma.

## Solicitud de medida de protección por daños reputacionales

### A LA AUTORIDAD INDEPENDIENTE DE PROTECCIÓN DEL INFORMANTE (A.A.I.)

D. ..., actuando en nombre y representación propios en calidad de informante, ante este órgano comparezco y como mejor proceda en Derecho, DIGO:

**PRIMERO.–** En fecha ... se interpuso comunicación interna sobre hechos presuntamente irregulares acontecidos en la entidad ...

**SEGUNDO.–** En fecha ... se producen, como represalia por la presentación de la comunicación descrita en el Ordinal Primero, los siguientes daños reputacionales: ...

Se acompaña documental con los daños reputacionales sufridos ... como documento número 1°.

**TERCERO.–** Que dichos daños reputacionales se han producido sin la existencia de causa justificada, en frontal oposición con lo dispuesto en el artículo 36.3.b) de la Ley 2/2023, de 20 de febrero, reguladora de la protección de las personas que informen sobre infracciones normativas y de lucha contra la corrupción.

**CUARTO.–** Procede la aplicación de las medidas de protección al informante previstas en el Título VII de la Ley 2/2023, de 20 de febrero, reguladora de la protección de las personas que informen sobre infracciones normativas y de lucha contra la corrupción.

En su virtud,

**SOLICITO A LA AUTORIDAD INDEPENDIENTE DE PROTECCIÓN DEL INFORMANTE:** Que habiendo por presentado este escrito con el documento que se acompaña, tenga a bien admitirlo y acuerde las medidas de protección al informante por daños reputacionales.

Lugar, fecha y Firma.

## Solicitud de medida de protección por pérdidas económicas

### A LA AUTORIDAD INDEPENDIENTE DE PROTECCIÓN DEL INFORMANTE (A.A.I.)

D. ..., actuando en nombre y representación propios en calidad de informante, ante este órgano comparezco y como mejor proceda en Derecho, DIGO:

**PRIMERO.–** En fecha ... se interpuso comunicación interna sobre hechos presuntamente irregulares acontecidos en la entidad ...

**SEGUNDO.–** En fecha ... se producen, como represalia por la presentación de la comunicación descrita en el Ordinal Primero, las siguientes pérdidas económicas: ...

Se acompaña documental donde se acreditan las pérdidas económicas sufridas ... como documento número 1°.

**TERCERO.–** Que dichas pérdidas económicas se han producido sin la existencia de causa justificada, en frontal oposición con lo dispuesto en el artículo 36.3.b) de la Ley 2/2023, de 20 de febrero, reguladora de la protección de las personas que informen sobre infracciones normativas y de lucha contra la corrupción.

**CUARTO.–** Procede la aplicación de las medidas de protección al informante previstas en el Título VII de la Ley 2/2023, de 20 de febrero, reguladora de la protección de las personas que informen sobre infracciones normativas y de lucha contra la corrupción.

En su virtud,

**SOLICITO A LA AUTORIDAD INDEPENDIENTE DE PROTECCIÓN DEL INFORMANTE:** Que habiendo por presentado este escrito con el documento que se acompaña, tenga a bien admitirlo y acuerde las medidas de protección al informante por pérdidas económicas.

Lugar, fecha y Firma.

## Solicitud de medida de protección por coacciones

### A LA AUTORIDAD INDEPENDIENTE DE PROTECCIÓN DEL INFORMANTE (A.A.I.)

D. ..., actuando en nombre y representación propios en calidad de informante, ante este órgano comparezco y como mejor proceda en Derecho, DIGO:

**PRIMERO.–** En fecha ... se interpuso comunicación interna sobre hechos presuntamente irregulares acontecidos en la entidad ...

**SEGUNDO.–** En fecha ... se producen, como represalia por la presentación de la comunicación descrita en el Ordinal Primero, las siguientes coacciones: ...

Se acompaña documental con las coacciones sufridas como documento número 1º.

**TERCERO.–** Que dichas coacciones se han producido sin la existencia de causa justificada, en frontal oposición con lo dispuesto en el artículo 36.3.c) de la Ley 2/2023, de 20 de febrero, reguladora de la protección de las personas que informen sobre infracciones normativas y de lucha contra la corrupción.

**CUARTO.–** Procede la aplicación de las medidas de protección al informante previstas en el Título VII de la Ley 2/2023, de 20 de febrero, reguladora de la protección de las personas que informen sobre infracciones normativas y de lucha contra la corrupción.

En su virtud,

**SOLICITO A LA AUTORIDAD INDEPENDIENTE DE PROTECCIÓN DEL INFORMANTE:** Que habiendo por presentado este escrito con el documento que se acompaña, tenga a bien admitirlo y acuerde las medidas de protección al informante por coacciones.

Lugar, fecha y Firma.

## Solicitud de medida de protección por intimidaciones

**A LA AUTORIDAD INDEPENDIENTE DE PROTECCIÓN DEL INFORMANTE (A.A.I.)**

D. ..., actuando en nombre y representación propios en calidad de informante, ante este órgano comparezco y como mejor proceda en Derecho, DIGO:

**PRIMERO.–** En fecha ... se interpuso comunicación interna sobre hechos presuntamente irregulares acontecidos en la entidad ...

**SEGUNDO.–** En fecha ... se producen, como represalia por la presentación de la comunicación descrita en el Ordinal Primero, las siguientes intimidaciones: ...

Se acompaña documental con los daños sufridos ... como documento número 1°.

**TERCERO.–** Que dichas intimidaciones se han producido sin la existencia de causa justificada, en frontal oposición con lo dispuesto en el artículo 36.3°.b) de la Ley 2/2023, de 20 de febrero, reguladora de la protección de las personas que informen sobre infracciones normativas y de lucha contra la corrupción.

**CUARTO.–** Procede la aplicación de las medidas de protección al informante previstas en el Título VII de la Ley 2/2023, de 20 de febrero, reguladora de la protección de las personas que informen sobre infracciones normativas y de lucha contra la corrupción.

En su virtud,

**SOLICITO A LA AUTORIDAD INDEPENDIENTE DE PROTECCIÓN DEL INFORMANTE:** Que habiendo por presentado este escrito con el documento que se acompaña, tenga a bien admitirlo y acuerde las medidas de protección al informante por intimidaciones.

Lugar, fecha y Firma.

## Solicitud de medida de protección por acoso

### A LA AUTORIDAD INDEPENDIENTE DE PROTECCIÓN DEL INFORMANTE (A.A.I.)

D. …, actuando en nombre y representación propios en calidad de informante, ante este órgano comparezco y como mejor proceda en Derecho, DIGO:

**PRIMERO.–** En fecha … se interpuso comunicación interna sobre hechos presuntamente irregulares acontecidos en la entidad …

**SEGUNDO.–** A partir de la fecha … la persona que suscribe comienza a sufrir episodios de acoso constante por parte de sus compañeros de trabajo, así como del superior, como represalia por la presentación de la comunicación descrita en el Ordinal Primero.

Se acompañan grabaciones de voz del acoso sufrido como prueba.

**TERCERO.–** Que dicho acoso se ha producido sin la existencia de causa justificada, en contravención de lo establecido en el Estatuto de los Trabajadores y en el convenio colectivo aplicable y en frontal oposición con lo dispuesto en el artículo 36.3º.b) de la Ley 2/2023, de 20 de febrero, reguladora de la protección de las personas que informen sobre infracciones normativas y de lucha contra la corrupción.

**CUARTO.–** Procede la aplicación de las medidas de protección al informante previstas en el Título VII de la Ley 2/2023, de 20 de febrero, reguladora de la protección de las personas que informen sobre infracciones normativas y de lucha contra la corrupción.

En su virtud,

**SOLICITO A LA AUTORIDAD INDEPENDIENTE DE PROTECCIÓN DEL INFORMANTE:** Que habiendo por presentado este escrito, tenga a bien admitirlo junto con la prueba propuesta y acuerde las medidas de protección al informante por acoso.

Lugar, fecha y Firma.

## Solicitud de medida de protección por ostracismo

### A LA AUTORIDAD INDEPENDIENTE DE PROTECCIÓN DEL INFORMANTE (A.A.I.)

D. ..., actuando en nombre y representación propios en calidad de informante, ante este órgano comparezco y como mejor proceda en Derecho, DIGO:

**PRIMERO.–** En fecha ... se interpuso comunicación interna sobre hechos presuntamente irregulares acontecidos en la entidad ...

**SEGUNDO.–** A partir de la fecha ... la persona que suscribe ha resultado condenada al ostracismo por parte de sus compañeros de trabajo, así como del superior, como represalia por la presentación de la comunicación descrita en el Ordinal Primero.

Se acompañan grabaciones de voz del ostracismo sufrido como prueba.

**TERCERO.–** Que dicho ostracismo se ha producido sin la existencia de causa justificada, en contravención de lo establecido en el Estatuto de los Trabajadores y en el convenio colectivo aplicable y en frontal oposición con lo dispuesto en el artículo 36.3º.b) de la Ley 2/2023, de 20 de febrero, reguladora de la protección de las personas que informen sobre infracciones normativas y de lucha contra la corrupción.

**CUARTO.–** Procede la aplicación de las medidas de protección al informante previstas en el Título VII de la Ley 2/2023, de 20 de febrero, reguladora de la protección de las personas que informen sobre infracciones normativas y de lucha contra la corrupción.

En su virtud,

**SOLICITO A LA AUTORIDAD INDEPENDIENTE DE PROTECCIÓN DEL INFORMANTE:** Que habiendo por presentado este escrito, tenga a bien admitirlo junto con la prueba propuesta y acuerde las medidas de protección al informante por ostracismo.

Lugar, fecha y Firma.

## Solicitud de medida de protección por evaluación o referencias negativas respecto al desempeño laboral o profesional

### A LA AUTORIDAD INDEPENDIENTE DE PROTECCIÓN DEL INFORMANTE (A.A.I.)

D. ..., actuando en nombre y representación propios en calidad de informante, ante este órgano comparezco y como mejor proceda en Derecho, DIGO:

**PRIMERO.–** En fecha ... se interpuso comunicación interna sobre hechos presuntamente irregulares acontecidos en la entidad ...

**SEGUNDO.–** Que las posteriores evaluaciones y referencias respecto al desempeño laboral o profesional de la persona que suscribe han resultado todas ellas negativas, como represalia por la presentación de la comunicación descrita en el Ordinal Primero.

Se acompañan evaluaciones y referencias negativas respecto al desempeño laboral o profesional de la entidad ... como documento número 1°.

**TERCERO.–** Que dichas evaluaciones y referencias negativas se han producido sin la existencia de causa justificada, en contravención de lo establecido en el Estatuto de los Trabajadores y en el convenio colectivo aplicable y en frontal oposición con lo dispuesto en el artículo 36.3°.c) de la Ley 2/2023, de 20 de febrero, reguladora de la protección de las personas que informen sobre infracciones normativas y de lucha contra la corrupción.

**CUARTO.–** Procede la aplicación de las medidas de protección al informante previstas en el Título VII de la Ley 2/2023, de 20 de febrero, reguladora de la protección de las personas que informen sobre infracciones normativas y de lucha contra la corrupción.

En su virtud,

**SOLICITO A LA AUTORIDAD INDEPENDIENTE DE PROTECCIÓN DEL INFORMANTE:** Que habiendo por presentado este escrito con el documento que se acompaña, tenga a bien admitirlo y acuerde las medidas de protección al informante por evaluaciones y referencias negativas respecto al desempeño laboral o profesional.

Lugar, fecha y Firma.

## Solicitud de medida de protección por inclusión en listas negras

### A LA AUTORIDAD INDEPENDIENTE DE PROTECCIÓN DEL INFORMANTE (A.A.I.)

D. ..., actuando en nombre y representación propios en calidad de informante, ante este órgano comparezco y como mejor proceda en Derecho, DIGO:

**PRIMERO.–** En fecha ... se interpuso comunicación interna sobre hechos presuntamente irregulares acontecidos en la entidad ...

**SEGUNDO.–** A partir de la fecha ... la persona que suscribe ha sido incluida en listas negras de trabajadores a no contratar, como represalia por la presentación de la comunicación descrita en el Ordinal Primero, como relata el testigo D. ...

**TERCERO.–** Que dicha inclusión en listas negras se ha producido sin la existencia de causa justificada, en contravención de lo establecido en el Estatuto de los Trabajadores y en el convenio colectivo aplicable y en frontal oposición con lo dispuesto en el artículo 36.3°.d) de la Ley 2/2023, de 20 de febrero, reguladora de la protección de las personas que informen sobre infracciones normativas y de lucha contra la corrupción.

**CUARTO.–** Procede la aplicación de las medidas de protección al informante previstas en el Título VII de la Ley 2/2023, de 20 de febrero, reguladora de la protección de las personas que informen sobre infracciones normativas y de lucha contra la corrupción.

En su virtud,

**SOLICITO A LA AUTORIDAD INDEPENDIENTE DE PROTECCIÓN DEL INFORMANTE:** Que habiendo por presentado este escrito, tenga a bien admitirlo junto con la prueba testifical propuesta, indica lugar y fecha para su práctica y acuerde las medidas de protección al informante por inclusión en listas negras.

Lugar, fecha y Firma.

## Solicitud de medida de protección por difusión de información en un determinado ámbito sectorial, que dificulten o impidan el acceso al empleo

### A LA AUTORIDAD INDEPENDIENTE DE PROTECCIÓN DEL INFORMANTE (A.A.I.)

D. ..., actuando en nombre y representación propios en calidad de informante, ante este órgano comparezco y como mejor proceda en Derecho, DIGO:

**PRIMERO.–** En fecha ... se interpuso comunicación interna sobre hechos presuntamente irregulares acontecidos en la entidad ...

**SEGUNDO.–** A partir de la fecha ... se ha difundido información en el ámbito sectorial donde trabaja el informante dificultando e impidiendo el acceso al empleo, como represalia por la presentación de la comunicación descrita en el Ordinal Primero.

Se acompaña artículo de prensa como documento número 1°.

**TERCERO.–** Que dicha difusión de información se ha producido sin la existencia de causa justificada, en contravención de lo establecido en el Estatuto de los Trabajadores y en el convenio colectivo aplicable y en frontal oposición con lo dispuesto en el artículo 36.3°.d) de la Ley 2/2023, de 20 de febrero, reguladora de la protección de las personas que informen sobre infracciones normativas y de lucha contra la corrupción.

**CUARTO.–** Procede la aplicación de las medidas de protección al informante previstas en el Título VII de la Ley 2/2023, de 20 de febrero, reguladora de la protección de las personas que informen sobre infracciones normativas y de lucha contra la corrupción.

En su virtud,

**SOLICITO A LA AUTORIDAD INDEPENDIENTE DE PROTECCIÓN DEL INFORMANTE:** Que habiendo por presentado este escrito con el documento que se acompaña, tenga a bien admitirlo y acuerde las medidas de protección al informante por difusión de información en un determinado ámbito sectorial dificultando o impidiendo el acceso al empleo.

Lugar, fecha y Firma.

## Solicitud de medida de protección por información en un determinado ámbito sectorial, que dificulten la contratación de obras o servicios

### A LA AUTORIDAD INDEPENDIENTE DE PROTECCIÓN DEL INFORMANTE (A.A.I.)

D. ..., actuando en nombre y representación propios en calidad de informante, ante este órgano comparezco y como mejor proceda en Derecho, DIGO:

**PRIMERO.–** En fecha ... se interpuso comunicación interna sobre hechos presuntamente irregulares acontecidos en la entidad ...

**SEGUNDO.–** A partir de la fecha ... se ha difundido información en el ámbito sectorial donde trabaja el informante dificultando e impidiendo el acceso a la contratación de obras o servicios, como represalia por la presentación de la comunicación descrita en el Ordinal Primero.

Se acompaña artículo de prensa como documento número 1º.

**TERCERO.–** Que dicha difusión de información se ha producido sin la existencia de causa justificada y en frontal oposición con lo dispuesto en el artículo 36.3º.d) de la Ley 2/2023, de 20 de febrero, reguladora de la protección de las personas que informen sobre infracciones normativas y de lucha contra la corrupción.

**CUARTO.–** Procede la aplicación de las medidas de protección al informante previstas en el Título VII de la Ley 2/2023, de 20 de febrero, reguladora de la protección de las personas que informen sobre infracciones normativas y de lucha contra la corrupción.

En su virtud,

**SOLICITO A LA AUTORIDAD INDEPENDIENTE DE PROTECCIÓN DEL INFORMANTE:** Que habiendo por presentado este escrito con el documento que se acompaña, tenga a bien admitirlo y acuerde las medidas de protección al informante por difusión de información en un determinado ámbito sectorial dificultando o impidiendo el acceso a la contratación de obras o servicios.

Lugar, fecha y Firma.

## Solicitud de medida de protección por denegación de formación

### A LA AUTORIDAD INDEPENDIENTE DE PROTECCIÓN DEL INFORMANTE (A.A.I.)

D. ..., actuando en nombre y representación propios en calidad de informante, ante este órgano comparezco y como mejor proceda en Derecho, DIGO:

**PRIMERO.–** En fecha ... se interpuso comunicación interna sobre hechos presuntamente irregulares acontecidos en la entidad ...

**SEGUNDO.–** A partir de la fecha ... se ha denegado continuamente la formación en la entidad ..., como represalia por la presentación de la comunicación descrita en el Ordinal Primero.

Se acompaña hoja de formaciones de la entidad ... como documento número 1°.

**TERCERO.–** Que dicha difusión de información se ha producido sin la existencia de causa justificada, en contravención de lo establecido en el Estatuto de los Trabajadores y en el convenio colectivo aplicable y en frontal oposición con lo dispuesto en el artículo 36.3°.e) de la Ley 2/2023, de 20 de febrero, reguladora de la protección de las personas que informen sobre infracciones normativas y de lucha contra la corrupción.

**CUARTO.–** Procede la aplicación de las medidas de protección al informante previstas en el Título VII de la Ley 2/2023, de 20 de febrero, reguladora de la protección de las personas que informen sobre infracciones normativas y de lucha contra la corrupción.

En su virtud,

**SOLICITO A LA AUTORIDAD INDEPENDIENTE DE PROTECCIÓN DEL INFORMANTE:** Que habiendo por presentado este escrito con el documento que se acompaña, tenga a bien admitirlo y acuerde las medidas de protección al informante dificultando o impidiendo el acceso a la forma en el empleo.

Lugar, fecha y Firma.

## Solicitud de medida de protección por discriminación

**A LA AUTORIDAD INDEPENDIENTE DE PROTECCIÓN DEL INFORMANTE (A.A.I.)**

D. ..., actuando en nombre y representación propios en calidad de informante, ante este órgano comparezco y como mejor proceda en Derecho, DIGO:

**PRIMERO.–** En fecha ... se interpuso comunicación interna sobre hechos presuntamente irregulares acontecidos en la entidad ...

**SEGUNDO.–** A partir de la fecha ... la persona que suscribe ha comenzado a sufrir discriminación en diversas modalidades por parte de ciertos compañeros y sus superiores, como represalia por la presentación de la comunicación descrita en el Ordinal Primero.

**TERCERO.–** Que dicha discriminación se ha producido sin la existencia de causa justificada, en contravención de lo establecido en el Estatuto de los Trabajadores y en el convenio colectivo aplicable y en frontal oposición con lo dispuesto en el artículo 36.3°.f) de la Ley 2/2023, de 20 de febrero, reguladora de la protección de las personas que informen sobre infracciones normativas y de lucha contra la corrupción.

**CUARTO.–** Procede la aplicación de las medidas de protección al informante previstas en el Título VII de la Ley 2/2023, de 20 de febrero, reguladora de la protección de las personas que informen sobre infracciones normativas y de lucha contra la corrupción.

En su virtud,

**SOLICITO A LA AUTORIDAD INDEPENDIENTE DE PROTECCIÓN DEL INFORMANTE:** Que habiendo por presentado este escrito, tenga a bien admitirlo y acuerde las medidas de protección al informante por discriminación.

Lugar, fecha y Firma.

**OTROSÍ DIGO:** Como prueba se propone:

– Testifical: D. ... con domicilio a efectos de notificaciones en ..., por ser compañero de trabajo que observa las discriminaciones sufridas por el informante. Por ello,

**SOLICITO A LA AUTORIDAD INDEPENDIENTE DE PROTECCIÓN DEL INFORMANTE:** Que tenga por propuesta la prueba, la admita e indique fecha y hora para su celebración.

En lugar y fecha *ut supra*.

## Solicitud de medida de protección por trato desfavorable

### A LA AUTORIDAD INDEPENDIENTE DE PROTECCIÓN DEL INFORMANTE (A.A.I.)

D. ..., actuando en nombre y representación propios en calidad de informante, ante este órgano comparezco y como mejor proceda en Derecho, DIGO:

**PRIMERO.-** En fecha ... se interpuso comunicación interna sobre hechos presuntamente irregulares acontecidos en la entidad ...

**SEGUNDO.-** A partir de la fecha ... la persona que suscribe ha comenzado a sufrir un trato desfavorable por parte de ciertos compañeros y sus superiores, como represalia por la presentación de la comunicación descrita en el Ordinal Primero.

**TERCERO.-** Que dicho trato desfavorable se ha producido sin la existencia de causa justificada, en contravención de lo establecido en el Estatuto de los Trabajadores y en el convenio colectivo aplicable y en frontal oposición con lo dispuesto en el artículo 36.3°.g) de la Ley 2/2023, de 20 de febrero, reguladora de la protección de las personas que informen sobre infracciones normativas y de lucha contra la corrupción.

**CUARTO.-** Procede la aplicación de las medidas de protección al informante previstas en el Título VII de la Ley 2/2023, de 20 de febrero, reguladora de la protección de las personas que informen sobre infracciones normativas y de lucha contra la corrupción.

En su virtud,

**SOLICITO A LA AUTORIDAD INDEPENDIENTE DE PROTECCIÓN DEL INFORMANTE:** Que habiendo por presentado este escrito, tenga a bien admitirlo y acuerde las medidas de protección al informante por trato desfavorable.

Lugar, fecha y Firma.

**OTROSÍ DIGO:** Como prueba se propone:

– Testifical: D. ... con domicilio a efectos de notificaciones en ..., por ser compañero de trabajo que observa el trato desfavorable sufrido por el informante. Por ello,

**SOLICITO A LA AUTORIDAD INDEPENDIENTE DE PROTECCIÓN DEL INFORMANTE:** Que tenga por propuesta la prueba, la admita e indique fecha y hora para su celebración.

En lugar y fecha *ut supra*.

## Solicitud de medida de protección por trato injusto

### A LA AUTORIDAD INDEPENDIENTE DE PROTECCIÓN DEL INFORMANTE (A.A.I.)

D. ..., actuando en nombre y representación propios en calidad de informante, ante este órgano comparezco y como mejor proceda en Derecho, DIGO:

**PRIMERO.–** En fecha ... se interpuso comunicación interna sobre hechos presuntamente irregulares acontecidos en la entidad ...

**SEGUNDO.–** A partir de la fecha ... la persona que suscribe ha comenzado a sufrir un trato injusto por parte de ciertos compañeros y sus superiores, como represalia por la presentación de la comunicación descrita en el Ordinal Primero.

**TERCERO.–** Que dicho trato injusto se ha producido sin la existencia de causa justificada, en contravención de lo establecido en el Estatuto de los Trabajadores y en el convenio colectivo aplicable y en frontal oposición con lo dispuesto en el artículo 36.3.g) de la Ley 2/2023, de 20 de febrero, reguladora de la protección de las personas que informen sobre infracciones normativas y de lucha contra la corrupción.

**CUARTO.–** Procede la aplicación de las medidas de protección al informante previstas en el Título VII de la Ley 2/2023, de 20 de febrero, reguladora de la protección de las personas que informen sobre infracciones normativas y de lucha contra la corrupción.

En su virtud,

**SOLICITO A LA AUTORIDAD INDEPENDIENTE DE PROTECCIÓN DEL INFORMANTE:** Que habiendo por presentado este escrito, tenga a bien admitirlo y acuerde las medidas de protección al informante por trato injusto.

Lugar, fecha y Firma.

**OTROSÍ DIGO:** Como prueba se propone:

– Testifical: D. ... con domicilio a efectos de notificaciones en ..., por ser compañero de trabajo que observa el trato injusto sufrido por el informante. Por ello,

**SOLICITO A LA AUTORIDAD INDEPENDIENTE DE PROTECCIÓN DEL INFORMANTE:** Que tenga por propuesta la prueba, la admita e indique fecha y hora para su celebración.

En lugar y fecha *ut supra*.

**Solicitud de medida de protección por la persona que viera lesionados sus derechos por causa de su comunicación o revelación una vez transcurrido el plazo de dos años**

## A LA AUTORIDAD INDEPENDIENTE DE PROTECCIÓN DEL INFORMANTE (A.A.I.)

D. ..., actuando en nombre y representación propios en calidad de informante, ante este órgano comparezco y como mejor proceda en Derecho, DIGO:

**PRIMERO.–** En fecha ... se interpuso comunicación interna sobre hechos presuntamente irregulares acontecidos en la entidad ...

**SEGUNDO.–** En fecha ... se finalizaron las investigaciones resultando en la efectiva comisión de infracciones normativas por D. ...

**TERCERO.–** En fecha ... (superior a dos años tras la finalización de la investigación) la persona que suscribe ha resultado despedida por transgresión de la buena fe contractual debido a la presentación de la comunicación descrita en el Ordinal Primero.

Se aporta carta de despido como documento número 1°.

**CUARTO.–** Que dicha represalia se ha producido sin la existencia de causa justificada, en contravención de lo establecido en el Estatuto de los Trabajadores y en el convenio colectivo aplicable y en frontal oposición con lo dispuesto en el artículo 36.4° de la Ley 2/2023, de 20 de febrero, reguladora de la protección de las personas que informen sobre infracciones normativas y de lucha contra la corrupción.

**QUINTO.–** Procede la aplicación de las medidas de protección al informante previstas en el Título VII de la Ley 2/2023, de 20 de febrero, reguladora de la protección de las personas que informen sobre infracciones normativas y de lucha contra la corrupción.

En su virtud,

**SOLICITO A LA AUTORIDAD INDEPENDIENTE DE PROTECCIÓN DEL INFORMANTE:** Que habiendo por presentado este escrito con el documento que se acompaña, tenga a bien admitirlos y acuerde las medidas de protección al informante por sufrir represalias transcurrido el plazo de dos años.

Lugar, fecha y Firma.

## Resolución de la autoridad competente extendiendo excepcionalmente el período de protección

### AUTORIDAD INDEPENDIENTE DE PROTECCIÓN DEL INFORMANTE (A.A.I.)

Número de expediente: …

Fecha: …

De conformidad con lo dispuesto en el artículo 36.4 de la Ley 2/2023, de 20 de febrero, reguladora de la protección de las personas que informen sobre infracciones normativas y de lucha contra la corrupción, se procede a acordar la extensión excepcional de la protección prevista en el Título VII de la antedicha Ley, en base a los siguientes

### ANTECEDENTES DE HECHO

**PRIMERO.–** En fecha … se recibe comunicación de D. … en la que se denunciaba una posible infracción normativa relativa a … en la entidad …

**SEGUNDO.–** Se realizó una investigación interna para determinar la veracidad de los hechos comunicados concluyendo en la veracidad de la comunicación interpuesta.

**TERCERO.–** Pasados dos años de la finalización de la investigación relatada en el Ordinal Segundo, el informante solicita medidas de protección excepcionales ante la Autoridad Independiente de Protección del Informante.

**CUARTO.–** La anterior solicitud se justifica en las siguientes: …

**QUINTO.–** En fecha … se abrió plazo de trámite de audiencia a las personas u órganos que pudieran verse afectados en los términos del artículo 36.4° de la Ley 2/2023, de 20 de febrero, reguladora de la protección de las personas que informen sobre infracciones normativas y de lucha contra la corrupción sin que conste haber recibido contestación.

**SEXTO.–** Procede la concesión de la protección excepcional en los términos del artículo 36.4° de la Ley 2/2023, de 20 de febrero, reguladora de la protección de las personas que informen sobre infracciones normativas y de lucha contra la corrupción.

### RESUELVO

**PRIMERO.–** Acordar de forma excepcional la protección al informante.

**SEGUNDO.–** Notificar la presente resolución al informante y a las personas interesadas.

**TERCERO.–** Informar que, en base a lo dispuesto en el artículo 50.1° de la Ley 2/2023, de 20 de febrero, reguladora de la protección de las personas que informen sobre infracciones normativas y de lucha contra la corrupción, la presente resolución pone fin a la vía administrativa, siendo únicamente recurribles ante la Jurisdicción Contencioso-Administrativa en el plazo de dos meses desde la notificación de la resolución ante la Sala de lo Contencioso-Administrativo de la Audiencia Nacional.

Fecha y Firma.

**Resolución de la autoridad competente acordando la audiencia de las personas u órganos que se pudieran ver afectados a los efectos de extender excepcionalmente el período de protección**

### AUTORIDAD INDEPENDIENTE DE PROTECCIÓN DEL INFORMANTE (A.A.I.)

Número de expediente: …

Fecha: …

De conformidad con lo dispuesto en el artículo 36.4° de la Ley 2/2023, de 20 de febrero, reguladora de la protección de las personas que informen sobre infracciones normativas y de lucha contra la corrupción, se procede a acordar la audiencia de las personas u órganos que pudieran verse afectados a los efectos de entender excepcionalmente el período de protección, en base a los siguientes

### ANTECEDENTES DE HECHO

**PRIMERO.–** En fecha … se recibe comunicación de D. … en la que se denunciaba una posible infracción normativa relativa a … en la entidad …

**SEGUNDO.–** Se realizó una investigación interna para determinar la veracidad de los hechos comunicados concluyendo en la veracidad de la comunicación interpuesta.

**TERCERO.–** Pasados dos años de la finalización de la investigación relatada en el Ordinal Segundo, el informante solicita medidas de protección excepcionales ante la Autoridad Independiente de Protección del Informante justificándola en base a los siguientes motivos: …

**CUARTO.–** En aplicación del artículo 36.4° de la Ley 2/2023, de 20 de febrero, reguladora de la protección de las personas que informen sobre infracciones normativas y de lucha contra la corrupción, procede ofrecer trámite de audiencia a las personas u órganos que pudieran verse afectados a los efectos de la concesión excepcional de las medidas de protección al informante.

### RESUELVO

**PRIMERO.–** Acordar la apertura de trámite de audiencia a las personas u órganos que pudieran verse afectados por la concesión excepcional de las medidas de protección al informante.

**SEGUNDO.–** Notificar la presente resolución al informante y las personas u órganos que pudieran verse afectados.

**TERCERO.–** Informar que, en base a lo dispuesto en el artículo 50.2° de la Ley 2/2023, de 20 de febrero, reguladora de la protección de las personas que informen sobre infracciones normativas y de lucha contra la corrupción, contra la presente resolución puede interponerse recurso de alzada en el plazo de un mes a contar desde la notificación de la presente resolución.

Fecha y Firma.

## Resolución de la autoridad competente denegando extender excepcionalmente el período de protección

### AUTORIDAD INDEPENDIENTE DE PROTECCIÓN DEL INFORMANTE (A.A.I.)

Número de expediente: ...

Fecha: ...

De conformidad con lo dispuesto en el artículo 36.4° de la Ley 2/2023, de 20 de febrero, reguladora de la protección de las personas que informen sobre infracciones normativas y de lucha contra la corrupción, se procede a denegar la extensión excepcional de la protección prevista en el Título VII de la antedicha Ley, en base a los siguientes

### ANTECEDENTES DE HECHO

**PRIMERO.–** En fecha ... se recibe comunicación de D. ... en la que se denunciaba una posible infracción normativa relativa a ... en la entidad ...

**SEGUNDO.–** Se realizó una investigación interna para determinar la veracidad de los hechos comunicados concluyendo en el archivo de la misma.

**TERCERO.–** Pasados dos años de la finalización de la investigación relatada en el Ordinal Segundo, el informante solicita medidas de protección excepcionales ante la Autoridad Independiente de Protección del Informante sin justificar sus argumentos.

**CUARTO.–** En fecha ... se abrió plazo de trámite de audiencia a las personas u órganos que pudieran verse afectados en los términos del artículo 36.4° de la Ley 2/2023, de 20 de febrero, reguladora de la protección de las personas que informen sobre infracciones normativas y de lucha contra la corrupción recibiéndose respuesta de la entidad ... alegando que la comunicación se encontraba fuera del ámbito de aplicación de la Ley 2/2023, así como que la solicitud carecía de justificación como exige el artículo 36.4 de la citada Ley.

**QUINTO.–** Procede la denegación de la protección excepcional en los términos del artículo 36.4° de la Ley 2/2023, de 20 de febrero, reguladora de la protección de las personas que informen sobre infracciones normativas y de lucha contra la corrupción.

### RESUELVO

**PRIMERO.–** Denegar la extensión excepcional de la protección al informante.

**SEGUNDO.–** Notificar la presente resolución al informante y a las personas interesadas.

**TERCERO.–** Informar que, en base a lo dispuesto en el artículo 50.1 de la Ley 2/2023, de 20 de febrero, reguladora de la protección de las personas que informen sobre infracciones normativas y de lucha contra la corrupción, la presente resolución pone fin a la vía administrativa, siendo únicamente recurribles ante la jurisdicción contencioso-administrativa en el plazo de dos meses desde la notificación de la resolución ante la Sala de lo Contencioso-Administrativo de la Audiencia Nacional.

Fecha y Firma.

## Solicitud del interesado solicitando la nulidad de actos administrativos que tengan por objeto impedir o dificultar la presentación de comunicaciones y revelaciones en general

**A LA AUTORIDAD INDEPENDIENTE DE PROTECCIÓN DEL INFORMANTE (A.A.I.)**

D. ..., actuando en nombre y representación propios en calidad de informante, ante este órgano comparezco y como mejor proceda en Derecho, DIGO:

**PRIMERO.–** En fecha ..., la Administración Pública ... dictó acto administrativo por el que se impedía o dificultaba la presentación de comunicaciones y revelaciones en general.

Se acompaña copia del acto administrativo como documento número 1°.

**SEGUNDO.–** Que dicho acto administrativo infringe lo dispuesto en el artículo 36.5° de la Ley 2/2023, de 20 de febrero, reguladora de la protección de las personas que informen sobre infracciones normativas y de lucha contra la corrupción que establece la nulidad de pleno derecho de dichos actos.

En su virtud,

**SOLICITO A LA AUTORIDAD INDEPENDIENTE DE PROTECCIÓN DEL INFORMANTE:** Que habiendo por presentado este escrito con el documento que se acompaña, tenga a bien admitirlo y acuerde la nulidad del acto administrativo del cuerpo del escrito.

Lugar, fecha y Firma.

## Solicitud del interesado solicitando la nulidad de actos administrativos que constituyan represalia tras la presentación de comunicaciones o revelaciones

### A LA AUTORIDAD INDEPENDIENTE DE PROTECCIÓN DEL INFORMANTE (A.A.I.)

D. ..., actuando en nombre y representación propios en calidad de informante, ante este órgano comparezco y como mejor proceda en Derecho, DIGO:

**PRIMERO.–** En fecha ..., la Administración Pública ... dictó acto administrativo que constituye represalia al informante tras la presentación de comunicaciones o revelaciones por éste.

Se acompaña copia del acto administrativo como documento número 1°.

**SEGUNDO.–** Que dicho acto administrativo infringe lo dispuesto en el artículo 36.5° de la Ley 2/2023, de 20 de febrero, reguladora de la protección de las personas que informen sobre infracciones normativas y de lucha contra la corrupción que establece la nulidad de pleno derecho de dichos actos.

En su virtud,

**SOLICITO A LA AUTORIDAD INDEPENDIENTE DE PROTECCIÓN DEL INFORMANTE:** Que habiendo por presentado este escrito con el documento que se acompaña, tenga a bien admitirlo y acuerde la nulidad del acto administrativo del cuerpo del escrito.

Lugar, fecha y Firma.

## Solicitud del interesado solicitando la nulidad de actos administrativos que causen discriminación tras la presentación comunicaciones o revelaciones

### A LA AUTORIDAD INDEPENDIENTE DE PROTECCIÓN DEL INFORMANTE (A.A.I.)

D. ..., actuando en nombre y representación propios en calidad de informante, ante este órgano comparezco y como mejor proceda en Derecho, DIGO:

**PRIMERO.–** En fecha ..., la Administración Pública ... dictó acto administrativo que causa discriminación al informante tras la presentación de comunicaciones o revelaciones por éste.

Se acompaña copia del acto administrativo como documento número 1º.

**SEGUNDO.–** Que dicho acto administrativo infringe lo dispuesto en el artículo 36.5º de la Ley 2/2023, de 20 de febrero, reguladora de la protección de las personas que informen sobre infracciones normativas y de lucha contra la corrupción que establece la nulidad de pleno derecho de dichos actos.

En su virtud,

**SOLICITO A LA AUTORIDAD INDEPENDIENTE DE PROTECCIÓN DEL INFORMANTE:** Que habiendo por presentado este escrito con el documento que se acompaña, tenga a bien admitirlo y acuerde la nulidad del acto administrativo del cuerpo del escrito.

Lugar, fecha y Firma.

**Resolución de la Autoridad Independiente de Protección del Informante, A.A.I. en el marco de los procedimientos sancionadores que instruya, adoptando medidas provisionales en los términos establecidos en el artículo 56 de la Ley 39/2015, de 1 de octubre, del Procedimiento Administrativo Común de las Administraciones Públicas**

### AUTORIDAD INDEPENDIENTE DE PROTECCIÓN DEL INFORMANTE (A.A.I.)

Número de expediente: …

Fecha: …

De conformidad con lo dispuesto en el artículo 36.6° de la Ley 2/2023, de 20 de febrero, reguladora de la protección de las personas que informen sobre infracciones normativas y de lucha contra la corrupción, se procede a adoptar medidas provisionales en los términos establecidos en el artículo 56 de la Ley 39/2015, de 1 de octubre, del Procedimiento Administrativo Común de las Administraciones Públicas, en base a los siguientes

### ANTECEDENTES DE HECHO

**PRIMERO.–** En fecha … se inicia procedimiento sancionador contra la entidad …

**SEGUNDO.–** Durante el transcurso de la instrucción, procede la adopción de medidas provisionales relativas a la protección del informante en los términos del artículo 36.6° de la Ley 2/2023, de 20 de febrero, reguladora de la protección de las personas que informen sobre infracciones normativas y de lucha contra la corrupción en relación con el artículo 56 de la Ley 39/2015, de 1 de octubre, del Procedimiento Administrativo Común de las Administraciones Públicas.

### RESUELVO

**PRIMERO.–** Acordar la adopción de medidas provisionales referidas a las medidas de protección al informante.

**SEGUNDO.–** Notificar la presente resolución a los interesados.

**TERCERO.–** Informar que, en base a lo dispuesto en el artículo 50.2° de la Ley 2/2023, de 20 de febrero, reguladora de la protección de las personas que informen sobre infracciones normativas y de lucha contra la corrupción, contra la presente resolución puede interponerse recurso de alzada en el plazo de un mes a contar desde la notificación de la presente resolución.

Fecha y Firma.

**Solicitud del interesado solicitando medidas de apoyo sobre información y asesoramiento completos e independientes que sean fácilmente accesibles para el público y gratuitos, sobre los procedimientos y recursos disponibles, protección frente a repre-salias y derechos de la persona afectada**

### A LA AUTORIDAD INDEPENDIENTE DE PROTECCIÓN DEL INFORMANTE (A.A.I.)

El informante, actuando en nombre y representación propios en el expediente número ..., ante este organismo comparezco y como mejor proceda en Derecho, DIGO:

**PRIMERO.–** En fecha ..., el informante que suscribe presentó comunicación de hechos presuntamente irregulares de los previstos en el artículo 2 de la Ley 2/2023, de 20 de febrero, reguladora de la protección de las personas que informen sobre infracciones normativas y de lucha contra la corrupción cometidos en la entidad ...

Se acompaña acuse de recibo de la comunicación como documento número 1°.

**SEGUNDO.–** Que en atención a lo dispuesto en el artículo 37.1°.a) de la Ley 2/2023, de 20 de febrero, reguladora de la protección de las personas que informen sobre infracciones normativas y de lucha contra la corrupción, procede la adopción de medidas de apoyo consistentes en información y asesoramiento completo y gratuito sobre los procedimientos y recursos disponibles, protección frente a represalias y derechos de la persona afectada.

En su virtud,

**SOLICITO A LA AUTORIDAD INDEPENDIENTE DE PROTECCIÓN DEL INFORMANTE:** Que habiendo por presentado este escrito con el documento que se acompaña, tenga a bien admitirlo y acuerde la adopción de medidas de apoyo descritas en el cuerpo del presente escrito.

Lugar, fecha y Firma.

**Solicitud del interesado solicitando medidas de apoyo sobre asistencia efectiva por parte de las autoridades competentes ante cualquier autoridad pertinente implicada en su protección frente a represalias, incluida la certificación de que pueden acogerse a protección al amparo de la presente ley**

### A LA AUTORIDAD INDEPENDIENTE DE PROTECCIÓN DEL INFORMANTE (A.A.I.)

El informante, actuando en nombre y representación propios en el expediente número ..., ante este organismo comparezco y como mejor proceda en Derecho, DIGO:

**PRIMERO.–** En fecha ..., el informante que suscribe presentó comunicación de hechos presuntamente irregulares de los previstos en el artículo 2° de la Ley 2/2023, de 20 de febrero, reguladora de la protección de las personas que informen sobre infracciones normativas y de lucha contra la corrupción cometidos en la entidad ...

Se acompaña acuse de recibo de la comunicación como documento número 1°.

**SEGUNDO.–** Que en atención a lo dispuesto en el artículo 37.1°.b) de la Ley 2/2023, de 20 de febrero, reguladora de la protección de las personas que informen sobre infracciones normativas y de lucha contra la corrupción, procede la adopción de medidas de apoyo consistentes en la asistencia efectiva por parte de las autoridades competentes ante cualquier autoridad competente implicada en su protección frente a represalias, incluida la certificación de que pueden acogerse a protección al amparo de la presente ley.

En su virtud,

**SOLICITO A LA AUTORIDAD INDEPENDIENTE DE PROTECCIÓN DEL INFORMANTE:** Que habiendo por presentado este escrito con el documento que se acompaña, tenga a bien admitirlo y acuerde la adopción de medidas de apoyo descritas en el cuerpo del presente escrito.

Lugar, fecha y Firma.

## Solicitud del interesado solicitando medidas de apoyo sobre asistencia jurídica en los procesos penales

### A LA AUTORIDAD INDEPENDIENTE DE PROTECCIÓN DEL INFORMANTE (A.A.I.)

El informante, actuando en nombre y representación propios en el expediente número ..., ante este organismo comparezco y como mejor proceda en Derecho, DIGO:

**PRIMERO.–** En fecha ..., el informante que suscribe presentó comunicación de hechos presuntamente irregulares de los previstos en el artículo 2° de la Ley 2/2023, de 20 de febrero, reguladora de la protección de las personas que informen sobre infracciones normativas y de lucha contra la corrupción cometidos en la entidad ...

Se acompaña acuse de recibo de la comunicación como documento número 1°.

**SEGUNDO.–** Que en atención a lo dispuesto en el artículo 37.1°.a) de la Ley 2/2023, de 20 de febrero, reguladora de la protección de las personas que informen sobre infracciones normativas y de lucha contra la corrupción, procede la adopción de medidas de apoyo sobre asistencia jurídica en los procesos penales.

En su virtud,

**SOLICITO A LA AUTORIDAD INDEPENDIENTE DE PROTECCIÓN DEL INFORMANTE:** Que habiendo por presentado este escrito con el documento que se acompaña, tenga a bien admitirlo y acuerde la adopción de medidas de apoyo sobre asistencia jurídica en los procesos penales.

Lugar, fecha y Firma.

**Solicitud del interesado solicitando medidas de apoyo sobre asistencia jurídica en los procesos civiles transfronterizos de conformidad con la normativa comunitaria**

### A LA AUTORIDAD INDEPENDIENTE DE PROTECCIÓN DEL INFORMANTE

El informante, actuando en nombre y representación propios en el expediente número ..., ante este organismo comparezco y como mejor proceda en Derecho, DIGO:

**PRIMERO.–** En fecha ..., el informante que suscribe presentó comunicación de hechos presuntamente irregulares de los previstos en el artículo 2° de la Ley 2/2023, de 20 de febrero, reguladora de la protección de las personas que informen sobre infracciones normativas y de lucha contra la corrupción cometidos en la entidad ...

Se acompaña acuse de recibo de la comunicación como documento número 1°.

**SEGUNDO.–** Que en atención a lo dispuesto en el artículo 37.1°.a) de la Ley 2/2023, de 20 de febrero, reguladora de la protección de las personas que informen sobre infracciones normativas y de lucha contra la corrupción, procede la adopción de medidas de apoyo sobre asistencia jurídica en los procesos civiles transfronterizos de conformidad con la normativa comunitaria.

En su virtud,

**SOLICITO A LA AUTORIDAD INDEPENDIENTE DE PROTECCIÓN DEL INFORMANTE:** Que habiendo por presentado este escrito con el documento que se acompaña, tenga a bien admitirlo y acuerde la adopción de medidas de apoyo sobre asistencia jurídica en los procesos civiles transfronterizos de conformidad con la normativa comunitaria.

Lugar, fecha y Firma.

**Resolución de la Autoridad independiente de protección del Informante (A.A.I.) acordando el apoyo financiero y psicológico, de forma excepcional tras la valoración de las circunstancias derivadas de la presentación de la comunicación**

## AUTORIDAD INDEPENDIENTE DE PROTECCIÓN DEL INFORMANTE (A.A.I.)

Número de expediente: …

Fecha: …

De conformidad con lo dispuesto en el artículo 37.1°.d) de la Ley 2/2023, de 20 de febrero, reguladora de la protección de las personas que informen sobre infracciones normativas y de lucha contra la corrupción, se procede a acordar la adopción de medidas de apoyo del informante consistentes en apoyo financiero y psicológico, en base a los siguientes

### ANTECEDENTES DE HECHO

**PRIMERO.–** En fecha … se recibe comunicación de D. … en la que se denunciaba una posible infracción normativa relativa de las incluidas en el artículo 2° de la Ley 2/2023, de 20 de febrero, reguladora de la protección de las personas que informen sobre infracciones normativas y de lucha contra la corrupción, acontecida en la entidad …

**SEGUNDO.–** En el presente expediente se han puesto de manifiesto las siguientes circunstancias particulares: …

**TERCERO.–** Valoradas las circunstancias derivadas de la presentación de la comunicación, procede la adopción de apoyo financiero y psicológico, de forma excepcional en los términos del artículo 37.1°.d) de la Ley 2/2023, de 20 de febrero, reguladora de la protección de las personas que informen sobre infracciones normativas y de lucha contra la corrupción.

### RESUELVO

**PRIMERO.–** Adoptar, de manera excepcional las medidas de apoyo al informante sobre apoyo financiero y psicológico.

**SEGUNDO.–** Notificar la presente resolución a los interesados.

**TERCERO.–** Informar que, en base a lo dispuesto en el artículo 50.2° de la Ley 2/2023, de 20 de febrero, reguladora de la protección de las personas que informen sobre infracciones normativas y de lucha contra la corrupción, contra la presente resolución puede interponerse recurso de alzada en el plazo de un mes a contar desde la notificación de la presente resolución.

Fecha y Firma.

**Escrito presentado por el informante ante la autoridad judicial y/o administrativa acreditando los perjuicios sufridos, una vez que el informante haya demostrado razonablemente que ha comunicado o ha hecho una revelación pública de conformidad con esta ley y que ha sufrido un perjuicio, presumiendo que el perjuicio se produjo como represalia por informar o por hacer una revelación pública**

### A LA AUTORIDAD INDEPENDIENTE DE PROTECCIÓN DEL INFORMANTE (A.A.I.) / AL JUZGADO DE ... NÚMERO ... DE ...

El informante, actuando en nombre y representación propios en el expediente número ..., ante este organismo comparezco y como mejor proceda en Derecho, DIGO:

**PRIMERO.–** En fecha ..., el informante que suscribe presentó comunicación de hechos presuntamente irregulares cometidos en la entidad ...

Se acompaña acuse de recibo de la comunicación como documento número 1°.

**SEGUNDO.–** Posteriormente, en fecha ... el informante es despedido como represalia por la entidad ...

Se acompaña carta de despido como documento número 2°.

**TERCERO.–** Que en atención a lo dispuesto en el artículo 38.4° de la Ley 2/2023, de 20 de febrero, reguladora de la protección de las personas que informen sobre infracciones normativas y de lucha contra la corrupción, una vez acreditada que el informante ha realizado la comunicación y sufrido un perjuicio, se presumirá que dicho perjuicio se produjo como represalia por informar.

En su virtud,

**SOLICITO A LA AUTORIDAD INDEPENDIENTE DE PROTECCIÓN DEL INFORMANTE // SUPLICO AL JUZGADO:** Que habiendo por presentado este escrito con los documentos que se acompañan, tenga a bien admitirlos y acuerde la adopción de medidas de protección oportunas.

Lugar, fecha y Firma.

**Escrito presentado por la persona que haya tomado la decisión perjudicial ante la autoridad judicial y/o administrativa probando que esa medida se basó en motivos debidamente justificados no vinculados a la comunicación o revelación pública**

### A LA AUTORIDAD INDEPENDIENTE DE PROTECCIÓN DEL INFORMANTE (A.A.I.) / AL JUZGADO DE … Número … DE …

D. …, actuando en nombre y representación de la entidad … en el expediente número …, ante este organismo comparezco y como mejor proceda en Derecho, DIGO:

**PRIMERO.–** Habiendo sido notificado en fecha …, de resolución por la que se nos concede plazo para justificar que el despido de D. …, informante en el presente expediente, fue basado en motivos no vinculados a la comunicación de una presunta infracción.

**SEGUNDO.–** Que el despido de D. … se motivó en motivos completamente ajenos a la comunicación, debido a la sustracción de dinero de las cajas registradoras.

**TERCERO.–** Que en atención a lo dispuesto en el artículo 38.4° *in fine* de la Ley 2/2023, de 20 de febrero, reguladora de la protección de las personas que informen sobre infracciones normativas y de lucha contra la corrupción, ha quedado probado que la medida adoptada se basó en motivos debidamente justificados no vinculados a la comunicación.

En su virtud,

**SOLICITO A LA AUTORIDAD INDEPENDIENTE DE PROTECCIÓN DEL INFORMANTE // SU-PLICO AL JUZGADO:** Que habiendo por presentado este escrito, tenga a bien admitirlo y tenga por reconocido que la medida adoptada por esta entidad se basó en motivos debidamente justificados no vinculados con la comunicación.

Lugar, fecha y Firma.

**OTROSÍ DIGO:** Como prueba se propone el vídeo de seguridad de la caja registradora de la fecha de los hechos. Por ello,

**SOLICITO A LA AUTORIDAD INDEPENDIENTE DE PROTECCIÓN DEL INFORMANTE / SU-PLICO AL JUZGADO:** Que tenga por propuesta la anterior prueba y la admita.

En lugar y fecha *ut supra*.

**Escrito presentado por el informante ante la autoridad judicial alegando en su descargo y en el marco de los referidos procesos judiciales, el haber comunicado o haber hecho una revelación pública, siempre que tuvieran motivos razonables para pensar que la comunicación o revelación pública era necesaria para poner de manifiesto una infracción en virtud de esta ley.**

### AL JUZGADO DE ... Número ... DE ...

D. ... Procurador de los Tribunales y de D. ... en calidad de informante, en el expediente número ..., bajo la asistencia legal de D. ... Abogado colegiado número ... del Ilustre Colegio de la Abogacía de ..., ante este Juzgado comparezco y como mejor proceda en Derecho, DIGO:

**PRIMERO.–** En fecha ..., mi representado presentó comunicación de hechos presuntamente irregulares cometidos en la entidad ...

Se acompaña acuse de recibo de la comunicación como documento número 1º.

**SEGUNDO.–** Dicha comunicación era completamente necesaria para poner de manifiesto ante los órganos competentes la presunta infracción cometida en la entidad ... toda vez que ...

**TERCERO.–** Que en atención a lo dispuesto en el artículo 38.5º de la Ley 2/2023, de 20 de febrero, reguladora de la protección de las personas que informen sobre infracciones normativas y de lucha contra la corrupción, las personas a que se refiere el artículo 3º de dicha Ley no incurrirán en responsabilidad de ningún tipo como consecuencia de comunicaciones o revelaciones públicas.

Asimismo, dichas personas tendrán derecho a alegar en su descargo y en el marco de los referidos procesos judiciales, el haber comunicado o haber hecho una revelación pública, siempre que tuvieran motivos razonables para pensar que la comunicación o revelación pública era necesaria para poner de manifiesto una infracción en virtud de esta ley

En su virtud,

**SUPLICO AL JUZGADO:** Que habiendo por presentado este escrito con el documento que se acompaña, tenga a bien admitirlo y acuerde la ausencia de responsabilidad del informante.

Lugar, fecha y Firma.

## Información a la persona afectada por la comunicación recibida, de las medidas acordadas para la protección de las personas afectadas

### AUTORIDAD INDEPENDIENTE DE PROTECCIÓN DEL INFORMANTE

Número de expediente: ...

Fecha: ...

De conformidad con lo dispuesto en el artículo 39° de la Ley 2/2023, de 20 de febrero, reguladora de la protección de las personas que informen sobre infracciones normativas y de lucha contra la corrupción, se procede a informarle que durante la tramitación del expediente las personas afectadas por la comunicación tendrán derecho a la presunción de inocencia, al derecho de defensa y al derecho de acceso al expediente en los términos regulados en esta ley, así como a la misma protección establecida para los informantes, preservándose su identidad y garantizándose la confidencialidad de los hechos y datos del procedimiento

Fecha y Firma.

**Escrito de la persona que hubiera participado en la comisión de la infracción administrativa objeto de la información que informe de su existencia mediante la presentación de la información y siempre que la misma hubiera sido presentada con anterioridad a que hubiera sido notificada la incoación del procedimiento de investigación o sancionador**

## A LA ... (ADMINISTRACIÓN COMPETENTE)

D. ... Procurador de los Tribunales y de D. ..., en el expediente número ..., bajo la asistencia legal de D. ... Abogado colegiado número ... del Ilustre Colegio de la Abogacía de ..., ante este organismo comparezco y como mejor proceda en Derecho, DIGO:

**PRIMERO.–** En fecha ..., el informante que suscribe presentó comunicación de hechos presuntamente irregulares cometidos en la entidad ... ante la Autoridad Independiente de Protección del Informante donde reconocía su participación en los mismos.

Se acompaña acuse de recibo de la comunicación como documento número 1°.

**SEGUNDO.–** Dicha comunicación fue realizada con anterioridad a la notificación de la incoación del procedimiento sancionador al afectado por el órgano competente.

**TERCERO.–** Que consta probado en el presente expediente el cumplimiento por el informante de los requisitos establecidos en el artículo 40.1° de la Ley 2/2023, de 20 de febrero, reguladora de la protección de las personas que informen sobre infracciones normativas y de lucha contra la corrupción.

**CUARTO.–** Que en atención a lo dispuesto en el artículo 40.1° de la Ley 2/2023, de 20 de febrero, reguladora de la protección de las personas que informen sobre infracciones normativas y de lucha contra la corrupción, el órgano competente para resolver el procedimiento, mediante resolución motivada, podrá eximirle del cumplimiento de la sanción administrativa que le correspondiera.

En su virtud,

**SUPLICO A ...** (Administración competente): Que habiendo por presentado este escrito con el documento que se acompaña, tenga a bien admitirlo y acuerde la exención de responsabilidad del informante.

Lugar, fecha y Firma.

**Resolución motivada del órgano competente para resolver el procedimiento, eximiendo a la persona/s afectada/s del cumplimiento de la sanción administrativa que le correspondiera, siempre que resulte acreditado en el expediente haber cesado en la comisión de la infracción en el momento de presentación de la comunicación o revelación e identificación, en su caso, al resto de las personas que hayan participado o favorecido aquella**

(Administración competente)

Número de expediente: …

Fecha: …

De conformidad con lo dispuesto en el artículo 40.1° de la Ley 2/2023, de 20 de febrero, reguladora de la protección de las personas que informen sobre infracciones normativas y de lucha contra la corrupción, se procede a eximir del cumplimiento de la sanción administrativa correspondiente a D. …, en base a los siguientes

## ANTECEDENTES DE HECHO

**PRIMERO.–** En fecha … se inicia procedimiento sancionador contra …

**SEGUNDO.–** Durante el transcurso de la instrucción, queda probado que D. … presentó comunicación de hechos presuntamente irregulares con anterioridad a la notificación de incoación del procedimiento de investigación o sancionador.

**TERCERO.–** También consta acreditado la cesación por parte del informante en la comisión de la infracción en el momento de presentación de la comunicación o revelación e identificado, en su caso, al resto de las personas que hayan participado o favorecido aquella.

**CUARTO.–** Resulta de aplicación lo dispuesto en el artículo 40.1° de la Ley 2/2023, de 20 de febrero, reguladora de la protección de las personas que informen sobre infracciones normativas y de lucha contra la corrupción en el sentido de eximir del cumplimiento de la sanción administrativa.

## RESUELVO

**PRIMERO.–** Acordar la exención del cumplimiento de la sanción administrativa.

**SEGUNDO.–** Notificar la presente resolución a los interesados.

**TERCERO.–** Informar que, en base a lo dispuesto en el artículo 114 de la Ley 39/2015, de 1 de octubre, del Procedimiento Administrativo Común de las Administraciones Públicas la presente resolución pone fin a la vía administrativa y contra ella puede interponerse recurso potestativo de reposición ante el mismo órgano que dictó la resolución en el plazo de un mes

o recurso contencioso administrativo en el plazo de dos meses ante la Sala de lo Contencioso Administrativo de la Audiencia Nacional.

Fecha y Firma.

**Resolución motivada del órgano competente para resolver el procedimiento eximiendo del cumplimiento de la sanción administrativa que le correspondiera a la persona/s afectada/s siempre que resulten acreditados en el expediente haber cooperado plena, continua y diligentemente a lo largo de todo el procedimiento de investigación**

(Administración competente)

Número de expediente: ...

Fecha: ...

De conformidad con lo dispuesto en el artículo 40.1° de la Ley 2/2023, de 20 de febrero, reguladora de la protección de las personas que informen sobre infracciones normativas y de lucha contra la corrupción, se procede a eximir del cumplimiento de la sanción administrativa correspondiente a D. ..., en base a los siguientes

### ANTECEDENTES DE HECHO

**PRIMERO.–** En fecha ... se inicia procedimiento sancionador contra ...

**SEGUNDO.–** Durante el transcurso de la instrucción, queda probado que D. ... presentó comunicación de hechos presuntamente irregulares con anterioridad a la notificación de incoación del procedimiento de investigación o sancionador.

**TERCERO.–** También consta acreditado la cooperado plena, continua y diligentemente a lo largo de todo el procedimiento de investigación por parte del informante.

**CUARTO.–** Resulta de aplicación lo dispuesto en el artículo 40.1° de la Ley 2/2023, de 20 de febrero, reguladora de la protección de las personas que informen sobre infracciones normativas y de lucha contra la corrupción en el sentido de eximir del cumplimiento de la sanción administrativa.

### RESUELVO

**PRIMERO.–** Acordar la exención del cumplimiento de la sanción administrativa.

**SEGUNDO.–** Notificar la presente resolución a los interesados.

**TERCERO.–** Informar que, en base a lo dispuesto en el artículo 114 de la Ley 39/2015, de 1 de octubre, del Procedimiento Administrativo Común de las Administraciones Públicas la presente resolución pone fin a la vía administrativa y contra ella puede interponerse recurso potestativo de reposición ante el mismo órgano que dictó la resolución en el plazo de un mes o recurso contencioso administrativo en el plazo de dos meses ante la Sala de lo Contencioso Administrativo de la Audiencia Nacional.

Fecha y Firma.

**Resolución motivada del órgano competente para resolver el procedimiento eximiendo del cumplimiento de la sanción administrativa que le correspondiera a la persona/s afectada/ssiempre que resulten acreditados en el expediente haber facilitado información veraz y relevante, medios de prueba o datos significativos para la acreditación de los hechos comunicados, sin que haya procedido a la destrucción de estos o a su ocultación, ni haya revelado a terceros, directa o indirectamente su contenido**

(Administración competente)

Número de expediente: ...

Fecha: ...

De conformidad con lo dispuesto en el artículo 40.1° de la Ley 2/2023, de 20 de febrero, reguladora de la protección de las personas que informen sobre infracciones normativas y de lucha contra la corrupción, se procede a eximir del cumplimiento de la sanción administrativa correspondiente a D. ..., en base a los siguientes

### ANTECEDENTES DE HECHO

**PRIMERO.–** En fecha ... se inicia procedimiento sancionador contra ...

**SEGUNDO.–** Durante el transcurso de la instrucción, queda probado que D. ... presentó comunicación de hechos presuntamente irregulares con anterioridad a la notificación de incoación del procedimiento de investigación o sancionador.

**TERCERO.–** También consta acreditado que el informante ha facilitado información veraz y relevante, medios de prueba o datos significativos para la acreditación de los hechos comunicados, sin que haya procedido a la destrucción de estos o a su ocultación, ni haya revelado a terceros, directa o indirectamente su contenido.

**CUARTO.–** Resulta de aplicación lo dispuesto en el artículo 40.1° de la Ley 2/2023, de 20 de febrero, reguladora de la protección de las personas que informen sobre infracciones normativas y de lucha contra la corrupción en el sentido de eximir del cumplimiento de la sanción administrativa.

### RESUELVO

**PRIMERO.–** Acordar la exención del cumplimiento de la sanción administrativa.

**SEGUNDO.–** Notificar la presente resolución a los interesados.

**TERCERO.–** Informar que, en base a lo dispuesto en el artículo 114 de la Ley 39/2015, de 1 de octubre, del Procedimiento Administrativo Común de las Administraciones Públicas la presente resolución pone fin a la vía administrativa y contra ella puede interponerse recurso potestativo de reposición ante el mismo órgano que dictó la resolución en el plazo de un mes

o recurso contencioso administrativo en el plazo de dos meses ante la Sala de lo Contencioso Administrativo de la Audiencia Nacional.

Fecha y Firma.

**Resolución motivada del órgano competente para resolver el procedimiento eximiendo del cumplimiento de la sanción administrativa que le correspondiera a la persona/s afectada/s siempre que resulten acreditados en el expediente haber procedido a la reparación del daño causado que le sea imputable**

(Administración competente)

Número de expediente: ...

Fecha: ...

De conformidad con lo dispuesto en el artículo 40.1° de la Ley 2/2023, de 20 de febrero, reguladora de la protección de las personas que informen sobre infracciones normativas y de lucha contra la corrupción, se procede a eximir del cumplimiento de la sanción administrativa correspondiente a D. ..., en base a los siguientes

## ANTECEDENTES DE HECHO

**PRIMERO.-** En fecha ... se inicia procedimiento sancionador contra ...

**SEGUNDO.-** Durante el transcurso de la instrucción, queda probado que D. ... presentó comunicación de hechos presuntamente irregulares con anterioridad a la notificación de incoación del procedimiento de investigación o sancionador.

**TERCERO.-** También consta acreditado que el informante ha procedido a la reparación del daño causado imputable a sus actuaciones.

**CUARTO.-** Resulta de aplicación lo dispuesto en el artículo 40.1° de la Ley 2/2023, de 20 de febrero, reguladora de la protección de las personas que informen sobre infracciones normativas y de lucha contra la corrupción en el sentido de eximir del cumplimiento de la sanción administrativa.

## RESUELVO

**PRIMERO.-** Acordar la exención del cumplimiento de la sanción administrativa.

**SEGUNDO.-** Notificar la presente resolución a los interesados.

**TERCERO.-** Informar que, en base a lo dispuesto en el artículo 114 de la Ley 39/2015, de 1 de octubre, del Procedimiento Administrativo Común de las Administraciones Públicas la presente resolución pone fin a la vía administrativa y contra ella puede interponerse recurso potestativo de reposición ante el mismo órgano que dictó la resolución en el plazo de un mes o recurso contencioso administrativo en el plazo de dos meses ante la Sala de lo Contencioso Administrativo de la Audiencia Nacional.

Fecha y Firma.

**Resolución motivada del órgano competente para resolver el procedimiento atenuando el cumplimiento de la sanción administrativa que le correspondiera a la persona/s afectada/s, cuando resulten acreditados en el expediente los requisitos de atenuación aunque no se cumplan en su totalidad siempre que el informante o autor de la revelación no haya sido sancionado anteriormente por hechos de la misma naturaleza que dieron origen al inicio del procedimiento**

(Administración competente)

Número de expediente: …

Fecha: …

De conformidad con lo dispuesto en el artículo 40.2° de la Ley 2/2023, de 20 de febrero, reguladora de la protección de las personas que informen sobre infracciones normativas y de lucha contra la corrupción, se procede a atenuar la sanción administrativa correspondiente a D. …, en base a los siguientes

### ANTECEDENTES DE HECHO

**PRIMERO.–** En fecha … se inicia procedimiento sancionador contra …

**SEGUNDO.–** Durante el transcurso de la instrucción, queda probado que D. … presentó comunicación de hechos presuntamente irregulares con anterioridad a la notificación de incoación del procedimiento de investigación o sancionador.

**TERCERO.–** No obstante, no consta acreditado el completo cumplimiento de los requisitos exigidos en el artículo 40.1° de la Ley 2/2023, de 20 de febrero, reguladora de la protección de las personas que informen sobre infracciones normativas y de lucha contra la corrupción en tanto que …

**CUARTO.–** Resulta de aplicación lo dispuesto en el artículo 40.2° de la Ley 2/2023, de 20 de febrero, reguladora de la protección de las personas que informen sobre infracciones normativas y de lucha contra la corrupción en el sentido de atenuar la sanción administrativa que habría correspondido a la infracción cometida.

### RESUELVO

**PRIMERO.–** Acordar la atenuación de la sanción administrativa.

**SEGUNDO.–** Notificar la presente resolución a los interesados.

**TERCERO.–** Informar que, en base a lo dispuesto en el artículo 114 de la Ley 39/2015, de 1 de octubre, del Procedimiento Administrativo Común de las Administraciones Públicas la presente resolución pone fin a la vía administrativa y contra ella puede interponerse recurso potestativo de reposición ante el mismo órgano que dictó la resolución en el plazo de un mes

o recurso contencioso administrativo en el plazo de dos meses ante la Sala de lo Contencioso Administrativo de la Audiencia Nacional.

Fecha y Firma.

**Resolución motivada del órgano competente para resolver el procedimiento extendiendo la atenuación de la sanción al resto de los participantes en la comisión de la infracción, en función del grado de colaboración activa en el esclarecimiento de los hechos, identificación de otros participantes y reparación o minoración del daño causado**

(Administración competente)

Número de expediente: ...

Fecha: ...

De conformidad con lo dispuesto en el artículo 40.1° de la Ley 2/2023, de 20 de febrero, reguladora de la protección de las personas que informen sobre infracciones normativas y de lucha contra la corrupción, se procede a eximir del cumplimiento de la sanción administrativa correspondiente a D. ..., en base a los siguientes

## ANTECEDENTES DE HECHO

**PRIMERO.–** En fecha ... se inicia procedimiento sancionador contra ...

**SEGUNDO.–** Durante el transcurso de la instrucción, queda probada la colaboración activa en el esclarecimiento de los hechos, identificación de otros participantes y reparación o minoración del daño causado por los siguientes participantes en la comisión de la infracción:

– ...

– ...

**TERCERO.–** Resulta de aplicación lo dispuesto en el artículo 40.2° de la Ley 2/2023, de 20 de febrero, reguladora de la protección de las personas que informen sobre infracciones normativas y de lucha contra la corrupción en el sentido de atenuar la sanción administrativa que habría correspondido a la infracción cometida.

## RESUELVO

**PRIMERO.–** Acordar la extensión de la atenuación de la sanción administrativa a ...

**SEGUNDO.–** Notificar la presente resolución a los interesados.

**TERCERO.–** Informar que, en base a lo dispuesto en el artículo 114 de la Ley 39/2015, de 1 de octubre, del Procedimiento Administrativo Común de las Administraciones Públicas la presente resolución pone fin a la vía administrativa y contra ella puede interponerse recurso potestativo de reposición ante el mismo órgano que dictó la resolución en el plazo de un mes o recurso contencioso administrativo en el plazo de dos meses ante la Sala de lo Contencioso Administrativo de la Audiencia Nacional.

Fecha y Firma.

**Resolución del responsable del sistema interno de información declarando que el resultado de las investigaciones ha puesto de manifiesto que la persona o personas afectadas es/son inocente/s o no es/son culpables de los hechos**

## ÓRGANO DE CUMPLIMIENTO NORMATIVO DE LA ENTIDAD ...

Número de expediente: ...

Fecha: ...

De conformidad con lo dispuesto en los artículos 8º y 9º de la Ley 2/2023, de 20 de febrero, reguladora de la protección de las personas que informen sobre infracciones normativas y de lucha contra la corrupción, se resuelve el expediente de investigación disciplinaria o sancionadora, en base a los siguientes

### ANTECEDENTES DE HECHO

**PRIMERO.-** En fecha ... se recibió comunicación en la que se denunciaba una posible infracción normativa relativa a ...

**SEGUNDO.-** Se realizó una investigación interna para determinar la veracidad de los hechos comunicados.

**TERCERO.-** Tras la investigación, no se han encontrado pruebas que sustenten la acusación contra [nombre de la persona o personas denunciadas], por lo que se concluye que es inocente de los hechos de los que se le acusa.

### RESUELVO

**PRIMERO.-** Declarar la inocencia de ... de los hechos comunicados.

**SEGUNDO.-** Ordenar el archivo del presente expediente y la supresión de los datos personales recabados en virtud de lo dispuesto en la normativa de protección de datos personales.

**TERCERO.-** Notificar la presente resolución a los interesados.

Fecha y Firma.

**Notificación al informante que, de las investigaciones realizadas, se ha comprobado que la persona o personas denunciadas no se considera/n que haya/n infringido alguna normativa o cometido los hechos de los que se le/s acusa**

### ÓRGANO DE CUMPLIMIENTO NORMATIVO DE LA ENTIDAD ...

Número de expediente: ...

Fecha: ...

### NOTIFICACIÓN

Por medio de la presente, se notifica al informante del archivo del presente expediente debido a la comprobación de que la persona o personas denunciadas no se considera que hayan infringido ninguna normativa o cometido los hechos de los que se les acusa.

Asimismo, le ponemos a su disposición la resolución del responsable del sistema interno de información donde se ordena el archivo del expediente y su motivación jurídica.

Finalmente, he de comunicarle que siguen en vigor las medidas de protección a su favor en tanto en cuanto ha cumplido los requisitos previstos en la Ley 2/2023, de 20 de febrero, reguladora de la protección de las personas que informen sobre infracciones normativas y de lucha contra la corrupción, así como en la política del canal de información de la organización ...

Lugar, fecha y Firma.

# C) NORMATIVA APLICABLE

## 1. CANAL EN EL ÁMBITO DE LA PREVENCIÓN DE DELITOS

### CÓDIGO PENAL

**Artículo 31 bis.–** 1. En los supuestos previstos en este Código, las personas jurídicas serán penalmente responsables:

a) De los delitos cometidos en nombre o por cuenta de las mismas, y en su beneficio directo o indirecto, por sus representantes legales o por aquellos que actuando individualmente o como integrantes de un órgano de la persona jurídica, están autorizados para tomar decisiones en nombre de la persona jurídica u ostentan facultades de organización y control dentro de la misma.

b) De los delitos cometidos, en el ejercicio de actividades sociales y por cuenta y en beneficio directo o indirecto de las mismas, por quienes, estando sometidos a la autoridad de las personas físicas mencionadas en el párrafo anterior, han podido realizar los hechos por haberse incumplido gravemente por aquéllos los deberes de supervisión, vigilancia y control de su actividad atendidas las concretas circunstancias del caso.

2. Si el delito fuere cometido por las personas indicadas en la letra a) del apartado anterior, la persona jurídica quedará exenta de responsabilidad si se cumplen las siguientes condiciones:

1.ª el órgano de administración ha adoptado y ejecutado con eficacia, antes de la comisión del delito, modelos de organización y gestión que incluyen las medidas de vigilancia y control idóneas para prevenir delitos de la misma naturaleza o para reducir de forma significativa el riesgo de su comisión;

2.ª la supervisión del funcionamiento y del cumplimiento del modelo de prevención implantado ha sido confiada a un órgano de la persona jurídica con poderes autónomos de iniciativa y de control o que tenga encomendada legalmente la función de supervisar la eficacia de los controles internos de la persona jurídica;

3.ª los autores individuales han cometido el delito eludiendo fraudulentamente los modelos de organización y de prevención y

4.ª no se ha producido una omisión o un ejercicio insuficiente de sus funciones de supervisión, vigilancia y control por parte del órgano al que se refiere la condición 2ª anterior.

En los casos en los que las anteriores circunstancias solamente puedan ser objeto de acreditación parcial, esta circunstancia será valorada a los efectos de atenuación de la pena.

3. En las personas jurídicas de pequeñas dimensiones, las funciones de supervisión a que se refiere la condición 2.ª del apartado 2 podrán ser asumidas directamente por el órgano de administración. A estos efectos, son personas jurídicas de pequeñas dimensiones aquéllas que, según la legislación aplicable, estén autorizadas a presentar cuenta de pérdidas y ganancias abreviada.

4. Si el delito fuera cometido por las personas indicadas en la letra b) del apartado 1, la persona jurídica quedará exenta de responsabilidad si, antes de la comisión del delito, ha adoptado y ejecutado eficazmente un modelo de organización y gestión que resulte adecuado para prevenir delitos de la naturaleza del que fue cometido o para reducir de forma significativa el riesgo de su comisión.

En este caso resultará igualmente aplicable la atenuación prevista en el párrafo segundo del apartado 2 de este artículo.

5. Los modelos de organización y gestión a que se refieren la condición 1.º del apartado 2º y el apartado anterior deberán cumplir los siguientes requisitos:

1.º Identificarán las actividades en cuyo ámbito puedan ser cometidos los delitos que deben ser prevenidos.

2.º Establecerán los protocolos o procedimientos que concreten el proceso de formación de la voluntad de la persona jurídica, de adopción de decisiones y de ejecución de las mismas con relación a aquéllos.

3.º Dispondrán de modelos de gestión de los recursos financieros adecuados para impedir la comisión de los delitos que deben ser prevenidos.

4.º Impondrán la obligación de informar de posibles riesgos e incumplimientos al organismo encargado de vigilar el funcionamiento y observancia del modelo de prevención.

5.º Establecerán un sistema disciplinario que sancione adecuadamente el incumplimiento de las medidas que establezca el modelo.

6.º Realizarán una verificación periódica del modelo y de su eventual modificación cuando se pongan de manifiesto infracciones relevantes de sus disposiciones, o cuando se produzcan cambios en la organización, en la estructura de control o en la actividad desarrollada que los hagan necesarios.

## 2. CANAL EN EL ÁMBITO DE LA PREVENCIÓN DEL BLANQUEO DE CAPITALES Y LA FINANCIACIÓN DEL TERRORISMO

### Ley 10/2010, de 28 de Abril, de Prevención del Blanqueo de Capitales y de la Financiación del Terrorismo

**Artículo 26 bis. Procedimientos internos de comunicación de potenciales incumplimientos.–** 1. Los sujetos obligados establecerán procedimientos internos para que sus empleados, directivos o agentes puedan comunicar, incluso anónimamente, información relevante sobre posibles incumplimientos de esta ley, su normativa de desarrollo o las políticas y procedimientos implantados para darles cumplimiento, cometidos en el seno del sujeto obligado.

Estos procedimientos podrán integrarse en los sistemas que hubiera podido establecer el sujeto obligado para la comunicación de informaciones relativas a la comisión de actos o conductas que pudieran resultar contrarios a la restante normativa general o sectorial que les fuere aplicable.

2. Será de aplicación a estos sistemas y procedimientos lo dispuesto en la normativa de protección de datos de carácter personal para los sistemas de información de denuncias internas.

A estos efectos, se considerarán como órganos de control interno y cumplimiento exclusivamente los regulados en el artículo 26 ter.

3. Los sujetos obligados adoptarán medidas para garantizar que los empleados, directivos o agentes que informen de las infracciones cometidas en la entidad sean protegidos frente a represalias, discriminaciones y cualquier otro tipo de trato injusto.

4. La obligación de establecimiento del procedimiento de comunicación descrito en los apartados anteriores, no sustituye la necesaria existencia de mecanismos específicos e independientes de comunicación interna de operaciones sospechosas de estar vinculadas con el blanqueo de capitales o la financiación del terrorismo por parte de empleados a las que se refiere el artículo 18.

5. Reglamentariamente podrán determinarse los sujetos obligados exceptuados del cumplimiento de la obligación prevista en este artículo.

## 3. EL CANAL EN EL ÁMBITO DE LA PROTECCIÓN INTEGRAL A LA INFANCIA Y LA ADOLESCENCIA FRENTE A LA VIOLENCIA

### LEY ORGÁNICA 8/2021, DE 4 DE JUNIO, DE PROTECCIÓN INTEGRAL A LA INFANCIA Y LA ADOLESCENCIA FRENTE A LA VIOLENCIA

**Artículo 10. Derecho de información y asesoramiento.–** 1. Las administraciones públicas proporcionarán a los niños, niñas y adolescentes víctimas de violencia de acuerdo con su situación personal y grado de madurez, y, en su caso, a sus representantes legales, y a la persona de su confianza designada por él mismo, información sobre las medidas contempladas en esta ley que les sean directamente aplicables, así como sobre los mecanismos o canales de información o comunicación existentes.

**Artículo 17. Comunicación de situaciones de violencia por parte de niños, niñas y adolescentes.–** 1. Los niños, niñas y adolescentes que fueran víctimas de violencia o presenciaran alguna situación de violencia sobre otra persona menor de edad, podrán comunicarlo, personalmente, o a través de sus representantes legales, a los servicios sociales, a las Fuerzas y Cuerpos de Seguridad, al Ministerio Fiscal o a la autoridad judicial y, en su caso, a la Agencia Española de Protección de Datos.

2. Las administraciones públicas establecerán mecanismos de comunicación seguros, confidenciales, eficaces, adaptados y accesibles, en un lenguaje que puedan comprender, para los niños, niñas y adolescentes, que podrán estar acompañados de una persona de su confianza que ellos mismos designen.

3. Las administraciones públicas garantizarán la existencia y el apoyo a los medios electrónicos de comunicación, tales como líneas telefónicas gratuitas de ayuda a niños, niñas y adolescentes, así como su conocimiento por parte de la sociedad civil, como herramienta esencial a disposición de todas las personas para la prevención y detección precoz de situaciones de violencia sobre los niños, niñas y adolescentes.

**Artículo 18. Deberes de información de los centros educativos y establecimientos residenciales.–** 1. Todos los centros educativos al inicio de cada curso escolar, así como todos los establecimientos en los que habitualmente residan personas menores de edad, en el momento de su ingreso, facilitarán a los niños, niñas y adolescentes toda la información, que, en todo caso, deberá estar disponible en formatos accesibles, referente a los procedimientos de comunicación de situaciones de violencia regulados por las administraciones públicas y aplicados en el centro o establecimiento, así como de las personas responsables en este ámbito. Igualmente, facilitarán desde el primer momento información sobre los medios electrónicos de comunicación, tales como las líneas telefónicas de ayuda a los niños, niñas y adolescentes.

2. Los citados centros y establecimientos mantendrán permanentemente actualizada esta información en un lugar visible y accesible, adoptarán las medidas necesarias para asegurar que los niños, niñas y adolescentes puedan consultarla libremente en cualquier momento, permitiendo y facilitando el acceso a esos procedimientos de comunicación y a las líneas de ayuda existentes.

## 4. EL CANAL EN EL ÁMBITO DE LA LIBERTAD SEXUAL

### LEY ORGÁNICA 10/2022, DE 6 DE SEPTIEMBRE, DE GARANTÍA INTEGRAL DE LA LIBERTAD SEXUAL

**Artículo 12. Prevención y sensibilización en el ámbito laboral.–** 1. Las empresas deberán promover condiciones de trabajo que eviten la comisión de delitos y otras conductas contra la libertad sexual y la integridad moral en el trabajo, incidiendo especialmente en el acoso sexual y el acoso por razón de sexo, en los términos previstos en el artículo 48 de la Ley Orgánica 3/2007, de 22 de marzo, para la igualdad efectiva de mujeres y hombres, incluidos los cometidos en el ámbito digital.

Asimismo, deberán arbitrar procedimientos específicos para su prevención y para dar cauce a las denuncias o reclamaciones que puedan formular quienes hayan sido víctimas de estas conductas, incluyendo específicamente las sufridas en el ámbito digital.

2. Las empresas podrán establecer medidas que deberán negociarse con los representantes de las personas trabajadoras, tales como la elaboración y difusión de códigos de buenas prácticas, la realización de campañas informativas, protocolos de actuación o acciones de formación.

De las medidas adoptadas, de acuerdo con lo dispuesto en el párrafo anterior, podrá beneficiarse la plantilla total de la empresa cualquiera que sea la forma de contratación laboral, incluidas las personas con contratos fijos discontinuos, con contratos de duración determinada y con contratos en prácticas. También podrán beneficiarse las becarias y el voluntariado. Asimismo, podrán beneficiarse de las anteriores medidas aquellas personas que presten sus servicios a través de contratos de puesta a disposición.

Las empresas promoverán la sensibilización y ofrecerán formación para la protección integral contra las violencias sexuales a todo el personal a su servicio.

Las empresas deberán incluir en la valoración de riesgos de los diferentes puestos de trabajo ocupados por trabajadoras, la violencia sexual entre los riesgos laborales concurrentes, debiendo formar e informar de ello a sus trabajadoras.

3. Las empresas que adecúen su estructura y normas de funcionamiento a lo establecido en esta ley orgánica serán reconocidas con el distintivo de «Empresas por una sociedad libre de violencia de género». Cabe valoración de la retirada de este distintivo cuando se den circunstancias que así lo justifiquen.

4. Por real decreto se determinará el procedimiento y las condiciones para la concesión, revisión periódica y retirada del distintivo al que se refiere el apartado anterior, las facultades derivadas de su obtención y las condiciones de difusión institucional de las empresas que lo obtengan.

## 5. LA NORMATIVA VINCULADA AL CANAL ÉTICO RELATIVA A LA PROTECCIÓN DE LAS PERSONAS QUE INFORMEN SOBRE INFRACCIONES NORMATIVAS Y DE LUCHA CONTRA LA CORRUPCIÓN

### 5.1. DIRECTIVA (UE) 2019/1937 DEL PARLAMENTO EUROPEO Y DEL CONSEJO DE 23 DE OCTUBRE DE 2019 RELATIVA A LA PROTECCIÓN DE LAS PERSONAS QUE INFORMEN SOBRE INFRACCIONES DEL DERECHO DE LA UNIÓN EUROPEA

EL PARLAMENTO EUROPEO Y EL CONSEJO DE LA UNIÓN EUROPEA, Visto el Tratado de Funcionamiento de la Unión Europea, y en particular su artículo 16, su artículo 43, apartado 2, su artículo 50, su artículo 53, apartado 1, sus artículos 91, 100 y 114, su artículo 168, apartado

4, su artículo 169, su artículo 192, apartado 1, y su artículo 325, apartado 4, y visto el Tratado constitutivo de la Comunidad Europea de la Energía Atómica, y en particular su artículo 31, Vista la propuesta de la Comisión Europea, Previa transmisión del proyecto de acto legislativo a los Parlamentos nacionales, Visto el dictamen del Tribunal de Cuentas (1), Visto el dictamen del Comité Económico y Social Europeo (2), Previa consulta al Comité de las Regiones, Visto el dictamen de 30 de noviembre de 2018 del grupo de expertos a que se refiere el artículo 31 del Tratado constitutivo de la Comunidad Europea de la Energía Atómica, De conformidad con el procedimiento legislativo ordinario (3), Considerando lo siguiente:

(1) Las personas que trabajan para una organización pública o privada o están en contacto con ella en el contexto de sus actividades laborales son a menudo las primeras en tener conocimiento de amenazas o perjuicios para el interés público que surgen en ese contexto. Al informar sobre infracciones del Derecho de la Unión que son perjudiciales para el interés público, dichas personas actúan como informante s (en inglés conocidas coloquialmente por whistleblowers) y por ello desempeñan un papel clave a la hora de descubrir y prevenir esas infracciones y de proteger el bienestar de la sociedad. Sin embargo, los informante s potenciales suelen renunciar a informar sobre sus preocupaciones o sospechas por temor a represalias. En este contexto, es cada vez mayor el reconocimiento, a escala tanto de la Unión como internacional, de la importancia de prestar una protección equilibrada y efectiva a los informante s.

(2) A escala de la Unión, las denuncias y revelaciones públicas hechas por los informante s constituyen uno de los componentes que se sitúan en el origen del cumplimiento del Derecho y de las políticas de la Unión. Ellos aportan información a los sistemas nacionales y de la Unión responsables de la aplicación del Derecho, lo que permite a su vez detectar, investigar y enjuiciar de manera efectiva las infracciones del Derecho de la Unión, mejorando así la transparencia y la rendición de cuentas.

(3) En determinados ámbitos, las infracciones del Derecho de la Unión, con independencia de si el Derecho nacional las clasifica como administrativas, penales o de otro tipo, pueden provocar graves perjuicios al interés público, en el sentido de que crean riesgos importantes para el bienestar de la sociedad. Cuando se detecten deficiencias de aplicación en esos ámbitos, y los informante s suelen encontrarse en una posición privilegiada para revelar la existencia de infracciones, es necesario potenciar la aplicación del Derecho introduciendo canales de comunicación efectivos, confidenciales y seguros y garantizando la protección efectiva de los informante s frente a represalias.

(4) Actualmente, la protección de los informante s en la Unión se encuentra fragmentada en los diferentes Estados miembros y es desigual en los distintos ámbitos. Las consecuencias de las infracciones del Derecho de la Unión con dimensión transfronteriza de las que informan los informantes se muestran cómo una protección insuficiente en un Estado miembro no solo incide de forma negativa en el funcionamiento de las políticas de la Unión en ese Estado miembro, sino que puede extenderse también a otros Estados miembros y a la Unión en su conjunto.

(5) Deben aplicarse normas mínimas comunes que garanticen una protección efectiva de los informante s en lo que respecta a aquellos actos y ámbitos en los que sea necesario reforzar la aplicación del Derecho, en los que la escasez de denuncias procedentes de informante s sea un factor clave que repercuta en esa aplicación, y en los que las infracciones del Derecho de la Unión puedan provocar graves perjuicios al interés público. Los Estados miembros podrían decidir hacer extensiva la aplicación de las disposiciones nacionales a otros ámbitos con el fin de garantizar que exista un marco global y coherente de protección de los informante s a escala nacional.

(6) La protección de los informante s es necesaria para mejorar la aplicación del Derecho de la Unión en materia de contratación pública. Es necesaria, no solamente para prevenir y detectar el fraude y la corrupción en la contratación pública en el contexto de la ejecución del presupuesto de la Unión, sino también para abordar la insuficiente ejecución de las normas en esta materia por los poderes adjudicadores nacionales y las entidades adjudicadoras en relación con la ejecución

de obras, el suministro de productos o la prestación de servicios. Las infracciones de esas normas falsean la competencia, incrementan los costes para las empresas, vulneran los intereses de inversores y accionistas y, en general, hacen menos atractiva la inversión y sitúan en una posición de desigualdad a todas las empresas de la Unión, lo que repercute en el correcto funcionamiento del mercado interior.

(7) En el ámbito de los servicios financieros, el valor añadido de la protección de los informante s ya ha sido reconocido por el legislador de la Unión. A raíz de la crisis financiera, que puso de manifiesto graves deficiencias en la ejecución de las normas aplicables, se introdujeron medidas para la protección de los informante s, como canales de comunicación interna y externa y la prohibición expresa de represalias, en un importante número de actos legislativos en el ámbito de los servicios financieros, tal como señala la Comisión en su comunicación de 8 de diciembre de 2010, titulada «Regímenes sancionadores más rigurosos en el sector de servicios financieros». En particular, en el contexto del marco prudencial aplicable a las entidades de crédito y las empresas de servicios de inversión, la Directiva 2013/36/UE del Parlamento Europeo y del Consejo dispone para los informante s la protección aplicable en el contexto del Reglamento (UE) número575/2013 del Parlamento Europeo y del Consejo

(8) Por lo que respecta a la seguridad de los productos comercializados en el mercado interior, las empresas que operan en las cadenas de fabricación y distribución son la principal fuente de pruebas, de modo que la información de los informante s en esas empresas tiene un alto valor añadido ya que están mucho más cerca de la información sobre posibles prácticas abusivas e ilícitas de fabricación, importación o distribución relativas a productos inseguros. En consecuencia, existe una necesidad de que se introduzca la protección de los informante s en relación con los requisitos de seguridad aplicables a los productos regulados por la legislación de armonización de la Unión, tal como se establece en los anexos I y II del Reglamento (UE) 2019/1020 del Parlamento Europeo y del Consejo, y en relación con los requisitos generales de seguridad de los productos, tal como se establece en la Directiva 2001/95/CE del Parlamento Europeo y del Consejo. La protección de los informante s tal como se establece en la presente Directiva también sería útil para impedir el desvío de armas de fuego, sus piezas, componentes y municiones, así como de productos relacionados con la defensa, al estimular la comunicación de infracciones del Derecho de la Unión, como el fraude documental, la alteración del marcado y la adquisición fraudulenta de armas de fuego dentro de la Unión donde las infracciones a menudo implican un desvío desde el mercado legal al ilegal. La protección de los informante s tal como se establece en la presente Directiva también ayudaría a prevenir la fabricación ilícita de explosivos caseros al contribuir a la correcta aplicación de las restricciones y controles relativos a los precursores de explosivos.

(9) La importancia de la protección de los informante s para prevenir y disuadir de la comisión de infracciones de las normas de la Unión en materia de seguridad del transporte, que pueden poner en peligro vidas humanas, ya ha sido reconocida en actos sectoriales de la Unión sobre seguridad aérea, concretamente en el Reglamento (UE) número376/2014 del Parlamento Europeo y del Consejo, y sobre seguridad del transporte marítimo, concretamente en las Directivas 2013/54/UE) y 2009/16/CE del Parlamento Europeo y del Consejo, que prevén medidas específicas de protección de los informante s así como canales de comunicación específicos. Esos actos también prevén la protección frente a represalias de los trabajadores que informen sobre sus propios errores cometidos de buena fe (la denominada «cultura de la equidad»). Es necesario complementar los elementos existentes de protección de los informante s en ambos sectores, así como proporcionar dicha protección en otros medios de transporte, a saber, el transporte por vías navegables, carretera y ferrocarril, para mejorar la aplicación de las normas de seguridad aplicables a esos medios de transporte.

(10) En lo que atañe al ámbito de protección del medio ambiente, reunir pruebas, prevenir, detectar y afrontar los delitos contra el medio ambiente y las conductas ilícitas sigue siendo un reto y las acciones al respecto deben reforzarse, tal como reconoce la Comisión en su comunicación de

18 de enero de 2018, titulada «Acciones de la UE para mejorar el cumplimiento y la gobernanza medioambiental». Habida cuenta de que antes de la entrada en vigor de la presente Directiva, las únicas normas existentes sobre protección de los informante s relacionadas con la protección del medio ambiente figuran en un único acto sectorial, a saber, la Directiva 2013/30/UE del Parlamento Europeo y del Consejo, la introducción de tal protección es necesaria para garantizar el cumplimiento efectivo del acervo de la Unión en materia medioambiental, cuyo incumplimiento puede provocar perjuicios para el interés público y posibles efectos colaterales más allá de las fronteras nacionales. La introducción de tal protección también es pertinente en los casos en que productos que no sean seguros pueden causar daños al medio ambiente.

(11) Mejorar la protección de los informante s favorecería también la prevención y disuasión de infracciones de las normas de la Comunidad Europea de la Energía Atómica en materia de seguridad nuclear, protección frente a las radiaciones y gestión responsable y segura del combustible que se consume y los residuos radiactivos. También reforzaría la ejecución de las correspondientes disposiciones de la Directiva 2009/71/Euratom del Consejo relativas al fomento y mejora de una cultura de seguridad nuclear efectiva y, en particular, su artículo 8 ter, apartado 2, letra a), que exige, entre otras cosas, que la autoridad reguladora competente establezca sistemas de gestión que concedan la debida prioridad a la seguridad nuclear y promuevan, en todos los niveles de personal y dirección, la capacidad de cuestionar si se aplican efectivamente los principios y prácticas de seguridad pertinentes y de informar de manera oportuna sobre cuestiones de seguridad.

(12) La introducción de un marco de protección de los informante s también contribuiría a reforzar la ejecución de las disposiciones existentes y prevenir las infracciones de las normas de la Unión en el ámbito de la cadena alimentaria, y en particular en la seguridad de los alimentos y los piensos, así como de la sanidad, la protección y el bienestar de los animales. Las diferentes normas de la Unión establecidas en estos ámbitos están estrechamente interrelacionadas. El Reglamento (CE) número178/2002 del Parlamento Europeo y del Consejo establece los principios generales y los requisitos que subyacen a todas las medidas de la Unión y nacionales relativas a piensos y alimentos, con especial atención a la seguridad alimentaria, al objeto de garantizar un elevado nivel de protección de la salud humana y los intereses de los consumidores en relación con los alimentos, así como el funcionamiento eficaz del mercado interior. Ese Reglamento establece, entre otras disposiciones, que las empresas alimentarias y de piensos no pueden disuadir a sus trabajadores y a otras personas de cooperar con las autoridades competentes cuando tal cooperación permita prevenir, reducir o eliminar un riesgo resultante de un alimento. El legislador de la Unión ha adoptado un enfoque similar en el ámbito de la legislación sobre sanidad animal mediante el Reglamento (UE) 2016/429 del Parlamento Europeo y del Consejo, por el que se establecen disposiciones para la prevención y el control de las enfermedades transmisibles a los animales o a los seres humanos, y en el ámbito de la protección y el bienestar de los animales en las explotaciones ganaderas, de los animales utilizados para fines científicos, de los animales durante el transporte y de los animales en el momento de la matanza, mediante la Directiva 98/58/CE del Consejo y la Directiva 2010/63/UE del Parlamento Europeo y del Consejo, así como los Reglamentos (CE) número1/2005 y (CE) número1099/2009 del Consejo, respectivamente.

(13) La información sobre infracciones por parte de los informante s puede ser la clave para detectar y prevenir, reducir o eliminar los riesgos para la salud pública y la protección de los consumidores derivados de infracciones de las normas de la Unión que, en otros casos, podrían quedar ocultos. En particular, la protección de los consumidores también está estrechamente vinculada a casos en que productos no seguros pueden causar importantes perjuicios a los consumidores.

(14) El respeto de la privacidad y la protección de los datos de carácter personal, amparados como derechos fundamentales en los artículos 7 y 8 de la Carta de los Derechos Fundamentales de la Unión Europea (en lo sucesivo, «Carta»), son otros ámbitos en los que los informante s pueden contribuir a la revelación de infracciones que puedan perjudicar el interés público. Los informante

s también pueden ayudar a revelar infracciones de la Directiva (UE) 2016/1148 del Parlamento Europeo y del Consejo sobre la seguridad de las redes y los sistemas de información que introduce el requisito de notificar incidentes, incluidos los que no pongan en peligro los datos personales, y requisitos de seguridad para las entidades que prestan servicios esenciales en numerosos sectores, por ejemplo la energía, la salud, el transporte y la banca, para los proveedores de servicios digitales clave, por ejemplo, servicios de computación en nube, y para los suministradores de bienes básicos como el agua, la electricidad o el gas. Las denuncias de los informante s en este ámbito son especialmente útiles a fin de prevenir incidentes de seguridad que afecten a actividades económicas y sociales fundamentales y a servicios digitales de uso generalizado, así como para prevenir toda infracción de las normas de la Unión en materia de protección de datos. Dichas denuncias contribuyen a garantizar la continuidad de servicios esenciales para el funcionamiento del mercado interior y el bienestar de la sociedad.

(15) Además, la protección de los intereses financieros de la Unión relacionados con la lucha contra el fraude, la corrupción y cualquier otra actividad ilegal que afecte a los gastos, la recaudación de ingresos y los fondos o activos de la Unión es un ámbito clave en el que la aplicación del Derecho de la Unión debe reforzarse. También es pertinente reforzar la protección de los intereses financieros de la Unión para la ejecución del presupuesto de la Unión por lo que se refiere a los gastos en que se incurre sobre la base del Tratado constitutivo de la Comunidad Europea de la Energía Atómica (Tratado Euratom). La falta de aplicación efectiva en el ámbito de la protección de los intereses financieros de la Unión, incluida la prevención del fraude y la corrupción a escala nacional, conduce a un descenso de los ingresos de la Unión y un uso indebido de sus fondos, que puede falsear las inversiones públicas, dificultar el crecimiento y socavar la confianza de los ciudadanos en la acción de la Unión. El artículo 325 del Tratado de Funcionamiento de la Unión Europea (TFUE) insta a la Unión y a los Estados miembros a combatir el fraude y toda actividad ilegal que afecte a los intereses financieros de la Unión. Las medidas pertinentes de la Unión a este respecto incluyen, en particular, el Reglamento (CE, Euratom) número2988/95 del Consejo y el Reglamento (UE, Euratom) número883/2013 del Parlamento Europeo y del Consejo. El Reglamento (CE, Euratom) número2988/95 ha sido completado, para los tipos más graves de conductas relacionadas con el fraude, por la Directiva (UE) 2017/1371 del Parlamento Europeo y del Consejo, y por el Convenio establecido sobre la base del artículo K.3 del Tratado de la Unión Europea, relativo a la protección de los intereses financieros de las Comunidades Europeas de 26 de julio de 1995, incluidos sus protocolos de 27 de septiembre de 1996, de 29 de noviembre de 1996 y de 19 de junio de 1997. Los citados Convenio y protocolos permanecen en vigor para los Estados miembros no vinculados por la Directiva (UE) 2017/1371.

(16) También se deben establecer normas mínimas comunes para la protección de los informante s de infracciones relativas al mercado interior a que se refiere el artículo 26, apartado 2, del TFUE. Además, de conformidad con la jurisprudencia del Tribunal de Justicia de la Unión Europea (en lo sucesivo, «Tribunal de Justicia»), las medidas de la Unión destinadas establecer el mercado interior o a garantizar su funcionamiento tienen el objetivo de contribuir a la eliminación de los obstáculos existentes o emergentes a la libre circulación de mercancías o a la libre prestación de servicios, así como a contribuir a la supresión de los falseamientos de la competencia.

(17) Específicamente, la protección de los informante s para reforzar la aplicación del Derecho de la Unión en materia de competencia, incluidas las ayudas otorgadas por los Estados, serviría para proteger el funcionamiento eficiente de los mercados de la Unión, permitir la igualdad de condiciones para las empresas y ofrecer beneficios a los consumidores. En lo que atañe a las normas de competencia aplicables a las empresas, la importancia de la información privilegiada para la detección de las infracciones del Derecho de la competencia ya ha Directiva (UE) 2016/1148 del Parlamento Europeo y del Consejo, de 6 de julio de 2016, relativa a las medidas destinadas a garantizar un elevado nivel común de seguridad de las redes y sistemas de información en la Unión (DO

L 194 de 19.7.2016, p. 1). Las infracciones relativas al Derecho de la competencia y las normas de ayudas otorgadas por los Estados afectan a los artículos 101, 102, 106, 107 y 108 del TFUE y a normas de Derecho derivado adoptadas para su aplicación.

(18) Las infracciones de las normas relativas al impuesto sobre sociedades y las prácticas cuya finalidad es obtener una ventaja fiscal y eludir las obligaciones legales, desvirtuando el objeto o la finalidad de la ley del impuesto sobre sociedades aplicable, afectan negativamente al buen funcionamiento del mercado interior. Dichas infracciones y prácticas pueden dar lugar a una competencia fiscal desleal y a una amplia evasión fiscal, que falsea las condiciones de competencia equitativas para las empresas, y que redunda en una pérdida de ingresos fiscales para los Estados miembros y el presupuesto de la Unión en su conjunto. La presente Directiva debe proporcionar protección frente a represalias para las personas que denuncien prácticas fraudulentas y/o de evasión fiscal que de otro modo no serían detectadas, con vistas a reforzar la capacidad de las autoridades competentes para proteger el buen funcionamiento del mercado interior y eliminar los falseamientos y los obstáculos al comercio que afecten a la competitividad de las empresas en el mercado interior, que están relacionados directamente con las normas sobre libre circulación y son también pertinentes para la aplicación de las normas sobre ayudas otorgadas por los Estados. La protección de los informante s tal como se establece en la presente Directiva se sumaría a las recientes iniciativas de la Comisión destinadas a mejorar la transparencia y el intercambio de información en el ámbito de la fiscalidad y a crear un entorno del impuesto sobre sociedades más justo en la Unión, con el fin de aumentar la eficacia de los Estados miembros en la identificación de prácticas fraudulentas y/o de evasión fiscal, y ayudaría a impedir dichas prácticas. No obstante, la presente Directiva no armoniza disposiciones en materia de impuestos, ya sean sustantivas o de procedimiento, y no pretende reforzar la ejecución de las normas nacionales relativas al impuesto sobre sociedades, sin perjuicio de la posibilidad para los Estados miembros de utilizar la información denunciada con dicha finalidad.

(19) El artículo 2, apartado 1, letra a), define el ámbito de aplicación material de la presente Directiva mediante remisión a una lista de actos de la Unión que figura en el anexo. Ello implica que, cuando dichos actos de la Unión definen a su vez su ámbito de aplicación material mediante remisión a actos de la Unión enumerados en sus anexos, dichos actos también forman parte del ámbito de aplicación material de la presente Directiva. Además, se debe entender que la remisión a los actos del anexo incluye todas las medidas delegadas y de ejecución nacionales y de la Unión que se hayan adoptado con arreglo a dichos actos. Asimismo, se debe entender la remisión a los actos de la Unión que figuran anexo como una referencia dinámica, de conformidad con el sistema normal para hacer referencia a los actos jurídicos de la Unión. De este modo, si un acto de la Unión que figura en el anexo ha sido modificado o se modifica, la remisión se hace al acto modificado; si un acto de la Unión que figura en el anexo ha sido sustituido o se sustituye, la remisión se hace al nuevo acto.

(20) Determinados actos de la Unión, en particular en el ámbito de los servicios financieros, como el Reglamento (UE) número596/2014 del Parlamento Europeo y del Consejo y la Directiva de Ejecución (UE) 2015/2392 de la Comisión, adoptada sobre la base de dicho Reglamento, ya contienen normas detalladas sobre protección de informante s. Se debe mantener toda norma específica al respecto establecida en dicha legislación vigente de la Unión, incluidos los actos de la Unión enumerados en la parte II del anexo de la presente Directiva, que se adaptan a los sectores correspondientes. Este aspecto es especialmente importante para determinar qué entidades con personalidad jurídica en el ámbito de los servicios financieros, la prevención del blanqueo de capitales y la financiación del terrorismo están actualmente obligadas a establecer canales de comunicación interna. Al mismo tiempo y a fin de garantizar la coherencia y la seguridad jurídica en todos los Estados miembros, la presente Directiva debe ser de aplicación en todos los ámbitos no regulados por actos sectoriales específicos, y por tanto deben completar dichos actos, de modo que sean plenamente acordes con las normas mínimas. En particular, la presente Directiva debe concretar más el

diseño de los canales de comunicación interna y externa, las obligaciones de las autoridades competentes y las formas de protección específicas que hayan de establecerse en el ámbito nacional contra las represalias. A ese respecto, el artículo 28, apartado 4, del Reglamento (UE) número 1286/2014 del Parlamento Europeo y del Consejo dispone la posibilidad de que los Estados miembros creen un canal de comunicación interna en el ámbito regulado por dicho Reglamento. Para mantener la coherencia con las normas mínimas establecidas en la presente Directiva, la obligación de crear canales de comunicación interna prevista en la presente Directiva debe también aplicarse respecto del Reglamento (UE) número 1286/2014

(21) La presente Directiva debe entenderse sin perjuicio de la protección otorgada a los trabajadores cuando informen sobre infracciones del Derecho de la Unión en materia laboral. En particular, en el ámbito de la salud y la seguridad en el trabajo, el artículo 11 de la Directiva 89/391/CEE del Consejo ya obliga a los Estados miembros a velar por que los trabajadores o los representantes de los trabajadores no sufran perjuicios a causa de sus peticiones o propuestas a los empresarios para que tomen medidas adecuadas para paliar cualquier riesgo para los trabajadores o eliminar las fuentes de riesgo. Los trabajadores y sus representantes tienen derecho en virtud de esa Directiva a plantear cuestiones ante la autoridad competente si consideran que las medidas adoptadas y los medios utilizados por el empresario no son suficientes para garantizar la seguridad y la salud en el trabajo.

(22) Los Estados miembros podrían decidir que las denuncias relativas a reclamaciones interpersonales que afecten exclusivamente al informante, a saber, reclamaciones sobre conflictos interpersonales entre el informante y otro trabajador, puedan ser canalizadas hacia otros procedimientos.

(23) La presente Directiva debe entenderse sin perjuicio de la protección que otorgan los procedimientos de comunicación de posibles actividades ilegales, como el fraude o la corrupción, que son perjudiciales para los intereses de la Unión, o de una conducta relacionada con el desempeño de las actividades profesionales que pueda constituir un incumplimiento grave de las obligaciones de los funcionarios y otros agentes de la Unión Europea establecidas en virtud de los artículos 22 bis, 22 ter y 22 quater del Estatuto de los funcionarios de la Unión Europea y régimen aplicable a los otros agentes de la Unión Europea, que figura en el Reglamento (CEE, Euratom, CECA) número 259/68 del Consejo. La presente Directiva debe aplicarse cuando los funcionarios y otros agentes de la Unión informen sobre infracciones que sucedan en un contexto laboral al margen de su relación laboral con las instituciones, órganos u organismos de la Unión.

(24) La seguridad nacional sigue siendo responsabilidad exclusiva de cada Estado miembro. La presente Directiva no debe aplicarse a las denuncias de infracciones en materia de contratación pública que afecten a aspectos de la defensa o la seguridad cuando estos estén cubiertos por el artículo 346 del TFUE, de conformidad con la jurisprudencia del Tribunal de Justicia. Si los Estados miembros decidieran ampliar la protección que ofrece la presente Directiva a otros ámbitos o actos que no entren dentro de su ámbito de aplicación material, han de poder adoptar disposiciones específicas para proteger los intereses esenciales de su seguridad nacional a tal respecto.

(25) La presente Directiva también debe entenderse sin perjuicio de la protección de la información clasificada que el Derecho de la Unión o las disposiciones legales, reglamentarias o administrativas en vigor en el Estado miembro en cuestión requieran proteger, por motivos de seguridad, contra todo acceso no autorizado. Además, la presente Directiva no debe afectar a las obligaciones derivadas de la Decisión 2013/488/UE del Consejo o de la Decisión (UE, Euratom) 2015/444 de la Comisión.

(26) La presente Directiva no debe afectar a la protección de la confidencialidad de las comunicaciones entre los abogados y sus clientes («prerrogativa de secreto profesional en la relación cliente-abogado») tal como se establezca en el Derecho nacional y, en su caso, en el Derecho de la Unión, de conformidad con la jurisprudencia del Tribunal de Justicia. Además, la presente Directiva

no debe afectar a la obligación que tienen los prestadores de asistencia sanitaria, incluidos los terapeutas, de mantener la confidencialidad de las comunicaciones con sus pacientes y de las historias clínicas («secreto profesional médico») tal como se establezca en el Derecho nacional y de la Unión. (

27) Los miembros de otras profesiones que no sean los abogados y los prestadores de asistencia sanitaria han de poder acogerse a protección al amparo de la presente Directiva cuando comunican información protegida por las normas profesionales aplicables, siempre que la comunicación de dicha información sea necesaria a los efectos de revelar una infracción que entre dentro del ámbito de aplicación de la presente Directiva.

(28) Si bien la presente Directiva debe establecer, en determinadas condiciones, una exención limitada de responsabilidad, incluida la responsabilidad penal, en caso de violación de la confidencialidad, ello no debe afectar a las normas nacionales relativas al proceso penal, especialmente a las destinadas a proteger la integridad de las investigaciones y procedimientos o los derechos de defensa de las personas afectadas. Ello debe entenderse sin perjuicio de la introducción de medidas de protección en otros tipos de Derecho procesal nacional, en particular, la inversión de la carga de la prueba en los procedimientos nacionales administrativos, civiles o laborales.

(29) La presente Directiva no debe afectar a las normas nacionales sobre el ejercicio de los derechos de información, consulta y participación en las negociaciones colectivas de los representantes de los trabajadores ni a sus derechos en materia de defensa de los trabajadores. Todo ello debe entenderse sin perjuicio del nivel de protección otorgado en virtud de la presente Directiva.

(30) La presente Directiva no debe aplicarse en casos en los que personas que, habiendo prestado su consentimiento informado, hayan sido identificadas como informantes o registradas como tales en bases de datos gestionadas por autoridades designadas a nivel nacional, como las autoridades aduaneras, y que informen sobre infracciones ante las autoridades responsables de aplicar el Derecho a cambio de una compensación o recompensa. Dicha información se comunica de conformidad con procedimientos específicos que tienen como objetivo garantizar el anonimato de esas personas para proteger su integridad física, y que son distintos de los canales de comunicación que establece la presente Directiva.

(31) Las personas que comunican información sobre amenazas o perjuicios para el interés público obtenida en el marco de sus actividades laborales hacen uso de su derecho a la libertad de expresión. El derecho a la libertad de expresión y de información, consagrado en el artículo 11 de la Carta y en el artículo 10 del Convenio Europeo para la Protección de los Derechos Humanos y de las Libertades Fundamentales, incluye el derecho a recibir y comunicar informaciones, así como la libertad y el pluralismo de los medios de comunicación. En consecuencia, la presente Directiva se basa en la jurisprudencia del Tribunal Europeo de Derechos Humanos (TEDH) sobre el derecho a la libertad de expresión y en los principios desarrollados por el Consejo de Europa en su Recomendación sobre protección de los informante s adoptada por su Comité de ministros el 30 de abril de 2014.

32) Para gozar de protección al amparo de la presente Directiva, los informante s deben tener motivos razonables para creer, a la luz de las circunstancias y de la información de que dispongan en el momento de la denuncia/comunicación que los hechos que denuncian son ciertos. Ese requisito es una salvaguardia esencial frente a denuncias malintencionadas, frívolas o abusivas, para garantizar que quienes, en el momento de denunciar, comuniquen deliberada y conscientemente información incorrecta o engañosa no gocen de protección. Al mismo tiempo, el requisito garantiza que la protección no se pierda cuando el informante comunique información inexacta sobre infracciones por error cometido de buena fe. De manera similar, los informante s deben tener derecho a protección en virtud de la presente Directiva si tienen motivos razonables para creer que la información comunicada entra dentro de su ámbito de aplicación. Los motivos de los informante s al denunciar deben ser irrelevantes para determinar si esas personas deben recibir protección.

(33) En general, los informante s se sienten más cómodos denunciando por canales internos, a menos que tengan motivos para denunciar por canales externos. Estudios empíricos demuestran que la mayoría de los informante s tienden a denunciar por canales internos, dentro de la organización en la que trabajan. La comunicación interna es también el mejor modo de recabar información de las personas que pueden contribuir a resolver con prontitud y efectividad los riesgos para el interés público. Al mismo tiempo, el informante debe poder elegir el canal de comunicación más adecuado en función de las circunstancias particulares del caso. Además, es necesario proteger la revelación pública de información, teniendo en cuenta principios democráticos tales como la transparencia y la rendición de cuentas, y derechos fundamentales como la libertad de expresión y la libertad y el pluralismo de los medios de comunicación, al tiempo que se encuentra un equilibrio entre el interés de los empresarios en la gestión de sus organizaciones y la defensa de sus intereses, por un lado, y el interés de los ciudadanos en que se los proteja contra todo perjuicio, por otro, conforme a los criterios desarrollados por la jurisprudencia del TEDH.

(34) Sin perjuicio de las obligaciones vigentes de disponer la comunicación anónima en virtud del Derecho de la Unión, debe ser posible para los Estados miembros decidir si se requiere a las entidades jurídicas de los sectores privado y público y a las autoridades competentes que acepten y sigan denuncias anónimas de infracciones que entren en el ámbito de aplicación de la presente Directiva. No obstante, las personas que denuncien de forma anónima o hagan revelaciones públicas de forma anónima dentro del ámbito de aplicación de la presente Directiva y cumplan sus condiciones deben gozar de protección en virtud de la presente Directiva si posteriormente son identificadas y sufren represalias.

(35) La presente Directiva debe conceder protección cuando, de conformidad con la legislación de la Unión, las personas denuncien ante instituciones, órganos y organismos de la Unión, por ejemplo, en el contexto de un fraude al presupuesto de la Unión.

(36) Las personas necesitan protección jurídica específica cuando obtienen la información que comunican con motivo de sus actividades laborales y, por tanto, corren el riesgo de represalias laborales, por ejemplo, por incumplir la obligación de confidencialidad o de lealtad. La razón subyacente para prestarles protección es su posición de vulnerabilidad económica frente a la persona de la que dependen de facto a efectos laborales. Cuando no existe tal desequilibrio de poder relacionado con el trabajo, por ejemplo, en el caso de demandantes ordinarios o testigos, no es necesaria la protección frente a represalias.

(37) La ejecución efectiva del Derecho de la Unión exige que debe otorgarse protección a la gama más amplia posible de categorías de personas que, independientemente de que sean ciudadanos de la Unión o nacionales de un tercer país, en virtud de sus actividades laborales, con independencia de su naturaleza y de si son retribuidas, disponen de un acceso privilegiado a información sobre infracciones que redundaría en interés de los ciudadanos denunciar y que pueden sufrir represalias si lo hacen. Los Estados miembros deben garantizar que la necesidad de protección se determine atendiendo a todas las circunstancias pertinentes y no solo a la naturaleza de la relación, para amparar al conjunto de personas vinculadas a la organización, en sentido amplio, en la que se haya cometido la infracción.

(38) La protección, en primer lugar, debe aplicarse a la persona que tenga la condición de «trabajador» en el sentido del artículo 45, apartado 1, del TFUE, tal como ha sido interpretado por el Tribunal de Justicia, es decir, a la persona que lleva a cabo, durante un cierto tiempo, en favor de otra y bajo su dirección, determinadas prestaciones a cambio de una retribución. Por lo tanto, la protección debe concederse también a los trabajadores que se encuentran en relaciones laborales atípicas, incluidos los trabajadores a tiempo parcial y los trabajadores con contratos de duración determinada, así como a las personas con un contrato de trabajo o una relación laboral con una empresa de trabajo temporal, relaciones laborales precarias en las que las formas habituales de

protección frente a un trato injusto resultan a menudo difíciles de aplicar. El concepto de «trabajador» también incluye a los funcionarios, a los empleados del servicio público, así como a cualquier otra persona que trabaje en el sector público.

(39) La protección debe extenderse también a otras categorías de personas físicas que, sin ser «trabajadores» en el sentido del artículo 45, apartado 1, del TFUE, puedan desempeñar un papel clave a la hora de denunciar infracciones del Derecho de la Unión y que puedan encontrarse en una situación de vulnerabilidad económica en el contexto de sus actividades laborales. Por ejemplo, en lo que respecta a la seguridad de los productos, los proveedores están mucho más cerca de la fuente de información sobre posibles prácticas abusivas e ilícitas de fabricación, importación o distribución de productos inseguros; y respecto de la ejecución de los fondos de la Unión, los consultores que prestan sus servicios se encuentran en una posición privilegiada para llamar la atención sobre las infracciones que presencien. Dichas categorías de personas, que incluyen a los trabajadores que prestan servicios por cuenta propia, los profesionales autónomos, los contratistas, subcontratistas y proveedores, suelen ser objeto de represalias, que pueden adoptar la forma, por ejemplo, de finalización anticipada o anulación de un contrato de servicios, una licencia o un permiso, de pérdidas de negocios o de ingresos, coacciones, intimidaciones o acoso, inclusión en listas negras o boicot a empresas o daño a su reputación. Los accionistas y quienes ocupan puestos directivos también pueden sufrir represalias, por ejemplo, en términos financieros o en forma de intimidación o acoso, inclusión en listas negras o daño a su reputación. Debe concederse también protección a las personas cuya relación laboral haya terminado y a los aspirantes a un empleo o a personas que buscan prestar servicios en una organización que obtengan información sobre infracciones durante el proceso de contratación u otra fase de negociación precontractual y puedan sufrir represalias, por ejemplo, en forma de referencias de trabajo negativas, inclusión en listas negras o boicot a su actividad empresarial.

(40) Una protección eficiente de los informante s también implica la protección de otras categorías de personas que, aunque no dependan económicamente de sus actividades laborales, pueden, no obstante, sufrir represalias por denunciar infracciones. Las represalias contra voluntarios y trabajadores en prácticas que perciben o no una remuneración pueden consistir en prescindir de sus servicios, en dar referencias de trabajo negativas o en dañar de algún modo su reputación o sus perspectivas profesionales.

(41) Debe facilitarse protección frente a medidas de represalia tomadas no solo directamente contra el propio informante, sino también aquellas que puedan tomarse indirectamente, incluso contra facilitadores, compañeros de trabajo o familiares del informante que también mantengan una relación laboral con el empresario, o los clientes o destinatarios de los servicios del informante. Sin perjuicio de la protección de la que gozan los representantes sindicales o los representantes de los trabajadores en su condición de tales en virtud de otras normas de la Unión y nacionales, deben gozar de la protección prevista en la presente Directiva tanto si denuncian infracciones en su calidad de trabajadores como si han prestado asesoramiento y apoyo al informante. Las represalias indirectas incluyen asimismo acciones tomadas contra la entidad jurídica de la que el informante sea propietario, para la que trabaje o con la que esté relacionado de otra forma en un contexto laboral, como la denegación de prestación de servicios, la inclusión en listas negras o el boicot a su actividad empresarial.

(42) La detección y la prevención efectivas de perjuicios graves para el interés público exige que el concepto de infracción incluya también prácticas abusivas, como establece la jurisprudencia del Tribunal de Justicia, a saber, actos u omisiones que no parecen ilícitos desde el punto de vista formal, pero que desvirtúan el objeto o la finalidad de la ley.

(43) Una prevención efectiva de las infracciones del Derecho de la Unión exige que se conceda protección a las personas que faciliten información necesaria para revelar infracciones que ya

hayan ocurrido, infracciones que no se hayan materializado todavía, pero que muy probablemente se vayan a cometer, actos u omisiones que el informante tenga motivos razonables para considerar infracciones, así como intentos de ocultar infracciones. Por las mismas razones, también está justificada la protección para las personas que no aporten pruebas concluyentes pero que planteen dudas o sospechas razonables. Al mismo tiempo, no debe protegerse a personas que comuniquen información que ya esté completamente disponible para el público, o rumores y habladurías no confirmados.

(44) Debe existir una estrecha relación entre la comunicación y el trato desfavorable sufrido, directa o indirectamente, por el informante, para que dicho trato desfavorable sea considerado una represalia y, por consiguiente, el informante pueda gozar de protección jurídica al respecto. La protección efectiva de los informante s como medio para potenciar el cumplimiento del Derecho de la Unión requiere una definición amplia de represalia que comprenda todo acto u omisión que se produzca en un contexto laboral y que les cause un perjuicio. No obstante, la presente Directiva no debe impedir que los empresarios tomen decisiones laborales que no sean consecuencia de la comunicación o la revelación pública.

(45) La protección frente a represalias como medio de salvaguardar la libertad de expresión y la libertad y el pluralismo de los medios de comunicación debe otorgarse tanto a las personas que comunican información sobre actos u omisiones en una organización («comunicación interna») o a una autoridad externa («comunicación externa») como a las personas que ponen dicha información a disposición del público, por ejemplo, directamente a través de plataformas web o de redes sociales, o a medios de comunicación, cargos electos, organizaciones de la sociedad civil, sindicatos u organizaciones profesionales y empresariales.

(46) En especial, los informante s constituyen fuentes importantes para los periodistas de investigación. Ofrecer una protección efectiva a los informante s frente a represalias aumenta la seguridad jurídica de los informante s potenciales y de esta forma incentiva que se informe sobre infracciones también a través de los medios de comunicación. A este respecto, la protección de los informante s como fuente de informaciones periodísticas es crucial para salvaguardar la función de guardián que el periodismo de investigación desempeña en las sociedades democráticas.

(47) Para la detección y prevención efectivas de infracciones del Derecho de la Unión es fundamental, en la medida de lo posible, que la información pertinente llegue rápidamente a quienes están más próximos a la fuente del problema y tienen más posibilidades de investigarlo y competencias para remediarlo. Así pues, por principio, debe animarse a los informante s a utilizar en primer lugar los canales de comunicación interna e informar a su empleador, si dichos canales están a su disposición y puede esperarse razonablemente que funcionen. Tal es el caso, en particular, cuando los informante s piensen que la infracción puede tratarse de manera efectiva dentro de la correspondiente organización y que no hay riesgo de represalias. Como consecuencia, las entidades jurídicas de los sectores privado y público deben establecer procedimientos internos adecuados para la recepción y el seguimiento de denuncias. Ese incentivo también es oportuno en casos en que se hayan establecido dichos canales sin que el Derecho de la Unión o nacional lo exija. Este principio debe contribuir a fomentar una cultura de buena comunicación y responsabilidad social empresarial en las organizaciones, en virtud de la cual se considere que los informante s contribuyen de manera significativa a la autocorrección y la excelencia dentro de la organización.

(48) En el caso de entidades jurídicas del sector privado, la obligación de establecer canales de comunicación interna debe guardar proporción con su tamaño y el nivel de riesgo que sus actividades suponen para el interés público. Las empresas con 50 o más trabajadores deben estar sujetas a la obligación de establecer canales de comunicación interna, con independencia de la naturaleza de sus actividades, sobre la base de su deber de recaudar el IVA. Tras una evaluación adecuada del riesgo, los Estados miembros pueden también exigir a otras empresas que establezcan canales

de comunicación interna en casos específicos, por ejemplo, debido a riesgos importantes derivados de sus actividades.

(49) La presente Directiva debe entenderse sin perjuicio de la posibilidad de que los Estados miembros alienten a las entidades jurídicas del sector privado con menos de 50 trabajadores a establecer canales de comunicación interna y seguimiento, incluso estableciendo, para dichos canales, requisitos menos preceptivos que los establecidos en la presente Directiva, siempre que dichos requisitos garanticen la confidencialidad y el seguimiento diligente de la denuncia. (50) La exención de las pequeñas empresas y las microempresas de la obligación de establecer canales de comunicación interna no debe aplicarse a las empresas privadas que estén obligadas a establecerlos en virtud de los actos de la Unión a que se refieren las partes I.B y II del anexo. (51) Debe quedar claro que, en el caso de entidades jurídicas del sector privado que no prevean canales de comunicación interna, los informante s deben poder informar externamente a las autoridades competentes y dichos informante s deben gozar de la protección frente a represalias que contempla la presente Directiva.

(52) A fin de garantizar, en particular, el respeto de las normas de contratación pública en el sector público, la obligación de establecer canales de comunicación interna debe aplicarse a todas las autoridades contratantes y entidades contratantes a nivel local, regional y nacional, pero de forma que guarde proporción con su tamaño.

(53) Siempre que se garantice la confidencialidad de la identidad del informante, corresponde a cada entidad jurídica individual del sector privado y público definir el tipo de canales de comunicación que se hayan de establecer. Más concretamente, los canales de comunicación deben permitir que las personas denuncien por escrito y que lo puedan hacer por correo, a través de un buzón físico destinado a recoger denuncias o a través de una plataforma en línea, ya sea en la intranet o en internet, o que denuncien verbalmente, por la línea de atención telefónica o a través de otro sistema de mensajería vocal, o ambos. A petición del informante, dichos canales deben también permitir denunciar mediante la celebración de reuniones presenciales en un plazo razonable.

(54) También se puede autorizar a terceros a recibir denuncias de infracciones en nombre de entidades jurídicas de los sectores privado y público, siempre que ofrezcan garantías adecuadas de respeto de la independencia, la confidencialidad, la protección de datos y el secreto. Dichos terceros pueden ser proveedores de plataformas de comunicación externa, asesores externos, auditores, representantes sindicales o representantes de los trabajadores.

(55) Los procedimientos de comunicación interna deben permitir a entidades jurídicas del sector privado recibir e investigar con total confidencialidad denuncias de los trabajadores de la entidad y de sus filiales (en lo sucesivo, «grupo»), pero también, en la medida de lo posible, de cualquiera de los agentes y proveedores del grupo y de cualquier persona que acceda a la información a través de sus actividades laborales relacionadas con la entidad y el grupo.

(56) La elección de las personas o departamentos de una entidad jurídica del sector privado más adecuados para encomendarles la recepción y seguimiento de las denuncias depende de la estructura de la entidad, pero, en cualquier caso, su función debe permitir garantizar la independencia y la ausencia de conflictos de intereses. En las entidades de menor tamaño, podría tratarse de una función dual a cargo de un ejecutivo de la sociedad bien situado para comunicarse directamente con la dirección de la entidad, por ejemplo, un responsable de cumplimiento normativo o de recursos humanos, un responsable de la integridad, un responsable de asuntos jurídicos o de la privacidad, un responsable financiero, un responsable de auditoría o un miembro del consejo de administración.

(57) En el contexto de la comunicación interna de infracciones, informar al informante, en la medida de lo jurídicamente posible y de la manera más completa posible, sobre el seguimiento de la comunicación es crucial para generar confianza en la eficacia del sistema de protección de los informante s y reducir la probabilidad de que se produzcan nuevas denuncias o revelaciones públicas innecesarias. Debe informarse al informante, en un plazo razonable, de las acciones previstas o

adoptadas para seguir la comunicación y los motivos para elegir dicho seguimiento. El seguimiento puede incluir, por ejemplo, la remisión a otros canales o procedimientos cuando la comunicación afecte exclusivamente a los derechos individuales del informante, archivo del procedimiento debido a la falta de pruebas suficientes o por otros motivos, puesta en marcha de una investigación interna y, en su caso, a sus resultados y toda medida adoptada para abordar el problema planteado, remisión a una autoridad competente para proseguir la investigación en la medida en que dicha información no afecte a la investigación interna o a los derechos del interesado. En todos los casos, el informante debe ser informado de los avances y el resultado de la investigación. En el transcurso de la investigación, debe ser posible pedir al informante que proporcione información adicional, aunque no exista ninguna obligación de hacerlo.

(58) Un plazo razonable para informar al informante no debe exceder de tres meses. Cuando todavía se esté considerando el seguimiento apropiado, el informante debe ser informado de ello, así como de cualquier otra respuesta que haya de esperar.

(59) Las personas que estén considerando la posibilidad de denunciar infracciones del Derecho de la Unión deben poder tomar una decisión fundada sobre su conveniencia, y sobre cuándo y cómo hacerlo. Las entidades jurídicas de los sectores privado y público que dispongan de procedimientos de comunicación interna deben facilitar información sobre estos, así como sobre los procedimientos de comunicación externa a las autoridades competentes. Es esencial que esa información sea clara y fácilmente accesible incluso, en la mayor medida posible, para personas que no sean los trabajadores que estén en contacto con la entidad debido a sus actividades laborales, tales como prestadores de servicios, distribuidores, proveedores y socios comerciales. Por ejemplo, dicha información podría exponerse en un lugar visible que sea accesible a todas estas personas y en el sitio web de la entidad, y podría también incluirse en cursos y seminarios de formación sobre ética e integridad.

(60) La prevención y detección efectivas de infracciones del Derecho de la Unión requiere garantizar que los informante s potenciales puedan aportar fácilmente y con total confidencialidad la información de que dispongan a las autoridades competentes que puedan investigar y solventar el problema, cuando sea posible. (61) Puede darse el caso de que no existan canales internos o de que se hayan utilizado, pero no hayan funcionado correctamente, por ejemplo, porque la comunicación no se haya seguido con diligencia o en un plazo razonable, o no se haya tomado ninguna medida adecuada para tratar la infracción a pesar del resultado de la correspondiente investigación interna confirmando la existencia de una infracción.

(62) En otros casos, no puede esperarse razonablemente que los canales internos funcionen adecuadamente. Este es el caso, en particular, cuando los informante s tengan razones válidas para pensar que podrían sufrir represalias en relación con la comunicación de infracciones, en particular como resultado de una vulneración de su confidencialidad, y que las autoridades competentes estarían mejor situadas para adoptar medidas eficaces para ocuparse de la infracción. Las autoridades competentes podrían estar mejor situadas, por ejemplo, cuando el responsable último en el contexto laboral está implicado en la infracción, o existe el riesgo de que se oculten o destruyan la infracción o las pruebas conexas o, de manera más general, porque la eficacia de las investigaciones por parte de las autoridades competentes podría verse amenazada de otra manera, como en el caso de que se denuncien prácticas colusorias u otras infracciones de las normas en materia de competencia; o porque la infracción requiere medidas urgentes, por ejemplo, para proteger la vida, la salud y la seguridad de las personas o para proteger el medio ambiente. En todos los casos, debe protegerse a las personas que denuncien externamente ante las autoridades competentes y, en su caso, ante las instituciones, órganos y organismos de la Unión. La presente Directiva también debe conceder protección en los casos en que el Derecho de la Unión o nacional exija a los informante s que se dirijan a las autoridades nacionales competentes, por ejemplo, en el marco de sus deberes y responsabilidades laborales o porque la infracción constituye un delito.

(63) La falta de confianza en la eficacia de las denuncias es uno de los principales factores que desalientan a los informante s potenciales. En consecuencia, existe la necesidad de imponer una obligación clara a las autoridades competentes para que establezcan canales de comunicación externa adecuados, sigan con diligencia las denuncias recibidas y, en un plazo razonable, den respuesta al informante s.

(64) Debe corresponder a los Estados miembros determinar qué autoridades son competentes para recibir la información sobre infracciones que entren en el ámbito de aplicación de la presente Directiva y seguir adecuadamente las denuncias. Dichas autoridades competentes podrían ser autoridades judiciales, organismos de regulación o de supervisión competentes en los ámbitos específicos de que se trate, o autoridades con una competencia más general a escala central dentro de un Estado miembro, autoridades encargadas del cumplimiento del Derecho, organismos de lucha contra la corrupción o defensores del pueblo.

(65) Como destinatarias de las denuncias/comunicaciones las autoridades a las que se designe como competentes deben tener las capacidades y competencias necesarias para garantizar un seguimiento adecuado, también para valorar la exactitud de las alegaciones formuladas en la comunicación y para ocuparse de las infracciones denunciadas, a través de la apertura de una investigación interna, de una investigación, del enjuiciamiento, de una acción de recuperación de fondos u otras medidas correctoras adecuadas, de conformidad con su mandato. Alternativamente, dichas autoridades deben tener las competencias necesarias para remitir la comunicación a otra autoridad que deba investigar la infracción denunciada, y garantizar que haya un seguimiento adecuado por parte de dicha autoridad. En particular, cuando los Estados miembros deseen establecer canales de comunicación externa a nivel central, por ejemplo, en el ámbito de las ayudas otorgadas por los Estados, los Estados miembros deben establecer las salvaguardias adecuadas para garantizar el respeto de los requisitos de independencia y autonomía establecidos en la presente Directiva. El establecimiento de dichos canales de comunicación externa no debe afectar a las competencias de los Estados miembros o de la Comisión en materia de supervisión en el ámbito de las ayudas estatales, ni tampoco debe afectar a la competencia exclusiva de la Comisión en lo que respecta a la declaración de compatibilidad de dichas ayudas, en particular con arreglo al artículo 107, apartado 3, del TFUE. Por lo que se refiere a las infracciones de los artículos 101 y 102 del TFUE, los Estados miembros deben designar como autoridades competentes a las mencionadas en el artículo 35 del Reglamento (CE) número1/2003 del Consejo, sin perjuicio de las competencias de la Comisión en este ámbito.

(66) Las autoridades competentes deben también dar respuesta a los informante s en lo que respecta a las medidas previstas o adoptadas para seguir la denuncia/comunicación por ejemplo, remisión a otra autoridad, archivo del procedimiento debido a la falta de pruebas suficientes o por otros motivos, o puesta en marcha de una investigación y, en su caso, sus resultados o las medidas adoptadas para abordar el problema planteado, así como en lo que respecta a los motivos de la elección de dicho seguimiento. Las comunicaciones sobre el resultado final de las investigaciones no deben afectar a las normas de la Unión aplicables, que incluyen posibles restricciones a la publicación de decisiones en el ámbito de la regulación financiera. Esto debe aplicarse, mutatis mutandis, en el ámbito del impuesto de sociedades, si el Derecho nacional aplicable prevé restricciones similares.

(67) El seguimiento y la respuesta al informante deben producirse en un plazo razonable, dada la necesidad de abordar con prontitud el problema que sea objeto de denuncia/comunicación así como la necesidad de evitar la revelación pública innecesaria de información. El plazo no debe exceder de tres meses, pero podría ampliarse a seis cuando sea necesario debido a circunstancias específicas del caso, en particular la naturaleza y la complejidad del objeto de la denuncia/comunicación que puedan justificar una investigación larga.

(68) El Derecho de la Unión en ámbitos específicos, como el abuso de mercado, a saber, el Reglamento (UE) número596/2014 y la Directiva de Ejecución (UE) 2015/2392, la aviación civil, a saber, el Reglamento (UE) número376/2014, o la seguridad de las operaciones de extracción de petróleo y gas en alta mar, a saber, la Directiva 2013/30/UE, ya contempla el establecimiento de canales de comunicación interna y externa. La obligación de establecer tales canales en los términos de la presente Directiva debe partir, en la medida de lo posible, en canales existentes ya previstos en actos específicos de la Unión.

(69) La Comisión, así como algunos órganos y organismos de la Unión, como la Oficina Europea de Lucha contra el Fraude (OLAF), la Agencia Europea de Seguridad Marítima (AESM), la Agencia Europea de Seguridad Aérea (AESA), la Autoridad Europea de Valores y Mercados (AEVM) y la Agencia Europea de Medicamentos (EMA), disponen de canales y procedimientos de comunicación externa para la recepción de denuncias de infracciones que entran en el ámbito de aplicación de la presente Directiva y que básicamente prevén la confidencialidad de la identidad de los informante s. La presente Directiva no debe afectar a dichos canales y procedimientos de comunicación externa, cuando existan, pero debe velar por que las personas que denuncien ante instituciones, órganos y organismos de la Unión se vean amparadas por unas normas mínimas comunes en materia de protección en toda la Unión.

(70) Para garantizar la eficacia de los procedimientos de seguimiento de las denuncias y de respuesta a las infracciones de las normas de la Unión de que se trate, los Estados miembros deben tener la posibilidad de adoptar medidas para aliviar las cargas que soporten las autoridades competentes como consecuencia de las denuncias de infracciones menores de disposiciones que entren en el ámbito de aplicación de la presente Directiva, las denuncias reiteradas o las denuncias sobre infracciones de disposiciones accesorias, por ejemplo, disposiciones sobre obligaciones relativas a la documentación o la notificación. Dichas medidas pueden consistir en permitir a las autoridades competentes, tras una debida valoración del asunto, decidir que una infracción denunciada es claramente menor y no requiere que se adopten más medidas para su seguimiento con arreglo a la presente Directiva, que no sea el archivo del procedimiento. Los Estados miembros también han de poder autorizar a las autoridades competentes cerrar procedimientos relativos a denuncias reiteradas que no contengan información nueva y significativa con respecto a una comunicación anterior cuyo procedimiento haya concluido, a menos que nuevas circunstancias de hecho o de Derecho justifiquen una forma de seguimiento distinta. Además, en caso de un elevado número de denuncias/comunicaciones los Estados miembros deben poder permitir a las autoridades competentes dar prioridad al tratamiento de las denuncias de infracciones graves o de infracciones de disposiciones esenciales que entran en el ámbito de aplicación de la presente Directiva.

(71) Cuando esté así previsto en el Derecho de la Unión o nacional, las autoridades competentes deben remitir los casos o la correspondiente información sobre infracciones a las instituciones, órganos u organismos de la Unión, incluidos, a efectos de la presente Directiva, la OLAF y la Fiscalía Europea, sin perjuicio de la posibilidad de que el informante se dirija directamente a dichos órganos y organismos de la Unión.

(72) En varios ámbitos de actuación que entran en el ámbito de aplicación material de la presente Directiva, existen mecanismos de cooperación a través de los cuales las autoridades nacionales competentes intercambian información y llevan a cabo actividades de seguimiento en relación con infracciones de las normas de la Unión con una dimensión transfronteriza. Los ejemplos van del sistema de asistencia y cooperación administrativas establecido por la Decisión de Ejecución (UE) 2015/1918 de la Comisión, en casos de infracciones transfronterizas de la legislación de la Unión relativa a la cadena agroalimentaria, y la Red contra el Fraude Alimentario en virtud del Reglamento (CE) número882/2004 del Parlamento Europeo y del Consejo, el Sistema de Alerta Rápida de la UE para productos peligrosos no alimentarios establecido por el Reglamento (CE) número178/2002 del Parlamento Europeo y del Consejo (38), la Red de Cooperación para la Protección del Consu-

midor en virtud del Reglamento (CE) número2006/2004 del Parlamento Europeo y del Consejo, al Foro de Cumplimiento y Gobernanza Medioambiental establecido por la Decisión de la Comisión de 18 de enero de 2018, la Red Europea de Competencia establecida por el Reglamento (CE) número1/2003 y la cooperación administrativa en el ámbito de la fiscalidad en virtud de la Directiva 2011/16/UE del Consejo. Las autoridades competentes de los Estados miembros deben aprovechar plenamente los mecanismos de cooperación existentes de este tipo cuando proceda, como parte de su obligación de seguir las denuncias relativas a infracciones que entran en el ámbito de aplicación de la presente Directiva. Además, las autoridades de los Estados miembros pueden cooperar también fuera de los mecanismos de cooperación existentes cuando se produzcan infracciones con una dimensión transfronteriza en ámbitos en que no existan mecanismos de cooperación de este tipo.

(73) A fin de permitir una comunicación efectiva con el personal responsable de tratar denuncias/comunicaciones es necesario que las autoridades competentes establezcan y utilicen canales de fácil acceso que sean seguros, garanticen la confidencialidad para recibir y tratar la información proporcionada por el informante sobre infracciones y que permitan el almacenamiento duradero de información para que puedan realizarse nuevas investigaciones. Esto puede requerir que dichos canales estén separados de los canales generales que las autoridades competentes utilizan para comunicarse con el público, como los sistemas normales de reclamación pública, o de los canales que la autoridad competente utiliza para comunicarse internamente y con terceros en el curso ordinario de sus actividades.

(74) Debe formarse profesionalmente al personal de las autoridades competentes que sea responsable de tratar denuncias/comunicaciones también sobre las normas aplicables en materia de protección de datos, para tratar las denuncias y garantizar la comunicación con los informante s, así como para seguir adecuadamente las denuncias.

(75) Las personas que tengan intención de denunciar infracciones deben poder tomar una decisión fundada sobre la conveniencia, y sobre cuándo y cómo hacerlo. Por consiguiente, las autoridades competentes deben facilitar información clara y de fácil acceso sobre los canales de comunicación disponibles ante las autoridades competentes, sobre los procedimientos aplicables y sobre el personal de esas autoridades que sea responsable de tratar denuncias. Toda la información referente a las denuncias debe ser transparente, fácilmente comprensible y fiable con objeto de promover las denuncias y no de obstaculizarlas.

(76) Los Estados miembros deben velar por que las autoridades competentes dispongan de procedimientos de protección adecuados para el tratamiento de las denuncias y para la protección de los datos personales de quienes sean mencionados en la denuncia. Dichos procedimientos deben garantizar la protección de la identidad de cada informante, cada persona afectada y cada tercero que se mencione en la denuncia/comunicación por ejemplo, testigos o compañeros de trabajo, en todas las fases del procedimiento.

(77) Es necesario que el personal de la autoridad competente que sea responsable de tratar denuncias y el personal de la autoridad competente que tenga derecho a acceder a la información facilitada por un informante cumpla el deber de secreto profesional y confidencialidad a la hora de transmitir los datos, tanto dentro como fuera de la autoridad competente, y también cuando una autoridad competente abra una investigación o una investigación interna o lleve a cabo acciones relacionadas con la denuncia.

(78) La revisión periódica de los procedimientos de las autoridades competentes y el intercambio de buenas prácticas entre ellas deben garantizar que estos procedimientos sean adecuados y, por lo tanto, sirvan para su objeto.

(79) Las personas que revelen públicamente infracciones deben poder acogerse a protección en los casos en que, pese a la comunicación interna o externa, la infracción siga sin ser atendida, por

ejemplo, cuando la infracción no se ha evaluado o afectado adecuadamente o no se han adoptado medidas correctoras adecuadas. La adecuación del seguimiento debe valorarse con arreglo a criterios objetivos, vinculados a la obligación de las autoridades competentes de valorar la exactitud de las alegaciones y poner fin a cualquier posible infracción del Derecho de la Unión. La adecuación del seguimiento dependerá por tanto de las circunstancias de cada caso y de la naturaleza de las normas que se hayan infringido. En particular, el hecho de que las autoridades hayan decidido que una infracción es claramente menor y que no se requiere ulterior seguimiento, que no sea el archivo del procedimiento, puede constituir un seguimiento adecuado con arreglo a la presente Directiva.

(80) Las personas que revelen directa y públicamente infracciones también deben poder acogerse a protección en los casos en que tengan motivos razonables para pensar que existe un peligro inminente o manifiesto para el interés público o un riesgo de daños irreversibles, incluido un peligro para la integridad física de una persona.

(81) Las personas que revelen directa y públicamente infracciones también deben poder acogerse a protección cuando tengan motivos razonables para pensar que en caso de comunicación externa exista un riesgo de sufrir represalias o sea poco probable que la infracción se trate de manera efectiva, dadas las circunstancias particulares del caso, como que puedan ocultarse o destruirse las pruebas o que una autoridad pueda estar en connivencia con el autor de la infracción o implicada en esta.

(82) Una medida ex ante esencial para evitar represalias consiste en salvaguardar la confidencialidad de la identidad del informante durante el proceso de comunicación y las investigaciones desencadenadas por la denuncia. Solo ha de poder divulgarse la identidad del informante en caso de que exista una obligación necesaria y proporcionada en virtud del Derecho de la Unión o nacional en el contexto de investigaciones llevadas a cabo por autoridades o de procesos judiciales, en particular para salvaguardar el derecho de defensa de las personas afectadas. Esta obligación puede derivarse, en particular, de la Directiva 2012/13/UE del Parlamento Europeo y del Consejo. La protección de la confidencialidad no debe aplicarse cuando el informante haya revelado intencionadamente su identidad en el contexto de una revelación pública.

(83) Todo tratamiento de datos personales realizado con arreglo a la presente Directiva, incluido el intercambio o la transmisión de datos personales por las autoridades competentes, debe efectuarse de conformidad con el Reglamento (UE) 2016/679 del Parlamento Europeo y del Consejo (43) y la Directiva (UE) 2016/680 del Parlamento Europeo y del Consejo (44). Todo intercambio o transmisión de información efectuado por las instituciones, órganos u organismos de la Unión debe llevarse a cabo de conformidad con el Reglamento (UE) 2018/1725 del Parlamento Europeo y del Consejo. Conviene prestar especial atención a los principios relativos al tratamiento de datos personales establecidos en el artículo 5 del Reglamento (UE) 2016/679, el artículo 4 de la Directiva (UE) 2016/680 y el artículo 4 del Reglamento (UE) 2018/1725, y al principio de protección de datos desde el diseño y por defecto contemplado en el artículo 25 del Reglamento (UE) 2016/679, el artículo 20 de la Directiva (UE) 2016/680 y los artículos 27 y 85 del Reglamento (UE) 2018/1725

(84) Los procedimientos establecidos en la presente Directiva y relacionados con el seguimiento de denuncias de infracciones del Derecho de la Unión en sus ámbitos de aplicación contribuyen a un objetivo importante de interés público general de la Unión y de los Estados miembros, en el sentido del artículo 23, apartado 1, letra e), del Reglamento (UE) 2016/679, ya que su objetivo es mejorar la ejecución del Derecho y las políticas de la Unión en determinados ámbitos en los cuales el incumplimiento puede provocar graves perjuicios para el interés público. Una protección efectiva de la confidencialidad de la identidad de los informante s resulta necesaria a fin de proteger los derechos y libertades de los demás, en particular los de los propios informante s, tal como establece el artículo 23, apartado 1, letra i), del Reglamento (UE) 2016/679. Los Estados miembros deben velar por que la presente Directiva sea eficaz, incluso, cuando sea necesario, restringiendo mediante

medidas legislativas el ejercicio de determinados derechos de protección de datos de las personas afectadas en consonancia con el artículo 23, apartado 1, letras e) e i), y el artículo 23, apartado 2, del Reglamento (UE) 2016/679, en la medida y durante el tiempo que sea necesario a fin de evitar y abordar los intentos de obstaculizar las denuncias o de impedir, frustrar o ralentizar su seguimiento, en particular las investigaciones, o los intentos de averiguar la identidad del informante.

(85) Una protección efectiva de la confidencialidad de la identidad del informante resulta igualmente necesaria a fin de proteger los derechos y libertades de los demás, en particular los del propio informante, cuando la comunicación la tratan las autoridades tal como se definen en el artículo 3, punto 7, de la Directiva (UE) 2016/680. Los Estados miembros deben velar que la presente Directiva sea eficaz, incluso, cuando sea necesario, restringiendo mediante medidas legislativas el ejercicio de determinados derechos de protección de datos de las personas afectadas en consonancia con el artículo 13, apartado 3, letras a) y e), el artículo 15, apartado 1, letras a) y e), el artículo 16, apartado 4, letras a) y e), y el artículo 31, apartado 5, de la Directiva (UE) 2016/680, en la medida y durante el tiempo que sea necesario a fin de evitar y abordar los intentos de obstaculizar las denuncias o de impedir, frustrar o ralentizar su seguimiento, en particular las investigaciones, o los intentos de averiguar la identidad del informante.

(86) Los Estados miembros deben garantizar que exista un registro adecuado por lo que respecta a todas las denuncias de infracciones, que todas las ellas puedan ser consultadas y que la información facilitada en ellas pueda utilizarse como prueba si se procede a medidas de ejecución.

(87) Los informante s deben ser protegidos contra toda forma de represalia, ya sea directa o indirecta, que se tome, se aliente o se tolere por su empresario o por los clientes o destinatarios de servicios y por personas que trabajen por cuenta o en nombre de estas, incluidos, por ejemplo, los compañeros de trabajo y directivos de la misma organización o de otras organizaciones con las que el informante esté en contacto en el contexto de sus actividades laborales.

(88) Cuando las represalias se producen impunemente y sin ser castigadas, esto amedranta a los informante s potenciales. Una clara prohibición legal de las represalias tendría un importante efecto disuasorio, y se reforzaría mediante disposiciones sobre responsabilidad personal y sanciones para los autores de las represalias.

(89) Los informante s potenciales que no estén seguros de cómo denunciar o de si van a ser protegidos pueden verse disuadidos de hacerlo. Los Estados miembros deben garantizar que se facilite información pertinente y exacta a ese respecto de manera clara y fácilmente accesible al público en general. Debe estar disponible un asesoramiento confidencial, imparcial, individual y gratuito sobre si, por ejemplo, la información en cuestión entra dentro del alcance de las normas aplicables sobre protección de los informante s, sobre qué canal de comunicación puede ser mejor utilizar y sobre los procedimientos alternativos disponibles en caso de que la información no entre dentro del alcance de las normas aplicables, la llamada «señalización» (signposting) o indicación del canal. El acceso a este asesoramiento puede ayudar a garantizar que las denuncias se realicen a través de los canales apropiados y de manera responsable, y que las infracciones e irregularidades se detecten en tiempo oportuno o que incluso puedan evitarse. Tal asesoramiento e información podrían proporcionarse por un centro de información o por una autoridad administrativa única e independiente. Los Estados miembros pueden decidir ampliar dicho asesoramiento al asesoramiento jurídico. Cuando el asesoramiento lo reciba el informante de una organización de la sociedad civil sujeta a la obligación de mantener la naturaleza confidencial de la información recibida, los Estados miembros deben asegurarse de que dicha organización no sufre represalias, por ejemplo, en forma de perjuicio económico resultante de una restricción en el acceso a la financiación, o bien de su inclusión en una lista negra, de forma que se dificulte su correcto funcionamiento.

(90) Las autoridades competentes deben prestar a los informante s el apoyo necesario para que puedan disponer de protección efectiva. En particular, deben facilitarles las pruebas o documenta-

ción de otro tipo que sean necesarias para confirmar ante otras autoridades u órganos jurisdiccionales que se ha producido una comunicación externa. En determinados contextos nacionales y en ciertos casos, los informante s pueden gozar de formas de certificación que acrediten que cumplen las condiciones de las normas aplicables. No obstante, tales posibilidades, deben tener acceso efectivo a control judicial, de tal forma que sean los órganos jurisdiccionales los que decidan, sobre la base de todas las circunstancias particulares del asunto, si cumplen las condiciones de las normas aplicables.

(91) No debe ser posible ampararse en las obligaciones legales o contractuales de las personas, como las cláusulas de fidelidad o los acuerdos de confidencialidad y no revelación para impedir las denuncias/comunicaciones para denegar la protección o para penalizar a los informante s por haber comunicado información sobre infracciones o haber efectuado una revelación pública cuando facilitar la información que entre dentro del alcance de dichas cláusulas y acuerdos sea necesario para revelar la infracción. Cuando se cumplan esas condiciones, los informante s no deben incurrir en responsabilidad alguna, ya sea civil, penal, administrativa o laboral. Es conveniente que haya una protección frente a la responsabilidad por la comunicación o revelación pública de información en virtud de la presente Directiva respecto de la información de la que el informante tenía motivos razonables para pensar que era necesario denunciar o hacer una revelación pública para poner de manifiesto una infracción en virtud de la presente Directiva. Dicha protección no debe hacerse extensiva a la información superflua que la persona hubiera revelado sin tener dichos motivos fundados.

(92) Cuando el informante hubiera adquirido la información sobre las infracciones denunciadas o los documentos que la contienen, o hubiera obtenido acceso a dicha información o dichos documentos, debe gozar de inmunidad frente a dicha responsabilidad. Esto debe aplicarse tanto a los casos en los que el informante revele el contenido de documentos a los que tenga acceso lícitamente como a aquellos en los que realice copias de los mismos o los retire de los locales de la organización de la cual es trabajador en contravención de cláusulas contractuales o de otro tipo que estipulen que dichos documentos son propiedad de la organización. Los informante s deben gozar asimismo de inmunidad cuando la adquisición de la información o los documentos o la obtención de acceso a ellos pudiera generar responsabilidades de tipo civil, administrativo o laboral. Ejemplos de ello serían casos en que el informante hubiera obtenido la información accediendo a mensajes de correo electrónico de un compañero o consultando documentos que no utiliza habitualmente en el marco de su trabajo, o fotografiando los locales de la organización, o entrando en lugares a los que no suele tener acceso. Cuando el informante haya obtenido la información o documentos mediante la comisión de un delito como la intromisión física o informática, su responsabilidad penal ha de seguir rigiéndose por el Derecho nacional aplicable, sin perjuicio de la protección que otorga el artículo 21, apartado 7, de la presente Directiva. Del mismo modo, cualquier otra responsabilidad del informante derivada de acciones u omisiones que no guarden relación con la comunicación o no resulten necesarias para revelar una infracción en virtud de la presente Directiva debe regirse por el Derecho de la Unión o nacional aplicable. En tales casos, deben ser los órganos jurisdiccionales nacionales los que evalúen la responsabilidad del informante a la luz de toda la información objetiva pertinente y teniendo en cuenta las circunstancias particulares del caso, incluida la necesidad y la proporcionalidad de la acción u omisión en relación con la comunicación o revelación pública.

(93) Es probable que las represalias se presenten como justificadas por razones distintas de la comunicación y puede resultar muy difícil para los informante s probar el vínculo entre ambas, mientras que los autores de medidas de represalia pueden tener más poder y recursos para documentar las medidas adoptadas y motivarlas. Por lo tanto, una vez que el informante efectuado una revelación pública de conformidad con la presente Directiva y que ha sufrido un perjuicio, la carga de la prueba debe recaer en la persona que haya tomado la medida perjudicial, a quien se debe entonces exigir que demuestre que las medidas adoptadas no estaban vinculadas en modo alguno a la comunicación o la revelación pública.

(94) Más allá de una prohibición expresa de represalias establecida legalmente, es fundamental que los informante s que sufran represalias tengan acceso a vías de recurso y a indemnización. El recurso adecuado en cada caso debe determinarse en función del tipo de medidas de represalia sufridas, y el daño o perjuicio causado en tales casos debe ser indemnizado íntegramente de conformidad con el Derecho nacional. El recurso adecuado puede tomar la forma de acciones de reintegración, por ejemplo, en caso de despido, traslado o degradación, o de congelación de formaciones o ascensos, o de restauración de un permiso, licencia o contrato anulados, indemnización por pérdidas económicas presentes y futuras, por ejemplo, por pérdida de salarios debidos, pero también por futuras pérdidas de ingresos, gastos relacionados con un cambio de trabajo, e indemnización por otros perjuicios económicos, como gastos jurídicos y costes de tratamiento médico, y por daños morales, como por ejemplo, el dolor y el sufrimiento.

(95) Si bien los tipos de acciones legales pueden variar entre sistemas jurídicos, deben garantizar que la indemnización o reparación sea real y efectiva, de forma que sea proporcionada respecto del perjuicio sufrido y que sea disuasoria. Cabe mencionar en este contexto los principios del pilar europeo de derechos sociales, en particular el principio número7, según el cual «antes de proceder a un despido, los trabajadores tienen derecho a ser informados de los motivos de este y a que se les conceda un plazo razonable de preaviso. Tienen derecho a acceder a una resolución de litigios efectiva e imparcial y, en caso de despido injustificado, tienen derecho a reparación, incluida una indemnización adecuada». Los recursos previstos en el plano nacional no deben disuadir a informante s potenciales futuros. Por ejemplo, proporcionar una indemnización como alternativa a la reincorporación en caso de despido podría dar lugar a una práctica sistemática, en particular en las organizaciones de mayor tamaño y, por tanto, tener un efecto disuasorio en informante s futuros.

(96) De especial importancia para los informante s son las medidas provisionales a la espera de la resolución del proceso judicial, que puede prolongarse. En particular, los informante s deben poder acogerse a medidas provisionales tal como se establezcan en Derecho nacional, para poner fin a amenazas, tentativas o actos continuados de represalia, como el acoso, o para prevenir formas de represalia como el despido, que puede ser difícil de revertir una vez transcurrido un largo período y arruinar económicamente a una persona, una perspectiva que puede disuadir eficazmente a informante s potenciales.

(97) Las medidas adoptadas contra los informante s fuera del contexto laboral, a través de procedimientos, por ejemplo, por difamación, violación de derechos de autor, secretos comerciales, confidencialidad y protección de datos personales, también pueden tener un grave efecto disuasorio para las denuncias. En tales procedimientos, los informante s deben poder confiar en que haber afectado una infracción o haber efectuado una revelación pública de conformidad con la presente Directiva sea considerado un argumento en su defensa, siempre que la información que se comunicación o se revela públicamente resultase necesaria para poner de manifiesto la infracción. En tales casos, la persona que inicie el procedimiento debe tener la carga de probar que el informante no cumple las condiciones establecidas en la presente Directiva.

(98) La Directiva (UE) 2016/943 del Parlamento Europeo y del Consejo establece normas para garantizar un nivel suficiente y coherente de reparación civil en caso de obtención, utilización o revelación ilícitas de un secreto comercial. No obstante, también establece que la obtención, utilización o revelación de un secreto comercial se han de considerar lícitas en la medida en que estén permitidas por el Derecho de la Unión. Las personas que revelan secretos comerciales de los que hayan tenido conocimiento en un contexto laboral deben gozar únicamente de la protección que otorga la presente Directiva, incluso no incurrir en responsabilidad civil, siempre que cumplan las condiciones establecidas en ella, incluida la de que la revelación fuera necesaria para poner de manifiesto una infracción que entre en el ámbito de aplicación material de la presente Directiva. Cuando se cumplan dichas condiciones se ha de considerar que la revelación de un secreto comercial está «permitida» por el Derecho de la Unión en el sentido del artículo 3, apartado 2, de la Directiva (UE) 2016/943.

Además, ambas directivas deben considerarse complementarias y las medidas, procedimientos o recursos de reparación civil, así como las exenciones previstas en la Directiva (UE) 2016/943 deben seguir siendo de aplicación a toda revelación de un secreto comercial que quede fuera del ámbito de aplicación de la presente Directiva. Las autoridades competentes que reciban información sobre infracciones que contenga secretos comerciales deben garantizar que estos secretos no se utilizan ni revelan para otros fines distintos de lo que resulte necesario a efectos del debido seguimiento de la denuncia.

(100) Los derechos de la persona afectada deben estar protegidos para evitar daños a la reputación u otras consecuencias negativas. Además, sus derechos de defensa y de acceso a vías de recurso deben ser plenamente respetados en cada fase del procedimiento tras la denuncia/comunicación de conformidad con los artículos 47 y 48 de la Carta. Los Estados miembros deben proteger la confidencialidad de la identidad de la persona afectada y garantizar sus derechos de defensa, incluido el derecho de acceso al expediente, el derecho a ser oído y el derecho a una tutela judicial efectiva contra una decisión que le concierna con arreglo a los procedimientos aplicables establecidos en el Derecho nacional en el contexto de investigaciones o procesos judiciales ulteriores.

(101) Toda persona que sufra un perjuicio, ya sea directa o indirectamente, como consecuencia de la comunicación o la revelación pública de información inexacta o engañosa debe gozar de la protección y las vías de recurso de que disponga con arreglo a las normas de Derecho nacional común. En caso de que dicha comunicación o revelación pública inexacta o engañosa haya sido efectuada de forma deliberada y consciente, las personas afectadas deben tener derecho a ser indemnizadas de conformidad con el Derecho nacional.

(102) Las sanciones penales, civiles o administrativas son necesarias para garantizar la eficacia de las normas sobre protección de los informante s. Las sanciones contra quienes tomen represalias u otras acciones perjudiciales contra los informante s pueden desalentar tales acciones. Son necesarias asimismo sanciones contra las personas que comuniquen o revelen públicamente información sobre infracciones cuando se demuestre que lo hicieron a sabiendas de su falsedad, con el fin de impedir nuevas denuncias maliciosas y de preservar la credibilidad del sistema. La proporcionalidad de tales sanciones debe garantizar que no tengan un efecto disuasorio en los informante s potenciales.

(103) Toda decisión adoptada por autoridades en perjuicio de los derechos otorgados por la presente Directiva, en particular las decisiones por las que las autoridades competentes decidan archivar el procedimiento relativo a una infracción denunciada a causa de ser manifiestamente menor o reiterada, o decidan que una comunicación concreta no merece tratamiento prioritario, está sujeta a control judicial de conformidad con el artículo 47 de la Carta.

(104) La presente Directiva establece normas mínimas y debe ser posible para los Estados miembros introducir o mantener disposiciones que sean más favorables para el informante, siempre que dichas disposiciones no interfieran con las medidas para la protección de las personas afectadas. La transposición de la presente Directiva no debe, en ninguna circunstancia, proporcionar una justificación para la disminución del nivel de protección de que ya gozan los informante s en virtud del Derecho nacional en sus ámbitos de aplicación.

(105) De conformidad con el artículo 26, apartado 2, del TFUE, el mercado interior implica un espacio sin fronteras interiores, en el que la libre circulación de mercancías y servicios estará garantizada. El mercado interior debe ofrecer a los ciudadanos de la Unión un valor añadido en forma de mejor calidad y seguridad de los bienes y servicios, garantizando un elevado nivel de salud pública y de protección del medio ambiente, así como la libre circulación de los datos personales. Así pues, el artículo 114 del TFUE es la base jurídica apropiada para adoptar las disposiciones necesarias para el establecimiento y el funcionamiento del mercado interior. Además de lo dispuesto en dicho artículo 114 del TFUE, la presente Directiva debe disponer de bases jurídicas específicas adicionales a fin de aplicarse a los ámbitos que se basan en el artículo 16, el artículo 43, apartado 2, el artículo

50, el artículo 53, apartado 1, los artículos 91 y 100, el artículo 168, apartado 4, el artículo 169, el artículo 192, apartado 1, y el artículo 325, apartado 4, del TFUE, y en el artículo 31 del Tratado Euratom, para la adopción de medidas de la Unión.

(106) El ámbito de aplicación material de la presente Directiva se basa en la identificación de los ámbitos en los que la introducción de protección de los informante s resulta justificada y necesaria en función de los elementos de prueba de que se dispone actualmente. Este ámbito de aplicación material puede ampliarse a otros ámbitos o actos de la Unión, si ello resulta necesario como medio para reforzar su aplicación a la luz de pruebas que puedan surgir en el futuro o sobre la base de la evaluación de la forma en que haya funcionado la presente Directiva.

(107) En caso de que se adopten futuros actos legislativos pertinentes para ámbitos cubiertos por la presente Directiva, deberían indicar, en su caso, que la presente Directiva es de aplicación. En caso necesario, el ámbito de aplicación material de la presente Directiva debe adaptarse y el anexo debe modificarse en consecuencia.

(108) Dado que el objetivo de la presente Directiva, a saber, reforzar el cumplimiento en determinados ámbitos y por lo que respecta a actos cuando las infracciones del Derecho de la Unión puedan provocar graves perjuicios al interés público, a través de una protección eficaz de los informante s, no puede ser alcanzado de manera suficiente por los Estados miembros actuando en solitario o de forma no coordinada, sino que, puede lograrse mejor a escala de la Unión estableciendo normas mínimas comunes para la protección de los informante s, y dado que solo la acción de la Unión puede aportar coherencia y armonizar las normas de la Unión vigentes sobre protección de los informante s, la Unión puede adoptar medidas, de acuerdo con el principio de subsidiariedad establecido en el artículo 5 del Tratado de la Unión Europea. De conformidad con el principio de proporcionalidad establecido en el mismo artículo, la presente Directiva no excede de lo necesario para alcanzar dicho objetivo.

(109) La presente Directiva respeta los derechos fundamentales y los principios reconocidos, en particular, por la Carta, especialmente su artículo 11. En consecuencia, es esencial que la presente Directiva se aplique de conformidad con esos derechos y principios, garantizando el pleno respeto, entre otros, de la libertad de expresión y de información, el derecho a la protección de los datos de carácter personal, la libertad de empresa, el derecho a un elevado nivel de protección de los consumidores, el derecho a un alto nivel de protección de la salud humana, el derecho a un alto nivel de protección medioambiental, el derecho a una buena administración, el derecho a la tutela judicial efectiva y los derechos de defensa.

(110) El Supervisor Europeo de Protección de Datos ha sido consultado de conformidad con el artículo 28, apartado 2, del Reglamento (CE) número45/2001.

HAN ADOPTADO LA PRESENTE DIRECTIVA:

## Capítulo I
### ÁMBITO DE APLICACIÓN, DEFINICIONES Y CONDICIONES DE PROTECCIÓN

**Artículo 1. Objeto.–** La presente Directiva tiene por objeto reforzar la aplicación del Derecho y las políticas de la Unión en ámbitos específicos mediante el establecimiento de normas mínimas comunes que proporcionen un elevado nivel de protección de las personas que informen sobre infracciones del Derecho de la Unión.

**Artículo 2. Ámbito de aplicación material.–** 1. La presente Directiva establece normas mínimas comunes para la protección de las personas que informen sobre las siguientes infracciones del Derecho de la Unión:

a) infracciones que entren dentro del ámbito de aplicación de los actos de la Unión enumerados en el anexo relativas a los ámbitos siguientes:

i)    contratación pública,

ii)   servicios, productos y mercados financieros, y prevención del blanqueo de capitales y la financiación del terrorismo,

iii)  seguridad de los productos y conformidad,

iv)   seguridad del transporte,

v)    protección del medio ambiente,

vi)   protección frente a las radiaciones y seguridad nuclear,

vii)  seguridad de los alimentos y los piensos, sanidad animal y bienestar de los animales,

viii) salud pública,

ix)   protección de los consumidores, x) protección de la privacidad y de los datos personales, y seguridad de las redes y los sistemas de información;

b) infracciones que afecten a los intereses financieros de la Unión tal como se contemplan en el artículo 325 del TFUE y tal como se concretan en las correspondientes medidas de la Unión;

c) infracciones relativas al mercado interior, tal como se contemplan en el artículo 26, apartado 2, del TFUE, incluidas las infracciones de las normas de la Unión en materia de competencia y ayudas otorgadas por los Estados, así como las infracciones relativas al mercado interior en relación con los actos que infrinjan las normas del impuesto sobre sociedades o a prácticas cuya finalidad sea obtener una ventaja fiscal que desvirtúe el objeto o la finalidad de la legislación aplicable del impuesto sobre sociedades.

2. La presente Directiva se entenderá sin perjuicio de la facultad de los Estados miembros para ampliar la protección en su Derecho nacional a otros ámbitos o actos no previstos en el apartado 1.

**Artículo 3. Relación con otros actos de la Unión y disposiciones nacionales.–** 1. Cuando, en los actos sectoriales de la Unión enumerados en la parte II del anexo, se establezcan normas específicas sobre la comunicación de infracciones, se aplicarán dichas normas. Lo dispuesto en la presente Directiva será aplicable en la medida en que un asunto no se rija obligatoriamente por los citados actos sectoriales de la Unión.

2. La presente Directiva no afectará a la responsabilidad de los Estados miembros de velar por la seguridad nacional ni a su facultad de proteger sus intereses esenciales en materia de seguridad. En particular, no afectará a las denuncias de infracciones de las normas de contratación pública que estén relacionadas con cuestiones de defensa o seguridad, salvo que se rijan por los actos pertinentes de la Unión.

3. La presente Directiva no afectará a la aplicación del Derecho de la Unión o nacional relativo a:

a) la protección de información clasificada;

b) la protección del secreto profesional de los médicos y abogados;

c) el secreto de las deliberaciones judiciales; d) las normas de enjuiciamiento criminal.

4. La presente Directiva no afectará a las normas nacionales relativas al ejercicio del derecho de los trabajadores a consultar a sus representantes o sindicatos, a la protección frente a posibles medidas perjudiciales injustificadas derivadas de tales consultas ni a la autonomía de los interlocutores sociales y su derecho a celebrar convenios colectivos. Ello se entenderá sin perjuicio del nivel de protección otorgado por la presente Directiva.

**Artículo 4. Ámbito de aplicación personal.–** 1. La presente Directiva se aplicará a los informante s que trabajen en el sector privado o público y que hayan obtenido información sobre infracciones en un contexto laboral, incluyendo, como mínimo, a:

a) las personas que tengan la condición de trabajadores en el sentido del artículo 45, apartado 1, del TFUE, incluidos los funcionarios;

b) las personas que tengan la condición de trabajadores no asalariados, en el sentido del artículo 49 del TFUE;

c) los accionistas y personas pertenecientes al órgano de administración, dirección o supervisión de una empresa, incluidos los miembros no ejecutivos, así como los voluntarios y los trabajadores en prácticas que perciben o no una remuneración;

d) cualquier persona que trabaje bajo la supervisión y la dirección de contratistas, subcontratistas y proveedores.

2. La presente Directiva también se aplicará a los informante s cuando comuniquen o revelen públicamente información sobre infracciones obtenida en el marco de una relación laboral ya finalizada.

3. La presente Directiva también se aplicará a los informante s cuya relación laboral todavía no haya comenzado, en los casos en que la información sobre infracciones haya sido obtenida durante el proceso de selección o de negociación precontractual.

4. Las medidas de protección del informante previstas en el capítulo VI también se aplicarán, en su caso, a:

a) los facilitadores;

b) terceros que estén relacionados con el informante y que puedan sufrir represalias en un contexto laboral, como compañeros de trabajo o familiares del informante, y

c) las entidades jurídicas que sean propiedad del informante, para las que trabaje o con las que mantenga cualquier otro tipo de relación en un contexto laboral.

**Artículo 5. Definiciones.–** A los efectos de la presente Directiva, se entenderá por:

1) «infracciones»: las acciones u omisiones que:

i) sean ilícitas y estén relacionadas con los actos y ámbitos de actuación de la Unión que entren dentro del ámbito de aplicación material del artículo 2, o

ii) desvirtúen el objeto o la finalidad de las normas establecidas en los actos y ámbitos de actuación de la Unión que entren dentro del ámbito de aplicación material del artículo 2;

2) «información sobre infracciones»: la información, incluidas las sospechas razonables, sobre infracciones reales o potenciales, que se hayan producido o que muy probablemente puedan producirse en la organización en la que trabaje o haya trabajado el informante o en otra organización con la que el informante esté o haya estado en contacto con motivo de su trabajo, y sobre intentos de ocultar tales infracciones;

3) «denuncia» o «denunciar»: la comunicación verbal o por escrito de información sobre infracciones;

4) «comunicación interna»: la comunicación verbal o por escrito de información sobre infracciones dentro de una entidad jurídica de los sectores privado o público;

5) «comunicación externa»: la comunicación verbal o por escrito de información sobre infracciones ante las autoridades competentes;

6) «revelación pública» o «revelar públicamente»: la puesta a disposición del público de información sobre infracciones;

7) «informante»: una persona física que comunica o revela públicamente información sobre infracciones obtenida en el contexto de sus actividades laborales;

8) «facilitador»: una persona física que asiste a un informante en el proceso de comunicación en un contexto laboral, y cuya asistencia debe ser confidencial;

9) «contexto laboral»: las actividades de trabajo presentes o pasadas en el sector público o privado a través de las cuales, con independencia de la naturaleza de dichas actividades, las personas pueden obtener información sobre infracciones y en el que estas personas podrían sufrir represalias si comunicasen dicha información;

10) «persona afectada»: una persona física o jurídica a la que se haga referencia en la comunicación o revelación pública como la persona a la que se atribuye la infracción o con la que se asocia la infracción;

11) «represalia»: toda acción u omisión, directa o indirecta, que tenga lugar en un contexto laboral, que esté motivada por una comunicación interna o externa o por una revelación pública y que cause o pueda causar perjuicios injustificados al informante;

12) «seguimiento»: toda acción emprendida por el destinatario de una comunicación o cualquier autoridad competente a fin de valorar la exactitud de las alegaciones hechas en la comunicación y, en su caso, de resolver la infracción denunciada, incluso a través de medidas como investigaciones internas, investigaciones, acciones judiciales, acciones de recuperación de fondos o el archivo del procedimiento;

13) «respuesta»: la información facilitada a los informante s sobre las medidas previstas o adoptadas para seguir su comunicación y sobre los motivos de tal seguimiento;

14) «autoridad competente»: toda autoridad nacional designada para recibir denuncias de conformidad con el capítulo III y para dar respuesta a los informante s, y/o designada para desempeñar las funciones previstas en la presente Directiva, en particular en lo que respecta al seguimiento.

**Artículo 6. Condiciones de protección de los informantes.–** 1. Los informante s tendrán derecho a protección en virtud de la presente Directiva siempre que:

a) tengan motivos razonables para pensar que la información sobre infracciones denunciadas es veraz en el momento de la comunicación y que la citada información entra dentro del ámbito de aplicación de la presente Directiva, y

b) hayan afectado por canales internos conforme al artículo 7 o por canales externos conforme al artículo 10, o hayan hecho una revelación pública conforme al artículo 15.

2. Sin perjuicio de la obligación vigente de disponer de mecanismos de comunicación anónima en virtud del Derecho de la Unión, la presente Directiva no afectará a la facultad de los Estados miembros de decidir si se exige o no a las entidades jurídicas de los sectores privado o público y a las autoridades competentes aceptar y seguir las denuncias anónimas de infracciones.

3. Las personas que hayan afectado o revelado públicamente información sobre infracciones de forma anónima pero que posteriormente hayan sido identificadas y sufran represalias seguirán, no obstante, teniendo derecho a protección en virtud del capítulo VI, siempre que cumplan las condiciones establecidas en el apartado 1.

4. La persona que denuncie ante las instituciones, órganos u organismos pertinentes de la Unión infracciones que entren en el ámbito de aplicación de la presente Directiva tendrá derecho a protección con arreglo a lo dispuesto en la presente Directiva en las mismas condiciones que una persona que haya afectado por canales externos.

## Capítulo II
## DENUNCIAS INTERNAS Y SEGUIMIENTO

**Artículo 7. Comunicación a través de canales de comunicación interna.–** 1. Como principio general y sin perjuicio de lo dispuesto en los artículos 10 y 15, la información sobre infracciones podrá comunicarse a través de los canales y procedimientos de comunicación interna previstos en el presente capítulo.

2. Los Estados miembros promoverán la comunicación a través de canales de comunicación interna antes que la comunicación a través de canales de comunicación externa, siempre que se pueda tratar la infracción internamente de manera efectiva y siempre que el informante considere que no hay riesgo de represalias.

3. Se proporcionará información apropiada relativa al uso de canales de comunicación interna a que se refiere el apartado 2 en el contexto de la información proporcionada por las entidades jurídicas de los sectores privado y público con arreglo al artículo 9, apartado 1, letra g), y por las autoridades competentes con arreglo al artículo 12, apartado 4, letra a), y al artículo 13.

**Artículo 8. Obligación de establecimiento de canales de comunicación interna.–** 1. Los Estados miembros velarán por que las entidades jurídicas de los sectores privado y público establezcan canales y procedimientos de comunicación interna y de seguimiento, previa consulta a los interlocutores sociales y de acuerdo con ellos cuando así lo establezca el Derecho nacional. 26.11.2019 ES Diario Oficial de la Unión Europea L 305/37

2. Los canales y procedimientos mencionados en el apartado 1 del presente artículo deberán permitir a los trabajadores de la entidad comunicar información sobre infracciones. También podrán permitir comunicar información sobre infracciones a otras personas, mencionadas en el artículo 4, apartado 1, letras b), c) y d), y en el artículo 4, apartado 2, que estén en contacto con la entidad en el contexto de sus actividades laborales.

3. El apartado 1 se aplicará a las entidades jurídicas del sector privado que tengan 50 o más trabajadores.

4. El límite establecido en el apartado 3 no se aplicará a las entidades que entren en el ámbito de aplicación de los actos de la Unión a que se refieren las partes I.B y II del anexo.

5. Los canales de comunicación podrán gestionarse internamente por una persona o departamento designados al efecto o podrán ser proporcionados externamente por un tercero. Las salvaguardas y requisitos a que se refiere el artículo 9, apartado 1, también se aplicarán a los terceros a los que se encomiende la gestión de los canales de comunicación de una entidad jurídica del sector privado.

6. Las entidades jurídicas del sector privado que tengan entre 50 y 249 trabajadores podrán compartir recursos para la recepción de denuncias y toda investigación que deba llevarse a cabo. Lo anterior se entenderá sin perjuicio de las obligaciones impuestas a dichas entidades por la presente Directiva de mantener la confidencialidad, de dar respuesta al informante, y de tratar la infracción denunciada.

7. Tras una adecuada evaluación del riesgo y teniendo en cuenta la naturaleza de las actividades de las entidades y el correspondiente nivel de riesgo, en particular, para el medio ambiente y la salud pública, los Estados miembros podrán exigir que las entidades jurídicas del sector privado con menos de 50 trabajadores establezcan canales y procedimientos de comunicación interna de conformidad con el capítulo II.

8. Los Estados miembros notificarán a la Comisión toda decisión que adopten para exigir a las entidades jurídicas del sector privado que establezcan canales de comunicación interna con arreglo

al apartado 7. Esa notificación incluirá la motivación de la decisión y los criterios utilizados en la evaluación del riesgo a que se refiere el apartado 7. La Comisión comunicará dicha decisión a los demás Estados miembros.

9. El apartado 1 se aplicará a todas las entidades jurídicas del sector público, incluidas las entidades que sean propiedad o estén sujetas al control de dichas entidades. Los Estados miembros podrán eximir de la obligación prevista en el apartado 1 a los municipios de menos de 10 000 habitantes o con menos de 50 trabajadores, u otras entidades mencionadas en el párrafo primero del presente apartado con menos de 50 trabajadores. Los Estados miembros podrán prever que varios municipios puedan compartir los canales de comunicación interna o que estos sean gestionados por autoridades municipales conjuntas de conformidad con el Derecho nacional, siempre que los canales de comunicación interna compartidos estén diferenciados y sean autónomos respecto de los correspondientes canales de comunicación externa.

**Artículo 9. Procedimientos de comunicación interna y seguimiento.–** 1. Los procedimientos de comunicación interna y seguimiento a que se refiere el artículo 8 incluirán lo siguiente:

a) canales para recibir denuncias que estén diseñados, establecidos y gestionados de una forma segura que garantice que la confidencialidad de la identidad del informante y de cualquier tercero mencionado en la comunicación esté protegida, e impida el acceso a ella al personal no autorizado;

b) un acuse de recibo de la comunicación al informante en un plazo de siete días a partir de la recepción;

c) la designación de una persona o departamento imparcial que sea competente para seguir las denuncias/comunicaciones que podrá ser la misma persona o departamento que recibe las denuncias y que mantendrá la comunicación con el informante y, en caso necesario, solicitará a esta información adicional y le dará respuesta;

d) el seguimiento diligente por la persona o el departamento designados a que se refiere la letra c);

e) el seguimiento diligente cuando así lo establezca el Derecho nacional en lo que respecta a las denuncias anónimas;

f) un plazo razonable para dar respuesta, que no será superior a tres meses a partir del acuse de recibo o, si no se remitió un acuse de recibo al informante, a tres meses a partir del vencimiento del plazo de siete días después de hacerse la denuncia;

g) información clara y fácilmente accesible sobre los procedimientos de comunicación externa ante las autoridades competentes de conformidad con el artículo 10 y, en su caso, ante las instituciones, órganos u organismos de la Unión.

2. Los canales previstos en el apartado 1, letra a), permitirán denunciar por escrito o verbalmente, o de ambos modos. La comunicación verbal será posible por vía telefónica o a través de otros sistemas de mensajería de voz y, previa solicitud del informante, por medio de una reunión presencial dentro de un plazo razonable.

## Capítulo III
## DENUNCIAS EXTERNAS Y SEGUIMIENTO

**Artículo 10. Comunicación a través de canales de comunicación externa.–** Sin perjuicio de lo dispuesto en el artículo 15, apartado 1, letra b), los informantes se comunicarán información sobre infracciones por los canales y los procedimientos descritos en los artículos 11 y 12, tras haberla comunicado en primer lugar a través de los canales de comunicación interna, o bien comunicándola directamente a través de los canales de comunicación externa.

**Artículo 11. Obligación de establecer canales de comunicación externa y de seguir las denuncias.–** 1. Los Estados miembros designarán a las autoridades competentes para recibir las denuncias/comunicaciones darles respuesta y seguirlas, y las dotarán de recursos adecuados.

2. Los Estados miembros velarán por que las autoridades competentes:

a) establezcan canales de comunicación externa independientes y autónomos para la recepción y el tratamiento de la información sobre infracciones;

b) con prontitud, y en cualquier caso en un plazo de siete días a partir de la recepción de la denuncia/comunicación acusen recibo de ella a menos que el informante solicite expresamente otra cosa o que la autoridad competente considere razonablemente que el acuse de recibo de la comunicación comprometería la protección de la identidad del informante;

c) sigan las denuncias diligentemente;

d) den respuesta al informante en un plazo razonable, no superior a tres meses, o a seis meses en casos debidamente justificados;

e) comuniquen al informante el resultado final de toda investigación desencadenada por la denuncia/comunicación de conformidad con los procedimientos previstos en el Derecho nacional;

f) transmitan en tiempo oportuno la información contenida en la comunicación a las instituciones, órganos u organismos competentes de la Unión, según corresponda, para que se siga investigando, cuando así esté previsto por el Derecho de la Unión o nacional.

3. Los Estados miembros podrán disponer que las autoridades competentes, tras examinar debidamente el asunto, puedan decidir que la infracción denunciada es manifiestamente menor y no requiere más seguimiento con arreglo a la presente Directiva, que no sea el archivo del procedimiento. Lo anterior no afectará a otras obligaciones o procedimientos aplicables para tratar la infracción denunciada, ni a la protección prevista por la presente Directiva en relación con la comunicación interna o externa. En tales casos, las autoridades competentes notificarán al informante su decisión y la motivación de la misma.

4. Los Estados miembros también podrán disponer que las autoridades competentes puedan decidir archivar el procedimiento por lo que respecta a denuncias reiteradas que no contengan información nueva y significativa sobre infracciones en comparación con una comunicación anterior respecto de la cual han concluido los correspondientes procedimientos, a menos que se den nuevas circunstancias de hecho o de Derecho que justifiquen un seguimiento distinto. En tales casos, las autoridades competentes notificarán al informante su decisión y la motivación de la misma.

5. Los Estados miembros podrán disponer que, en caso de que haya un elevado número de denuncias/comunicaciones las autoridades competentes puedan seguir prioritariamente las denuncias de infracciones graves o de infracciones de disposiciones esenciales que entren dentro del ámbito de aplicación de la presente Directiva, sin perjuicio del plazo previsto en el apartado 2, letra d).

6. Los Estados miembros velarán por que cualquier autoridad que haya recibido una denuncia/comunicación pero que no tenga competencias para dar tratamiento a la infracción denunciada, la transmita a la autoridad competente dentro de un plazo razonable y de manera segura y por qué el informante sea mantenido al corriente, sin demora, de dicha transmisión.

**Artículo 12. Diseño de los canales de comunicación externa.–** 1. Se considerará que los canales de comunicación externa son independientes y autónomos, siempre que cumplan todos los criterios siguientes:

a) se diseñen, establezcan y gestionen de forma que se garantice la exhaustividad, integridad y confidencialidad de la información y se impida el acceso a ella al personal no autorizado de la autoridad competente;

b) permitan el almacenamiento duradero de información, de conformidad con el artículo 18, para que puedan realizarse nuevas investigaciones.

2. Los canales de comunicación externa permitirán denunciar por escrito y verbalmente. La comunicación verbal será posible por vía telefónica o a través de otros sistemas de mensajería de voz y, previa solicitud del informante, por medio de una reunión presencial dentro de un plazo razonable.

3. Cuando se reciba una comunicación por canales que no sean los canales de comunicación a que se refieren los apartados 1 y 2 o por los miembros del personal que no sean los responsables de su tratamiento, las autoridades competentes garantizarán que los miembros del personal que la reciban tengan prohibido revelar cualquier información que pudiera permitir identificar al informante o a la persona afectada y que remitan con prontitud la denuncia/comunicación sin modificarla, a los miembros del personal responsables de tratar denuncias.

4. Los Estados miembros velarán por que las autoridades competentes designen a los miembros del personal responsables de tratar denuncias/comunicaciones y en particular de: a) informar a cualquier persona interesada sobre los procedimientos de denuncia;

b) recibir y seguir denuncias;

c) mantener el contacto con el informante a los efectos de darle respuesta y de solicitarle información adicional en caso necesario.

5. Los miembros del personal a que se refiere el apartado 4 recibirán formación específica a los efectos de tratar las denuncias.

**Artículo 13. Información relativa a la recepción y seguimiento de denuncias.–** Los Estados miembros velarán por que las autoridades competentes publiquen, en una sección separada, fácilmente identificable y accesible de sus sitios web, como mínimo la información siguiente:

a) las condiciones para poder acogerse a la protección en virtud de la presente Directiva;

b) los datos de contacto para los canales de comunicación externa previstos en el artículo 12, en particular, las direcciones electrónica y postal y los números de teléfono para dichos canales, indicando si se graban las conversaciones telefónicas;

c) los procedimientos aplicables a la comunicación de infracciones, incluida la manera en que la autoridad competente puede solicitar al informante aclaraciones sobre la información comunicada o proporcionar información adicional, el plazo para dar respuesta al informante y el tipo y contenido de dicha respuesta;

d) el régimen de confidencialidad aplicable a las denuncias y, en particular, la información sobre el tratamiento de los datos de carácter personal de conformidad con lo dispuesto en el artículo 17 de la presente Directiva, los artículos 5 y 13 del Reglamento (UE) 2016/679, el artículo 13 de la Directiva (UE) 2016/680 y el artículo 15 del Reglamento (UE) 2018/1725, según corresponda;

e) la naturaleza del seguimiento que deba darse a las denuncias;

f) las vías de recurso y los procedimientos para la protección frente a represalias, y la disponibilidad de asesoramiento confidencial para las personas que contemplen denunciar;

g) una declaración en la que se expliquen claramente las condiciones en las que las personas que denuncien ante la autoridad competente están protegidas de incurrir en responsabilidad por una infracción de confidencialidad con arreglo a lo dispuesto en el artículo 21, apartado 2, y

h) los datos de contacto del centro de información o de la autoridad administrativa única independiente prevista en el artículo 20, apartado 3, en su caso.

**Artículo 14. Revisión de los procedimientos por las autoridades competentes.–** Los Estados miembros velarán por que las autoridades competentes revisen periódicamente sus procedimientos de recepción y seguimiento de denuncias/comunicaciones y por lo menos una vez cada tres años. Al revisar dichos procedimientos, las autoridades competentes tendrán en cuenta su experiencia y la de otras autoridades competentes y adaptarán sus procedimientos en consecuencia.

## Capítulo IV
## REVELACIÓN PÚBLICA

**Artículo 15. Revelación pública.–** 1. La persona que haga una revelación pública podrá acogerse a protección en virtud de la presente Directiva si se cumple alguna de las condiciones siguientes:

a) la persona había afectado primero por canales internos y externos, o directamente por canales externos de conformidad con los capítulos II y III, sin que se hayan tomado medidas apropiadas al respecto en el plazo establecido en el artículo 9, apartado 1, letra f), o en el artículo 11, apartado 2, letra d), o

b) la persona tiene motivos razonables para pensar que:

i) la infracción puede constituir un peligro inminente o manifiesto para el interés público, como, por ejemplo, cuando se da una situación de emergencia o existe un riesgo de daños irreversibles, o

ii) en caso de comunicación externa, existe un riesgo de represalias o hay pocas probabilidades de que se dé un tratamiento efectivo a la infracción debido a las circunstancias particulares del caso, como que puedan ocultarse o destruirse las pruebas o que una autoridad esté en connivencia con el autor de la infracción o implicada en la infracción. 2.

El presente artículo no se aplicará en los casos en que una persona revele información directamente a la prensa con arreglo a disposiciones nacionales específicas por las que se establezca un sistema de protección relativo a la libertad de expresión y de información.

## Capítulo V
## DISPOSICIONES APLICABLES A LAS DENUNCIAS INTERNAS Y EXTERNAS

**Artículo 16. Deber de confidencialidad.–** 1. Los Estados miembros velarán por que no se revele la identidad del informante sin su consentimiento expreso a ninguna persona que no sea un miembro autorizado del personal competente para recibir o seguir denuncias. Lo anterior también se aplicará a cualquier otra información de la que se pueda deducir directa o indirectamente la identidad del informante.

2. Como excepción a lo dispuesto en el apartado 1, la identidad del informante y cualquier otra información prevista en el apartado 1 solo podrá revelarse cuando constituya una obligación necesaria y proporcionada impuesta por el Derecho de la Unión o nacional en el contexto de una investigación llevada a cabo por las autoridades nacionales o en el marco de un proceso judicial, en particular para salvaguardar el derecho de defensa de la persona afectada.

3. Las revelaciones hechas en virtud de la excepción prevista en el apartado 2 estará sujeta a salvaguardias adecuadas en virtud de las normas de la Unión y nacionales aplicables. En particular, se informará al informante antes de revelar su identidad, salvo que dicha información pudiera comprometer la investigación o el procedimiento judicial. Cuando la autoridad competente informe al informante, le remitirá una explicación escrita de los motivos de la revelación de los datos confidenciales en cuestión.

4. Los Estados miembros velarán por que las autoridades competentes que reciban información sobre infracciones que incluya secretos comerciales no usen ni revelen esos secretos comerciales para fines que vayan más allá de lo necesario para un correcto seguimiento.

**Artículo 17. Tratamiento de datos personales.–** Todo tratamiento de datos personales realizado en aplicación de la presente Directiva, incluido el intercambio o transmisión de datos personales por las autoridades competentes, se realizará de conformidad con el Reglamento (UE) 2016/679 y la Directiva (UE) 2016/680. Todo intercambio o transmisión de información por parte de las instituciones, órganos u organismos de la Unión se realizará de conformidad con el Reglamento (UE) 2018/1725. No se recopilarán datos personales cuya pertinencia no resulte manifiesta para tratar una comunicación específica o, si se recopilan por accidente, se eliminarán sin dilación indebida.

**Artículo 18. Registro de las denuncias.–** 1. Los Estados miembros velarán por que las entidades jurídicas de los sectores privado y público y las autoridades competentes lleven un registro de todas las denuncias recibidas, en cumplimiento de los requisitos de confidencialidad contemplados en el artículo 16. Las denuncias se conservarán únicamente durante el período que sea necesario y proporcionado a efectos de cumplir con los requisitos impuestos por la presente Directiva, u otros requisitos impuestos por el Derecho de la Unión o nacional.

2. Cuando para la comunicación se utilice una línea telefónica u otro sistema de mensajería de voz con grabación, a reserva del consentimiento del informante, las entidades jurídicas de los sectores privado y público y las autoridades competentes tendrán derecho a documentar la comunicación verbal de una de las maneras siguientes:

a) mediante una grabación de la conversación en un formato duradero y accesible, o

b) a través de una transcripción completa y exacta de la conversación realizada por el personal responsable de tratar la denuncia. Las entidades jurídicas de los sectores privado y público y las autoridades competentes ofrecerán al informante la oportunidad de comprobar, rectificar y aceptar mediante su firma la transcripción de la llamada.

3. En los casos en que para la comunicación se utilice una línea telefónica u otro sistema de mensajería de voz sin grabación, las entidades jurídicas de los sectores privado y público y las autoridades competentes tendrán derecho a documentar la comunicación verbal en forma de acta pormenorizada de la conversación escrita por el personal responsable de tratar la denuncia. Las entidades jurídicas de los sectores privado y público y las autoridades competentes ofrecerán al informante la oportunidad de comprobar, rectificar y aceptar mediante su firma el acta de la conversación.

4. Cuando una persona solicite una reunión con el personal de las entidades jurídicas de los sectores privado y público o de las autoridades competentes con la finalidad de denunciar en virtud del artículo 9, apartado 2, y del artículo 12, apartado 2, las entidades jurídicas de los sectores privado y público y las autoridades competentes garantizarán, a reserva del consentimiento del informante, que se conserven registros completos y exactos de la reunión en un formato duradero y accesible. Las entidades jurídicas de los sectores privado y público y las autoridades competentes tendrán derecho a documentar la reunión de una de las maneras siguientes:

a) mediante una grabación de la conversación en un formato duradero y accesible, o

b) a través de un acta pormenorizada de la reunión preparada por el personal responsable de tratar la denuncia. Las entidades jurídicas de los sectores privado y público y las autoridades competentes ofrecerán al informante la oportunidad de comprobar, rectificar y aceptar mediante su firma el acta de la reunión.

## Capítulo VI
## MEDIDAS DE PROTECCIÓN

**Artículo 19. Prohibición de represalias.–** Los Estados miembros adoptarán las medidas necesarias para prohibir todas las formas de represalias contra las personas a que se refiere el artículo 4, incluidas las amenazas de represalias y las tentativas de represalia, en particular, en forma de:

a) suspensión, despido, destitución o medidas equivalentes;

b) degradación o denegación de ascensos;

c) cambio de puesto de trabajo, cambio de ubicación del lugar de trabajo, reducción salarial o cambio del horario de trabajo;

d) denegación de formación; e) evaluación o referencias negativas con respecto a sus resultados laborales;

f) imposición de cualquier medida disciplinaria, amonestación u otra sanción, incluidas las sanciones pecuniarias;

g) coacciones, intimidaciones, acoso u ostracismo;

h) discriminación, o trato desfavorable o injusto;

i) no conversión de un contrato de trabajo temporal en uno indefinido, en caso de que el trabajador tuviera expectativas legítimas de que se le ofrecería un trabajo indefinido;

j) no renovación o terminación anticipada de un contrato de trabajo temporal;

k) daños, incluidos a su reputación, en especial en los medios sociales, o pérdidas económicas, incluidas la pérdida de negocio y de ingresos;

l) inclusión en listas negras sobre la base de un acuerdo sectorial, informal o formal, que pueda implicar que en el futuro la persona no vaya a encontrar empleo en dicho sector;

m) terminación anticipada o anulación de contratos de bienes o servicios;

n) anulación de una licencia o permiso; o) referencias médicas o psiquiátricas.

**Artículo 20. Medidas de apoyo.–** 1. Los Estados miembros velarán por que las personas a que se refiere el artículo 4 tengan acceso, según corresponda, a medidas de apoyo, en particular las siguientes:

a) información y asesoramiento completos e independientes, que sean fácilmente accesibles para el público y gratuitos, sobre los procedimientos y recursos disponibles, protección frente a represalias y derechos de la persona afectada;

b) asistencia efectiva por parte de las autoridades competentes ante cualquier autoridad pertinente implicada en su protección frente a represalias, incluida, cuando así se contemple en el Derecho nacional, la certificación de que pueden acogerse a protección al amparo de la presente Directiva, y

c) asistencia jurídica en los procesos penales y en los procesos civiles transfronterizos de conformidad con la Directiva (UE) 2016/1919 y la Directiva 2008/52/CE del Parlamento Europeo y del Consejo y, de conformidad con el Derecho nacional, asistencia jurídica en otros procesos y asesoramiento jurídico o cualquier otro tipo de asistencia jurídica

2. Los Estados miembros podrán prestar asistencia financiera y medidas de apoyo a los informante s, incluido apoyo psicológico, en el marco de un proceso judicial.

3. Las medidas de apoyo mencionadas en el presente artículo serán prestadas, según corresponda, por un centro de información o por una autoridad administrativa única e independiente claramente identificada.

**Artículo 21. Medidas de protección frente a represalias.–** 1. Los Estados miembros adoptarán las medidas necesarias para garantizar que las personas a que se refiere el artículo 4 estén protegidas frente a represalias. Dichas medidas incluirán, en particular, las que figuran en los apartados 2 a 8 del presente artículo.

2. Sin perjuicio de lo dispuesto en el artículo 3, apartados 2 y 3, no se considerará que las personas que comuniquen información sobre infracciones o que hagan una revelación pública de

conformidad con la presente Directiva hayan infringido ninguna restricción de revelación de información, y estas no incurrirán en responsabilidad de ningún tipo en relación con dicha comunicación o revelación pública, siempre que tuvieran motivos razonables para pensar que la comunicación o revelación pública de dicha información era necesaria para revelar una infracción en virtud de la presente Directiva.

3. Los informante s no incurrirán en responsabilidad respecto de la adquisición o el acceso a la información que es comunicada o revelada públicamente, siempre que dicha adquisición o acceso no constituya de por sí un delito. En el caso de que la adquisición o el acceso constituya de por sí un delito, la responsabilidad penal seguirá rigiéndose por el Derecho nacional aplicable.

4. Cualquier otra posible responsabilidad de los informante s derivada de actos u omisiones que no estén relacionados con la comunicación o la revelación pública o que no sean necesarios para revelar una infracción en virtud de la presente Directiva seguirán rigiéndose por el Derecho de la Unión o nacional aplicable.

5. En los procedimientos ante un órgano jurisdiccional u otra autoridad relativos a los perjuicios sufridos por los informante s, y a reserva de que dicha persona establezca que ha afectado o ha hecho una revelación pública y que ha sufrido un perjuicio, se presumirá que el perjuicio se produjo como represalia por denunciar o hacer una revelación pública. En tales casos, corresponderá a la persona que haya tomado la medida perjudicial probar que esa medida se basó en motivos debidamente justificados.

6. Las personas a que se refiere el artículo 4 tendrán acceso a medidas correctoras frente a represalias, según corresponda, incluidas medidas provisionales a la espera de la resolución del proceso judicial, de conformidad con el Derecho nacional.

7. En los procesos judiciales, incluidos los relativos a difamación, violación de derechos de autor, vulneración de secreto, infracción de las normas de protección de datos, revelación de secretos comerciales, o a solicitudes de indemnización basadas en el Derecho laboral privado, público o colectivo, las personas a que se refiere el artículo 4 no incurrirán en responsabilidad de ningún tipo como consecuencia de denuncias o de revelaciones públicas en virtud de la presente Directiva. Dichas personas tendrán derecho a alegar en su descargo el haber afectado o haber hecho una revelación pública, siempre que tuvieran motivos razonables para pensar que la comunicación o revelación pública era necesaria para poner de manifiesto una infracción en virtud de la presente Directiva. Cuando una persona denuncie o revele públicamente información sobre infracciones que entran en el ámbito de aplicación de la presente Directiva, y dicha información incluye secretos comerciales, y cuando dicha persona reúna las condiciones establecidas en la presente Directiva, dicha comunicación o revelación pública se considerará lícita en las condiciones previstas en el artículo 3, apartado 2, de la Directiva (UE) 2016/943.

8. Los Estados miembros adoptarán las medidas necesarias para garantizar que se proporcionen vías de recurso e indemnización íntegra de los daños y perjuicios sufridos por las personas a que se refiere el artículo 4 de conformidad con el Derecho nacional.

**Artículo 22. Medidas para la protección de las personas afectadas.–** 1. Los Estados miembros velarán, de conformidad con la Carta, porque las personas afectadas gocen plenamente de su derecho a la tutela judicial efectiva y a un juez imparcial, así como a la presunción de inocencia y al derecho de defensa, incluido el derecho a ser oídos y el derecho a acceder a su expediente.

2. Las autoridades competentes velarán, de conformidad con el Derecho nacional, porque la identidad de las personas afectadas esté protegida mientras cualquier investigación desencadenada por la comunicación o la revelación pública esté en curso. L 305/44 ES Diario Oficial de la Unión Europea 26.11.2019

3. Las normas establecidas en los artículos 12, 17 y 18 referidas a la protección de la identidad de los informante s se aplicarán también a la protección de la identidad de las personas afectadas.

**Artículo 23. Sanciones.–** 1. Los Estados miembros establecerán sanciones efectivas, proporcionadas y disuasorias aplicables a las personas físicas o jurídicas que: a) impidan o intenten impedir las denuncias; b) adopten medidas de represalia contra las personas a que se refiere el artículo 4;

c) promuevan procedimientos abusivos contra las personas a que se refiere el artículo 4;

d) incumplan el deber de mantener la confidencialidad de la identidad de los informante s, tal como se contempla en el artículo 16.

2. Los Estados miembros establecerán sanciones efectivas, proporcionadas y disuasorias aplicables respecto de informante s cuando se establezca que habían comunicado o revelado públicamente información falsa a sabiendas. Los Estados miembros también establecerán medidas para indemnizar los daños y perjuicios derivados de dichas denuncias o revelaciones públicas de conformidad con el Derecho nacional.

**Artículo 24. Prohibición de renuncia a los derechos y vías de recurso.–** Los Estados miembros velarán por que no puedan limitarse los derechos y vías de recurso previstos por la presente Directiva, ni se pueda renunciar a ellos, por medio de ningún acuerdo, política, forma de empleo o condiciones de trabajo, incluida cualquier cláusula de sometimiento a arbitraje.

## Capítulo VII
## DISPOSICIONES FINALES

**Artículo 25. Trato más favorable y cláusula de no regresión.–** 1. Los Estados miembros podrán introducir o mantener disposiciones más favorables para los derechos de los informante s que los establecidos en la presente Directiva, sin perjuicio de lo dispuesto en el artículo 22 y en el artículo 23, apartado 2.

2. La aplicación de la presente Directiva no constituirá en ninguna circunstancia motivo para reducir el nivel de protección ya garantizado por los Estados miembros en los ámbitos regulados por la presente Directiva.

**Artículo 26. Transposición y período transitorio.–** 1.Los Estados miembros pondrán en vigor las disposiciones legales, reglamentarias y administrativas necesarias para dar cumplimiento a lo establecido en la presente Directiva a más tardar el 17 de diciembre de 2021.

2. No obstante lo dispuesto en el apartado 1, para las entidades jurídicas del sector privado que tengan de 50 a 249 trabajadores, los Estados miembros pondrán en vigor, a más tardar el 17 de diciembre de 2023, las disposiciones legales, reglamentarias y administrativas necesarias para dar cumplimiento a la obligación de establecer canales de comunicación interna en virtud del artículo 8, apartado 3.

3. Cuando los Estados miembros adopten las disposiciones mencionadas en los apartados 1 y 2, estas harán referencia a la presente Directiva o irán acompañadas de dicha referencia en su publicación oficial. Los Estados miembros establecerán las modalidades de la mencionada referencia. Comunicarán inmediatamente a la Comisión el texto de dichas disposiciones.

**Artículo 27. Informes, evaluación y revisión.–** 1. Los Estados miembros facilitarán a la Comisión toda la información pertinente relativa a la ejecución y aplicación de la presente Directiva. Basándose en la información recibida, la Comisión, a más tardar el 17 de diciembre de 2023, presentará al Parlamento Europeo y al Consejo un informe sobre la ejecución y aplicación de la presente Directiva.

2. Sin perjuicio de las obligaciones en materia de información establecidas en otros actos legislativos de la Unión, los Estados miembros presentarán anualmente a la Comisión las siguientes estadísticas sobre las denuncias mencionadas en el capítulo III, preferiblemente de forma agregada, si se dispone de ellas a nivel central en el Estado miembro de que se trate:

a) número de denuncias recibidas por las autoridades competentes;

b) número de investigaciones y actuaciones judiciales iniciadas a raíz de dichas denuncias/comunicaciones y su resultado, y

c) si se ha podido determinar, la estimación del perjuicio económico y los importes recuperados tras las investigaciones y actuaciones judiciales relacionadas con las infracciones denunciadas.

3. A más tardar el 17 de diciembre de 2025, la Comisión, teniendo en cuenta el informe que haya presentado con arreglo al apartado 1 y las estadísticas presentadas por los Estados miembros conforme a lo dispuesto en el apartado 2, presentará un informe al Parlamento Europeo y al Consejo en el que evaluará la repercusión de las normas nacionales de transposición de la presente Directiva. El informe examinará la forma en que ha funcionado la presente Directiva y sopesará la necesidad de introducir medidas adicionales, incluidas, cuando proceda, modificaciones con vistas a ampliar el ámbito de aplicación de la presente Directiva a otros actos o ámbitos de la Unión, en particular la mejora del entorno laboral para proteger la salud, la seguridad y las condiciones de trabajo de los trabajadores. Además de la evaluación a que se refiere el párrafo primero, el informe examinará la forma en la que los Estados miembros han recurrido a los mecanismos de cooperación existentes como parte de su obligación de seguir las denuncias sobre infracciones que entran en el ámbito de aplicación de la presente Directiva y, de manera más general, cómo estos cooperan cuando se producen infracciones con una dimensión transfronteriza.

4. La Comisión hará que los informes a que se refieren los apartados 1 y 3 sean públicos y fácilmente accesibles.

**Artículo 28. Entrada en vigor.–** La presente Directiva entrará en vigor a los veinte días de su publicación en el Diario Oficial de la Unión Europea.

**Artículo 29. Destinatarios.–** Los destinatarios de la presente Directiva son los Estados miembros. Hecho en Estrasburgo, el 23 de octubre de 2019.

Por el Parlamento Europeo El Presidente D. M. SASSOLI

Por el Consejo La Presidenta T. TUPPURAINEN

# ANEXO

## PARTE I

### A) Artículo 2, apartado 1, letra a), inciso i) – Contratación pública:

1. Normas de procedimiento aplicables a la contratación pública y la adjudicación de concesiones, a la adjudicación de contratos en los ámbitos de la defensa y la seguridad, y a la adjudicación de contratos por parte de entidades que operan en los sectores del agua, la energía, los transportes y los servicios postales y cualquier otro contrato, establecidas en:

i) la Directiva 2014/23/UE del Parlamento Europeo y del Consejo, de 26 de febrero de 2014, relativa a la adjudicación de contratos de concesión (DO L 94 de 28.3.2014, p. 1),

ii) la Directiva 2014/24/UE del Parlamento Europeo y del Consejo, de 26 de febrero de 2014, sobre contratación pública y por la que se deroga la Directiva 2004/18/CE (DO L 94 de 28.3.2014, p. 65),

iii) la Directiva 2014/25/UE del Parlamento Europeo y del Consejo, de 26 de febrero de 2014, relativa a la contratación por entidades que operan en los sectores del agua, la energía, los transportes y los servicios postales y por la que se deroga la Directiva 2004/17/CE (DO L 94 de 28.3.2014, p. 243),

iv) la Directiva 2009/81/CE del Parlamento Europeo y del Consejo, de 13 de julio de 2009, sobre coordinación de los procedimientos de adjudicación de determinados contratos de obras, de suministro y de servicios por las entidades o poderes adjudicadores en los ámbitos de la defensa y la seguridad, y por la que se modifican las Directivas 2004/17/CE y 2004/18/CE (DO L 216 de 20.8.2009, p. 76).

2. Procedimientos de recurso, regulados por:

i) la Directiva 92/13/CEE del Consejo, de 25 de febrero de 1992, relativa a la coordinación de las disposiciones legales, reglamentarias y administrativas referentes a la aplicación de las normas comunitarias en los procedimientos de formalización de contratos de las entidades que operen en los sectores del agua, de la energía, de los transportes y de las telecomunicaciones (DO L 76 de 23.3.1992, p. 14),

ii) la Directiva 89/665/CEE del Consejo, de 21 de diciembre de 1989, relativa a la coordinación de las disposiciones legales, reglamentarias y administrativas referentes a la aplicación de los procedimientos de recurso en materia de adjudicación de los contratos públicos de suministros y de obras (DO L 395 de 30.12.1989, p. 33).

**B) Artículo 2, apartado 1, letra a), inciso ii) – Servicios, productos y mercados financieros, y prevención del blanqueo de capitales y la financiación del terrorismo:**

Normas que establecen un marco regulador y de supervisión y protección para los inversores y consumidores en los servicios financieros y mercados de capitales de la Unión, los productos bancarios, de crédito, de inversión, de seguro y reaseguro, de pensiones personales o de jubilación, servicios de valores, de fondos de inversión, de pago y las actividades enumeradas en el anexo I de la Directiva 2013/36/UE del Parlamento Europeo y del Consejo, de 26 de junio de 2013, relativa al acceso a la actividad de las entidades de crédito y a la supervisión prudencial de las entidades de crédito y las empresas de inversión, por la que se modifica la Directiva 2002/87/CE y por el que se derogan las Directivas 2006/48/CE y 2006/49/CE (DO L 176 de 27.6.2013, p. 338), establecidas en:

i) la Directiva 2009/110/CE del Parlamento Europeo y del Consejo, de 16 de septiembre de 2009, sobre el acceso a la actividad de las entidades de dinero electrónico y su ejercicio, así como sobre la supervisión prudencial de dichas entidades, por la que se modifican las Directivas 2005/60/CE y 2006/48/CE y se deroga la Directiva 2000/46/CE (DO L 267 de 10.10.2009, p. 7),

ii) la Directiva 2011/61/UE del Parlamento Europeo y del Consejo, de 8 de junio de 2011, relativa a los gestores de fondos de inversión alternativos y por la que se modifican las Directivas 2003/41/CE y 2009/65/CE y los Reglamentos (CE) número1060/2009 y (UE) número1095/2010 (DO L 174 de 1.7.2011, p. 1),

iii) el Reglamento (UE) número236/2012 del Parlamento Europeo y del Consejo, de 14 de marzo de 2012, sobre las ventas en corto y determinados aspectos de las permutas de cobertura por impago (DO L 86 de 24.3.2012, p. 1),

iv) el Reglamento (UE) número345/2013 del Parlamento Europeo y del Consejo, de 17 de abril de 2013, sobre los fondos de capital riesgo europeos (DO L 115 de 25.4.2013, p. 1),

v) el Reglamento (UE) número346/2013 del Parlamento Europeo y del Consejo, de 17 de abril de 2013, sobre los fondos de emprendimiento social europeos (DO L 115 de 25.4.2013, p. 18),

vi) la Directiva 2014/17/UE del Parlamento Europeo y del Consejo, de 4 de febrero de 2014, sobre los contratos de crédito celebrados con los consumidores para bienes inmuebles de uso residencial y por la que se modifican las Directivas 2008/48/CE y 2013/36/UE y el Reglamento (UE) número1093/2010 (DO L 60 de 28.2.2014, p. 34),

vii) el Reglamento (UE) número537/2014 del Parlamento Europeo y del Consejo, de 16 de abril de 2014, sobre los requisitos específicos para la auditoría legal de las entidades de interés público y por el que se deroga la Decisión 2005/909/CE de la Comisión (DO L 158 de 27.5.2014, p. 77),

viii) el Reglamento (UE) número600/2014 del Parlamento Europeo y del Consejo, de 15 de mayo de 2014, relativo a los mercados de instrumentos financieros y por el que se modifica el Reglamento (UE) número648/2012 (DO L 173 de 12.6.2014, p. 84),

ix) la Directiva (UE) 2015/2366 del Parlamento Europeo y del Consejo, de 25 de noviembre de 2015, sobre servicios de pago en el mercado interior y por la que se modifican las Directivas 2002/65/CE, 2009/110/CE y 2013/36/UE y el Reglamento (UE) número1093/2010 y se deroga la Directiva 2007/64/CE (DO L 337 de 23.12.2015, p. 35),

x) la Directiva 2004//25/CE del Parlamento Europeo y del Consejo, de 21 de abril de 2004, relativa a las ofertas públicas de adquisición (DO L 142 de 30.4.2004, p. 12),

xi) la Directiva 2007/36/CE del Parlamento Europeo y del Consejo, de 11 de julio de 2007, sobre el ejercicio de determinados derechos de los accionistas de sociedades cotizadas (DO L 184 de 14.7.2007, p. 17),

xii) la Directiva 2004/109/CE del Parlamento Europeo y del Consejo, de 15 de diciembre de 2004, sobre la armonización de los requisitos de transparencia relativos a la información sobre los emisores cuyos valores se admiten a negociación en un mercado regulado y por la que se modifica la Directiva 2001/34/CE (DO L 390 de 31.12.2004, p. 38),

xiii) el Reglamento (UE) número648/2012 del Parlamento Europeo y del Consejo, de 4 de julio de 2012, relativo a los derivados extrabursátiles, las entidades de contrapartida central y los registros de operaciones (DO L 201 de 27.7.2012, p. 1),

xiv) el Reglamento (UE) 2016/1011 del Parlamento Europeo y del Consejo, de 8 de junio de 2016, sobre los índices utilizados como referencia en los instrumentos financieros y en los contratos financieros o para medir la rentabilidad de los fondos de inversión, y por el que se modifican las Directivas 2008/48/CE y 2014/17/UE y el Reglamento (UE) número596/2014 (DO L 171 de 29.6.2016, p. 1),

xv) la Directiva 2009/138/CE del Parlamento Europeo y del Consejo, de 25 de noviembre de 2009, sobre el seguro de vida, el acceso a la actividad de seguro y de reaseguro y su ejercicio (Solvencia II) (DO L 335 de 17.12.2009, p. 1),

xvi) la Directiva 2014/59/UE del Parlamento Europeo y del Consejo, de 15 de mayo de 2014, por la que se establece un marco para la reestructuración y la resolución de entidades de crédito y empresas de servicios de inversión, y por la que se modifican la Directiva 82/891/CEE del Consejo, y las Directivas 2001/24/CE, 2002/47/CE, 2004/25/

CE, 2005/56/CE, 2007/36/CE, 2011/35/UE, 2012/30/UE y 2013/36/UE, y los Reglamentos (UE) número1093/2010 y (UE) número648/2012 del Parlamento Europeo y del Consejo (DO L 173 de 12.6.2014, p. 190),

xvii) la Directiva 2002/87/CE del Parlamento Europeo y del Consejo, de 16 de diciembre de 2002, relativa a la supervisión adicional de las entidades de crédito, empresas de seguros y empresas de inversión de un conglomerado financiero, y por la que se modifican las Directivas 73/239/CEE, 79/267/CEE, 92/49/CEE, 92/96/CEE, 93/6/CEE y 93/22/CEE del Consejo y las Directivas 98/78/CE y 2000/12/CE del Parlamento Europeo y del Consejo (DO L 35 de 11.2.2003, p. 1),

xviii) la Directiva 2014/49/UE del Parlamento Europeo y del Consejo, de 16 de abril de 2014, relativa a los sistemas de garantía de depósitos (DO L 173 de 12.6.2014, p. 149),

xix) la Directiva 97/9/CE del Parlamento Europeo y del Consejo, de 3 de marzo de 1997, relativa a los sistemas de indemnización de los inversores (DO L 84 de 26.3.1997, p. 22),

xx) el Reglamento (UE) número575/2013 del Parlamento Europeo y del Consejo, de 26 de junio de 2013, sobre los requisitos prudenciales de las entidades de crédito y empresas de inversión, y por el que se modifica el Reglamento (UE) número648/2012 (DO L 176 de 27.6.2013, p. 1).

**C) Artículo 2, apartado 1, letra a), inciso iii) – Seguridad de los productos y conformidad:**

1. Requisitos de seguridad y conformidad de los productos comercializados en el mercado de la Unión, definidos y regulados por:

i) la Directiva 2001/95/CE del Parlamento Europeo y del Consejo, de 3 de diciembre de 2001, relativa a la seguridad general de los productos (DO L 11 de 15.1.2002, p. 4),

ii) la legislación de armonización de la Unión relativa a los productos manufacturados, con inclusión de los requisitos en materia de etiquetado, que no sean alimentos, piensos, medicamentos para uso humano y veterinario, plantas ni animales vivos, productos de origen humano ni productos de origen vegetal o animal directamente relacionados con su futura reproducción enumerados en los anexos I y II del Reglamento (UE) 2019/1020 del Parlamento Europeo y del Consejo, de 20 de junio de 2019, sobre vigilancia del mercado y conformidad de los productos y por el que se modifican la Directiva 2004/42/CE y los Reglamentos (CE) número765/2008 y (UE) número305/2011 (DO L 169 de 25.6.2019, p. 1),

iii) la Directiva 2007/46/CE del Parlamento Europeo y del Consejo, de 5 de septiembre de 2007, por la que se crea un marco para la homologación de los vehículos de motor y de los remolques, sistemas, componentes y unidades técnicas independientes destinados a dichos vehículos (Directiva marco) (DO L 263 de 9.10.2007, p. 1). 2. Normas relativas a la comercialización y uso de productos sensibles y peligrosos, establecidas en:

i) la Directiva 2009/43/CE del Parlamento Europeo y del Consejo, de 6 de mayo de 2009, sobre la simplificación de los términos y las condiciones de las transferencias de productos relacionados con la defensa dentro de la Comunidad (DO L 146 de 10.6.2009, p. 1),

ii) la Directiva 91/477/CEE del Consejo, de 18 de junio de 1991, sobre el control de la adquisición y tenencia de armas (DO L 256 de 13.9.1991, p. 51),

iii) el Reglamento (UE) número98/2013 del Parlamento Europeo y del Consejo, de 15 de enero de 2013, sobre la comercialización y la utilización de precursores de explosivos (DO L 39 de 9.2.2013, p. 1).

**D) Artículo 2, apartado 1, letra a), inciso iv) – Seguridad del transporte:**

1. Requisitos de seguridad en el sector ferroviario regulados por la Directiva (UE) 2016/798 del Parlamento Europeo y del Consejo, de 11 de mayo de 2016, sobre la seguridad ferroviaria (DO L 138 de 26.5.2016, p. 102).

2. Requisitos de seguridad en el sector de la aviación civil regulados por el Reglamento (UE) número996/2010 del Parlamento Europeo y del Consejo, de 20 de octubre de 2010, sobre investigación y prevención de accidentes e incidentes en la aviación civil y por el que se deroga la Directiva 94/56/CE (DO L 295 de 12.11.2010, p. 35).

3. Requisitos de seguridad en el sector del transporte por carretera, regulados por:

i) la Directiva 2008/96/CE del Parlamento Europeo y del Consejo, de 19 de noviembre de 2008, sobre gestión de la seguridad de las infraestructuras viarias (DO L 319 de 29.11.2008, p. 59),

ii) la Directiva 2004/54/CE del Parlamento Europeo y del Consejo, de 29 de abril de 2004, sobre requisitos mínimos de seguridad para túneles de la red transeuropea de carreteras (DO L 167 de 30.4.2004, p. 39),

iii) el Reglamento (CE) número1071/2009 del Parlamento Europeo y del Consejo, de 21 de octubre de 2009, por el que se establecen las normas comunes relativas a las condiciones que han de cumplirse para el ejercicio de la profesión de transportista por carretera y por el que se deroga la Directiva 96/26/CE del Consejo (DO L 300 de 14.11.2009, p. 51).

4. Requisitos de seguridad en el sector marítimo, regulados por:

i) el Reglamento (CE) número391/2009 del Parlamento Europeo y del Consejo, de 23 de abril de 2009, sobre reglas y normas comunes para las organizaciones de inspección y reconocimiento de buques (DO L 131 de 28.5.2009, p. 11),

ii) el Reglamento (CE) número392/2009 del Parlamento Europeo y del Consejo, de 23 de abril de 2009, sobre la responsabilidad de los transportistas de pasajeros por mar en caso de accidente (DO L 131 de 28.5.2009, p. 24),

iii) la Directiva 2014/90/UE del Parlamento Europeo y del Consejo, de 23 de julio de 2014, sobre equipos marinos, y por la que se deroga la Directiva 96/98/CE del Consejo (DO L 257 de 28.8.2014, p. 146),

iv) la Directiva 2009/18/CE del Parlamento Europeo y del Consejo, de 23 de abril de 2009, por la que se establecen los principios fundamentales que rigen la investigación de accidentes en el sector del transporte marítimo y se modifican las Directivas 1999/35/CE del Consejo y 2002/59/CE del Parlamento Europeo y del Consejo (DO L 131 de 28.5.2009, p. 114),

v) la Directiva 2008/106/CE del Parlamento Europeo y del Consejo, de 19 de noviembre de 2008, relativa al nivel mínimo de formación en las profesiones marítimas (DO L 323 de 3.12.2008, p. 33),

vi) la Directiva 98/41/CE del Consejo, de 18 de junio de 1998, sobre el registro de las personas que viajan a bordo de buques de pasajeros procedentes de puertos de los Estados miembros de la Comunidad o con destino a los mismos (DO L 188 de 2.7.1998, p. 35),

vii) la Directiva 2001/96/CE del Parlamento Europeo y del Consejo, de 4 de diciembre de 2001, por la que se establecen requisitos y procedimientos armonizados para la seguridad de las operaciones de carga y descarga de los graneleros (DO L 13 de 16.1.2002, p. 9).

5. Requisitos de seguridad regulados por la Directiva 2008/68/CE del Parlamento Europeo y del Consejo, de 24 de septiembre de 2008, sobre el transporte terrestre de mercancías peligrosas (DO L 260 de 30.9.2008, p. 13).

**E) Artículo 2, apartado 1, letra a), inciso v) – Protección del medio ambiente:**

1. Cualquier delito cometido contra la protección del medio ambiente regulada en la Directiva 2008/99/CE del Parlamento Europeo y del Consejo, de 19 de noviembre de 2008, relativa a la protección del medio ambiente mediante el Derecho penal (DO L 328 de 6.12.2008, p. 28) o cualquier conducta ilícita que infrinja la legislación establecida en los anexos de la Directiva 2008/99/CE.

2. Normas relativas al medio ambiente y clima, establecidas en:

i) la Directiva 2003/87/CE del Parlamento Europeo y del Consejo, de 13 de octubre de 2003, por la que se establece un régimen para el comercio de derechos de emisión de gases de efecto invernadero en la Unión y por la que se modifica la Directiva 96/61/CE del Consejo (DO L 275 de 25.10.2003, p. 32),

ii) la Directiva 2009/28/CE del Parlamento Europeo y del Consejo, de 23 de abril de 2009, relativa al fomento del uso de la energía procedente de fuentes renovables y por la que se modifican y se derogan las Directivas 2001/77/CE y 2003/30/CE (DO L 140 de 5.6.2009, p. 16),

iii) la Directiva 2012/27/UE del Parlamento Europeo y del Consejo, de 25 de octubre de 2012, relativa a la eficiencia energética, por la que se modifican las Directivas 2009/125/CE y 2010/30/UE, y por la que se derogan las Directivas 2004/8/CE y 2006/32/CE (DO L 315 de 14.11.2012, p. 1),

iv) el Reglamento (UE) número525/2013 del Parlamento Europeo y del Consejo, de 21 de mayo de 2013, relativo a un mecanismo para el seguimiento y la notificación de las emisiones de gases de efecto invernadero y para la notificación, a nivel nacional o de la Unión, de otra información relevante para el cambio climático, y por el que se deroga la Decisión número280/2004/CE (DO L 165 de 18.6.2013, p. 13), v) la Directiva (UE) 2018/2001 del Parlamento Europeo y del Consejo, de 11 de diciembre de 2018, relativa al fomento del uso de energía procedente de fuentes renovables (DO L 328 de 21.12.2018, p. 82).

3. Normas relativas al desarrollo sostenible y gestión de residuos, establecidas en:

i) la Directiva 2008/98/CE del Parlamento Europeo y del Consejo, de 19 de noviembre de 2008, sobre los residuos y por la que se derogan determinadas Directivas (DO L 312 de 22.11.2008, p. 3),

ii) el Reglamento (UE) número1257/2013 del Parlamento Europeo y del Consejo, de 20 de noviembre de 2013, relativo al reciclado de buques y por el que se modifican el Reglamento (CE) número1013/2006 y la Directiva 2009/16/CE (DO L 330 de 10.12.2013, p. 1),

iii) el Reglamento (UE) número649/2012 del Parlamento Europeo y del Consejo, de 4 de julio de 2012, relativo a la exportación e importación de productos químicos peligrosos (DO L 201 de 27.7.2012, p. 60).

4. Normas relativas a la contaminación marina, atmosférica y sonora, establecidas en:

i) la Directiva 1999/94/CE del Parlamento Europeo y del Consejo, de 13 de diciembre de 1999, relativa a la información sobre el consumo de combustible y sobre las emisiones de CO2 facilitada al consumidor al comercializar turismos nuevos (DO L 12 de 18.1.2000, p. 16),

ii) la Directiva 2001/81/CE del Parlamento Europeo y del Consejo, de 23 de octubre de 2001, sobre techos nacionales de emisión de determinados contaminantes atmosféricos (DO L 309 de 27.11.2001, p. 22),

iii) la Directiva 2002/49/CE del Parlamento Europeo y del Consejo, de 25 de junio de 2002, sobre evaluación y gestión del ruido ambiental (DO L 189 de 18.7.2002, p. 12),

iv) el Reglamento (CE) número782/2003 del Parlamento Europeo y del Consejo, de 14 de abril de 2003, relativo a la prohibición de los compuestos organoestánnicos en los buques (DO L 115 de 9.5.2003, p. 1),

v) la Directiva 2004/35/CE del Parlamento Europeo y del Consejo, de 21 de abril de 2004, sobre responsabilidad medioambiental en relación con la prevención y reparación de daños medioambientales (DO L 143 de 30.4.2004, p. 56),

vi) la Directiva 2005/35/CE del Parlamento Europeo y del Consejo, de 7 de septiembre de 2005, relativa a la contaminación procedente de buques y la introducción de sanciones para las infracciones (DO L 255 de 30.9.2005, p. 11),

vii) el Reglamento (CE) número166/2006 del Parlamento Europeo y del Consejo, de 18 de enero de 2006, relativo al establecimiento de un registro europeo de emisiones y transferencias de contaminantes y por el que se modifican las Directivas 91/689/CEE y 96/61/CE del Consejo (DO L 33 de 4.2.2006, p. 1),

viii) la Directiva 2009/33/CE del Parlamento Europeo y del Consejo, de 23 de abril de 2009, relativa a la promoción de vehículos de transporte por carretera limpios y energéticamente eficientes (DO L 120 de 15.5.2009, p. 5),

ix) el Reglamento (CE) número443/2009 del Parlamento Europeo y del Consejo, de 23 de abril de 2009, por el que se establecen normas de comportamiento en materia de emisiones de los turismos nuevos como parte del enfoque integrado de la Comunidad para reducir las emisiones de CO2 de los vehículos ligeros (DO L 140 de 5.6.2009, p. 1),

x) el Reglamento (CE) número1005/2009 del Parlamento Europeo y del Consejo, de 16 de septiembre de 2009, sobre las sustancias que agotan la capa de ozono (DO L 286 de 31.10.2009, p. 1),

xi) la Directiva 2009/126/CE del Parlamento Europeo y del Consejo, de 21 de octubre de 2009, relativa a la recuperación de vapores de gasolina de la fase II durante el repostaje de los vehículos de motor en las estaciones de servicio (DO L 285 de 31.10.2009, p. 36),

xii) el Reglamento (UE) número510/2011 del Parlamento Europeo y del Consejo, de 11 de mayo de 2011, por el que se establecen normas de comportamiento en materia de emisiones de los vehículos comerciales ligeros nuevos como parte del enfoque integrado de la Unión para reducir las emisiones de CO2 de los vehículos ligeros (DO L 145 de 31.5.2011, p. 1),

xiii) la Directiva 2014/94/UE del Parlamento Europeo y del Consejo, de 22 de octubre de 2014, relativa a la implantación de una infraestructura para los combustibles alternativos (DO L 307 de 28.10.2014, p. 1),

xiv) el Reglamento (UE) 2015/757 del Parlamento Europeo y del Consejo, de 29 de abril de 2015, relativo al seguimiento, notificación y verificación de las emisiones de dióxido de carbono generadas por el transporte marítimo y por el que se modifica la Directiva 2009/16/CE (DO L 123 de 19.5.2015, p. 55),

xv) la Directiva (UE) 2015/2193 del Parlamento Europeo y del Consejo, de 25 de noviembre de 2015, sobre la limitación de las emisiones a la atmósfera de determinados agentes contaminantes procedentes de las instalaciones de combustión medianas (DO L 313 de 28.11.2015, p. 1).

5. Normas relativas a la protección y gestión de aguas y suelos, establecidas en:

i) la Directiva 2007/60/CE del Parlamento Europeo y del Consejo, de 23 de octubre de 2007, relativa a la evaluación y gestión de los riesgos de inundación (DO L 288 de 6.11.2007, p. 27),

ii) la Directiva 2008/105/CE del Parlamento Europeo y del Consejo, de 16 de diciembre de 2008, relativa a las normas de calidad ambiental en el ámbito de la política de aguas, por la que se modifican y derogan ulteriormente las Directivas 82/176/CEE, 83/513/CEE, 84/156/CEE, 84/491/CEE y 86/280/CEE del Consejo, y por la que se modifica la Directiva 2000/60/CE (DO L 348 de 24.12.2008, p. 84), 26.11.2019 ES Diario Oficial de la Unión Europea L 305/51

iii) la Directiva 2011/92/UE, del Parlamento Europeo y del Consejo, de 13 de diciembre de 2011, relativa a la evaluación de las repercusiones de determinados proyectos públicos y privados sobre el medio ambiente (DO L 26 de 28.1.2012, p. 1).

6. Normas relativas a la protección de la naturaleza y biodiversidad, establecidas en:

i) el Reglamento (CE) número 1936/2001 del Consejo, de 27 de septiembre de 2001, por el que se establecen medidas de control aplicables a las operaciones de pesca de determinadas poblaciones de peces altamente migratorias (DO L 263 de 3.10.2001, p. 1),

ii) el Reglamento (CE) número 812/2004 del Consejo, de 26 de abril de 2004, por el que se establecen medidas relativas a las capturas accidentales de cetáceos en la pesca y se modifica el Reglamento (CE) número 88/98 (DO L 150 de 30.4.2004, p. 12),

iii) el Reglamento (CE) número 1007/2009 del Parlamento Europeo y del Consejo, de 16 de septiembre de 2009, sobre el comercio de productos derivados de la foca (DO L 286 de 31.10.2009, p. 36),

iv) el Reglamento (CE) número 734/2008 del Consejo, de 15 de julio de 2008, sobre la protección de los ecosistemas marinos vulnerables de alta mar frente a los efectos adversos de la utilización de artes de fondo (DO L 201 de 30.7.2008, p. 8),

v) la Directiva 2009/147/CE del Parlamento Europeo y del Consejo, de 30 de noviembre de 2009, relativa a la conservación de las aves silvestres (DO L 20 de 26.1.2010, p. 7),

vi) el Reglamento (UE) número 995/2010 del Parlamento Europeo y del Consejo, de 20 de octubre de 2010, por el que se establecen las obligaciones de los agentes que comercializan madera y productos de la madera (DO L 295 de 12.11.2010, p. 23),

vii) el Reglamento (UE) número 1143/2014 del Parlamento Europeo y del Consejo, de 22 de octubre de 2014, sobre la prevención y la gestión de la introducción y propagación de especies exóticas invasoras (DO L 317 de 4.11.2014, p. 35).

7. Normas relativas a las sustancias y mezclas químicas establecidas en el Reglamento (CE) número 1907/2006 del Parlamento Europeo y del Consejo, de 18 de diciembre de 2006, relativo al registro, la evaluación, la autorización y la restricción de las sustancias y mezclas químicas (REACH), por el que se crea la Agencia Europea de Sustancias y Mezclas Químicas, se modifica la Directiva 1999/45/CE y se derogan el Reglamento (CEE) número 793/93 del Consejo y el Reglamento (CE) número 1488/94 de la Comisión, así como la Directiva 76/769/CEE del Consejo y las Directivas 91/155/CEE, 93/67/CEE, 93/105/CE y 2000/21/CE de la Comisión (DO L 396 de 30.12.2006, p. 1).

8. Normas relativas a los productos ecológicos establecidas en el Reglamento (UE) 2018/848 del Parlamento Europeo y del Consejo, de 30 de mayo de 2018, sobre producción ecológica y etiquetado de los productos ecológicos y por el que se deroga el Reglamento (CE) número 834/2007 del Consejo (DO L 150 de 14.6.2018, p. 1).

**F) Artículo 2, apartado 1, letra a), inciso vi) – Protección frente a las radiaciones y seguridad nuclear: Normas sobre seguridad nuclear, establecidas en:**

i)   la Directiva 2009/71/Euratom del Consejo, de 25 de junio de 2009, por la que se establece un marco comunitario para la seguridad nuclear de las instalaciones nucleares (DO L 172 de 2.7.2009, p. 18),

ii)  la Directiva 2013/51/Euratom del Consejo, de 22 de octubre de 2013, por la que se establecen requisitos para la protección sanitaria de la población con respecto a las sustancias radiactivas en las aguas destinadas al consumo humano (DO L 296 de 7.11.2013, p. 12),

iii) la Directiva 2013/59/Euratom del Consejo, de 5 de diciembre de 2013, por la que se establecen normas de seguridad básicas para la protección contra los peligros derivados de la exposición a radiaciones ionizantes, y se derogan las Directivas 89/618/Euratom, 90/641/Euratom, 96/29/Euratom, 97/43/Euratom y 2003/122/Euratom (DO L 13 de 17.1.2014, p. 1),

iv)  la Directiva 2011/70/Euratom del Consejo, de 19 de julio de 2011, por la que se establece un marco comunitario para la gestión responsable y segura del combustible nuclear gastado y de los residuos radiactivos (DO L 199 de 2.8.2011, p. 48),

v)   la Directiva 2006/117/Euratom del Consejo, de 20 de noviembre de 2006, relativa a la vigilancia y al control de los traslados de residuos radiactivos y combustible nuclear gastado (DO L 337 de 5.12.2006, p. 21), L 305/52 ES Diario Oficial de la Unión Europea 26.11.2019

vi)  el Reglamento (Euratom) 2016/52 del Consejo, de 15 de enero de 2016, por el que se establecen tolerancias máximas de contaminación radiactiva de los alimentos y los piensos tras un accidente nuclear o cualquier otro caso de emergencia radiológica, y se derogan el Reglamento (Euratom) número3954/87 del Consejo y los Reglamentos (Euratom) número944/89 y (Euratom) número770/90 de la Comisión (DO L 13 de 20.1.2016, p. 2),

vii) el Reglamento (Euratom) número1493/93 del Consejo, de 8 de junio de 1993, relativo a los traslados de sustancias radiactivas entre los Estados miembros (DO L 148 de 19.6.1993, p. 1).

**G) Artículo 2, apartado 1, letra a), inciso vii) – Seguridad de los alimentos y los piensos, sanidad animal y bienestar de los animales:**

1. Legislación de la Unión sobre alimentos y piensos, que se rige por los principios generales y requisitos definidos en el Reglamento (CE) número178/2002 del Parlamento Europeo y del Consejo, de 28 de enero de 2002, por el que se establecen los principios y los requisitos generales de la legislación alimentaria, se crea la Autoridad Europea de Seguridad Alimentaria y se fijan procedimientos relativos a la seguridad alimentaria (DO L 31 de 1.2.2002, p. 1).

2. Sanidad animal, regulada por:

i)   el Reglamento (UE) 2016/429 del Parlamento Europeo y del Consejo, de 9 de marzo de 2016, relativo a las enfermedades transmisibles de los animales y por el que se modifican o derogan algunos actos en materia de sanidad animal («Legislación sobre sanidad animal») (DO L 84 de 31.3.2016, p. 1),

ii)  el Reglamento (CE) número1069/2009 del Parlamento Europeo y del Consejo, de 21 de octubre de 2009, por el que se establecen las normas sanitarias aplicables a los subproductos animales y los productos derivados no destinados al consumo humano y por el que se deroga el Reglamento (CE) número1774/2002 (Reglamento sobre subproductos animales) (DO L 300 de 14.11.2009, p. 1).

3. Reglamento (UE) 2017/625 del Parlamento Europeo y del Consejo, de 15 de marzo de 2017, relativo a los controles y otras actividades oficiales realizados para garantizar la aplicación de la legislación sobre alimentos y piensos, y de las normas sobre salud y bienestar de los animales, sanidad vegetal y productos fitosanitarios, y por el que se modifican los Reglamentos (CE) número999/2001, (CE) número396/2005, (CE) número1069/2009, (CE) número1107/2009, (UE) número1151/2012, (UE) número652/2014, (UE) 2016/429 y (UE) 2016/2031 del Parlamento Europeo y del Consejo, los Reglamentos (CE) número1/2005 y (CE) número1099/2009 del Consejo, y las Directivas 98/58/CE, 1999/74/CE, 2007/43/CE, 2008/119/CE y 2008/120/CE del Consejo, y por el que se derogan los Reglamentos (CE) número 854/2004 y (CE) número882/2004 del Parlamento Europeo y del Consejo, las Directivas 89/608/CEE, 89/662/CEE, 90/425/CEE, 91/496/CEE, 96/23/CE, 96/93/CE y 97/78/CE del Consejo y la Decisión 92/438/CEE del Consejo (Reglamento sobre controles oficiales) (DO L 95 de 7.4.2017, p. 1).

4. Normas relativas a la protección y bienestar de los animales, establecidas en:

i) la Directiva 98/58/CE del Consejo, de 20 de julio de 1998, relativa a la protección de los animales en las explotaciones ganaderas (DO L 221 de 8.8.1998, p. 23),

ii) el Reglamento (CE) número1/2005 del Consejo, de 22 de diciembre de 2004, relativo a la protección de los animales durante el transporte y las operaciones conexas y por el que se modifican las Directivas 64/432/CEE y 93/119/CE y el Reglamento (CE) número1255/97 (DO L 3 de 5.1.2005, p. 1),

iii) el Reglamento (CE) número1099/2009 del Consejo, de 24 de septiembre de 2009, relativo a la protección de los animales en el momento de la matanza (DO L 303 de 18.11.2009, p. 1),

iv) la Directiva 1999/22/CE del Consejo, de 29 de marzo de 1999, relativa al mantenimiento de animales salvajes en parques zoológicos (DO L 94 de 9.4.1999, p. 24),

v) la Directiva 2010/63/UE del Parlamento Europeo y del Consejo, de 22 de septiembre de 2010, relativa a la protección de los animales utilizados para fines científicos (DO L 276 de 20.10.2010, p. 33).

**H) Artículo 2, apartado 1, letra a), inciso VIII) – Salud pública:**

1. Medidas que establecen normas elevadas de calidad y seguridad de los órganos y sustancias de origen humano, reguladas por:

i) la Directiva 2002/98/CE del Parlamento Europeo y del Consejo, de 27 de enero de 2003, por la que se establecen normas de calidad y de seguridad para la extracción, verificación, tratamiento, almacenamiento y distribución de sangre humana y sus componentes y por la que se modifica la Directiva 2001/83/CE (DO L 33 de 8.2.2003, p. 30),

ii) la Directiva 2004/23/CE del Parlamento Europeo y del Consejo, de 31 de marzo de 2004, relativa al establecimiento de normas de calidad y de seguridad para la donación, la obtención, la evaluación, el procesamiento, la preservación, el almacenamiento y la distribución de células y tejidos humanos (DO L 102 de 7.4.2004, p. 48),

iii) la Directiva 2010/53/UE del Parlamento Europeo y del Consejo, de 7 de julio de 2010, sobre normas de calidad y seguridad de los órganos humanos destinados al trasplante (DO L 207 de 6.8.2010, p. 14).

2. Medidas que establecen normas elevadas de calidad y seguridad de los medicamentos y productos de uso médico, reguladas por:

i) el Reglamento (CE) número141/2000 del Parlamento Europeo y del Consejo, de 16 de diciembre de 1999, sobre medicamentos huérfanos (DO L 18 de 22.1.2000, p. 1),

ii) la Directiva 2001/83/CE del Parlamento Europeo y del Consejo, de 6 de noviembre de 2001, por la que se establece un código comunitario sobre medicamentos para uso humano (DO L 311 de 28.11.2001, p. 67),

iii) el Reglamento (UE) 2019/6 del Parlamento Europeo y del Consejo, de 11 de diciembre de 2018, sobre medicamentos veterinarios y por el que se deroga la Directiva 2001/82/CE (DO L 4 de 7.1.2019, p. 43),

iv) el Reglamento (CE) número726/2004 del Parlamento Europeo y del Consejo, de 31 de marzo de 2004, por el que se establecen procedimientos comunitarios para la autorización y el control de los medicamentos de uso humano y veterinario y por el que se crea la Agencia Europea de Medicamentos (DO L 136 de 30.4.2004, p. 1),

v) el Reglamento (CE) número1901/2006 del Parlamento Europeo y del Consejo, de 12 de diciembre de 2006, sobre medicamentos para uso pediátrico y por el que se modifican el Reglamento (CEE) número1768/92, la Directiva 2001/20/CE, la Directiva 2001/83/CE y el Reglamento (CE) número726/2004 (DO L 378 de 27.12.2006, p. 1),

vi) el Reglamento (CE) número 1394/2007 del Parlamento Europeo y del Consejo, de 13 de noviembre de 2007, sobre medicamentos de terapia avanzada y por el que se modifican la Directiva 2001/83/CE y el Reglamento (CE) número726/2004 (DO L 324 de 10.12.2007, p. 121),

vii) el Reglamento (UE) número536/2014 del Parlamento Europeo y del Consejo, de 16 de abril de 2014, sobre los ensayos clínicos de medicamentos de uso humano, y por el que se deroga la Directiva 2001/20/CE (DO L 158 de 27.5.2014, p. 1).

3. Derechos de los pacientes regulados por la Directiva 2011/24/UE del Parlamento Europeo y del Consejo, de 9 de marzo de 2011, relativa a la aplicación de los derechos de los pacientes en la asistencia sanitaria transfronteriza (DO L 88 de 4.4.2011, p. 45).

4. Fabricación, presentación y venta de tabaco y productos relacionados con el tabaco, reguladas por la Directiva 2014/40/UE del Parlamento Europeo y del Consejo, de 3 de abril de 2014, relativa a la aproximación de las disposiciones legales, reglamentarias y administrativas de los Estados miembros en materia de fabricación, presentación y venta de los productos del tabaco y los productos relacionados y por la que se deroga la Directiva 2001/37/CE (DO L 127 de 29.4.2014, p. 1).

**l) Artículo 2, apartado 1, letra a), inciso ix) – Protección de los consumidores: Derechos de los consumidores y protección del consumidor, regulados por:**

i) la Directiva 98/6/CE del Parlamento Europeo y del Consejo, de 16 de febrero de 1998, relativa a la protección de los consumidores en materia de indicación de los precios de los productos ofrecidos a los consumidores (DO L 80 de 18.3.1998, p. 27),

ii) la Directiva (UE) 2019/770 del Parlamento Europeo y del Consejo, de 20 de mayo de 2019, relativa a determinados aspectos de los contratos de suministro de contenidos y servicios digital (DO L 136 de 22.5.2019, p. 1),

iii) la Directiva (UE) 2019/771 del Parlamento Europeo y del Consejo, de 20 de mayo de 2019, relativa a determinados aspectos de los contratos de compraventa de bienes, por la que se modifican el Reglamento (UE) 2017/2394 y la Directiva 2009/22/CE y se deroga la Directiva 1999/44/CE (DO L 136 de 22.5.2019, p. 28),

iv) la Directiva 1999/44/CE del Parlamento Europeo y del Consejo, de 25 de mayo de 1999, sobre determinados aspectos de la venta y las garantías de los bienes de consumo (DO L 171 de 7.7.1999, p. 12),

v) la Directiva 2002/65/CE del Parlamento Europeo y del Consejo, de 23 de septiembre de 2002, relativa a la comercialización a distancia de servicios financieros destinados a los consumidores, y por la que se modifican la Directiva 90/619/CEE del Consejo y las Directivas 97/7/CE y 98/27/CE (DO L 271 de 9.10.2002, p. 16),

vi) la Directiva 2005/29/CE del Parlamento Europeo y del Consejo, de 11 de mayo de 2005, relativa a las prácticas comerciales desleales de las empresas en sus relaciones con los consumidores en el mercado interior, que modifica la Directiva 84/450/CEE del Consejo, las Directivas 97/7/CE, 98/27/CE y 2002/65/CE del Parlamento Europeo y del Consejo y el Reglamento (CE) número2006/2004 del Parlamento Europeo y del Consejo («Directiva sobre las prácticas comerciales desleales») (DO L 149 de 11.6.2005, p. 22),

vii) la Directiva 2008/48/CE del Parlamento Europeo y del Consejo, de 23 de abril de 2008, relativa a los contratos de crédito al consumo y por la que se deroga la Directiva 87/102/CEE del Consejo (DO L 133 de 22.5.2008, p. 66),

viii) la Directiva 2011/83/UE del Parlamento Europeo y del Consejo, de 25 de octubre de 2011, sobre los derechos de los consumidores, por la que se modifican la Directiva 93/13/CEE del Consejo y la Directiva 1999/44/CE del Parlamento Europeo y del Consejo y se derogan la Directiva 85/577/CEE del Consejo y la Directiva 97/7/CE del Parlamento Europeo y del Consejo (DO L 304 de 22.11.2011, p. 64), ix) la Directiva 2014/92/UE del Parlamento Europeo y del Consejo, de 23 de julio de 2014, sobre la comparabilidad de las comisiones conexas a las cuentas de pago, el traslado de cuentas de pago y el acceso a cuentas de pago básicas (DO L 257 de 28.8.2014, p. 214).

**J) Artículo 2, apartado 1, letra a), inciso x) – Protección de la privacidad y de los datos personales, y seguridad de las redes y los sistemas de información:**

i) Directiva 2002/58/CE del Parlamento Europeo y del Consejo, de 12 de julio de 2002, relativa al tratamiento de los datos personales y a la protección de la intimidad en el sector de las comunicaciones electrónicas (Directiva sobre la privacidad y las comunicaciones electrónicas) (DO L 201 de 31.7.2002, p. 37),

ii) Reglamento (UE) 2016/679 del Parlamento Europeo y del Consejo, de 27 de abril de 2016, relativo a la protección de las personas físicas en lo que respecta al tratamiento de datos personales y a la libre circulación de estos datos y por el que se deroga la Directiva 95/46/CE (Reglamento general de protección de datos) (DO L 119 de 4.5.2016, p. 1),

iii) Directiva (UE) 2016/1148 del Parlamento Europeo y del Consejo, de 6 de julio de 2016, relativa a medidas destinadas a garantizar un elevado nivel común de seguridad de las redes y sistemas de información en la Unión (DO L 194 de 19.7.2016, p. 1).

## PARTE II

El artículo 3, apartado 1, hace referencia a la siguiente legislación de la Unión:

**A) Artículo 2, apartado 1, letra a), inciso ii) – Servicios, productos y mercados financieros y prevención del blanqueo de capitales y la financiación del terrorismo:**

1. Servicios financieros:

i) Directiva 2009/65/CE del Parlamento Europeo y del Consejo, de 13 de julio de 2009, por la que se coordinan las disposiciones legales, reglamentarias y administrativas sobre determinados organismos de inversión colectiva en valores mobiliarios (OICVM) (DO L 302 de 17.11.2009, p. 32),

ii) Directiva (UE) 2016/2341 del Parlamento Europeo y del Consejo, de 14 de diciembre de 2016, relativa a las actividades y la supervisión de los fondos de pensiones de empleo (FPE) (DO L 354 de 23.12.2016, p. 37),

iii) Directiva 2006/43/CE del Parlamento Europeo y del Consejo, de 17 de mayo de 2006, relativa a la auditoría legal de las cuentas anuales y de las cuentas consolidadas, por la que se modifican las Directivas 78/660/CEE y 83/349/CEE y se deroga la Directiva 84/253/CEE del Consejo (DO L 157 de 9.6.2006, p. 87),

iv) Reglamento (UE) número596/2014 del Parlamento Europeo y del Consejo, de 16 de abril de 2014, sobre el abuso de mercado (Reglamento sobre abuso de mercado) y por el que se derogan la Directiva 2003/6/CE del Parlamento Europeo y del Consejo, y las Directivas 2003/124/CE, 2003/125/CE y 2004/72/CE de la Comisión (DO L 173 de 12.6.2014, p. 1),

v) Directiva 2013/36/UE del Parlamento Europeo y del Consejo, de 26 de junio de 2013, relativa al acceso a la actividad de las entidades de crédito y a la supervisión prudencial de las entidades de crédito y las empresas de inversión, por la que se modifica la Directiva 2002/87/CE y se derogan las Directivas 2006/48/CE y 2006/49/CE (DO L 176 de 27.6.2013, p. 338), 26.11.2019 ES Diario Oficial de la Unión Europea L 305/55

vi) Directiva 2014/65/UE del Parlamento Europeo y del Consejo, de 15 de mayo de 2014, relativa a los mercados de instrumentos financieros y por la que se modifican la Directiva 2002/92/CE y la Directiva 2011/61/UE (DO L 173 de 12.6.2014, p. 349),

vii) Reglamento (UE) número909/2014 del Parlamento Europeo y del Consejo, de 23 de julio de 2014, sobre la mejora de la liquidación de valores en la Unión Europea y los depositarios centrales de valores y por el que se modifican las Directivas 98/26/CE y 2014/65/UE y el Reglamento (UE) número236/2012 (DO L 257 de 28.8.2014, p. 1),

viii) Reglamento (UE) número1286/2014 del Parlamento Europeo y del Consejo, de 26 de noviembre de 2014, sobre los documentos de datos fundamentales relativos a los productos de inversión minorista empaquetados y los productos de inversión basados en seguros (DO L 352 de 9.12.2014, p. 1),

ix) Reglamento (UE) 2015/2365 del Parlamento Europeo y del Consejo, de 25 de noviembre de 2015, sobre transparencia de las operaciones de financiación de valores y de reutilización y por el que se modifica el Reglamento (UE) número648/2012 (DO L 337 de 23.12.2015, p. 1),

x) Directiva (UE) 2016/97 del Parlamento Europeo y del Consejo, de 20 de enero de 2016, sobre la distribución de seguros (DO L 26 de 2.2.2016, p. 19),

xi) Reglamento (UE) 2017/1129 del Parlamento Europeo y del Consejo, de 14 de junio de 2017, sobre el folleto que debe publicarse en caso de oferta pública o admisión a cotización de valores en un mercado regulado y por el que se deroga la Directiva 2003/71/CE (DO L 168 de 30.6.2017, p. 12).

2. Prevención del blanqueo de capitales y la financiación del terrorismo:

i) Directiva (UE) 2015/849 del Parlamento Europeo y del Consejo, de 20 de mayo de 2015, relativa a la prevención de la utilización del sistema financiero para el blanqueo de capitales o la financiación del terrorismo, y por la que se modifica el Reglamento (UE) número648/2012 del Parlamento Europeo y del Consejo, y se derogan la Directiva 2005/60/CE del Parlamento Europeo y del Consejo y la Directiva 2006/70/CE de la Comisión (DO L 141 de 5.6.2015, p. 73),

ii) Reglamento (UE) 2015/847 del Parlamento Europeo y del Consejo, de 20 de mayo de 2015, relativo a la información que acompaña a las transferencias de fondos y por el que se deroga el Reglamento (CE) número1781/2006 (DO L 141 de 5.6.2015, p. 1).

**B) Artículo 2, apartado 1, letra a), inciso iv) – Seguridad del transporte:**

i) Reglamento (UE) número376/2014 del Parlamento Europeo y del Consejo, de 3 de abril de 2014, relativo a la notificación de sucesos en la aviación civil, que modifica el Reglamento (UE) número996/2010 del Parlamento Europeo y del Consejo, y por el que se derogan la Directiva 2003/42/CE del Parlamento Europeo y del Consejo y los Reglamentos (CE) número1321/2007 y (CE) número1330/2007 de la Comisión (DO L 122 de 24.4.2014, p. 18),

ii) Directiva 2013/54/UE del Parlamento Europeo y del Consejo, de 20 de noviembre de 2013, sobre determinadas responsabilidades del Estado del pabellón en materia de cumplimiento y control de la aplicación del Convenio sobre el trabajo marítimo, de 2006 (DO L 329 de 10.12.2013, p. 1),

iii) Directiva 2009/16/CE del Parlamento Europeo y del Consejo, de 23 de abril de 2009, sobre el control de los buques por el Estado rector del puerto (DO L 131 de 28.5.2009, p. 57).

**C) Artículo 2, apartado 1, letra a), inciso v) Protección del medio ambiente:**

i) Directiva 2013/30/UE del Parlamento Europeo y del Consejo, de 12 de junio de 2013, sobre la seguridad de las operaciones relativas al petróleo y al gas mar adentro, y que modifica la Directiva 2004/35/CE (DO L 178 de 28.6.2013, p.66)

## 5.2. Ley 2/2023, de 20 de febrero, reguladora de la protección de las personas que informen sobre infracciones normativas y de lucha contra la corrupción

### PREÁMBULO

#### I

La colaboración ciudadana resulta indispensable para la eficacia del Derecho. Tal colaboración no sólo se manifiesta en el correcto cumplimiento personal de las obligaciones que a cada uno corresponden, manifestación de la sujeción de todos los poderes públicos y de la ciudadanía a la Constitución Española y al resto del ordenamiento jurídico (artículo 9.1 de la Constitución Española), sino que también se extiende al compromiso colectivo con el buen funcionamiento de las instituciones públicas y privadas.

Dicha colaboración ciudadana es un elemento clave en nuestro Estado de Derecho y, además, se contempla en nuestro ordenamiento como un deber de todo ciudadano cuando presencie la comisión de un delito, tal y como como recoge la Ley de Enjuiciamiento Criminal. Dicho deber, al servicio de la protección del interés público cuando éste resulta amenazado, debe ser tomado en consideración en los casos de colisión con otros deberes previstos en el ordenamiento jurídico.

Asimismo, nuestro ordenamiento jurídico contempla la participación ciudadana en acciones públicas con el fin de impulsar la investigación sobre actuaciones contrarias a la normativa urbanística, sobre actividades que puedan perjudicar el medioambiente o para evitar daños en el patrimonio histórico-artístico. Estos son otros ejemplos que cuentan con una larga tradición en la legislación española.

En el mismo sentido y coincidiendo con el impulso del Derecho de la Unión Europea, algunas regulaciones sectoriales, de manera especial en el ámbito financiero o de defensa de la competencia, han incorporado instrumentos específicos para que, quienes conocen de actuaciones irregulares o ilegales, puedan facilitar a los organismos supervisores datos e información útiles. Además, la Ley Orgánica 3/2018, de 5 de diciembre, de Protección de Datos Personales y garantía de los derechos digitales, contempla la creación y mantenimiento de sistemas de información a través de los cuales pueda ponerse en conocimiento de una entidad de Derecho privado, incluso anónimamente, la comisión, en el seno de la misma o en la actuación de terceros que contratasen con ella, de actos o conductas que pudieran resultar contrarios a la normativa general o sectorial que le fuera aplicable.

Por otra parte, son muchos los ejemplos de actuaciones cívicas que advirtieron de la existencia de prácticas irregulares y de corrupción que han permitido impulsar investigaciones que, previa la tramitación del procedimiento judicial legalmente establecido, han concluido con la imposición de la correspondiente condena penal por tales comportamientos.

No obstante, también ha de advertirse que, en ocasiones, esos loables comportamientos cívicos han generado consecuencias penosas para quienes han comunicado tales prácticas corruptas y otras infracciones, como son las presiones por parte de los afectado s, por lo que resulta indispensable que el ordenamiento jurídico proteja a la ciudadanía cuando muestra una conducta valiente de clara utilidad pública. Además, resulta importante asentar en la sociedad la conciencia de que debe perseguirse a quienes quebrantan la ley y que no deben consentirse ni silenciarse los incumplimientos. Esta es la principal finalidad de esta ley: proteger a los ciudadanos que informan sobre vulneraciones del ordenamiento jurídico en el marco de una relación profesional.

También es preciso recordar que, en línea con la corriente existente en el mundo anglosajón, que regula desde hace años la protección de los denominados «whistleblowers» –quien usa el silbato para dar alerta– algunas comunidades autónomas ya han regulado instituciones que se ocupan de recibir comunicaciones de ciudadanos informando de irregularidades. A título de ejemplo y sin perjuicio de las autoridades creadas por algunas entidades locales, cabe recordar que las comunidades autónomas de Cataluña, Valenciana, Illes Balears, Navarra, Principado de Asturias o Andalucía han abordado la cuestión de la protección de los informante s, si bien la regulación ha sido parcial y centrada fundamentalmente en la creación de oficinas o agencias con la específica función de prevenir e investigar casos de uso o destino fraudulentos de fondos públicos, aprovechamientos ilícitos derivados de actuaciones que comporten conflictos de intereses o uso de información privilegiada, o en general conductas contrarias a la integridad; es decir, han circunscrito esta legislación al ámbito público, con carácter previo en algunos casos a la Directiva 2019/1937.

La expresión «alertadores» ha sido acogida en algunos ordenamientos como el francés. En la Directiva 2019/1937 del Parlamento Europeo y del Consejo, de 23 de octubre de 2019, relativa a la protección de las personas que informen sobre infracciones del Derecho de la Unión, se emplea el término «informante s», y en esta ley se ha optado por la denominación «informante».

Asimismo, se ha optado por emplear los términos «informaciones» y «comunicaciones» indistintamente para, de acuerdo con una redacción gramatical y sintáctica adecuada, evitar repeticiones.

## II

Con la aprobación de esta ley se incorpora al Derecho español la Directiva (UE) 2019/1937 del Parlamento Europeo y del Consejo, de 23 de octubre de 2019. Las diferencias de tratamiento entre los distintos regímenes jurídicos existentes en los Estados miembros han generado dificultades a la hora de asegurar una aplicación coherente del Derecho europeo y perseguir sus infracciones. Para ello, la citada Directiva regula aspectos mínimos que han de satisfacer los distintos cauces de información a través de los cuales una persona física que sea conocedora en un contexto laboral de una infracción del Derecho de la Unión Europea pueda dar a conocer la existencia de la misma. En concreto, obliga a contar con canales internos de información a muchas empresas y entidades públicas porque se considera, y así también se ha recogido en informes y estadísticas recabados durante la elaboración del texto europeo, que es preferible que la información sobre prácticas irregulares se conozca por la propia organización para corregirlas o reparar lo antes posible los daños. Además de tales canales internos, exige la Directiva la determinación de otros canales de información, denominados «externos», con el fin de ofrecer a los ciudadanos una comunicación con una autoridad pública especializada, lo que les puede generar más confianza al disipar su temor a sufrir alguna represalia en su entorno.

Estos dos claros objetivos de la Directiva, proteger a los informantes y establecer las normas mínimas de los canales de información, se incorporan en el contenido de esta ley.

La ley se estructura en 68 artículos, seis disposiciones adicionales, tres disposiciones transitorias y doce disposiciones finales.

### III

El título I precisa la finalidad y el ámbito de aplicación de la ley.

La finalidad de la norma es la de proteger a las personas que en un contexto laboral o profesional detecten infracciones penales o administrativas graves o muy graves y las comuniquen mediante los mecanismos regulados en la misma.

Por lo que se refiere a su ámbito de aplicación, además de proteger a quienes informen sobre las infracciones del Derecho de la Unión previstas en la Directiva del Parlamento Europeo y del Consejo, de 23 de octubre de 2019, esta ley abarca también las infracciones penales y administrativas graves y muy graves de nuestro ordenamiento jurídico.

Se ha considerado necesario, por tanto, ampliar el ámbito material de la Directiva a las infracciones del ordenamiento nacional, pero limitado a las penales y a las administrativas graves o muy graves para permitir que tanto los canales internos de información como los externos puedan concentrar su actividad afectado ra en las vulneraciones que se considera que afectan con mayor impacto al conjunto de la sociedad.

Asimismo, se excluyen del ámbito de aplicación material los supuestos que se rigen por su normativa específica, esto es, aquella que regula los mecanismos para informar sobre infracciones y proteger a los informantes previstas por leyes sectoriales o por los instrumentos de la Unión Europea enumerados en la parte II del anexo de la Directiva (UE) 2019/1937.

La buena fe, la conciencia honesta de que se han producido o pueden producirse hechos graves perjudiciales constituye un requisito indispensable para la protección del informante. Esa buena fe es la expresión de su comportamiento cívico y se contrapone a otras actuaciones que, por el contrario, resulta indispensable excluir de la protección, tales como la remisión de informaciones falsas o tergiversadas, así como aquellas que se han obtenido de manera ilícita.

Junto a la descripción del ámbito objetivo de aplicación, precisa la ley el ámbito subjetivo, esto es, las personas que están protegidas frente a posibles represalias. Así, se extiende la protección a todas aquellas personas que tienen vínculos profesionales o laborales con entidades tanto del sector público como del sector privado, aquellas que ya han finalizado su relación profesional, voluntarios, trabajadores en prácticas o en período de formación, personas que participan en procesos de selección. También se extiende el amparo de la ley a las personas que prestan asistencia a los informantes, a las personas de su entorno que puedan sufrir represalias, así como a las personas jurídicas propiedad del informante, entre otras.

El título II de la ley contiene el régimen jurídico del Sistema interno de información que abarca tanto el canal, entendido como buzón o cauce para recepción de la información, como el Responsable del Sistema y el procedimiento. El Sistema interno de información debería utilizarse de manera preferente para canalizar la información, pues una actuación diligente y eficaz en el seno de la propia organización podría paralizar las consecuencias perjudiciales de las actuaciones investigadas. No obstante, declarada esta preferencia, el informante puede elegir el cauce a seguir, interno o externo, según las circunstancias y los riesgos de represalias que considere.

En este título se dedica un primer capítulo a las disposiciones aplicables tanto en el sector público como en el privado.

La configuración del Sistema interno de información debe reunir determinados requisitos, entre otros, su uso asequible, las garantías de confidencialidad, las prácticas correctas de seguimiento, investigación y protección del informante. Asimismo, resulta indispensable para la eficacia del Sistema interno de información la designación del responsable de su correcto funcionamiento.

Se ha de destacar que se permite la comunicación anónima. Cuando se traslade una comunicación en el marco del Sistema interno de información, que entre dentro del ámbito de aplicación de la ley, se aplicará la regla específica contenida en esta ley en cuanto a la posibilidad de presentación y tramitación de comunicaciones anónimas. La Directiva establece como principio el deber general de mantener al informante en el anonimato. Ahora bien, este pilar esencial de la norma europea se exceptúa cuando, bien una norma nacional prevé revelarlo, o bien se solicita en el marco de un proceso judicial, lo que ocurre en muchas ocasiones, argumentando el juzgador la necesidad de conocer la identidad de quien denunció, para garantizar el derecho de defensa del afectado. Así, en su considerando 34 se señala: «Sin perjuicio de las obligaciones vigentes de disponer la comunicación anónima en virtud del Derecho de la Unión, debe ser posible para los Estados miembros decidir si se requiere a las entidades jurídicas de los sectores privado y público y a las autoridades competentes que acepten y sigan denuncias anónimas de infracciones que entren en el ámbito de aplicación de la presente Directiva».

Y en el artículo 6.2 se establece: «Sin perjuicio de la obligación vigente de disponer de mecanismos de comunicación anónima en virtud del Derecho de la Unión, la presente Directiva no afectará a la facultad de los Estados miembros de decidir si se exige o no a las entidades jurídicas de los sectores privado o público y a las autoridades competentes aceptar y seguir las denuncias anónimas de infracciones».

Conforme al artículo 9.1.e) también se prevé «el seguimiento diligente cuando así lo establezca el Derecho nacional en lo que respecta a las denuncias anónimas».

En este sentido, una opción de política legislativa, fruto de los modelos comparados a nivel internacional y europeo, ha sido, al igual que en la normativa de protección de datos personales, regular las informaciones anónimas y proteger a la persona que las comunica.

Un hito esencial en la admisión de la comunicación anónima lo constituye la Convención de las Naciones Unidas contra la corrupción, hecha en Nueva York el 31 de octubre de 2003, que establece en su artículo 13.2: «Cada Estado Parte adoptará medidas apropiadas para garantizar que el público tenga conocimiento de los órganos pertinentes de lucha contra la corrupción mencionados en la presente Convención y facilitará el acceso a dichos órganos, cuando proceda, para la denuncia/comunicación incluso anónima, de cualesquiera incidentes que puedan considerarse constitutivos de un delito tipificado con arreglo a la presente Convención».

El Consejo de la Unión Europea, en su Decisión de 25 de septiembre de 2008, en nombre de la entonces Comunidad Europea, aprobó la Convención de las Naciones Unidas contra la Corrupción.

Asimismo, en ámbitos sectoriales de la Unión Europea hay que destacar el artículo 5.1 del Reglamento (UE, EURATOM) n.º 883/2013 del Parlamento Europeo y del Consejo, de 11 de septiembre de 2013 relativo a las investigaciones efectuadas por la Oficina Europea de Lucha contra el Fraude (OLAF) y por el que se deroga el Reglamento (CE) n.º 1073/1999, que dispone que «el director general podrá iniciar una investigación cuando haya sospecha suficiente, que puede también basarse en información proporcionada por una tercera parte o por información anónima, de que se ha incurrido en fraude, corrupción u otra actividad ilegal en detrimento de los intereses financieros de la Unión».

Cabe destacar que el antiguo órgano asesor de la Comisión Europea en materia de protección de datos, el Grupo de trabajo del artículo 29 (GT29), en su Dictamen 1/2006 relativo a la «aplicación de las normas sobre protección de datos de la UE a los sistemas internos de comunicación de irregularidades en los ámbitos de la contabilidad, controles y cuestiones de auditoría, lucha contra la corrupción y delitos financieros y bancarios», establecía como regla general que el informante debía identificarse, pero también existía la posibilidad de recibir y tramitar denuncias anónimas en determinadas circunstancias.

Como se puede observar, desde las instituciones de la Unión Europea se ha apostado sin ambages por la posibilidad de la aceptación y seguimiento de las denuncias anónimas. A tales efectos, se puede acceder a una herramienta de «comunicación anónima» de irregularidades para ayudar a la Comisión Europea a descubrir cárteles y otras infracciones antimonopolio y sobre tales prácticas anticompetitivas prohibidas por la normativa de competencia de la Unión Europea, que causan daños considerables a la economía europea.

En lo que se refiere a la normativa vigente en el ámbito nacional son diversos los ámbitos en los que ya se ha regulado la posibilidad de denuncias anónimas. En septiembre de 2018, a través del Real Decreto-ley 11/2018, de 31 de agosto, se introdujo en la Ley 10/2010, de 28 de abril, de prevención del blanqueo de capitales y de la financiación del terrorismo, el actual artículo 26 bis en el que se regulan los procedimientos internos de comunicación de potenciales incumplimientos (canales de denuncias internas) para que sus empleados, directivos o agentes puedan comunicar, incluso anónimamente, información relevante sobre posibles incumplimientos de esta ley, su normativa de desarrollo o las políticas y procedimientos implantados para darles cumplimiento, cometidos en el seno del sujeto obligado.

En otro ámbito, la mencionada Ley Orgánica 3/2018, de 5 de diciembre, de Protección de Datos Personales y garantía de los derechos digitales, establece en su artículo 24.1: «Será lícita la creación y mantenimiento de sistemas de información a través de los cuales pueda ponerse en conocimiento de una entidad de Derecho privado, incluso anónimamente, la comisión en el seno de la misma o en la actuación de terceros que contratasen con ella, de actos o conductas que pudieran resultar contrarios a la normativa general o sectorial que le fuera aplicable».

Con anterioridad y en ámbitos diversos se había reconocido la posibilidad de presentar anónimamente denuncias: en la Ley Orgánica 12/2007, de 22 de octubre, del régimen disciplinario de la Guardia Civil se contempla la posibilidad de que la comunicación anónima pueda dar lugar al menos al inicio de una «información reservada». De otro lado, la Fiscalía General del Estado en su Circular de 4/2013, de 30 de diciembre, sobre las diligencias de investigación, actualiza la consideración sobre las denuncias anónimas. Señala que, aunque las denuncias deben en principio cumplimentar los requisitos previstos en la Ley de Enjuiciamiento Criminal para ser tenidas como tales, el incumplimiento de alguno de ellos no ha de llevar a su inadmisión si se están poniendo de manifiesto hechos constitutivos de delito perseguibles de oficio con visos de verosimilitud. La iniciación por puesta en conocimiento de otras autoridades u organismos públicos es cada vez más frecuente.

El afianzamiento esencial, no obstante, se contiene en la Ley Orgánica 3/2018, de 5 de diciembre, de Protección de Datos Personales y garantía de los derechos digitales, tal como se ha indicado con anterioridad, en concreto en su artículo 24.1.

Estos canales de denuncias/comunicaciones mediante el anonimato, han colaborado a instituir un instrumento esencial para la «compliance» de una empresa y ha sido fundamental para poder recibir denuncias graves que de otra manera las personas trabajadoras y los colaboradores no se atreverían a señalar por temor a represalias en caso de ser identificados.

Algunas comunidades autónomas igualmente han extendido su protección a las denuncias anónimas y han establecido canales para su recepción.

La ley diferencia la extensión de la obligación de configurar estos canales internos en el ámbito de las organizaciones privadas de las que pertenecen al sector público.

En el ámbito privado, siguiendo la previsión de la Directiva, estarán obligadas a configurar un Sistema interno de información todas aquellas empresas que tengan más de cincuenta trabajadores. En los grupos de empresas será la sociedad dominante la que pueda implantar los principios y políticas que inspiren la organización del Sistema para la adecuada organización y coordinación de los canales en cada una de las entidades que forman parte de aquel.

Siendo conscientes del coste que esta nueva carga pueda generar en las empresas, la ley admite que aquellas que, superando la cifra de cincuenta trabajadores cuenten con menos de doscientos cincuenta, puedan compartir medios y recursos para la gestión de las informaciones que reciban, quedando siempre clara la existencia de canales propios en cada empresa.

No obstante, con independencia del número de empleados, se obliga a contar con un Sistema interno de información a todos los partidos políticos, sindicatos, organizaciones empresariales, así como a las fundaciones que de los mismos dependan, siempre que reciban fondos públicos para su financiación. La razón de esta exigencia se ampara en el singular papel constitucional que tienen estas organizaciones tal y como proclaman los artículos 6 y 7 de la Constitución Española, como manifestación del pluralismo político y vehículo de defensa y protección de los intereses económicos y sociales que les son propios, respectivamente. La existencia de casos de corrupción que han afectado a algunas de estas organizaciones incrementa la preocupación entre la ciudadanía por el recto funcionamiento de las instituciones, por lo que resulta indispensable exigir a estas organizaciones una actitud ejemplar que asiente la confianza en ellos de la sociedad pues de ello depende en buena medida el adecuado funcionamiento del sistema democrático. De ahí la obligación de que se configure, con independencia del número de trabajadores, un Sistema interno de información para atajar con rapidez cualquier indicio de infracción penal o administrativa grave o muy grave contra el interés general. La generalización de un Sistema interno de información facilitará la erradicación de cualquier sospecha de nepotismo, clientelismo, derroche de fondos públicos, financiación irregular u otras prácticas corruptas.

Con relación al sector público, la ley ha extendido en toda su amplitud la obligación de contar con un Sistema interno de información. En consecuencia, han de configurar tal Sistema las Administraciones públicas, ya sean territoriales o institucionales, las autoridades independientes u otros organismos que gestionan los servicios de la Seguridad Social, las universidades, las sociedades y fundaciones pertenecientes al sector público, así como las corporaciones de Derecho Público. En el mismo sentido, se impone también contar con un Sistema interno de información a todos los órganos constitucionales y de relevancia constitucional, así como aquellos mencionados en los Estatutos de Autonomía.

Como se advierte, preocupa que todas las instituciones, organismos y otras personificaciones que ejercen funciones públicas tengan un sistema eficaz para detectar las prácticas irregulares descritas en esta norma, sin que a estos efectos parezca relevante el tamaño de la entidad o el ámbito territorial en el que ejerza sus competencias.

Así, si bien es cierto que la Directiva atribuye a los Estados miembros la decisión de dispensar de algunas obligaciones a los municipios de menos de diez mil habitantes, esta ley no contempla esta excepción. En consecuencia, atendiendo a la necesidad de ofrecer un marco común y general de protección de los informantes, de no facilitar resquicios que puedan dañar gravemente el interés general, se extiende a todos los municipios la obligación de contar con un Sistema interno de información. Ahora bien, tal obligación se acompaña de ciertas precisiones con el fin de facilitar su cumplimiento a aquellos municipios cuya población no supere los diez mil habitantes. La ley permite que estos municipios puedan compartir medios para la recepción de informaciones con otras Administraciones que ejerzan sus competencias en la misma comunidad autónoma. Esta posibilidad no exime de que cada administración local tenga un responsable de su sistema interno de informaciones.

En todo caso, hay que insistir en que se considera adecuado que cada municipio cuente con su propio sistema interno de información y de ahí que se destaque la asistencia que pueden prestar otras Administraciones territoriales.

Por otra parte, se prevé que la gestión material del Sistema interno de información se realice mediante modalidades de gestión indirecta, si bien la atribución por parte de las Administraciones territoriales a un tercero de la gestión del Sistema interno de información requerirá que acrediten la insuficiencia de medios propios para poder realizar la función.

Conviene destacar que la Ley 39/2015, de 1 de octubre, del Procedimiento Administrativo Común de las Administraciones Públicas (LPAC), aplicable con carácter básico a todos los procedimientos administrativos, establece que toda comunicación de hechos que puedan constituir una infracción ha de ser considerada como una comunicación (artículo 62.1 LPAC).

El título III de la ley regula el canal externo de información. Reconoce acertadamente la Directiva 2019/1937 del Parlamento Europeo y del Consejo, de 23 de octubre de 2019, que uno de los principales factores que desalienta a los potenciales informantes es la falta de confianza en la eficacia de las comunicaciones. Por ello, la norma europea impone a los Estados miembros la obligación de establecer canales de comunicación externa adecuados, de modo que su actuación esté presidida por los principios de independencia y autonomía en la recepción y tratamiento de la información sobre las infracciones.

Dotar de independencia y autonomía al canal o canales de comunicación externa pasa por garantizar la exhaustividad, integridad y confidencialidad de la información, impedir el acceso a ella por el personal no autorizado y permitir un almacenamiento duradero de la misma.

Con el fin de dar cumplimiento a los objetivos perseguidos por la Unión Europea y ahondar en la protección del informante, esta ley procede a la implementación de un canal externo cuya llevanza corresponde a la Autoridad Independiente de Protección del Informante, A.A.I. prevista en el título VIII.

Se considera beneficioso que la habilitación de dicho canal, como medio complementario al canal interno, se encauce a través de la Autoridad Independiente de Protección del Informante, A.A.I., dotándolo, así, de las garantías de independencia y autonomía exigidas por la norma europea.

El título III aborda de manera sistemática la regulación específica del canal externo ante el que podrán informar las personas físicas a las que se refiere el artículo 3 de la ley, ya sea directamente, ya con posterioridad a la previa formulación de información ante el canal interno. Tras detallar el procedimiento de recepción de las comunicaciones, que pueden llevarse a cabo de forma anónima o con reserva de la identidad del informante, y de su forma, escrita o verbal, el articulado de la norma aborda el trámite de admisión, en el que después de un análisis preliminar, se decide sobre su admisión a trámite, inadmisión motivada si concurre alguna de las causas tasadas que a tal efecto se prevén, comunicación inmediata al Ministerio Fiscal si la conducta pudiera ser constitutiva de delito o remisión a otra Autoridad u Organismo que pudiera resultar competente para la tramitación de la comunicación.

Admitida a trámite la comunicación, comienza la fase instructora, que culminará mediante la emisión de un informe por la Autoridad Independiente de Protección del Informante. Emitido el informe, la Autoridad Independiente de Protección del Informante podrá acordar el archivo del expediente; el inicio del procedimiento sancionador, sin perjuicio de poner los hechos en conocimiento del Ministerio Fiscal si, pese a no apreciar inicialmente indicios de que los hechos pudieran revestir el carácter de delito, así resultase del curso de la instrucción, o de la Fiscalía Europea cuando resulten afectados los intereses financieros de la Unión Europea, en su caso; o la remisión de la información a otra autoridad u organismo competente, si así procede. En línea con la Directiva 2019/1937, se ha considerado adecuado que el plazo para la realización de las investigaciones y para dar respuesta al informante no se dilate más de lo estrictamente necesario, razón por la que el plazo para finalizar esta fase de instrucción no puede ser superior a tres meses.

Finalmente, cabe destacar que la resolución que adopte la Autoridad Independiente de Protección del Informante, A.A.I. no podrá ser objeto de recurso alguno, ni administrativo ni jurisdiccional, sin perjuicio de la posible impugnación de la resolución que ponga fin al procedimiento sancionador que se pudiera incoar a raíz de las investigaciones realizadas.

Debe tenerse en cuenta que el informante por el hecho de comunicar la existencia de una infracción penal o administrativa no tiene la condición de interesado, sino de colaborador con la Administración. De manera que las investigaciones que lleve a cabo tanto en el marco del Sistema interno de información del sector público como en el marco del procedimiento que desarrolla la Autoridad Independiente de Protección del Informante, A.A.I. se inician siempre de oficio y de conformidad con el procedimiento establecido en la LPAC.

Asimismo, prevé el título III el conjunto de derechos y garantías que ostenta el informante en el procedimiento de comunicación externa ante la Autoridad Independiente de Protección del Informante, A.A.I. y la exigencia de revisión de los procedimientos de recepción y seguimiento de informaciones, dando así cumplimiento al mandato de la Directiva.

Por último, conviene destacar la posible implantación de canales externos de información por parte de las comunidades autónomas. La llevanza de dichos canales externos será asumida por autoridades independientes autonómicas análogas a la Autoridad Independiente de Protección del Informante, A.A.I. cuya competencia podrá extenderse tanto a las informaciones sobre infracciones que, comprendidas en el ámbito de aplicación de esta ley, sean cometidas en el ámbito de las entidades del sector público autonómico y local del territorio de la correspondiente comunidad autónoma, como a las relativas a incumplimientos imputables a entidades del sector privado que produzcan efectos únicamente en el territorio de dicha comunidad autónoma.

El título IV contiene disposiciones comunes a las comunicaciones internas y externas, en línea con el capítulo V de la Directiva 2019/1937 del Parlamento Europeo y del Consejo, de 23 de octubre de 2019. Se regula la obligación de proporcionar información adecuada de forma clara y fácilmente accesible sobre los canales de comunicación interna y externa, como medio y garantía para un mejor conocimiento de los canales que establece esta ley.

El título V se ocupa de la revelación pública. Los informantes que utilizan los cauces internos y externos cuentan con un régimen específico de protección frente a las represalias. La protección a quien realiza una revelación pública, con condiciones, se asienta, entre otras causas, en las garantías y protección que ofrece la opinión pública en su conjunto amparando a quien muestra una actitud cívica a la hora de advertir ante posibles infracciones penales o administrativas graves o vulneraciones del ordenamiento jurídico que dañan el interés general, así como en la protección de las fuentes que mantienen los periodistas.

Existen situaciones en que resulta conveniente proteger también a estas personas y la ley, siguiendo las directrices europeas, precisa las condiciones que deben concurrir para extender el régimen de protección; así, por ejemplo, dicha protección se contempla cuando los cauces internos y externos no han funcionado o cuando se advierte una amenaza inminente para el interés general, tales como un vertido muy tóxico u otros riesgos contaminantes.

En este sentido, se destaca que la propia Directiva, en sus considerandos 45 y 46 otorga especial reconocimiento a los supuestos de protección relacionados con los derechos a la libertad de información y al periodismo de investigación, que en nuestro ordenamiento se reconocen constitucionalmente. Así, el Considerando 45 declara que «La protección frente a represalias como medio de salvaguardar la libertad de expresión y la libertad y el pluralismo de los medios de comunicación debe otorgarse tanto a las personas que comunican información sobre actos u omisiones en una organización ("comunicación interna") o a una autoridad externa ("comunicación externa") como a las personas que ponen dicha información a disposición del público, por ejemplo, directamente a través de plataformas web o de redes sociales, o a medios de comunicación, cargos electos, organizaciones de la sociedad civil, sindicatos u organizaciones profesionales y empresariales». Por su parte, el Considerando 46 alude a la importancia de los informante s como fuentes importantes para los periodistas de investigación y crucial para salvaguardar la función de guardián que el periodismo de investigación desempeña en las sociedades democráticas.

El título VI regula el régimen del tratamiento de datos personales que deriven de la aplicación de esta ley.

El artículo 17 de la Directiva impone que todo tratamiento de datos personales realizado en aplicación de la misma se realizará de conformidad con el Reglamento (UE) 2016/679 del Parlamento Europeo y del Consejo, de 27 de abril de 2016, relativo a la protección de las personas físicas en lo que respecta al tratamiento de datos personales y a la libre circulación de estos datos y por el que se deroga la Directiva 95/46/CE (Reglamento general de protección de datos) y con la Directiva (UE) 2016/680. En este mismo sentido esta ley dispone que los tratamientos de datos personales deberán regirse por lo dispuesto en dicho Reglamento y en la Ley Orgánica 3/2018, de 5 de diciembre, de Protección de Datos Personales y garantía de los derechos digitales.

Hasta ahora el artículo 24 de la citada ley orgánica regulaba la creación y mantenimiento de sistemas de información internos. El contenido de dicho precepto se ha incorporado a esta ley, pero era necesario completar las previsiones hasta ahora incluidas en la ley orgánica al objeto de extenderlas también a los tratamientos de datos que se lleven a cabo en los canales de comunicación externos y en los supuestos de revelación pública. Asimismo, y de acuerdo con lo que establece el artículo 6 del Reglamento general de protección de datos, procede indicar los títulos que hacen lícito el tratamiento de datos personales. Los tratamientos se entenderán necesarios para el cumplimiento de una obligación legal cuando deban llevarse a cabo en los supuestos en que sea obligatorio disponer de un Sistema interno de información y en los casos de canales de comunicación externos, mientras que se presumirán válidos al amparo de lo que establece el artículo 6.1.e) del Reglamento general de protección de datos cuando aquel sistema no sea obligatorio o el tratamiento se lleve a cabo en el ámbito de la revelación pública que regula el título V. Se indica asimismo que en caso de que la persona investigada ejerza el derecho de oposición al tratamiento de sus datos personales se entiende que existen motivos legítimos imperiosos que legitiman continuar con dicho tratamiento, tal como permite el artículo 21.1 del Reglamento (UE) 2016/679 del Parlamento Europeo y del Consejo, de 27 de abril de 2016.

La ley también regula determinadas condiciones especiales en relación con los tratamientos de datos al objeto de garantizar plenamente el derecho a la protección de datos y en particular la identidad de los informantes y de las personas investigadas por la información suministrada. La preservación de la identidad del informante es una de las premisas esenciales para garantizar la efectividad de la protección que persigue esta ley. De ahí que se exija que en todo momento deba ser garantizada. En esta línea se dispone que el dato de la identidad del informante nunca será objeto del derecho de acceso a datos personales y se limita la posibilidad de comunicación de dicha identidad sólo a la autoridad judicial, el Ministerio Fiscal o la autoridad administrativa competente exigiendo que en todo caso se impida el acceso por terceros a la misma. Por otra parte, se exige que las entidades obligadas a disponer de un Sistema interno de información, los terceros externos que en su caso lo gestionen y la Autoridad Independiente de Protección de Datos, A.A.I. así como las que en su caso se constituyan, cuenten con un delegado de protección de datos.

El título VII constituye, como ya se ha anticipado, el eje de la ley, las medidas de protección para amparar a aquellas personas que mantienen una actitud cívica y de respeto democrático al alertar sobre infracciones graves que dañan el interés general. Ha de conseguirse que nadie esté amedrentado ante futuros perjuicios. De ahí que la primera medida sea la contundente declaración de prohibir y declarar nulas aquellas conductas que puedan calificarse de represalias y se adopten dentro de los dos años siguientes a ultimar las investigaciones. En este sentido, la ley ofrece varios supuestos, sin ningún ánimo exhaustivo, que muestran conductas intolerables hacia los informantes: resolución de contratos, intimidaciones, trato desfavorable, daños reputacionales, etc.

La necesidad de garantizar la buena aplicación del ordenamiento hace que queden sin efecto cualesquiera cláusulas o disposiciones contractuales que impidan o pretendan limitar el derecho o la capacidad de informar, tales como cláusulas de confidencialidad o disposiciones que reflejan renuncias expresas; así como que se exima de responsabilidad ante la obtención de información relevante o que se invierta la carga de la prueba en aquellos procesos que inicie para exigir la reparación de daños. En fin, los informantes contarán con el apoyo necesario de la Autoridad Independiente de Protección del Informante, A.A.I. para que las medidas de protección establecidas en esta ley resulten eficaces.

Pero las medidas de protección no se dirigen sólo a favor de los informantes. También aquellas personas a las que se refieran los hechos relatados en la comunicación han de contar con una singular protección ante el riesgo de que la información, aun con aparentes visos de veracidad, haya sido manipulada, sea falsa o responda a motivaciones que el Derecho no puede amparar. Estas personas mantienen todos sus derechos de tutela judicial y defensa, de acceso al expediente, de confidencialidad y reserva de identidad y la presunción de inocencia; en fin, de los mismos derechos que goza el informante.

Las ventajas y eficacia que han demostrado los programas de clemencia en ciertos ámbitos sectoriales han llevado a incluir una regulación en la que se precisan las concretas condiciones para su correcta aplicación.

El título VIII regula la Autoridad Independiente de Protección del Informante, A.A.I. Una sociedad democráticamente avanzada ha de proteger adecuadamente a aquellas personas que, comunicando las irregularidades de las que, en su entorno laboral o profesional, tenga conocimiento, las publicite, permitiendo, de ese modo, a los poderes públicos actuar, pudiendo poner fin a la actividad ilícita advertida cuando ésta afecte al interés general. Y es una cuestión de liderazgo avanzar en esa línea, como hace la Directiva 2019/1937 del Parlamento Europeo y del Consejo, de 23 de octubre de 2019, que es objeto de trasposición mediante esta ley.

Solo habrá una adecuada protección del denominado «whistleblower» si, en primer lugar, existe no solo el deber de comunicar conductas ilícitas de las que tenga conocimiento, sino además un sistema que permita canalizar las informaciones, lo que implica la implementación, por parte de las entidades públicas y privadas, de canales que permitan al que entra en contacto con la organización revelar la información de que dispone y que pueda constituir un ilícito susceptible de afectar al interés general. Ese canal interno de información al que hemos hecho referencia en párrafos anteriores debe garantizar, si queremos que salgan a la luz los comportamientos reprobables, la confidencialidad del informante, en todo caso, siendo aconsejable prever, además, el anonimato del mismo. No hay mejor forma de proteger al que informa que garantizando su anonimato.

Dicho canal interno de información debe ser complementado con un canal externo, es decir, con la posibilidad de que quien conozca el hecho susceptible de ser comunicado con arreglo a esta norma pueda acudir a una autoridad pública que, con todas las garantías, tenga constancia del hecho informado y proceda a investigarlo y, en su caso, pueda colaborar con el Ministerio Fiscal cuando aprecie que el hecho objeto de la comunicación es constitutivo de delito.

Garantizar una adecuada protección del informante exige, en cumplimiento de la Directiva 2019/1937 del Parlamento Europeo y del Consejo, de 23 de octubre de 2019, que España disponga de un completo marco normativo-institucional con el que dar respuesta eficaz a la necesidad de protección de quienes informan sobre infracciones del ordenamiento jurídico que afectan o menoscaban el interés general.

Una adecuada y eficaz respuesta normativa aconseja articular de manera conjunta y, por tanto, mediante la utilización del mismo instrumento normativo, el nuevo régimen jurídico aplicable a la protección del informante y el cauce institucional idóneo que garantice su plena operatividad.

El considerando 64 de la Directiva 2019/1937 del Parlamento Europeo y del Consejo, de 23 de octubre de 2019 deja al prudente criterio de los Estados miembros determinar qué autoridades son competentes para recibir la información sobre infracciones que entren en el ámbito de aplicación de la misma y seguir adecuadamente las denuncias.

Entre las diferentes alternativas que ofrece nuestro ordenamiento interno se considera idóneo acudir a la figura de la Autoridad Independiente de Protección del Informante, A.A.I. como pilar básico del sistema institucional en materia de protección del informante. Su particular naturaleza y encaje institucional en el sector público permitirá canalizar satisfactoriamente el conjunto de funciones que la Directiva atribuye a las autoridades competentes de cada Estado miembro. Entre las diversas posibilidades abiertas en el reto de afrontar eficazmente la trasposición de la Directiva, el carácter independiente y la autonomía de que gozan este tipo de entes del sector público se considera la mejor forma de instrumentar el engranaje institucional de la protección del informante, excluyendo otras alternativas con menor independencia del poder ejecutivo y permitiendo, en definitiva, que sea una entidad de nueva creación la que garantice la funcionalidad del sistema, una entidad independiente de quien la nombra y de la Administración Pública, que atienda, en el ejercicio de sus funciones, a criterios de naturaleza técnica.

De otro lado, el carácter específico de la materia hace igualmente aconsejable que las funciones que la Directiva atribuye a las autoridades competentes sean ejercidas por una autoridad de nueva creación sin posibilidad de acudir a otras ya existentes dentro del sector público. Además, resulta determinante a efectos de la creación de una nueva autoridad, la articulación, en cumplimiento de la Directiva, de un canal externo de información que complementa los canales internos (tanto en el sector privado como público). Resulta de especial interés que sea una entidad que bajo un especial régimen de autonomía y con un marcado carácter técnico y especializado en la materia sea la encargada de la llevanza y gestión del citado canal externo.

Lo hasta ahora expuesto, unido al conjunto de funciones que la Directiva obliga a asumir a las autoridades competentes en materia de protección al informante y junto a otras que van más allá del contenido de la norma europea y cuya inclusión radica en una mayor garantía y extensión de la protección del informante, aconsejan que sea una autoridad independiente específica la que asuma este conjunto de competencias, y sirva, en definitiva, de pilar institucional esencial en la lucha contra la corrupción.

Para ello el título VIII de la norma aborda, como se ha señalado, la autorización para la creación de la Autoridad Independiente de Protección del Informante, A.A.I. como ente de derecho público con personalidad jurídica propia dotado de autonomía e independencia orgánica y funcional respecto del Ejecutivo y del sector público, así como de toda entidad cuya actividad pueda ser sometida a su supervisión. Estructurado en tres capítulos, el primero de ellos recoge la naturaleza y funciones de la Autoridad Independiente de Protección del Informante, A.A.I.: llevanza del canal externo de comunicaciones, asunción de la condición de órgano consultivo y de asesoramiento del Gobierno en materia de protección del informante, elaboración de modelos de prevención de delito en el ámbito público, asunción de la competencia sancionadora en la materia, entre otros.

El capítulo II del título VIII desarrolla el régimen jurídico a que se somete la nueva Autoridad, distinguiendo el régimen jurídico general a que somete su actividad y las singularidades que presenta en materia de personal, de contratación, patrimonial, de asistencia jurídica, presupuestario, de contabilidad y de control económico-financiero. Dentro de estas particularidades, se ha considerado necesario dotar al ente de dos potestades menos frecuentes, pero totalmente necesarias, en orden a la consecución de los objetivos a que obedece la trasposición de la Directiva. De un lado, la posibilidad de que la propia Autoridad Independiente de Protección del Informante, A.A.I. pueda elaborar circulares y recomendaciones que establezcan los criterios y prácticas adecuadas para el cumplimiento de las disposiciones contenidas en esta ley y las normas que la desarrollen. De otro lado, la ley atribuye el ejercicio de la potestad sancionadora (prevista en el título IX de la norma), a la Autoridad Independiente de Protección del Informante, A.A.I., dando así cumplimiento a la exigencia de atribución de potestad por norma legal (o reglamentaria) contenida en la Ley 40/2015, de 1 de octubre, del Régimen Jurídico del Sector Público.

Finalmente, el capítulo III del título VIII recoge el régimen de organización interna de la entidad. Se prevé la existencia de una Presidencia, órgano de gobierno de la Autoridad, que tendrá como órgano de asesoramiento una Comisión Consultiva, de marcado carácter técnico por su composición, muchos de cuyos vocales son natos, por razón del cargo, procedentes bien de la Administración Pública, bien de organismos reguladores o supervisores.

La protección integral del informante exige no dejar espacios de impunidad. Este principio de actuación, que conecta directamente con el liderazgo que ha de operar como eje mediador de idoneidad del sistema que se propone, unido a la concepción de nuestro Estado como espacio público compartido, obliga a permitir que se acuda al canal externo de informaciones a través de la Autoridad Independiente de Protección del Informante, A.A.I. en aquellos territorios que no hayan previsto la creación de Autoridades o la atribución a órganos propios de su comunidad autónoma y dentro de sus competencias. De ese modo la Autoridad Independiente de Protección del Informante, A.A.I. podrá tramitar las comunicaciones que se reciban a través de su canal externo que afecten al ámbito competencial de aquellas comunidades autónomas que así lo decidan y suscriban el correspondiente convenio, y aquellas otras que no prevean órganos propios que canalicen, en su ámbito competencial, las comunicaciones externas. Posibilidad ésta que cumple con competencias. Sin olvidar que la cláusula de supletoriedad del artículo 149.3 de la Constitución Española no constituye una cláusula universal atributiva de competencias, en tales casos, la posibilidad de que el Estado dicte normas innovadoras de carácter supletorio está plenamente justificada» la doctrina del Tribunal Constitucional, expuesta en la sentencia 130/2013, al indicar que «en casos como los que contemplamos, las disposiciones del Estado que establezcan reglas destinadas a permitir la ejecución de los Reglamentos comunitarios en España y que no puedan considerarse normas básicas o de coordinación, tienen un carácter supletorio de las que pueden dictar las comunidades autónomas para los mismos fines de sus

El texto articulado se cierra con un título IX que establece el régimen sancionador, necesario para combatir con eficacia aquellas actuaciones que impliquen represalias contra los informantes, así como los incumplimientos en el establecimiento de las reglas de los canales de comunicación.

Concluye la ley con seis disposiciones adicionales relativas a la revisión periódica de los procedimientos de recepción y seguimiento de las comunicaciones por las autoridades responsables, a los convenios que puedan suscribir Estado y comunidades autónomas para atribuir a la Autoridad Independiente de Protección del Informante, A.A.I. competencias de gestión del canal externo de comunicaciones en el ámbito autonómico correspondiente, la elaboración de una memoria anual y de información estadística agregada, a la administración de los Territorios Históricos del País Vasco, a la Estrategia contra la corrupción y a la extensión de las medidas de protección; tres disposiciones transitorias para regular los canales internos de información ya habilitados y la adaptación de los Sistemas internos de información ya existentes y la implantación de dichos sistemas, con carácter general, por los sujetos obligados en el plazo de tres meses, así como la previsión presupuestaria de la Autoridad Independiente y, por último, doce disposiciones finales por las que se modifican, entre otras, la Ley 1/1996, de 10 de enero, de asistencia jurídica gratuita; la Ley 29/1998, de 13 de julio, reguladora de la Jurisdicción Contencioso-administrativa para incluir a la nueva Autoridad Independiente de Protección del Informante, A.A.I.; la Ley 15/2007, de 3 de julio, de Defensa de la Competencia; la Ley 10/2010, de 28 de abril, de prevención del blanqueo de capitales y de la financiación del terrorismo; la Ley 10/2014, de 26 de junio, de ordenación, supervisión y solvencia de entidades de crédito; la Ley 9/2017, de 8 de noviembre, de Contratos del Sector Público, por la que se transponen al ordenamiento jurídico español las Directivas del Parlamento Europeo y del Consejo 2014/23/UE y 2014/24/UE, de 26 de febrero de 2014; la Ley Orgánica 3/2018, de 5 de diciembre, de Protección de Datos Personales y garantía de derechos digitales, a los efectos del tratamiento de datos para la protección de las personas que informen sobre infracciones normativas, los títulos competenciales en los que se ampara la ley, la incorporación de la Directiva (EU) 2019/1937, del Parlamento Europeo y del Consejo, de 23 de octubre de 2019, al ordenamiento jurídico interno; una cláusula de habilitación normativa y su entrada en vigor.

## TÍTULO I
## FINALIDAD DE LA LEY Y ÁMBITO DE APLICACIÓN

**Artículo 1. *Finalidad de la ley.–*** 1. La presente ley tiene por finalidad otorgar una protección adecuada frente a las represalias que puedan sufrir las personas físicas que informen sobre alguna de las acciones u omisiones a que se refiere el artículo 2, a través de los procedimientos previstos en la misma.

2. También tiene como finalidad el fortalecimiento de la cultura de la información, de las infraestructuras de integridad de las organizaciones y el fomento de la cultura de la información o comunicación como mecanismo para prevenir y detectar amenazas al interés público.

**Artículo 2. *Ámbito material de aplicación.–*** 1. La presente ley protege a las personas físicas que informen, a través de alguno de los procedimientos previstos en ella de:

a) Cualesquiera acciones u omisiones que puedan constituir infracciones del Derecho de la Unión Europea siempre que:

1.º Entren dentro del ámbito de aplicación de los actos de la Unión Europea enumerados en el anexo de la Directiva (UE) 2019/1937 del Parlamento Europeo y del Consejo, de 23 de octubre de 2019, relativa a la protección de las personas que informen sobre infracciones del Derecho de la Unión, con independencia de la calificación que de las mismas realice el ordenamiento jurídico interno;

2.º Afecten a los intereses financieros de la Unión Europea tal y como se contemplan en el artículo 325 del Tratado de Funcionamiento de la Unión Europea (TFUE); o

3.º Incidan en el mercado interior, tal y como se contempla en el artículo 26, apartado 2 del TFUE, incluidas las infracciones de las normas de la Unión Europea en materia de competencia y ayudas otorgadas por los Estados, así como las infracciones relativas al mercado interior en relación con los actos que infrinjan las normas del impuesto sobre sociedades o con prácticas cuya finalidad sea obtener una ventaja fiscal que desvirtúe el objeto o la finalidad de la legislación aplicable al impuesto sobre sociedades.

b) Acciones u omisiones que puedan ser constitutivas de infracción penal o administrativa grave o muy grave. En todo caso, se entenderán comprendidas todas aquellas infracciones penales o administrativas graves o muy graves que impliquen quebranto económico para la Hacienda Pública y para la Seguridad Social.

2. Esta protección no excluirá la aplicación de las normas relativas al proceso penal, incluyendo las diligencias de investigación.

3. La protección prevista en esta ley para las personas trabajadoras que informen sobre infracciones del Derecho laboral en materia de seguridad y salud en el trabajo, se entiende sin perjuicio de la establecida en su normativa específica.

4. La protección prevista en esta ley no será de aplicación a las informaciones que afecten a la información clasificada. Tampoco afectará a las obligaciones que resultan de la protección del secreto profesional de los profesionales de la medicina y de la abogacía, del deber de confidencialidad de las Fuerzas y Cuerpos de Seguridad en el ámbito de sus actuaciones, así como del secreto de las deliberaciones judiciales.

5. No se aplicarán las previsiones de esta ley a las informaciones relativas a infracciones en la tramitación de procedimientos de contratación que contengan información clasificada o que hayan sido declarados secretos o reservados, o aquellos cuya ejecución deba ir acompañada de medidas de seguridad especiales conforme a la legislación vigente, o en los que lo exija la protección de intereses esenciales para la seguridad del Estado.

6. En el supuesto de información o revelación pública de alguna de las infracciones a las que se refiere la parte II del anexo de la Directiva (UE) 2019/1937 del Parlamento Europeo y del Consejo, de 23 de octubre de 2019, resultará de aplicación la normativa específica sobre comunicación de infracciones en dichas materias.

**Artículo 3. _Ámbito personal de aplicación._–** 1. La presente ley se aplicará a los informantes que trabajen en el sector privado o público y que hayan obtenido información sobre infracciones en un contexto laboral o profesional, comprendiendo en todo caso:

a) las personas que tengan la condición de empleados públicos o trabajadores por cuenta ajena;

b) los autónomos;

c) los accionistas, partícipes y personas pertenecientes al órgano de administración, dirección o supervisión de una empresa, incluidos los miembros no ejecutivos;

d) cualquier persona que trabaje para o bajo la supervisión y la dirección de contratistas, subcontratistas y proveedores.

2. La presente ley también se aplicará a los informantes que comuniquen o revelen públicamente información sobre infracciones obtenida en el marco de una relación laboral o estatutaria ya finalizada, voluntarios, becarios, trabajadores en periodos de formación con independencia de que perciban o no una remuneración, así como a aquellos cuya relación laboral todavía no haya comenzado, en los casos en que la información sobre infracciones haya sido obtenida durante el proceso de selección o de negociación precontractual.

3. Las medidas de protección del informante previstas en el título VII también se aplicarán, en su caso, específicamente a los representantes legales de las personas trabajadoras en el ejercicio de sus funciones de asesoramiento y apoyo al informante.

4. Las medidas de protección del informante previstas en el título VII también se aplicarán, en su caso, a:

a) personas físicas que, en el marco de la organización en la que preste servicios el informante, asistan al mismo en el proceso,

b) personas físicas que estén relacionadas con el informante y que puedan sufrir represalias, como compañeros de trabajo o familiares del informante, y

c) personas jurídicas, para las que trabaje o con las que mantenga cualquier otro tipo de relación en un contexto laboral o en las que ostente una participación significativa. A estos efectos, se entiende que la participación en el capital o en los derechos de voto correspondientes a acciones o participaciones es significativa cuando, por su proporción, permite a la persona que la posea tener capacidad de influencia en la persona jurídica participada.

## TÍTULO II
## SISTEMA INTERNO DE INFORMACIÓN

### Capítulo I
### DISPOSICIONES GENERALES

**Artículo 4. *Comunicación de infracciones a través del Sistema interno de información.-*** 1. El Sistema interno de información es el cauce preferente para informar sobre las acciones u omisiones previstas en el artículo 2, siempre que se pueda tratar de manera efectiva la infracción y si el informante considera que no hay riesgo de represalia.

2. Las personas jurídicas obligadas por las disposiciones del presente título dispondrán de un Sistema interno de información en los términos establecidos en esta ley.

**Artículo 5. *Sistema interno de información.-*** 1. El órgano de administración u órgano de gobierno de cada entidad u organismo obligado por esta ley será el responsable de la implantación del Sistema interno de información, previa consulta con la representación legal de las personas trabajadoras, y tendrá la condición de responsable del tratamiento de los datos personales de conformidad con lo dispuesto en la normativa sobre protección de datos personales.

2. El Sistema interno de información, en cualquiera de sus fórmulas de gestión, deberá:

a) Permitir a todas las personas referidas en el artículo 3 comunicar información sobre las infracciones previstas en el artículo 2.

b) Estar diseñado, establecido y gestionado de una forma segura, de modo que se garantice la confidencialidad de la identidad del informante y de cualquier tercero mencionado en la comunicación, y de las actuaciones que se desarrollen en la gestión y tramitación de la misma, así como la protección de datos, impidiendo el acceso de personal no autorizado.

c) Permitir la presentación de comunicaciones por escrito o verbalmente, o de ambos modos.

d) Integrar los distintos canales internos de información que pudieran establecerse dentro de la entidad.

e) Garantizar que las comunicaciones presentadas puedan tratarse de manera efectiva dentro de la correspondiente entidad u organismo con el objetivo de que el primero en conocer la posible irregularidad sea la propia entidad u organismo.

f) Ser independientes y aparecer diferenciados respecto de los sistemas internos de información de otras entidades u organismos, sin perjuicio de lo establecido en los artículos 12 y 14.

g) Contar con un responsable del sistema en los términos previstos en el artículo 8.

h) Contar con una política o estrategia que enuncie los principios generales en materia de Sistemas interno de información y defensa del informante y que sea debidamente publicitada en el seno de la entidad u organismo.

i) Contar con un procedimiento de gestión de las informaciones recibidas.

j) Establecer las garantías para la protección de los informantes en el ámbito de la propia entidad u organismo, respetando, en todo caso, lo dispuesto en el artículo 9.

**Artículo 6. Gestión del Sistema interno de información por tercero externo.–** 1. La gestión del Sistema interno de información se podrá llevar a cabo dentro de la propia entidad u organismo o acudiendo a un tercero externo, en los términos previstos en esta ley. A estos efectos, se considera gestión del Sistema la recepción de informaciones.

2. La gestión del sistema por un tercero externo exigirá en todo caso que este ofrezca garantías adecuadas de respeto de la independencia, la confidencialidad, la protección de datos y el secreto de las comunicaciones.

La existencia de corresponsables del tratamiento de datos personales requiere la previa suscripción del acuerdo regulado en el artículo 26 del Reglamento (UE) 2016/679 del Parlamento Europeo y del Consejo, de 27 de abril de 2016, relativo a la protección de las personas físicas en lo que respecta al tratamiento de datos personales y a la libre circulación de estos datos y por el que se deroga la Directiva 95/46/CE (Reglamento General de Protección de Datos), y en la Ley Orgánica 3/2018, de 5 de diciembre, de Protección de Datos Personales y garantía de los derechos digitales.

3. La gestión del Sistema interno de información por un tercero no podrá suponer un menoscabo de las garantías y requisitos que para dicho sistema establece esta ley ni una atribución de la responsabilidad sobre el mismo en persona distinta del Responsable del Sistema previsto en el artículo 8.

4. El tercero externo que gestione el Sistema tendrá la consideración de encargado del tratamiento a efectos de la legislación sobre protección de datos personales. El tratamiento se regirá por el acto o contrato al que se refiere el artículo 28.3 del Reglamento (UE) 2016/679, del Parlamento Europeo y del Consejo, de 27 de abril de 2016.

**Artículo 7. Canal interno de información.–** 1. Todo canal interno de información de que disponga una entidad para posibilitar la presentación de información respecto de las infracciones previstas en el artículo 2 estará integrado dentro del Sistema interno de información a que se refiere el artículo 5.

2. El canal interno deberá permitir realizar comunicaciones por escrito o verbalmente, o de las dos formas. La información se podrá realizar bien por escrito, a través de correo postal o a través de cualquier medio electrónico habilitado al efecto, o verbalmente, por vía telefónica o a través de sistema de mensajería de voz. A solicitud del informante, también podrá presentarse mediante una reunión presencial dentro del plazo máximo de siete días.

En su caso, se advertirá al informante de que la comunicación será grabada y se le informará del tratamiento de sus datos de acuerdo a lo que establece el Reglamento (UE) 2016/679 del Parlamento Europeo y del Consejo, de 27 de abril de 2016.

Además, a quienes realicen la comunicación a través de canales internos se les informará, de forma clara y accesible, sobre los canales externos de información ante las autoridades competentes y, en su caso, ante las instituciones, órganos u organismos de la Unión Europea.

Al hacer la comunicación, el informante podrá indicar un domicilio, correo electrónico o lugar seguro a efectos de recibir las notificaciones.

Las comunicaciones verbales, incluidas las realizadas a través de reunión presencial, telefónicamente o mediante sistema de mensajería de voz, deberán documentarse de alguna de las maneras siguientes, previo consentimiento del informante:

a) mediante una grabación de la conversación en un formato seguro, duradero y accesible, o

b) a través de una transcripción completa y exacta de la conversación realizada por el personal responsable de tratarla.

Sin perjuicio de los derechos que le corresponden de acuerdo a la normativa sobre protección de datos, se ofrecerá al informante la oportunidad de comprobar, rectificar y aceptar mediante su firma la transcripción de la conversación.

3. Los canales internos de información permitirán incluso la presentación y posterior tramitación de comunicaciones anónimas.

4. Los canales internos de información podrán estar habilitados por la entidad que los gestione para la recepción de cualesquiera otras comunicaciones o informaciones fuera del ámbito establecido en el artículo 2, si bien dichas comunicaciones y sus remitentes quedarán fuera del ámbito de protección dispensado por la misma.

**Artículo 8. *Responsable del Sistema interno de información.*–** 1. El órgano de administración u órgano de gobierno de cada entidad u organismo obligado por esta ley será el competente para la designación de la persona física responsable de la gestión de dicho sistema o «Responsable del Sistema», y de su destitución o cese.

2. Si se optase por que el Responsable del Sistema fuese un órgano colegiado, este deberá delegar en uno de sus miembros las facultades de gestión del Sistema interno de información y de tramitación de expedientes de investigación.

3. Tanto el nombramiento como el cese de la persona física individualmente designada, así como de las integrantes del órgano colegiado deberán ser notificados a la Autoridad Independiente de Protección del Informante, A.A.I., o, en su caso, a las autoridades u órganos competentes de las comunidades autónomas, en el ámbito de sus respectivas competencias, en el plazo de los diez días hábiles siguientes, especificando, en el caso de su cese, las razones que han justificado el mismo.

4. El Responsable del Sistema deberá desarrollar sus funciones de forma independiente y autónoma respecto del resto de los órganos de la entidad u organismo, no podrá recibir instrucciones de ningún tipo en su ejercicio, y deberá disponer de todos los medios personales y materiales necesarios para llevarlas a cabo.

5. En el caso del sector privado, el Responsable del Sistema persona física o la entidad en quien el órgano colegiado responsable haya delegado sus funciones, será un directivo de la entidad, que ejercerá su cargo con independencia del órgano de administración o de gobierno de la misma. Cuando la naturaleza o la dimensión de las actividades de la entidad no justifiquen o permitan la existencia de un directivo Responsable del Sistema, será posible el desempeño ordinario de las funciones del puesto o cargo con las de Responsable del Sistema, tratando en todo caso de evitar posibles situaciones de conflicto de interés.

6. En las entidades u organismos en que ya existiera una persona responsable de la función de cumplimiento normativo o de políticas de integridad, cualquiera que fuese su denominación, podrá ser esta la persona designada como Responsable del Sistema, siempre que cumpla los requisitos establecidos en esta ley.

**Artículo 9. *Procedimiento de gestión de informaciones.*–** 1. El órgano de administración u órgano de gobierno de cada entidad u organismo obligado por esta ley aprobará el procedimiento de gestión de informaciones. El Responsable del Sistema responderá de su tramitación diligente.

2. El procedimiento establecerá las previsiones necesarias para que el Sistema interno de información y los canales internos de información existentes cumplan con los requisitos establecidos en esta ley. En particular, el procedimiento responderá al contenido mínimo y principios siguientes:

a) Identificación del canal o canales internos de información a los que se asocian.

b) Inclusión de información clara y accesible sobre los canales externos de información ante las autoridades competentes y, en su caso, ante las instituciones, órganos u organismos de la Unión Europea.

c) Envío de acuse de recibo de la comunicación al informante, en el plazo de siete días naturales siguientes a su recepción, salvo que ello pueda poner en peligro la confidencialidad de la comunicación.

d) Determinación del plazo máximo para dar respuesta a las actuaciones de investigación, que no podrá ser superior a tres meses a contar desde la recepción de la comunicación o, si no se remitió un acuse de recibo al informante, a tres meses a partir del vencimiento del plazo de siete días después de efectuarse la comunicación, salvo casos de especial complejidad que requieran una ampliación del plazo, en cuyo caso, este podrá extenderse hasta un máximo de otros tres meses adicionales.

e) Previsión de la posibilidad de mantener la comunicación con el informante y, si se considera necesario, de solicitar a la persona informante información adicional.

f) Establecimiento del derecho de la persona afectada a que se le informe de las acciones u omisiones que se le atribuyen, y a ser oída en cualquier momento. Dicha comunicación tendrá lugar en el tiempo y forma que se considere adecuado para garantizar el buen fin de la investigación.

g) Garantía de la confidencialidad cuando la comunicación sea remitida por canales de comunicación que no sean los establecidos o a miembros del personal no responsable de su tratamiento, al que se habrá formado en esta materia y advertido de la tipificación como infracción muy grave de su quebranto y, asimismo, el establecimiento de la obligación del receptor de la comunicación de remitirla inmediatamente al Responsable del Sistema.

h) Exigencia del respeto a la presunción de inocencia y al honor de las personas afectadas.

i) Respeto de las disposiciones sobre protección de datos personales de acuerdo a lo previsto en el título VI.

j) Remisión de la información al Ministerio Fiscal con carácter inmediato cuando los hechos pudieran ser indiciariamente constitutivos de delito. En el caso de que los hechos afecten a los intereses financieros de la Unión Europea, se remitirá a la Fiscalía Europea.

## Capítulo II
## SISTEMA INTERNO DE INFORMACIÓN EN EL SECTOR PRIVADO

**Artículo 10. *Entidades obligadas del sector privado.-*** 1. Estarán obligadas a disponer un Sistema interno de información en los términos previstos en esta ley:

a) Las personas físicas o jurídicas del sector privado que tengan contratados cincuenta o más trabajadores.

b) Las personas jurídicas del sector privado que entren en el ámbito de aplicación de los actos de la Unión Europea en materia de servicios, productos y mercados financieros, prevención del blanqueo de capitales o de la financiación del terrorismo, seguridad del transporte y protección del medio ambiente a que se refieren las partes I.B y II del anexo de la Directiva (UE) 2019/1937, del Parlamento Europeo y del Consejo, de 23 de octubre de 2019, deberán disponer de un Sistema interno de información que se regulará por su normativa específica con independencia del número de trabajadores con que cuenten. En estos casos, esta ley será de aplicación en lo no regulado por su normativa específica.

Se considerarán incluidas en el párrafo anterior las personas jurídicas que, pese a no tener su domicilio en territorio nacional, desarrollen en España actividades a través de sucursales o agentes o mediante prestación de servicios sin establecimiento permanente.

c) Los partidos políticos, los sindicatos, las organizaciones empresariales y las fundaciones creadas por unos y otros, siempre que reciban o gestionen fondos públicos.

2. Las personas jurídicas del sector privado que no estén vinculadas por la obligación impuesta en el apartado 1 podrán establecer su propio Sistema interno de información, que deberá cumplir, en todo caso, los requisitos previstos en esta ley.

**Artículo 11. *Grupos de sociedades.*–** 1. En el caso de un grupo de empresas conforme al artículo 42 del Código de Comercio, la sociedad dominante aprobará una política general relativa al Sistema interno de información a que se refiere el artículo 5 y a la defensa del informante, y asegurará la aplicación de sus principios en todas las entidades que lo integran, sin perjuicio de la autonomía e independencia de cada sociedad, subgrupo o conjunto de sociedades integrantes que, en su caso, pueda establecer el respectivo sistema de gobierno corporativo o de gobernanza del grupo, y de las modificaciones o adaptaciones que resulten necesarias para el cumplimiento de la normativa aplicable en cada caso.

2. El Responsable del Sistema podrá ser uno para todo el grupo, o bien uno para cada sociedad integrante del mismo, subgrupo o conjunto de sociedades, en los términos que se establezcan por la citada política. Por su parte, el Sistema interno de información podrá ser uno para todo el grupo.

3. Será admisible el intercambio de información entre los diferentes Responsables del Sistema del grupo, si los hubiera, para la adecuada coordinación y el mejor desempeño de sus funciones.

**Artículo 12. *Medios compartidos en el sector privado.*–** Las personas jurídicas en el sector privado que tengan entre cincuenta y doscientos cuarenta y nueve trabajadores y que así lo decidan, podrán compartir entre sí el Sistema interno de información y los recursos destinados a la gestión y tramitación de las comunicaciones, tanto si la gestión se lleva a cabo por cualquiera de ellas como si se ha externalizado, respetándose en todo caso las garantías previstas en esta ley.

### Capítulo III
### SISTEMA INTERNO DE INFORMACIÓN EN EL SECTOR PÚBLICO

**Artículo 13. *Entidades obligadas en el sector público.*–** 1. Todas las entidades que integran el sector público estarán obligadas a disponer de un Sistema interno de información en los términos previstos en esta ley.

A los efectos de esta ley se entienden comprendidos en el sector público:

a) La Administración General del Estado, las Administraciones de las comunidades autónomas, ciudades con Estatuto de Autonomía y las entidades que integran la Administración Local.

b) Los organismos y entidades públicas vinculadas o dependientes de alguna Administración pública, así como aquellas otras asociaciones y corporaciones en las que participen Administraciones y organismos públicos.

c) Las autoridades administrativas independientes, el Banco de España y las entidades gestoras y servicios comunes de la Seguridad Social.

d) Las universidades públicas.

e) Las corporaciones de Derecho público.

f) Las fundaciones del sector público. A efectos de esta ley, se entenderá por fundaciones del sector público aquellas que reúnan alguno de los siguientes requisitos:

1.º Que se constituyan de forma inicial, con una aportación mayoritaria, directa o indirecta, de una o varias entidades integradas en el sector público, o bien reciban dicha aportación con posterioridad a su constitución.

2.º Que el patrimonio de la fundación esté integrado en más de un cincuenta por ciento por bienes o derechos aportados o cedidos por sujetos integrantes del sector público con carácter permanente.

3.º Que la mayoría de los derechos de voto en su patronato corresponda a representantes del sector público.

g) Las sociedades mercantiles en cuyo capital social la participación, directa o indirecta, de entidades de las mencionadas en las letras a), b), c), d) y g) del presente apartado sea superior al cincuenta por ciento, o en los casos en que, sin superar ese porcentaje, se encuentre respecto de las referidas entidades en el supuesto previsto en el artículo 5 del texto refundido de la Ley del Mercado de Valores, aprobado por Real Decreto Legislativo 4/2015, de 23 de octubre.

2. También deberán dotarse de un Sistema interno de información, en los mismos términos requeridos para las entidades del sector público enunciados en el apartado anterior, los órganos constitucionales, los de relevancia constitucional e instituciones autonómicas análogas a los anteriores.

3. En caso de organismos públicos con funciones de comprobación o investigación de incumplimientos sujetos a esta norma, se distinguirá, al menos, entre un canal interno referente a los propios incumplimientos del organismo o su personal, y el canal externo referente a las comunicaciones que reciba de los incumplimientos de terceros cuya investigación corresponda a sus competencias.

4. En caso de que un organismo público con competencias en materia de investigación reciba informaciones referentes a los incumplimientos de terceros en el plazo de duración establecido en la letra d) del artículo 9.2, se resolverá si procede o no iniciar una comprobación o investigación del sujeto afectado dando traslado de ello al informante.

Una vez ultimado el procedimiento de comprobación o investigación, se comunicará al informante el resultado de la comprobación. Si los datos e informes que figuran en el expediente tienen carácter reservado o confidencial de acuerdo con alguna disposición con rango de ley, el contenido del resultado que se traslade al informante tendrá carácter genérico.

5. Las decisiones adoptadas por los organismos públicos con funciones de comprobación o investigación en relación con las informaciones no serán recurribles en vía administrativa ni en vía contencioso-administrativa.

**Artículo 14. *Medios compartidos en el sector público.*–** 1. Los municipios de menos de 10.000 habitantes, entre sí o con cualesquiera otras Administraciones públicas que se ubiquen dentro del territorio de la comunidad autónoma, podrán compartir el Sistema interno de información y los recursos destinados a las investigaciones y las tramitaciones.

2. Asimismo, las entidades pertenecientes al sector público con personalidad jurídica propia vinculadas o dependientes de órganos de las Administraciones territoriales, y que cuenten con menos de cincuenta trabajadores, podrán compartir con la Administración de adscripción el Sistema interno de información y los recursos destinados a las investigaciones y las tramitaciones.

3. En todo caso, deberá garantizarse que los sistemas resulten independientes entre sí y los canales aparezcan diferenciados respecto del resto de entidades u organismos, de modo que no se genere confusión a los ciudadanos.

**Artículo 15. *Gestión del Sistema interno de información por tercero externo.*–** La gestión del Sistema interno de información por un tercero externo en el ámbito de la Administración General del Estado, las Administraciones autonómicas y ciudades con Estatuto de Autonomía y las Entidades que integran la Administración Local solo podrá acordarse en aquellos casos en que se acredite insuficiencia de medios propios, conforme a lo dispuesto en el artículo 116 apartado 4 letra f) de la Ley 9/2017, de 8 de noviembre, de Contratos del Sector Público, por la que se transponen al ordenamiento jurídico español las Directivas del Parlamento Europeo y del Consejo 2014/23/UE y

2014/24/UE, de 26 de febrero de 2014. Esta gestión comprenderá únicamente el procedimiento para la recepción de las informaciones sobre infracciones y, en todo caso, tendrá carácter exclusivamente instrumental.

## TÍTULO III
## CANAL EXTERNO DE INFORMACIÓN DE LA AUTORIDAD INDEPENDIENTE DE PROTECCIÓN DEL INFORMANTE, A.A.I.

**Artículo 16. *Comunicación a través del canal externo de información de la Autoridad Independiente de Protección del Informante, A.A.I. o a través de las autoridades u órganos autonómicos.*–** 1. Toda persona física podrá informar ante la Autoridad Independiente de Protección del Informante, A.A.I., o ante las autoridades u órganos autonómicos correspondientes, de la comisión de cualesquiera acciones u omisiones incluidas en el ámbito de aplicación de esta ley, ya sea directamente o previa comunicación a través del correspondiente canal interno.

2. Las referencias realizadas en este título III a la Autoridad Independiente de Protección del Informante, A.A.I., se entenderán hechas, en su caso, a las autoridades autonómicas competentes.

**Artículo 17. *Recepción de informaciones.*–** 1. La información puede llevarse a cabo de forma anónima. En otro caso, se reservará la identidad del informante en los términos del artículo 33, debiendo adoptarse las medidas en él previstas.

2. La información se podrá realizar por escrito, a través de correo postal o a través de cualquier medio electrónico habilitado al efecto dirigido al canal externo de informaciones de la Autoridad Independiente de Protección del Informante, A.A.I., o verbalmente, por vía telefónica o a través de sistema de mensajería de voz. A solicitud del informante, también podrá presentarse mediante una reunión presencial, dentro del plazo máximo de siete días. En los casos de comunicación verbal se advertirá al informante de que la comunicación será grabada y se le informará del tratamiento de sus datos de acuerdo con lo que establecen el Reglamento (UE) 2016/679 del Parlamento Europeo y del Consejo, de 27 de abril de 2016, y la Ley Orgánica 3/2018, de 5 de diciembre.

Al presentar la información, el informante podrá indicar un domicilio, correo electrónico o lugar seguro a efectos de recibir las notificaciones, pudiendo asimismo renunciar expresamente a la recepción de cualquier comunicación de actuaciones llevadas a cabo por la Autoridad Independiente de Protección del Informante, A.A.I. como consecuencia de la información.

En caso de comunicación verbal, incluidas las realizadas a través de reunión presencial, telefónicamente o mediante sistema de mensajería de voz, la Autoridad Independiente de Protección del Informante, A.A.I. deberá documentarla de alguna de las maneras siguientes:

a) mediante una grabación de la conversación en un formato seguro, duradero y accesible, o

b) a través de una transcripción completa y exacta de la conversación realizada por el personal responsable de tratarla.

Sin perjuicio de los derechos que le corresponden de acuerdo a la normativa sobre protección de datos, se ofrecerá al informante la oportunidad de comprobar, rectificar y aceptar mediante su firma la transcripción del mensaje.

3. Presentada la información, se procederá a su registro en el Sistema de Gestión de Información, siéndole asignado un código de identificación. El Sistema de Gestión de Información estará contenido en una base de datos segura y de acceso restringido exclusivamente al personal de la Autoridad Independiente de Protección del Informante, A.A.I. convenientemente autorizado, en la que se registrarán todas las comunicaciones recibidas, cumplimentando los siguientes datos:

a) Fecha de recepción.

b) Código de identificación.

c) Actuaciones desarrolladas.

d) Medidas adoptadas.

e) Fecha de cierre.

4. Recibida la información, en un plazo no superior a cinco días hábiles desde dicha recepción se procederá a acusar recibo de la misma, a menos que el informante expresamente haya renunciado a recibir comunicaciones relativas a la investigación o que la Autoridad Independiente de Protección del Informante, A.A.I. considere razonablemente que el acuse de recibo de la información comprometería la protección de la identidad del informante.

**Artículo 18. *Trámite de admisión.–*** 1. Registrada la información, la Autoridad Independiente de Protección del Informante, A.A.I., deberá comprobar si aquella expone hechos o conductas que se encuentran dentro del ámbito de aplicación recogido en el artículo 2.

2. Realizado este análisis preliminar, la Autoridad Independiente de Protección del Informante, A.A.I., decidirá, en un plazo que no podrá ser superior a diez días hábiles desde la fecha de entrada en el registro de la información:

a) Inadmitir la comunicación, en alguno de los siguientes casos:

1.º Cuando los hechos relatados carezcan de toda verosimilitud.

2.º Cuando los hechos relatados no sean constitutivos de infracción del ordenamiento jurídico incluida en el ámbito de aplicación de esta ley.

3.º Cuando la comunicación carezca manifiestamente de fundamento o existan, a juicio de la Autoridad Independiente de Protección del Informante, A.A.I., indicios racionales de haberse obtenido mediante la comisión de un delito. En este último caso, además de la inadmisión, se remitirá al Ministerio Fiscal relación circunstanciada de los hechos que se estimen constitutivos de delito.

4.º Cuando la comunicación no contenga información nueva y significativa sobre infracciones en comparación con una comunicación anterior respecto de la cual han concluido los correspondientes procedimientos, a menos que se den nuevas circunstancias de hecho o de Derecho que justifiquen un seguimiento distinto. En estos casos, la Autoridad Independiente de Protección del Informante, A.A.I., notificará la resolución de manera motivada.

La inadmisión se comunicará al informante dentro de los cinco días hábiles siguientes, salvo que la comunicación fuera anónima o el informante hubiera renunciado a recibir comunicaciones de la Autoridad Independiente de Protección del Informante, A.A.I.

b) Admitir a trámite la comunicación.

La admisión a trámite se comunicará al informante dentro de los cinco días hábiles siguientes, salvo que la comunicación fuera anónima o el informante hubiera renunciado a recibir comunicaciones de la Autoridad Independiente de Protección del Informante, A.A.I.

c) Remitir con carácter inmediato la información al Ministerio Fiscal cuando los hechos pudieran ser indiciariamente constitutivos de delito o a la Fiscalía Europea en el caso de que los hechos afecten a los intereses financieros de la Unión Europea.

d) Remitir la comunicación a la autoridad, entidad u organismo que se considere competente para su tramitación.

**Artículo 19. *Instrucción.–*** 1. La instrucción comprenderá todas aquellas actuaciones encaminadas a comprobar la verosimilitud de los hechos relatados.

2. Se garantizará que la persona afectada por la información tenga noticia de la misma, así como de los hechos relatados de manera sucinta. Adicionalmente se le informará del derecho que

tiene a presentar alegaciones por escrito y del tratamiento de sus datos personales. No obstante, esta información podrá efectuarse en el trámite de audiencia si se considerara que su aportación con anterioridad pudiera facilitar la ocultación, destrucción o alteración de las pruebas.

En ningún caso se comunicará a los sujetos afectados la identidad del informante ni se dará acceso a la comunicación. Durante la instrucción se dará noticia de la comunicación con sucinta relación de hechos al afectado. Esta información podrá efectuarse en el trámite de audiencia si se considera que su aportación con anterioridad pudiera facilitar la ocultación, destrucción o alteración de las pruebas.

3. Sin perjuicio del derecho a formular alegaciones por escrito, la instrucción comprenderá, siempre que sea posible, una entrevista con la persona afectada en la que, siempre con absoluto respeto a la presunción de inocencia, se le invitará a exponer su versión de los hechos y a aportar aquellos medios de prueba que considere adecuados y pertinentes.

A fin de garantizar el derecho de defensa de la persona afectada, la misma tendrá acceso al expediente sin revelar información que pudiera identificar a la persona informante, pudiendo ser oída en cualquier momento, y se le advertirá de la posibilidad de comparecer asistida de abogado.

4. Los funcionarios de la Autoridad Independiente de Protección del Informante, A.A.I. que desarrollen actividades de investigación tendrán la consideración de agentes de la autoridad en el ejercicio de sus funciones y estarán obligados a guardar secreto sobre las informaciones que conozcan con ocasión de dicho ejercicio.

5. Todas las personas naturales o jurídicas, privadas o públicas, deberán colaborar con las autoridades competentes y estarán obligadas a atender los requerimientos que se les dirijan para aportar documentación, datos o cualquier información relacionada con los procedimientos que se estén tramitando, incluso los datos personales que le fueran requeridos.

**Artículo 20. *Terminación de las actuaciones.–*** 1. Concluidas todas las actuaciones, la Autoridad Independiente de Protección del Informante, A.A.I. emitirá un informe que contendrá al menos:

a) Una exposición de los hechos relatados junto con el código de identificación de la comunicación y la fecha de registro.

b) La clasificación de la comunicación a efectos de conocer su prioridad o no en su tramitación.

c) Las actuaciones realizadas con el fin de comprobar la verosimilitud de los hechos.

d) Las conclusiones alcanzadas en la instrucción y la valoración de las diligencias y de los indicios que las sustentan.

2. Emitido el informe, la Autoridad Independiente de Protección del Informante, A.A.I., adoptará alguna de las siguientes decisiones:

a) Archivo del expediente, que será notificado al informante y, en su caso, a la persona afectada. En estos supuestos, el informante tendrá derecho a la protección prevista en esta ley, salvo que, como consecuencia de las actuaciones llevadas a cabo en fase de instrucción, se concluyera que la información a la vista de la información recabada debía haber sido inadmitida por concurrir alguna de las causas previstas en el artículo 18.2.a).

b) Remisión al Ministerio Fiscal si, pese a no apreciar inicialmente indicios de que los hechos pudieran revestir el carácter de delito, así resultase del curso de la instrucción. Si el delito afectase a los intereses financieros de la Unión Europea, se remitirá a la Fiscalía Europea.

c) Traslado de todo lo actuado a la autoridad competente, de conformidad con lo dispuesto en el artículo 18.2.d).

d) Adopción de acuerdo de inicio de un procedimiento sancionador en los términos previstos en el título IX.

3. El plazo para finalizar las actuaciones y dar respuesta al informante, en su caso, no podrá ser superior a tres meses desde la entrada en registro de la información. Cualquiera que sea la decisión, se comunicará al informante, salvo que haya renunciado a ello o que la comunicación sea anónima.

4. Las decisiones adoptadas por la Autoridad Independiente de Protección del Informante, A.A.I., en las presentes actuaciones no serán recurribles en vía administrativa ni en vía contencioso-administrativa, sin perjuicio del recurso administrativo o contencioso administrativo que pudiera interponerse frente a la eventual resolución que ponga fin al procedimiento sancionador que pudiera incoarse con ocasión de los hechos relatados.

5. La presentación de una comunicación por el informante no le confiere, por si sola, la condición de interesado.

**Artículo 21. *Derechos y garantías del informante ante la Autoridad Independiente de Protección del Informante, A.A.I.*–** El informante tendrá las siguientes garantías en sus actuaciones ante la Autoridad Independiente de Protección del Informante, A.A.I.:

1.º Decidir si desea formular la comunicación de forma anónima o no anónima; en este segundo caso se garantizará la reserva de identidad del informante, de modo que esta no sea revelada a terceras personas.

2.º Formular la comunicación verbalmente o por escrito.

3.º Indicar un domicilio, correo electrónico o lugar seguro donde recibir las comunicaciones que realice la Autoridad Independiente de Protección del Informante, A.A.I. a propósito de la investigación.

4.º Renunciar, en su caso, a recibir comunicaciones de la Autoridad Independiente de Protección del Informante, A.A.I.

5.º Comparecer ante la Autoridad Independiente de Protección del Informante, A.A.I., por propia iniciativa o cuando sea requerido por esta, siendo asistido, en su caso y si lo considera oportuno, por abogado.

6.º Solicitar a la Autoridad Independiente de Protección del Informante, A.A.I. que la comparecencia ante la misma sea realizada por videoconferencia u otros medios telemáticos seguros que garanticen la identidad del informante, y la seguridad y fidelidad de la comunicación.

7.º Ejercer los derechos que le confiere la legislación de protección de datos de carácter personal.

8.º Conocer el estado de la tramitación de su comunicación y los resultados de la investigación.

**Artículo 22. *Publicación y revisión del procedimiento de gestión de informaciones.*–** La Autoridad Independiente de Protección del Informante, A.A.I. deberá publicar su procedimiento de gestión de informaciones.

Cada tres años revisará y, en su caso, modificará dicho procedimiento teniendo en cuenta su experiencia y la de otras autoridades competentes. La modificación será asimismo objeto de publicación.

**Artículo 23. *Traslado de la comunicación por otras autoridades a la Autoridad Independiente de Protección del Informante, A.A.I.*–** Cualquier autoridad que reciba una comunicación y no tenga competencias para investigar los hechos relatados por tratarse de alguna de las infracciones previstas en el título IX, deberá remitirla a la Autoridad Independiente de Protección del Informante, A.A.I. dentro de los diez días siguientes a aquel en el que la hubiera recibido. La remisión se comunicará al informante dentro de dicho plazo.

**Artículo 24. *Informaciones sujetas a la competencia de las autoridades independientes de protección a informantes.–*** 1. La Autoridad Independiente de Protección del Informante, A.A.I. es la autoridad competente para la tramitación, a través del canal externo, de las informaciones que afecten a los siguientes sujetos:

a) La Administración General del Estado y entidades que integran el sector público estatal.

b) Resto de entidades del sector público, los órganos constitucionales y los órganos de relevancia constitucional a que se refiere el artículo 13.

c) Entidades que integran el sector privado, cuando la infracción o el incumplimiento sobre el que se informe afecte o produzca sus efectos en el ámbito territorial de más de una comunidad autónoma.

d) Cuando se suscriba el oportuno convenio, las Administraciones de las comunidades autónomas, las entidades que integran la Administración y el sector público institucional autonómico o local.

2. La autoridad independiente o entidad que pueda señalarse en cada comunidad autónoma, lo será respecto de las informaciones que afecten:

a) al sector público autonómico y local de su respectivo territorio,

b) a las instituciones autonómicas a que se refiere el artículo 13.2, y

c) a las entidades que formen parte del sector privado, cuando el incumplimiento comunicado se circunscriba al ámbito territorial de la correspondiente comunidad autónoma.

3. Cuando se reciba una comunicación por un canal que no sea el competente o por los miembros del personal que no sean los responsables de su tratamiento, las autoridades competentes garantizarán, mediante el procedimiento de gestión del Sistema establecido, que el personal que la haya recibido no pueda revelar cualquier información que pudiera permitir identificar al informante o a la persona afectada y que remitan con prontitud la comunicación, sin modificarla, al Responsable del Sistema de información.

## TÍTULO IV
## PUBLICIDAD DE LA INFORMACIÓN Y REGISTRO DE INFORMACIONES

**Artículo 25. *Información sobre los canales interno y externo de información.–*** Los sujetos comprendidos dentro del ámbito de aplicación de esta ley proporcionarán la información adecuada de forma clara y fácilmente accesible, sobre el uso de todo canal interno de información que hayan implantado, así como sobre los principios esenciales del procedimiento de gestión. En caso de contar con una página web, dicha información deberá constar en la página de inicio, en una sección separada y fácilmente identificable.

De igual modo, las autoridades competentes a las que se refiere el artículo 24 publicarán, en una sección separada, fácilmente identificable y accesible de su sede electrónica, como mínimo, la información siguiente:

a) las condiciones para poder acogerse a la protección en virtud de esta ley;

b) los datos de contacto para los canales externos de información previstos en el título III, en particular, las direcciones electrónica y postal y los números de teléfono asociados a dichos canales, indicando si se graban las conversaciones telefónicas;

c) los procedimientos de gestión, incluida la manera en que la autoridad competente puede solicitar al informante aclaraciones sobre la información comunicada o que proporcione información adicional, el plazo para dar respuesta al informante, en su caso, y el tipo y contenido de dicha respuesta;

d) el régimen de confidencialidad aplicable a las comunicaciones y, en particular, la información sobre el tratamiento de los datos personales de conformidad con lo dispuesto en el Reglamento (UE)

2016/679 del Parlamento Europeo y del Consejo, de 27 de abril de 2016, en la Ley Orgánica 3/2018, de 5 de diciembre, y en el título VII de esta ley.

e) las vías de recurso y los procedimientos para la protección frente a represalias, y la disponibilidad de asesoramiento confidencial. En particular, se contemplarán las condiciones de exención de responsabilidad y de atenuación de la sanción a las que se refiere el artículo 40.

f) los datos de contacto de la Autoridad Independiente de Protección del Informante, A.A.I. o de la autoridad u organismo competente de que se trate.

**Artículo 26. *Registro de informaciones.–*** 1. Todos los sujetos obligados, de acuerdo con lo dispuesto en esta ley, a disponer de un canal interno de informaciones, con independencia de que formen parte del sector público o del sector privado, deberán contar con un libro-registro de las informaciones recibidas y de las investigaciones internas a que hayan dado lugar, garantizando, en todo caso, los requisitos de confidencialidad previstos en esta ley.

Este registro no será público y únicamente a petición razonada de la Autoridad judicial competente, mediante auto, y en el marco de un procedimiento judicial y bajo la tutela de aquella, podrá accederse total o parcialmente al contenido del referido registro.

2. Los datos personales relativos a las informaciones recibidas y a las investigaciones internas a que se refiere el apartado anterior solo se conservarán durante el período que sea necesario y proporcionado a efectos de cumplir con esta ley. En particular, se tendrá en cuenta lo previsto en los apartados 3 y 4 del artículo 32. En ningún caso podrán conservarse los datos por un período superior a diez años.

## TÍTULO V
## REVELACIÓN PÚBLICA

**Artículo 27. *Concepto.–*** 1. Se entenderá por revelación pública la puesta a disposición del público de información sobre acciones u omisiones en los términos previstos en esta ley.

2. A las personas que hagan una revelación pública de las acciones u omisiones previstas en el artículo 2 les será aplicable el régimen de protección establecido en el título VII cuando se cumpla alguna de las condiciones establecidas en el artículo siguiente.

**Artículo 28. *Condiciones de protección.–*** 1. La persona que haga una revelación pública podrá acogerse a protección en virtud de esta ley si se cumplen las condiciones de protección reguladas en el título VII y alguna de las condiciones siguientes:

a) Que haya realizado la comunicación primero por canales internos y externos, o directamente por canales externos, de conformidad con los títulos II y III, sin que se hayan tomado medidas apropiadas al respecto en el plazo establecido.

b) Que tenga motivos razonables para pensar que, o bien la infracción puede constituir un peligro inminente o manifiesto para el interés público, en particular cuando se da una situación de emergencia, o existe un riesgo de daños irreversibles, incluido un peligro para la integridad física de una persona; o bien, en caso de comunicación a través de canal externo de información, exista riesgo de represalias o haya pocas probabilidades de que se dé un tratamiento efectivo a la información debido a las circunstancias particulares del caso, tales como la ocultación o destrucción de pruebas, la connivencia de una autoridad con el autor de la infracción, o que esta esté implicada en la infracción.

2. Las condiciones para acogerse a protección previstas en el apartado anterior no serán exigibles cuando la persona haya revelado información directamente a la prensa con arreglo al ejercicio

de la libertad de expresión y de información veraz previstas constitucionalmente y en su legislación de desarrollo.

## TÍTULO VI
## PROTECCIÓN DE DATOS PERSONALES

**Artículo 29. *Régimen jurídico del tratamiento de datos personales.*–** Los tratamientos de datos personales que deriven de la aplicación de esta ley se regirán por lo dispuesto en el Reglamento (UE) 2016/679 del Parlamento Europeo y del Consejo, de 27 de abril de 2016, en la Ley Orgánica 3/2018, de 5 de diciembre, de Protección de Datos Personales y garantía de los derechos digitales, en la Ley Orgánica 7/2021, de 26 de mayo, de protección de datos personales tratados para fines de prevención, detección, investigación y enjuiciamiento de infracciones penales y de ejecución de sanciones penales, y en el presente título.

No se recopilarán datos personales cuya pertinencia no resulte manifiesta para tratar una información específica o, si se recopilan por accidente, se eliminarán sin dilación indebida.

**Artículo 30. *Licitud de los tratamientos de datos personales.*–** 1. Se considerarán lícitos los tratamientos de datos personales necesarios para la aplicación de esta ley.

2. El tratamiento de datos personales, en los supuestos de comunicación internos, se entenderá lícito en virtud de lo que disponen los artículos 6.1.c) del Reglamento (UE) 2016/679 del Parlamento Europeo y del Consejo, de 27 de abril de 2016, 8 de la Ley Orgánica 3/2018, de 5 de diciembre, y 11 de la Ley Orgánica 7/2021, de 26 de mayo, cuando, de acuerdo a lo establecido en los artículos 10 y 13 de la presente ley, sea obligatorio disponer de un sistema interno de información.

Si no fuese obligatorio, el tratamiento se presumirá amparado en el artículo 6.1.e) del citado reglamento.

3. El tratamiento de datos personales en los supuestos de canales de comunicación externos se entenderá lícito en virtud de lo que disponen los artículos 6.1.c) del Reglamento (UE) 2016/679, 8 de la Ley Orgánica 3/2018, de 5 de diciembre, y 11 de la Ley Orgánica 7/2021, de 26 de mayo.

4. El tratamiento de datos personales derivado de una revelación pública se presumirá amparado en lo dispuesto en los artículos 6.1.e) del Reglamento (UE) 2016/679 del Parlamento Europeo y del Consejo, de 27 de abril de 2016, y 11 de la Ley Orgánica 7/2021, de 26 de mayo.

5. El tratamiento de las categorías especiales de datos personales por razones de un interés público esencial se podrá realizar conforme a lo previsto en el artículo 9.2.g) del Reglamento (UE) 2016/679.

**Artículo 31. *Información sobre protección de datos personales y ejercicio de derechos.*–** 1. Cuando se obtengan directamente de los interesados sus datos personales se les facilitará la información a que se refieren los artículos 13 del Reglamento (UE) 2016/679 del Parlamento Europeo y del Consejo, de 27 de abril de 2016, y 11 de la Ley Orgánica 3/2018, de 5 de diciembre. A los informantes y a quienes lleven a cabo una revelación pública se les informará, además, de forma expresa, de que su identidad será en todo caso reservada, que no se comunicará a las personas a las que se refieren los hechos relatados ni a terceros.

2. La persona a la que se refieran los hechos relatados no será en ningún caso informada de la identidad del informante o de quien haya llevado a cabo la revelación pública.

3. Los interesados podrán ejercer los derechos a que se refieren los artículos 15 a 22 del Reglamento (UE) 2016/679 del Parlamento Europeo y del Consejo, de 27 de abril de 2016.

4. En caso de que la persona a la que se refieran los hechos relatados en la comunicación o a la que se refiera la revelación pública ejerciese el derecho de oposición, se presumirá que, salvo prueba en contrario, existen motivos legítimos imperiosos que legitiman el tratamiento de sus datos personales.

**Artículo 32. *Tratamiento de datos personales en el Sistema interno de información.*–** 1. El acceso a los datos personales contenidos en el Sistema interno de información quedará limitado, dentro del ámbito de sus competencias y funciones, exclusivamente a:

a) El Responsable del Sistema y a quien lo gestione directamente.

b) El responsable de recursos humanos o el órgano competente debidamente designado, solo cuando pudiera proceder la adopción de medidas disciplinarias contra un trabajador. En el caso de los empleados públicos, el órgano competente para la tramitación del mismo.

c) El responsable de los servicios jurídicos de la entidad u organismo, si procediera la adopción de medidas legales en relación con los hechos relatados en la comunicación.

d) Los encargados del tratamiento que eventualmente se designen.

e) El delegado de protección de datos.

2. Será lícito el tratamiento de los datos por otras personas, o incluso su comunicación a terceros, cuando resulte necesario para la adopción de medidas correctoras en la entidad o la tramitación de los procedimientos sancionadores o penales que, en su caso, procedan.

En ningún caso serán objeto de tratamiento los datos personales que no sean necesarios para el conocimiento e investigación de las acciones u omisiones a las que se refiere el artículo 2, procediéndose, en su caso, a su inmediata supresión. Asimismo, se suprimirán todos aquellos datos personales que se puedan haber comunicado y que se refieran a conductas que no estén incluidas en el ámbito de aplicación de la ley.

Si la información recibida contuviera datos personales incluidos dentro de las categorías especiales de datos, se procederá a su inmediata supresión, sin que se proceda al registro y tratamiento de los mismos.

3. Los datos que sean objeto de tratamiento podrán conservarse en el sistema de informaciones únicamente durante el tiempo imprescindible para decidir sobre la procedencia de iniciar una investigación sobre los hechos informados.

Si se acreditara que la información facilitada o parte de ella no es veraz, deberá procederse a su inmediata supresión desde el momento en que se tenga constancia de dicha circunstancia, salvo que dicha falta de veracidad pueda constituir un ilícito penal, en cuyo caso se guardará la información por el tiempo necesario durante el que se tramite el procedimiento judicial.

4. En todo caso, transcurridos tres meses desde la recepción de la comunicación sin que se hubiesen iniciado actuaciones de investigación, deberá procederse a su supresión, salvo que la finalidad de la conservación sea dejar evidencia del funcionamiento del sistema. Las comunicaciones a las que no se haya dado curso solamente podrán constar de forma anonimizada, sin que sea de aplicación la obligación de bloqueo prevista en el artículo 32 de la Ley Orgánica 3/2018, de 5 de diciembre.

5. Los empleados y terceros deberán ser informados acerca del tratamiento de datos personales en el marco de los Sistemas de información a que se refiere el presente artículo.

**Artículo 33. *Preservación de la identidad del informante y de las personas afectadas.*–** 1. Quien presente una comunicación o lleve a cabo una revelación pública tiene derecho a que su identidad no sea revelada a terceras personas.

2. Los sistemas internos de información, los canales externos y quienes reciban revelaciones públicas no obtendrán datos que permitan la identificación del informante y deberán contar con medidas técnicas y organizativas adecuadas para preservar la identidad y garantizar la confidencialidad de los datos correspondientes a las personas afectadas y a cualquier tercero que se mencione en la información suministrada, especialmente la identidad del informante en caso de que se hubiera identificado.

3. La identidad del informante solo podrá ser comunicada a la Autoridad judicial, al Ministerio Fiscal o a la autoridad administrativa competente en el marco de una investigación penal, disciplinaria o sancionadora.

Las revelaciones hechas en virtud de este apartado estarán sujetas a salvaguardas establecidas en la normativa aplicable. En particular, se trasladará al informante antes de revelar su identidad, salvo que dicha información pudiera comprometer la investigación o el procedimiento judicial. Cuando la autoridad competente lo comunique al informante, le remitirá un escrito explicando los motivos de la revelación de los datos confidenciales en cuestión.

**Artículo 34. *Delegado de protección de datos.–*** De acuerdo con lo que dispone el artículo 37.1.a) del Reglamento (UE) 2016/679 del Parlamento Europeo y del Consejo, de 27 de abril de 2016, la Autoridad Independiente de Protección del Informante, A.A.I., y las autoridades independientes que en su caso se constituyan, deberán nombrar un delegado de protección de datos.

## TÍTULO VII
## MEDIDAS DE PROTECCIÓN

**Artículo 35. *Condiciones de protección.–*** 1. Las personas que comuniquen o revelen infracciones previstas en el artículo 2 tendrán derecho a protección siempre que concurran las circunstancias siguientes:

a) tengan motivos razonables para pensar que la información referida es veraz en el momento de la comunicación o revelación, aun cuando no aporten pruebas concluyentes, y que la citada información entra dentro del ámbito de aplicación de esta ley,

b) la comunicación o revelación se haya realizado conforme a los requerimientos previstos en esta ley.

2. Quedan expresamente excluidos de la protección prevista en esta ley aquellas personas que comuniquen o revelen:

a) Informaciones contenidas en comunicaciones que hayan sido inadmitidas por algún canal interno de información o por alguna de las causas previstas en el artículo 18.2.a).

b) Informaciones vinculadas a reclamaciones sobre conflictos interpersonales o que afecten únicamente al informante y a las personas a las que se refiera la comunicación o revelación.

c) Informaciones que ya estén completamente disponibles para el público o que constituyan meros rumores.

d) Informaciones que se refieran a acciones u omisiones no comprendidas en el artículo 2.

3. Las personas que hayan comunicado o revelado públicamente información sobre acciones u omisiones a que se refiere el artículo 2 de forma anónima pero que posteriormente hayan sido identificadas y cumplan las condiciones previstas en esta ley, tendrán derecho a la protección que la misma contiene.

4. Las personas que informen ante las instituciones, órganos u organismos pertinentes de la Unión Europea infracciones que entren en el ámbito de aplicación de la Directiva (UE) 2019/1937 del Parlamento Europeo y del Consejo, de 23 de octubre de 2019, tendrán derecho a protección con

arreglo a lo dispuesto en esta ley en las mismas condiciones que una persona que haya informado por canales externos.

**Artículo 36. *Prohibición de represalias.-*** 1. Se prohíben expresamente los actos constitutivos de represalia, incluidas las amenazas de represalia y las tentativas de represalia contra las personas que presenten una comunicación conforme a lo previsto en esta ley.

2. Se entiende por represalia cualesquiera actos u omisiones que estén prohibidos por la ley, o que, de forma directa o indirecta, supongan un trato desfavorable que sitúe a las personas que las sufren en desventaja particular con respecto a otra en el contexto laboral o profesional, solo por su condición de informantes, o por haber realizado una revelación pública.

3. A los efectos de lo previsto en esta ley, y a título enunciativo, se consideran represalias las que se adopten en forma de:

a) Suspensión del contrato de trabajo, despido o extinción de la relación laboral o estatutaria, incluyendo la no renovación o la terminación anticipada de un contrato de trabajo temporal una vez superado el período de prueba, o terminación anticipada o anulación de contratos de bienes o servicios, imposición de cualquier medida disciplinaria, degradación o denegación de ascensos y cualquier otra modificación sustancial de las condiciones de trabajo y la no conversión de un contrato de trabajo temporal en uno indefinido, en caso de que el trabajador tuviera expectativas legítimas de que se le ofrecería un trabajo indefinido; salvo que estas medidas se llevaran a cabo dentro del ejercicio regular del poder de dirección al amparo de la legislación laboral o reguladora del estatuto del empleado público correspondiente, por circunstancias, hechos o infracciones acreditadas, y ajenas a la presentación de la comunicación.

b) Daños, incluidos los de carácter reputacional, o pérdidas económicas, coacciones, intimidaciones, acoso u ostracismo.

c) Evaluación o referencias negativas respecto al desempeño laboral o profesional.

d) Inclusión en listas negras o difusión de información en un determinado ámbito sectorial, que dificulten o impidan el acceso al empleo o la contratación de obras o servicios.

e) Denegación o anulación de una licencia o permiso.

f) Denegación de formación.

g) Discriminación, o trato desfavorable o injusto.

4. La persona que viera lesionados sus derechos por causa de su comunicación o revelación una vez transcurrido el plazo de dos años podrá solicitar la protección de la autoridad competente que, excepcionalmente y de forma justificada, podrá extender el período de protección, previa audiencia de las personas u órganos que pudieran verse afectados. La denegación de la extensión del período de protección deberá estar motivada.

5. Los actos administrativos que tengan por objeto impedir o dificultar la presentación de comunicaciones y revelaciones, así como los que constituyan represalia o causen discriminación tras la presentación de aquellas al amparo de esta ley, serán nulos de pleno derecho y darán lugar, en su caso, a medidas correctoras disciplinarias o de responsabilidad, pudiendo incluir la correspondiente indemnización de daños y perjuicios al perjudicado.

6. La Autoridad Independiente de Protección del Informante, A.A.I. podrá, en el marco de los procedimientos sancionadores que instruya, adoptar medidas provisionales en los términos establecidos en el artículo 56 de la Ley 39/2015, de 1 de octubre, del Procedimiento Administrativo Común de las Administraciones Públicas.

**Artículo 37. *Medidas de apoyo.-*** 1. Las personas que comuniquen o revelen infracciones previstas en el artículo 2 a través de los procedimientos previstos en esta ley accederán a las medidas de apoyo siguientes:

a) Información y asesoramiento completos e independientes, que sean fácilmente accesibles para el público y gratuitos, sobre los procedimientos y recursos disponibles, protección frente a represalias y derechos de la persona afectada.

b) Asistencia efectiva por parte de las autoridades competentes ante cualquier autoridad pertinente implicada en su protección frente a represalias, incluida la certificación de que pueden acogerse a protección al amparo de la presente ley.

c) Asistencia jurídica en los procesos penales y en los procesos civiles transfronterizos de conformidad con la normativa comunitaria.

d) Apoyo financiero y psicológico, de forma excepcional, si así lo decidiese la Autoridad Independiente de Protección del Informante, A.A.I. tras la valoración de las circunstancias derivadas de la presentación de la comunicación.

2. Todo ello, con independencia de la asistencia que pudiera corresponder al amparo de la Ley 1/1996, de 10 de enero, de asistencia jurídica gratuita, para la representación y defensa en procedimientos judiciales derivados de la presentación de la comunicación o revelación pública.

**Artículo 38. *Medidas de protección frente a represalias.-*** 1. No se considerará que las personas que comuniquen información sobre las acciones u omisiones recogidas en esta ley o que hagan una revelación pública de conformidad con esta ley hayan infringido ninguna restricción de revelación de información, y aquellas no incurrirán en responsabilidad de ningún tipo en relación con dicha comunicación o revelación pública, siempre que tuvieran motivos razonables para pensar que la comunicación o revelación pública de dicha información era necesaria para revelar una acción u omisión en virtud de esta ley, todo ello sin perjuicio de lo dispuesto en el artículo 2.3. Esta medida no afectará a las responsabilidades de carácter penal.

Lo previsto en el párrafo anterior se extiende a la comunicación de informaciones realizadas por los representantes de las personas trabajadoras, aunque se encuentren sometidas a obligaciones legales de sigilo o de no revelar información reservada. Todo ello sin perjuicio de las normas específicas de protección aplicables conforme a la normativa laboral.

2. Los informantes no incurrirán en responsabilidad respecto de la adquisición o el acceso a la información que es comunicada o revelada públicamente, siempre que dicha adquisición o acceso no constituya un delito.

3. Cualquier otra posible responsabilidad de los informantes derivada de actos u omisiones que no estén relacionados con la comunicación o la revelación pública o que no sean necesarios para revelar una infracción en virtud de esta ley será exigible conforme a la normativa aplicable.

4. En los procedimientos ante un órgano jurisdiccional u otra autoridad relativos a los perjuicios sufridos por los informantes, una vez que el informante haya demostrado razonablemente que ha comunicado o ha hecho una revelación pública de conformidad con esta ley y que ha sufrido un perjuicio, se presumirá que el perjuicio se produjo como represalia por informar o por hacer una revelación pública. En tales casos, corresponderá a la persona que haya tomado la medida perjudicial probar que esa medida se basó en motivos debidamente justificados no vinculados a la comunicación o revelación pública.

5. En los procesos judiciales, incluidos los relativos a difamación, violación de derechos de autor, vulneración de secreto, infracción de las normas de protección de datos, revelación de secretos empresariales, o a solicitudes de indemnización basadas en el derecho laboral o estatutario, las personas a que se refiere el artículo 3 de esta ley no incurrirán en responsabilidad de ningún tipo

como consecuencia de comunicaciones o de revelaciones públicas protegidas por la misma. Dichas personas tendrán derecho a alegar en su descargo y en el marco de los referidos procesos judiciales, el haber comunicado o haber hecho una revelación pública, siempre que tuvieran motivos razonables para pensar que la comunicación o revelación pública era necesaria para poner de manifiesto una infracción en virtud de esta ley.

**Artículo 39. *Medidas para la protección de las personas afectadas.–*** Durante la tramitación del expediente las personas afectadas por la comunicación tendrán derecho a la presunción de inocencia, al derecho de defensa y al derecho de acceso al expediente en los términos regulados en esta ley, así como a la misma protección establecida para los informantes, preservándose su identidad y garantizándose la confidencialidad de los hechos y datos del procedimiento.

**Artículo 40. *Supuestos de exención y atenuación de la sanción.–*** 1. Cuando una persona que hubiera participado en la comisión de la infracción administrativa objeto de la información sea la que informe de su existencia mediante la presentación de la información y siempre que la misma hubiera sido presentada con anterioridad a que hubiera sido notificada la incoación del procedimiento de investigación o sancionador, el órgano competente para resolver el procedimiento, mediante resolución motivada, podrá eximirle del cumplimiento de la sanción administrativa que le correspondiera siempre que resulten acreditados en el expediente los siguientes extremos:

a) Haber cesado en la comisión de la infracción en el momento de presentación de la comunicación o revelación e identificado, en su caso, al resto de las personas que hayan participado o favorecido aquella.

b) Haber cooperado plena, continua y diligentemente a lo largo de todo el procedimiento de investigación.

c) Haber facilitado información veraz y relevante, medios de prueba o datos significativos para la acreditación de los hechos comunicados, sin que haya procedido a la destrucción de estos o a su ocultación, ni haya revelado a terceros, directa o indirectamente su contenido.

d) Haber procedido a la reparación del daño causado que le sea imputable.

2. Cuando estos requisitos no se cumplan en su totalidad, incluida la reparación parcial del daño, quedará a criterio de la autoridad competente, previa valoración del grado de contribución a la resolución del expediente, la posibilidad de atenuar la sanción que habría correspondido a la infracción cometida, siempre que el informante o autor de la revelación no haya sido sancionado anteriormente por hechos de la misma naturaleza que dieron origen al inicio del procedimiento.

3. La atenuación de la sanción podrá extenderse al resto de los participantes en la comisión de la infracción, en función del grado de colaboración activa en el esclarecimiento de los hechos, identificación de otros participantes y reparación o minoración del daño causado, apreciado por el órgano encargado de la resolución.

4. Lo dispuesto en este artículo no será de aplicación a las infracciones establecidas en la Ley 15/2007, de 3 de julio, de Defensa de la Competencia.

**Artículo 41. *Autoridades competentes.–*** Las medidas de apoyo previstas en el presente título serán prestadas por la Autoridad Independiente de Protección del Informante, A.A.I., cuando se trate de infracciones cometidas en el ámbito del sector privado y en el sector público estatal, y, en su caso, por los órganos competentes de las comunidades autónomas, respecto de las infracciones en el ámbito del sector público autonómico y local del territorio de la respectiva comunidad autónoma, así como las infracciones en el ámbito del sector privado, cuando el incumplimiento comunicado se circunscriba al ámbito territorial de la correspondiente comunidad autónoma.

Lo anterior debe entenderse sin perjuicio de las medidas de apoyo y asistencia específicas que puedan articularse por las entidades del sector público y privado.

## TÍTULO VIII
## AUTORIDAD INDEPENDIENTE DE PROTECCIÓN DEL INFORMANTE, A.A.I.

### Capítulo I
### DISPOSICIONES GENERALES

**Artículo 42. *Naturaleza.-*** 1. Se autoriza la creación de la Autoridad Independiente de Protección del Informante, autoridad administrativa independiente, como ente de derecho público de ámbito estatal, de las previstas en la Ley 40/2015, de 1 de octubre, de Régimen Jurídico del Sector Público, con personalidad jurídica propia y plena capacidad pública y privada, que actuará en el desarrollo de su actividad y para el cumplimiento de sus fines con plena autonomía e independencia orgánica y funcional respecto del Gobierno, de las entidades integrantes del sector público y de los poderes públicos en el ejercicio de sus funciones.

Su denominación oficial, de conformidad con lo establecido en el artículo 109.3 de la Ley 40/2015, de 1 de octubre, será «Autoridad Independiente de Protección del Informante, A.A.I.».

2. La Autoridad Independiente de Protección del Informante, A.A.I., se relaciona con el Gobierno a través del Ministerio de Justicia, al que está vinculada.

3. La presidencia de la Autoridad Independiente de Protección del Informante, A.A.I. convocará, por iniciativa propia o cuando lo solicite otra autoridad, a las autoridades autonómicas de protección del informante para contribuir a la aplicación coherente de la normativa en materia de protección del informante. En todo caso, se celebrarán reuniones semestrales de cooperación.

La presidencia de la Autoridad Independiente de Protección del Informante, A.A.I. y las autoridades autonómicas de protección del informante podrán solicitar y facilitarán el intercambio muto de la información necesaria para el cumplimiento de sus funciones. Asimismo, podrán constituir grupos de trabajo para tratar asuntos específicos de interés común y establecer pautas comunes de actuación.

4. En el desempeño de las funciones que le asigna la legislación, y sin perjuicio de la colaboración con otros órganos y de las facultades de dirección de la política general del Gobierno ejercidas a través de su capacidad normativa, ni el personal ni los miembros de los órganos de la Autoridad Independiente de Protección del Informante, A.A.I. podrán solicitar o aceptar instrucciones de ninguna entidad pública o privada.

**Artículo 43. *Funciones.-*** Para el cumplimiento de sus fines, la Autoridad Independiente de Protección del Informante, A.A.I. tendrá las siguientes funciones:

1. Gestión del canal externo de comunicaciones regulado en el título III.

2. Adopción de las medidas de protección al informante previstas en su ámbito de competencias, de acuerdo con lo dispuesto en el artículo 41.

3. Informar preceptivamente los anteproyectos y proyectos de disposiciones generales que afecten a su ámbito de competencias y a las funciones que desarrolla.

4. Tramitación de los procedimientos sancionadores e imposición de sanciones por las infracciones previstas en el título IX, en su ámbito de competencias, de acuerdo con lo dispuesto en el artículo 61.

5. Fomento y promoción de la cultura de la información.

## Capítulo II
## RÉGIMEN JURÍDICO

**Artículo 44. *Régimen jurídico.–*** 1. La Autoridad Independiente de Protección del Informante, A.A.I. se rige por lo dispuesto en esta ley y en su estatuto.

Supletoriamente, en cuanto sea compatible con su plena independencia se regirá por las normas citadas en el artículo 110.1 de la Ley 40/2015, de 1 de octubre.

2. El Consejo de Ministros aprobará, mediante real decreto, el Estatuto de la Autoridad Independiente de Protección del Informante, A.A.I., por el que se desarrollará su estructura, organización y funcionamiento interno.

**Artículo 45. *Régimen de personal.–*** 1. El personal al servicio de la Autoridad Independiente de Protección del Informante, A.A.I. será funcionario o laboral y se regirá por lo previsto en el texto refundido de la Ley del Estatuto Básico del Empleado Público, aprobado por el Real Decreto Legislativo 5/2015, de 30 de octubre, y demás normativa reguladora de los funcionarios públicos y, en su caso, por la normativa laboral.

2. La selección del personal directivo se ajustará a los principios de competencia y aptitud profesional, mérito y capacidad y a criterios de idoneidad, y se llevará a cabo mediante procedimientos que garanticen la publicidad y concurrencia.

3. El personal al servicio de la Autoridad Independiente de Protección del Informante, A.A.I., recibirá formación específica a los efectos de tratar las comunicaciones.

**Artículo 46. *Régimen de contratación.–*** 1. Los contratos que celebre la Autoridad Independiente de Protección del Informante, A.A.I. se ajustarán a lo dispuesto en la legislación sobre contratación del sector público.

2. La persona titular de la presidencia de la Autoridad Independiente de Protección del Informante, A.A.I., tendrá la consideración de órgano de contratación sin perjuicio de la posibilidad de delegar sus funciones en la forma prevista en el estatuto.

**Artículo 47. *Régimen patrimonial.–*** 1. La Autoridad Independiente de Protección del Informante, A.A.I. tendrá patrimonio propio e independiente del patrimonio de la Administración General del Estado.

2. La Autoridad Independiente de Protección del Informante, A.A.I. contará, para el cumplimiento de sus fines, con los siguientes bienes y medios económicos:

a) Las asignaciones que se establezcan anualmente con cargo a los Presupuestos Generales del Estado.

b) Los bienes y derechos que constituyan su patrimonio, así como los productos y rentas del mismo.

c) El porcentaje que se determine en la Ley de Presupuestos Generales del Estado sobre las cantidades correspondientes a sanciones pecuniarias impuestas por la propia Autoridad en el ejercicio de su potestad sancionadora.

d) Cualesquiera otros que legal o reglamentariamente puedan serle atribuidos.

**Artículo 48. *Régimen de asistencia jurídica.–*** La asistencia jurídica, consistente en el asesoramiento, representación y defensa en juicio de la Autoridad Independiente de Protección del Informante, A.A.I., corresponderá a la Abogacía General del Estado-Dirección del Servicio Jurídico del Estado, mediante la formalización del oportuno convenio en los términos previstos en la Ley

52/1997, de 27 de noviembre, de Asistencia Jurídica al Estado e Instituciones Públicas y su normativa de desarrollo.

**Artículo 49. *Régimen presupuestario, de contabilidad y control económico y financiero.–*** 1. La Autoridad Independiente de Protección del Informante, A.A.I., elaborará y aprobará anualmente un anteproyecto de presupuesto, cuyos créditos tendrán carácter limitativo, y lo remitirá al Ministerio de Hacienda y Función Pública para su posterior integración en los Presupuestos Generales del Estado, de acuerdo con lo previsto en la Ley 47/2003, de 26 de noviembre, General Presupuestaria.

2. El régimen de modificaciones y de especificación de los créditos de dicho presupuesto será el establecido en la Ley 47/2003, de 26 de noviembre, General Presupuestaria, para los presupuestos de los organismos autónomos.

3. Corresponde a la persona titular de la presidencia de la Autoridad Independiente de Protección del Informante, A.A.I. aprobar los gastos y ordenar los pagos, salvo los casos reservados a la competencia del Gobierno, y efectuar la rendición de cuentas del organismo.

4. Sin perjuicio de las competencias atribuidas al Tribunal de Cuentas por su Ley Orgánica, la gestión económico-financiera de la Autoridad Independiente de Protección del Informante, A.A.I. estará sometida al control de la Intervención General de la Administración del Estado en los términos que establece la Ley 47/2003, de 26 de noviembre.

5. De conformidad con lo previsto en la Ley 40/2015, de 1 de octubre, la Autoridad Independiente de Protección del Informante, A.A.I., estará sometida al control de eficacia y supervisión continua.

**Artículo 50. *Régimen de recursos.–*** 1. Los actos y resoluciones de la persona titular de la presidencia de la Autoridad Independiente de Protección del Informante, A.A.I., pondrán fin a la vía administrativa, siendo únicamente recurribles ante la jurisdicción contencioso-administrativa, sin perjuicio del recurso potestativo de reposición y de lo establecido en el artículo 20.

2. Los actos y decisiones de los órganos de la Autoridad Independiente de Protección del Informante, A.A.I., distintos de la persona titular de la Presidencia no agotan la vía administrativa, pudiendo ser objeto de recurso administrativo conforme a lo dispuesto en la Ley 39/2015, de 1 de octubre, del Procedimiento Administrativo Común de las Administraciones Públicas.

**Artículo 51. *Circulares y recomendaciones.–*** 1. La persona titular de la presidencia de la Autoridad Independiente de Protección del Informante, A.A.I., podrá elaborar circulares y recomendaciones que establezcan los criterios y prácticas adecuados para el correcto funcionamiento de la Autoridad.

2. Las circulares serán aprobadas de acuerdo con el procedimiento establecido para la elaboración de disposiciones de carácter general y serán obligatorias una vez que estén publicadas en el «Boletín Oficial del Estado».

**Artículo 52. *Potestad sancionadora.–*** La Autoridad Independiente de Protección del Informante, A.A.I., ejercerá la potestad sancionadora por la comisión de infracciones recogidas en el título IX conforme al procedimiento establecido en el mismo.

### Capítulo III
### ORGANIZACIÓN

**Artículo 53. *De la Presidencia.–*** 1. La persona titular de la presidencia de la Autoridad Independiente de Protección del Informante, A.A.I., es el máximo órgano de representación y gobierno de esta.

2. La persona titular de la Presidencia, que tendrá rango de subsecretario, será nombrada por real decreto a propuesta del titular del Ministerio de Justicia, por un período de cinco años no renovable, entre personas de reconocido prestigio y competencia profesional en el ámbito de las materias competencia de la Autoridad, previa comparecencia ante la Comisión correspondiente del Congreso de los Diputados. El Congreso, a través de la Comisión correspondiente y por acuerdo adoptado por mayoría absoluta, deberá ratificar el nombramiento en el plazo de un mes desde la recepción de la correspondiente comunicación. En ningún caso podrá ser objeto de prórroga su mandato.

**Artículo 54. *De la Comisión Consultiva de Protección del Informante.*–** 1. La persona titular de la presidencia de la Autoridad Independiente de Protección del Informante, A.A.I. estará asesorada por una Comisión Consultiva, que presidirá.

2. La Comisión Consultiva se integrará por los siguientes miembros, con rango al menos de Director general o asimilado:

a) Un representante del Tribunal de Cuentas.

b) Un representante del Consejo de Transparencia y Buen Gobierno.

c) Un representante de la Oficina Independiente de Regulación y Supervisión de la Contratación.

d) Un representante de la Autoridad Independiente de Responsabilidad Fiscal.

e) Un representante del Banco de España.

f) Un representante de la Comisión Nacional del Mercado de Valores.

g) Un representante de la Comisión Nacional de los Mercados y la Competencia.

h) Un representante de la Abogacía General del Estado-Dirección del Servicio Jurídico del Estado.

i) Un representante de la Oficina Nacional de Auditoría de la Intervención General de la Administración del Estado.

j) Un representante del Ministerio de Hacienda y Función Pública perteneciente a la Agencia Estatal de Administración Tributaria.

k) Dos representantes designados por el Ministerio de Justicia por un período de cinco años entre juristas de reconocida competencia con más de diez años de ejercicio profesional.

l) Un representante de las personas informantes a nivel nacional de la asociación o asociaciones más representativas.

2. Los miembros de la Comisión Consultiva de Protección del Informante serán nombrados por orden del titular del Ministerio de Justicia, publicada en el «Boletín Oficial del Estado».

3. La Comisión Consultiva de Protección del Informante se reunirá cuando así lo disponga la presidencia de la Autoridad Independiente de Protección del Informante, A.A.I. y, en todo caso, una vez al semestre.

4. Las decisiones tomadas por la Comisión Consultiva de Protección del Informante no tendrán en ningún caso carácter vinculante.

5. En todo lo no previsto por esta ley, el régimen, competencias y funcionamiento de la Comisión Consultiva de Protección del Informante serán los establecidos en el Estatuto de la Autoridad Independiente de Protección del Informante, A.A.I.

**Artículo 55. *Funciones de la Presidencia.*–** Corresponde a la persona titular de la presidencia de la Autoridad Independiente de Protección del Informante, A.A.I. el ejercicio de las siguientes funciones:

a) Ostentar la representación legal de la Autoridad Independiente.

b) Acordar la convocatoria de las sesiones ordinarias y extraordinarias de la Comisión Consultiva de Protección del Informante.

c) Dirigir y coordinar las actividades de todos los órganos directivos de la Autoridad Independiente de Protección del Informante, A.A.I.

d) Disponer los gastos y ordenar los pagos de la Autoridad Independiente de Protección del Informante, A.A.I.

e) Celebrar los contratos y convenios.

f) Desempeñar la jefatura superior de todo el personal de la Autoridad Independiente de Protección del Informante, A.A.I.

g) Nombrar a las personas titulares de los órganos directivos de la Autoridad Independiente de Protección del Informante, A.A.I.

h) Dictar resolución en los procedimientos en materia sancionadora en los términos previstos en el título IX.

i) Ejercer las demás funciones que le atribuyen esta ley, su Estatuto y el resto del ordenamiento jurídico vigente.

**Artículo 56. *Funciones de la Comisión Consultiva de Protección del Informante.–*** 1. La Comisión Consultiva de Protección del Informante es un órgano colegiado de asesoramiento de la persona titular de la presidencia de la Autoridad Independiente de Protección del Informante, A.A.I.

2. La Comisión Consultiva de Protección del Informante emitirá informe en todas las cuestiones que le someta la persona titular de la presidencia de la Autoridad Independiente de Protección del Informante, A.A.I. y podrá formular propuestas en temas relacionados con las materias de competencia de esta.

**Artículo 57. *Organización interna.–*** El régimen de organización y funcionamiento interno de la Autoridad Independiente de Protección del Informante, A.A.I., se regirá por lo dispuesto en su Estatuto y en el Reglamento de funcionamiento interno.

Artículo 58. *Causas de cese de la Presidencia.*

La persona titular de la Presidencia cesará por expiración de su mandato, a petición propia o por separación acordada por el Consejo de Ministros, mediante real decreto, en los siguientes casos:

a) Incumplimiento grave de sus obligaciones.

b) Incapacidad sobrevenida para el ejercicio de su función.

c) Incompatibilidad.

d) Condena firme por delito doloso.

En los supuestos previstos en las letras a), b) y c) será necesaria la ratificación de la separación por la mayoría absoluta de la Comisión competente del Congreso de los Diputados.

**Artículo 59. *Control parlamentario.–*** La persona titular de la presidencia de la Autoridad Independiente de Protección del Informante, A.A.I., comparecerá anualmente ante las comisiones competentes del Congreso de los Diputados y el Senado.

## TÍTULO IX
## RÉGIMEN SANCIONADOR

**Artículo 60. *Régimen jurídico aplicable.*—** El ejercicio de la potestad sancionadora en el ámbito de esta ley se llevará a cabo conforme a los principios y con sujeción a las reglas de procedimiento previstas en la Ley 40/2015, de 1 de octubre, y la Ley 39/2015, de 1 de octubre.

**Artículo 61. *Autoridad sancionadora.*—** 1. El ejercicio de la potestad sancionadora prevista en esta ley corresponde a la Autoridad Independiente de Protección del Informante, A.A.I., y a los órganos competentes de las comunidades autónomas, sin perjuicio de las facultades disciplinarias que en el ámbito interno de cada organización pudieran tener los órganos competentes.

2. La Autoridad Independiente de Protección del Informante, A.A.I. será competente respecto de las infracciones cometidas en el ámbito del sector público estatal. También será competente respecto a las infracciones cometidas en el ámbito del sector privado en todo el territorio, siempre que la normativa autonómica correspondiente no haya atribuido esta competencia a los organismos competentes de las respectivas comunidades autónomas. La competencia para la imposición de sanciones derivadas de los procedimientos competencia de la Autoridad Independiente de Protección del Informante, A.A.I. corresponderá a la persona titular de su presidencia.

3. Los órganos competentes de las comunidades autónomas lo serán exclusivamente respecto de las infracciones cometidas en el ámbito del sector público autonómico y local del territorio de la correspondiente comunidad autónoma. La normativa autonómica podrá prever que dichos órganos sean competentes respecto de las infracciones cometidas en el ámbito del sector privado cuando afecten solamente a su ámbito territorial.

**Artículo 62. *Sujetos responsables.*—** 1. Estarán sujetos al régimen sancionador establecido en esta ley las personas físicas y jurídicas que realicen cualquiera de las actuaciones descritas como infracciones en el artículo 63.

2. Cuando la comisión de la infracción se atribuya a un órgano colegiado la responsabilidad será exigible en los términos que señale la resolución sancionadora.

Quedarán exentos de responsabilidad aquellos miembros que no hayan asistido por causa justificada a la reunión en que se adoptó el acuerdo o que hayan votado en contra del mismo.

3. La exigencia de responsabilidades derivada de las infracciones tipificadas en esta ley se extenderá a los responsables incluso aunque haya desaparecido su relación o cesado en su actividad en o con la entidad respectiva.

**Artículo 63. *Infracciones.*—** 1. Tendrán la consideración de infracciones muy graves las siguientes acciones u omisiones dolosas:

a) Cualquier actuación que suponga una efectiva limitación de los derechos y garantías previstos en esta ley introducida a través de contratos o acuerdos a nivel individual o colectivo y en general cualquier intento o acción efectiva de obstaculizar la presentación de comunicaciones o de impedir, frustrar o ralentizar su seguimiento, incluida la aportación de información o documentación falsa por parte de los requeridos para ello.

b) La adopción de cualquier represalia derivada de la comunicación frente a los informantes o las demás personas incluidas en el ámbito de protección establecido en el artículo 3 de esta ley.

c) Vulnerar las garantías de confidencialidad y anonimato previstas en esta ley, y de forma particular cualquier acción u omisión tendente a revelar la identidad del informante cuando este haya optado por el anonimato, aunque no se llegue a producir la efectiva revelación de la misma.

d) Vulnerar el deber de mantener secreto sobre cualquier aspecto relacionado con la información.

e) La comisión de una infracción grave cuando el autor hubiera sido sancionado mediante resolución firme por dos infracciones graves o muy graves en los dos años anteriores a la comisión de la infracción, contados desde la firmeza de las sanciones.

f) Comunicar o revelar públicamente información a sabiendas de su falsedad.

g) Incumplimiento de la obligación de disponer de un Sistema interno de información en los términos exigidos en esta ley.

2. Tendrán la consideración de infracciones graves las siguientes acciones u omisiones:

a) Cualquier actuación que suponga limitación de los derechos y garantías previstos en esta ley o cualquier intento o acción efectiva de obstaculizar la presentación de informaciones o de impedir, frustrar o ralentizar su seguimiento que no tenga la consideración de infracción muy grave conforme al apartado 1.

b) Vulnerar las garantías de confidencialidad y anonimato previstas en esta ley cuando no tenga la consideración de infracción muy grave.

c) Vulnerar el deber de secreto en los supuestos en que no tenga la consideración de infracción muy grave.

d) Incumplimiento de la obligación de adoptar las medidas para garantizar la confidencialidad y secreto de las informaciones.

e) La comisión de una infracción leve cuando el autor hubiera sido sancionado por dos infracciones leves, graves o muy graves en los dos años anteriores a la comisión de la infracción, contados desde la firmeza de las sanciones.

3. Tendrán la consideración de infracciones leves las siguientes acciones u omisiones:

a) Remisión de información de forma incompleta, de manera deliberada por parte del Responsable del Sistema a la Autoridad, o fuera del plazo concedido para ello.

b) Incumplimiento de la obligación de colaboración con la investigación de informaciones.

c) Cualquier incumplimiento de las obligaciones previstas en esta ley que no esté tipificado como infracción muy grave o grave.

**Artículo 64. *Prescripción de las infracciones.***– 1. Las infracciones muy graves prescribirán a los tres años, las graves a los dos años y las leves a los seis meses.

2. El plazo de prescripción de las infracciones comenzará a contarse desde el día en que la infracción hubiera sido cometida. En las infracciones derivadas de una actividad continuada, la fecha inicial del cómputo será la de finalización de la actividad o la del último acto con el que la infracción se consume.

3. La prescripción se interrumpirá por la iniciación, con conocimiento del interesado, del procedimiento sancionador, reanudándose el plazo de prescripción si el expediente sancionador permaneciera paralizado durante tres meses por causa no imputable a aquellos contra quienes se dirija.

**Artículo 65. *Sanciones.***– 1. La comisión de infracciones previstas en esta ley llevará aparejada la imposición de las siguientes multas:

a) Si son personas físicas las responsables de las infracciones, serán multadas con una cuantía de 1.001 hasta 10.000 euros por la comisión de infracciones leves; de 10.001 hasta 30.000 euros por la comisión de infracciones graves y de 30.001 hasta 300.000 euros por la comisión de infracciones muy graves.

b) Si son personas jurídicas serán multadas con una cuantía hasta 100.000 euros en caso de infracciones leves, entre 100.001 y 600.000 euros en caso de infracciones graves y entre 600.001 y 1.000.000 de euros en caso de infracciones muy graves.

2. Adicionalmente, en el caso de infracciones muy graves, la Autoridad Independiente de Protección del Informante, A.A.I., podrá acordar:

a) La amonestación pública.

b) La prohibición de obtener subvenciones u otros beneficios fiscales durante un plazo máximo de cuatro años.

c) La prohibición de contratar con el sector público durante un plazo máximo de tres años de conformidad con lo previsto en la Ley 9/2017, de 8 de noviembre, de Contratos del Sector Público, por la que se transponen al ordenamiento jurídico español las Directivas del Parlamento Europeo y del Consejo 2014/23/UE y 2014/24/UE, de 26 de febrero de 2014.

3. Las sanciones por infracciones muy graves de cuantía igual o superior a 600.001 euros impuestas a entidades jurídicas podrán ser publicadas en el «Boletín Oficial del Estado», tras la firmeza de la resolución en vía administrativa. La publicación deberá contener, al menos, información sobre el tipo y naturaleza de la infracción y, en su caso, la identidad de las personas responsables de las mismas de acuerdo con la normativa en materia de protección de datos.

**Artículo 66. Graduación.–** 1. Para la graduación de las infracciones se podrán tener en cuenta los criterios siguientes:

a) La reincidencia, siempre que no hubiera sido tenido en cuenta en los supuestos del artículo 63.1.e) y 2.e).

b) La entidad y persistencia temporal del daño o perjuicio causado.

c) La intencionalidad y culpabilidad del autor.

d) El resultado económico del ejercicio anterior del infractor.

e) La circunstancia de haber procedido a la subsanación del incumplimiento que dio lugar a la infracción por propia iniciativa.

f) La reparación de los daños o perjuicios causados.

g) La colaboración con la Autoridad Independiente de Protección del Informante, A.A.I., u otras autoridades administrativas.

2. Las sanciones a imponer como consecuencia de la comisión de infracciones tipificadas en esta ley se graduarán teniendo en cuenta la naturaleza de la infracción y las circunstancias concurrentes en cada caso. De modo especial, y siempre que no se hubieran tenido en cuenta para la graduación de la infracción, la ponderación de las sanciones atenderá a los criterios del apartado anterior.

**Artículo 67. Concurrencia.–** El ejercicio de la potestad sancionadora previsto en este título es autónomo y podrá concurrir con el régimen disciplinario del personal funcionario, estatutario o laboral que resulte de aplicación en cada caso.

**Artículo 68. Prescripción de las sanciones.–** Las sanciones impuestas por infracciones muy graves prescribirán a los tres años, las impuestas por infracciones graves a los dos años y las impuestas por infracciones leves al año.

El plazo de prescripción de las sanciones comenzará a contarse desde el día siguiente a aquel en que sea ejecutable la resolución por la que se impone la sanción.

Interrumpirá la prescripción la iniciación, con conocimiento del interesado, del procedimiento de ejecución, volviendo a transcurrir el plazo si aquel está paralizado durante más de un mes por causa no imputable al infractor.

**Disposición adicional primera.** *Revisión de los procedimientos de recepción y seguimiento.-* Las autoridades responsables de los canales externos de información revisarán sus procedimientos de recepción y seguimiento de informaciones al menos una vez cada tres años, incorporando actuaciones y buenas prácticas con la finalidad de que sirvan con la mayor eficacia a los fines para los que fueron creados.

**Disposición adicional segunda.** *Convenios.-* La Autoridad Independiente de Protección del Informante, A.A.I., podrá actuar como canal externo de informaciones y como una autoridad independiente de protección de informantes para aquellas comunidades autónomas que así lo decidan y previa suscripción del correspondiente convenio en el que se estipulen las condiciones en las que la comunidad autónoma sufragará los gastos derivados de esta asunción de competencias.

Las ciudades con Estatuto de Autonomía podrán designar sus propios órganos independientes o bien atribuir la competencia a la Autoridad Independiente de Protección del Informante, A.A.I., celebrando al efecto un convenio en los términos previstos en el párrafo anterior.

**Disposición adicional tercera.** *Memoria anual y estadísticas.-* 1. La Autoridad Independiente de Protección del Informante, A.A.I. elaborará en los tres primeros meses del año una Memoria anual en la que dará cuenta de las actuaciones desarrolladas durante el año anterior en el ámbito de sus funciones.

Esta memoria incluirá el número y naturaleza de las comunicaciones presentadas y también las que fueron objeto de investigación y su resultado, especificándose las sugerencias o recomendaciones formuladas a la Autoridad Independiente de Protección del Informante, A.A.I. y el número de procedimientos abiertos.

2. En la memoria no constarán datos y referencias personales que permitan la identificación de las personas informantes ni de las afectadas, excepto cuando ya sean públicas como consecuencia de una sentencia penal o contencioso-administrativa firme.

3. De la Memoria anual, que será pública, se dará traslado a las Cortes Generales de modo previo a la comparecencia a que alude el artículo 59.

4. La Autoridad Independiente de Protección del Informante, A.A.I., de acuerdo con la obligación impuesta por el artículo 27 de la Directiva (UE) 2019/1937 del Parlamento Europeo y del Consejo, de 23 de octubre de 2019, sobre presentación anual a la Comisión Europea de estadísticas sobre las informaciones mencionadas en el capítulo III, preferiblemente de forma agregada, deberá disponer de los siguientes datos estadísticos:

a) número de comunicaciones recibidas por las autoridades competentes;

b) número de investigaciones y actuaciones judiciales iniciadas a raíz de dichas comunicaciones, y su resultado, y

c) estimación del perjuicio económico y los importes recuperados tras las investigaciones y actuaciones judiciales relacionadas con las infracciones, si se hubieran podido obtener.

**Disposición adicional cuarta.** *Administración de los Territorios Históricos del País Vasco.-* A los efectos de lo dispuesto en el artículo 24, la tramitación a través del canal externo podrá ser ejercida en el País Vasco por las instituciones competentes en los términos que disponga la normativa autonómica.

**Disposición adicional quinta.** *Estrategia contra la corrupción.-* El Gobierno, en el plazo máximo de dieciocho meses a contar desde la entrada en vigor de la presente ley, y en colaboración con las Comunidades Autónomas, deberá aprobar una Estrategia contra la corrupción que al menos deberá incluir una evaluación del cumplimiento de los objetivos establecidos en la presente ley, así como las medidas que se consideren necesarias para paliar las deficiencias que se hayan encontrado en ese periodo de tiempo.

**Disposición adicional sexta. *Extensión de las medidas de protección.—*** Las medidas de protección recogidas en esta ley se extenderán a las comunicaciones sobre las acciones u omisiones recogidas en el artículo 2 que hubieran tenido lugar desde la entrada en vigor de la Directiva (UE) 2019/1937 del Parlamento Europeo y del Consejo, de 23 de octubre de 2019, relativa a la protección de las personas que informen sobre infracciones del Derecho de la Unión.

**Disposición transitoria primera. *Adaptación de los Sistemas y canales internos de información existentes.—*** Los sistemas internos de comunicación y sus correspondientes canales que, a la entrada en vigor de esta ley, tengan habilitados las entidades u organismos obligados podrán servir para dar cumplimiento a las previsiones de esta ley siempre y cuando se ajusten a los requisitos establecidos en la misma.

**Disposición transitoria segunda. *Plazo máximo para el establecimiento de Sistemas internos de información y adaptación de los ya existentes.—*** 1. Las Administraciones, organismos, empresas y demás entidades obligadas a contar con un Sistema interno de información deberán implantarlo en el plazo máximo de tres meses a partir de la entrada en vigor de esta ley.

2. Como excepción, en el caso de las entidades jurídicas del sector privado con doscientos cuarenta y nueve trabajadores o menos, así como de los municipios de menos de diez mil habitantes, el plazo previsto en el párrafo anterior se extenderá hasta el 1 de diciembre de 2023.

3. Los canales y procedimientos de información externa se regirán por su normativa específica resultando de aplicación las disposiciones de esta ley en aquellos aspectos en los que no se adecúen a la Directiva (UE) 2019/1937 del Parlamento Europeo y del Consejo, de 23 de octubre de 2019. Dicha adaptación deberá producirse en el plazo de seis meses desde la entrada en vigor de esta ley.

En estos supuestos, el informante gozará de la protección establecida en esta ley siempre que la relación laboral o profesional en cuyo contexto se produzca la infracción, se rija por la ley española y, en su caso, adicionalmente de la protección establecida en la normativa específica.

**Disposición transitoria tercera. *Previsión presupuestaria de la Autoridad Independiente de Protección del Informante, A.A.I.—*** Hasta que la Autoridad Independiente de Protección del Informante, A.A.I., cuente con un presupuesto propio, su actividad se financiará con cargo a los créditos presupuestarios del Ministerio de Justicia.

**Disposición final primera. *Modificación de la Ley 1/1996, de 10 de enero, de asistencia jurídica gratuita.—*** Se añade una nueva letra k) al artículo 2 de la Ley 1/996, de 10 de enero, de asistencia jurídica gratuita, con la siguiente redacción:

«k) Las personas que comuniquen infracciones en los términos de la Ley reguladora de la protección de las personas que informen sobre infracciones normativas y de lucha contra la corrupción, a la Autoridad Independiente de Protección del Informante, A.A.I., o a las autoridades autonómicas respectivas, siempre que cumplan las condiciones de protección recogidas en la citada Ley, siempre que cuenten con unos recursos e ingresos económicos brutos, computados anualmente por todos los conceptos y por unidad familiar, inferiores a cuatro veces el indicador público de renta de efectos múltiples vigente en el momento de comunicar la información, y exclusivamente para los procedimientos seguidos en cualquier orden jurisdiccional que sean consecuencia directa de la infracción comunicada.»

**Disposición final segunda. *Modificación de la Ley 29/1998, de 13 de julio, reguladora de la Jurisdicción Contencioso-administrativa.—*** La Ley 29/1998, de 13 de julio, reguladora de la Jurisdicción Contencioso-administrativa, queda modificada en los siguientes términos:

Uno. Se modifica la letra m) y se añade una nueva letra n) en el apartado 1 del artículo 10, con la siguiente redacción:

«m) Los actos y disposiciones dictados por las autoridades independientes autonómicas u órganos competentes de las comunidades autónomas referidos en la Ley reguladora de la protección de las personas que informen sobre infracciones normativas y de lucha contra la corrupción.

n) Cualesquiera otras actuaciones administrativas no atribuidas expresamente a la competencia de otros órganos de este orden jurisdiccional.»

Dos. Se modifica el apartado 5 de la disposición adicional cuarta, que queda redactado como sigue:

«5. Los actos y disposiciones dictados por la Agencia Española de Protección de Datos, Comisión Nacional de los Mercados y la Competencia, Consejo de Transparencia y Buen Gobierno, Consejo Económico y Social, Instituto Cervantes, Consejo de Seguridad Nuclear, Consejo de Universidades, Autoridad Independiente de Protección del Informante, A.A.I. y Sección Segunda de la Comisión de Propiedad Intelectual, directamente, ante la Sala de lo Contencioso-Administrativo de la Audiencia Nacional.»

**Disposición final tercera. *Modificación de la Ley 15/2007, de 3 de julio, de Defensa de la Competencia.–*** Se introduce una nueva disposición adicional duodécima en la Ley 15/2007, de 3 de julio, de Defensa de la Competencia, con la siguiente redacción:

«Disposición adicional duodécima. *Comunicación de posibles infracciones a través del canal externo de comunicaciones de la Dirección de Competencia de la Comisión Nacional de los Mercados y la Competencia.*

1. Cualquier persona física podrá informar a través del canal externo de comunicaciones de la Dirección de Competencia de la Comisión Nacional de los Mercados y la Competencia sobre cualesquiera acciones u omisiones que puedan constituir infracciones de esta ley.

2. La comunicación de infracciones realizada por los informantes no tendrá la consideración de denuncia/comunicación a los efectos previstos en el artículo 49 de esta ley, ni de solicitud de exención ni de reducción del pago de la multa, a los efectos de los artículos 65 y 66 de esta ley.

3. La comunicación puede llevarse a cabo de forma anónima. En otro caso, se preservará la identidad del informante, que sólo podrá ser comunicada a la Autoridad judicial, al Ministerio Fiscal o a la autoridad administrativa competente en el marco de una investigación penal, disciplinaria o sancionadora.

4. Las personas que comuniquen posibles infracciones de esta ley a través del canal externo de comunicaciones de la Dirección de Competencia tendrán derecho a las medidas de apoyo y protección previstas en la Ley reguladora de la protección de las personas que informen sobre infracciones normativas y de lucha contra la corrupción.

5. Recibida la comunicación a través del canal externo de comunicaciones, la Dirección de Competencia procederá a su registro, siéndole asignado un código de identificación. El registro de las comunicaciones externas estará contenido en una base de datos segura y de acceso restringido exclusivamente al personal de la Comisión Nacional de los Mercados y la Competencia convenientemente autorizado por el titular de la Dirección de Competencia, en la que se registrarán todas las comunicaciones recibidas, cumplimentando los siguientes datos:

a) Fecha de recepción.
b) Código de identificación.
c) Actuaciones desarrolladas.
d) Medidas adoptadas.
e) Fecha de cierre.

6. En un plazo no superior a diez días hábiles desde su recepción, la Dirección de Competencia procederá a acusar recibo de la comunicación, a menos que la comunicación sea anónima o el informante expresamente hubiera renunciado a recibir comunicaciones relativas a la investigación.

7. La Dirección de Competencia comprobará si la comunicación expone hechos o conductas que puedan constituir indicios de infracciones de esta ley. En el caso de que los hechos expuestos recayeran en el ámbito de competencias propio de otros órganos, dará traslado de los mismos a las autoridades y organismos competentes, comunicándoselo al informante, salvo que la comunicación fuera anónima o el informante hubiera renunciado a recibir comunicaciones de la Comisión Nacional de los Mercados y la Competencia. Dicho traslado se realizará de forma que se mantengan las garantías señaladas para preservar la confidencialidad de la identidad del informante.

8. La Autoridad Independiente de Protección del Informante, A.A.I. prestará a los informantes a que se refiere la presente disposición las medidas de apoyo y aplicará el régimen sancionador en lo relativo a las medidas de protección, previstas en la Ley reguladora de la protección de las personas que informen sobre infracciones normativas y de lucha contra la corrupción.

9. Los apartados anteriores serán de aplicación igualmente a los canales de información de las autoridades autonómicas de competencia.»

**Disposición final cuarta. *Modificación de la Ley 10/2010, de 28 de abril, de prevención del blanqueo de capitales y de la financiación del terrorismo.–*** Se da nueva redacción al apartado 5 del artículo 65 de la Ley 10/2010, de 28 de abril, de prevención del blanqueo de capitales y de la financiación del terrorismo, que queda redactado como sigue:

«5. Las personas expuestas a amenazas, acciones hostiles o medidas laborales adversas por comunicar por vía interna o al Servicio Ejecutivo de la Comisión comunicaciones sobre actividades relacionadas con el blanqueo de capitales o la financiación del terrorismo podrán presentar una reclamación ante la Autoridad Independiente de Protección del Informante, A.A.I. en los términos previstos en la Ley reguladora de la protección de las personas que informen sobre infracciones normativas y de lucha contra la corrupción.

En los casos en los que el sujeto obligado no haya adoptado las medidas adecuadas para mantener la confidencialidad sobre la identidad de los empleados, directivos o agentes que hayan realizado una comunicación a los órganos de control interno, en los términos del artículo 30.1, será de aplicación el artículo 52.1.s).»

**Disposición final quinta. *Modificación de la Ley 10/2014, de 26 de junio, de ordenación, supervisión y solvencia de entidades de crédito.–*** Se añade un nuevo apartado 3 en el artículo 122 de la Ley 10/2014, de 26 de junio, de ordenación, supervisión y solvencia de entidades de crédito, con la siguiente redacción:

«3. Cuando la persona comunicante quede sujeta al ámbito de aplicación personal de la Ley reguladora de la protección de las personas que informen sobre infracciones normativas y de lucha contra la corrupción, será la Autoridad Independiente de Protección del Informante, A.A.I. quien adoptará las medidas de protección al informante previstas en la referida ley.»

**Disposición final sexta. *Modificación de la Ley 9/2017, de 8 de noviembre, de Contratos del Sector Público, por la que se transponen al ordenamiento jurídico español las Directivas del Parlamento Europeo y del Consejo 2014/23/UE y 2014/24/UE, de 26 de febrero de 2014.–*** Se modifica la letra b) del apartado 1 del artículo 71 de la Ley 9/2017, de 8 de noviembre, de Contratos del Sector Público, por la que se transponen al ordenamiento jurídico español las Directivas del Parlamento Europeo y del Consejo 2014/23/UE y 2014/24/UE, de 26 de febrero de 2014, que queda redactada como sigue:

«b) Haber sido sancionadas con carácter firme por infracción grave en materia profesional que ponga en entredicho su integridad, de disciplina de mercado, de falseamiento de la competencia, de integración laboral y de igualdad de oportunidades y no discriminación de las personas con discapacidad, o de extranjería, de conformidad con lo establecido en la normativa vigente; o por infracción muy grave en materia medioambiental de conformidad con lo establecido en la normativa vigente, o por infracción muy grave en materia laboral o social, de acuerdo con lo dispuesto en el texto refundido de la Ley sobre Infracciones y Sanciones en el Orden Social, aprobado por el Real Decreto Legislativo 5/2000, de 4 de agosto, así como por la infracción grave prevista en el artículo 22.2 del citado texto; o por las infracciones muy graves previstas en la Ley reguladora de la protección de las personas que informen sobre infracciones normativas y de lucha contra la corrupción.»

**Disposición final séptima. *Modificación de la Ley Orgánica 3/2018, de 5 de diciembre, de Protección de Datos Personales y garantía de los derechos digitales.*–** Se modifica el artículo 24 de Ley Orgánica 3/2018, de 5 de diciembre, de Protección de Datos Personales y garantía de los derechos digitales, que queda redactado como sigue:

«Artículo 24. *Tratamiento de datos para la protección de las personas que informen sobre infracciones normativas.*

Serán lícitos los tratamientos de datos personales necesarios para garantizar la protección de las personas que informen sobre infracciones normativas.

Dichos tratamientos se regirán por lo dispuesto en el Reglamento (UE) 2016/679, del Parlamento Europeo y del Consejo, de 27 de abril de 2016, en esta ley orgánica y en la Ley reguladora de la protección de las personas que informen sobre infracciones normativas y de lucha contra la corrupción.»

**Disposición final octava. *Títulos competenciales.*–** Esta ley se dicta al amparo de lo dispuesto en el artículo 149.1 apartados 1.º, 6.º, 7.º, 11.º, 13.º, 18.º y 23.º de la Constitución Española que atribuye al Estado las competencias exclusivas sobre la regulación de las condiciones básicas que garanticen la igualdad de todos los españoles en el ejercicio de los derechos y en el cumplimiento de los deberes constitucionales; la legislación mercantil; la legislación procesal, sin perjuicio de las necesarias especialidades que en este orden se deriven de las particularidades del derecho sustantivo de las comunidades autónomas; la legislación laboral; las bases y coordinación de la planificación general de la actividad económica; las bases del régimen jurídico de las Administraciones públicas y del régimen estatutario de sus funcionarios; el procedimiento administrativo común; la legislación básica sobre contratos y concesiones administrativas y el sistema de responsabilidad de todas las Administraciones Públicas; y la legislación básica sobre protección del medio ambiente.

El ámbito de aplicación del título VIII de esta ley se limita a la Administración General del Estado y resto de entidades del sector público estatal.

**Disposición final novena. *Incorporación de la Directiva (UE) 2019/1937 del Parlamento Europeo y del Consejo, de 23 de octubre de 2019, relativa a la protección de las personas que informen sobre infracciones del Derecho de la Unión.*–** La presente ley incorpora al ordenamiento jurídico interno la Directiva (UE) 2019/1937 del Parlamento Europeo y del Consejo, de 23 de octubre de 2019, relativa a la protección de las personas que informen sobre infracciones del Derecho de la Unión.

**Disposición final décima. *Habilitación de desarrollo.*–** Se habilita al Gobierno para dictar cuantas disposiciones reglamentarias sean precisas para el desarrollo y ejecución de esta ley.

**Disposición final undécima. *Estatuto de la Autoridad Independiente de Protección del Informante, A.A.I.*–** En el plazo de un año desde la entrada en vigor de esta ley, el Consejo de Ministros aprobará mediante real decreto, a propuesta conjunta de los Ministerios de Justicia y de Hacienda y Función Pública, el Estatuto de la Autoridad Independiente de Protección del Informante, A.A.I., en el que se establecerán las disposiciones oportunas sobre organización, estructura, funcionamiento, así como todos los aspectos que sean necesarios para el cumplimiento de las funciones asignadas mediante esta ley.

**Disposición final duodécima. *Entrada en vigor.*–** La presente ley entrará en vigor a los veinte días de su publicación en el «Boletín Oficial del Estado».

Por tanto,

Mando a todos los españoles, particulares y autoridades, que guarden y hagan guardar esta ley.

Madrid, 20 de febrero de 2023.

FELIPE R.

El Presidente del Gobierno,

PEDRO SÁNCHEZ PÉREZ-CASTEJÓN

## 6. CANAL EN EL ÁMBITO DE LA DEFENSA DE LA COMPETENCIA

### 6.1. LEY 15/2007, DE 3 DE JULIO, DE DEFENSA DE LA COMPETENCIA

**Disposición adicional duodécima. Comunicación de posibles infracciones a través del canal externo de comunicaciones de la Dirección de Competencia de la Comisión Nacional de los Mercados y la Competencia.–** 1. Cualquier persona física podrá informar a través del canal externo de comunicaciones de la Dirección de Competencia de la Comisión Nacional de los Mercados y la Competencia sobre cualesquiera acciones u omisiones que puedan constituir infracciones de esta ley.

2. La comunicación de infracciones realizada por los informantes no tendrá la consideración de denuncia/comunicación a los efectos previstos en el artículo 49 de esta ley, ni de solicitud de exención ni de reducción del pago de la multa, a los efectos de los artículos 65 y 66 de esta ley.

3. La comunicación puede llevarse a cabo de forma anónima. En otro caso, se preservará la identidad del informante, que sólo podrá ser comunicada a la Autoridad judicial, al Ministerio Fiscal o a la autoridad administrativa competente en el marco de una investigación penal, disciplinaria o sancionadora.

4. Las personas que comuniquen posibles infracciones de esta ley a través del canal externo de comunicaciones de la Dirección de Competencia tendrán derecho a las medidas de apoyo y protección previstas en la Ley reguladora de la protección de las personas que informen sobre infracciones normativas y de lucha contra la corrupción.

5. Recibida la comunicación a través del canal externo de comunicaciones, la Dirección de Competencia procederá a su registro, siéndole asignado un código de identificación. El registro de las comunicaciones externas estará contenido en una base de datos segura y de acceso restringido exclusivamente al personal de la Comisión Nacional de los Mercados y la Competencia convenientemente autorizado por el titular de la Dirección de Competencia, en la que se registrarán todas las comunicaciones recibidas, cumplimentando los siguientes datos:

a) Fecha de recepción.

b) Código de identificación.

c) Actuaciones desarrolladas.

d) Medidas adoptadas.

e) Fecha de cierre.

6. En un plazo no superior a diez días hábiles desde su recepción, la Dirección de Competencia procederá a acusar recibo de la comunicación, a menos que la comunicación sea anónima o el informante expresamente hubiera renunciado a recibir comunicaciones relativas a la investigación.

7. La Dirección de Competencia comprobará si la comunicación expone hechos o conductas que puedan constituir indicios de infracciones de esta ley. En el caso de que los hechos expuestos recayeran en el ámbito de competencias propio de otros órganos, dará traslado de los mismos a las autoridades y organismos competentes, comunicándoselo al informante, salvo que la comunicación fuera anónima o el informante hubiera renunciado a recibir comunicaciones de la Comisión Nacional de los Mercados y la Competencia. Dicho traslado se realizará de forma que se mantengan las garantías señaladas para preservar la confidencialidad de la identidad del informante.

8. La Autoridad Independiente de Protección del Informante, A.A.I. prestará a los informantes a que se refiere la presente disposición las medidas de apoyo y aplicará el régimen sancionador en lo relativo a las medidas de protección, previstas en la Ley reguladora de la protección de las personas que informen sobre infracciones normativas y de lucha contra la corrupción.

9. Los apartados anteriores serán de aplicación igualmente a los canales de información de las autoridades autonómicas de competencia.

## 6.2. REAL DECRETO 261/2008, DE 22 DE FEBRERO, POR EL QUE SE APRUEBA EL REGLAMENTO DE DEFENSA DE LA COMPETENCIA

### ANEXO
#### CONTENIDO DE LA DENUNCIA

1. Identificación de las partes.

1.1 Informante.

1.1.1 Denominación o razón social completa, Número de Identificación Fiscal o Número de Identidad Extranjero, domicilio, teléfono y fax. Persona de contacto y número de fax. En el caso de denuncias presentadas por empresarios individuales o sociedades sin personalidad jurídica que operen bajo un nombre comercial, identifíquese, asimismo, a los propietarios o socios, indicando sus nombres, apellidos y dirección.

1.1.2 Sucinta descripción de la empresa o asociación de empresas que presentan la denuncia/comunicación incluyendo su objeto social y el ámbito territorial en el que opera.

1.1.3 En el caso de denuncias presentadas en nombre de un tercero o por más de una persona, identifíquese al representante (o al mandatario común) y adjúntese copia del poder de representación.

1.2 Afectados.

1.2.1 Denominación o razón social completa, Número de Identificación Fiscal o Número de Identidad Extranjero, domicilio y, en su caso, número de teléfono y fax.

1.2.2 Sucinta descripción de las empresas.

1.2.3 Forma y alcance de la participación de los afectado s en la práctica denunciada.

2. Objeto de la denuncia.

Descripción detallada de los hechos de los que se derivan la existencia de una infracción de las normas españolas y/o comunitarias de competencia, señalando:

2.1 Qué prácticas de las empresas o las asociaciones de empresas denunciadas tienen por objeto, producen o pueden producir el efecto de impedir, restringir o falsear la competencia en todo o en parte del mercado nacional o del mercado europeo.

2.2 En qué medida las prácticas denunciadas afectan a las condiciones de competencia en el mercado relevante y en qué medida afectan a los intereses de los informante s.

2.3 Cuáles son los productos o servicios y los mercados geográficos afectados por las prácticas denunciadas.

2.4 Si existe alguna regulación particular que afecte a las condiciones de competencia en los mercados afectados.

2.5 Si existe algún amparo legal para dicha práctica.

2.6 Cuáles son los preceptos infringidos por la práctica denunciada.

2.7 Si se solicita la adopción de medidas cautelares, cómo pueden éstas asegurar la eficacia de la resolución que en su momento se dicte y cuáles son los riesgos derivados de que se adopten y de que no se concedan para el funcionamiento del mercado y para los intereses del informante s.

2.8 Si se solicita el tratamiento confidencial de parte de la información, delimítese el alcance de la confidencialidad, teniendo en cuenta que nadie puede ser condenado por pruebas que no le sean puestas de manifiesto, y adjúntese una versión no confidencial de los documentos en los que obre dicha información.

3. Datos relativos al mercado.

3.1 Naturaleza de los bienes o servicios afectados por la práctica denunciada, con mención, en su caso, del código de la nomenclatura combinada española (nueve cifras) o del código de clasificación nacional de actividades económicas (C.N.A.E.) en el caso de servicios.

3.2 Estructura del o de los mercados de estos bienes o servicios: ámbito geográfico, oferentes y demandantes, cuotas de mercado, grado de competencia existente en el mismo, existencia de productos sustitutivos, dificultades de acceso al mercado que puedan encontrar nuevos competidores, existencia de legislación que afecte a las condiciones de competencia en el mercado, así como cualquier otro dato o información relativa al mercado que pueda ser relevante a efectos del eventual procedimiento sancionador.

4. Existencia de interés legítimo.

Motivos por los que el informante estime que cumple las condiciones previstas en el artículo 31 de la Ley 30/1992, de 26 de noviembre, de Régimen Jurídico de las Administraciones Públicas y del Procedimiento Administrativo Común, para ser considerado interesado en el eventual expediente sancionador que pueda llegar a incoarse.

5. Pruebas.

5.1 Identificación y dirección de las personas o instituciones que puedan testimoniar o certificar los hechos expuestos, en particular las de las personas afectadas por la presunta infracción.

5.2 Documentos referentes a los hechos expuestos o que tengan una relación directa con los mismos (textos de acuerdos, condiciones de transacción, documentos comerciales, circulares, publicidad, actas de negociaciones o asambleas, etc.). De los documentos que contengan información que deba ser considerada confidencial, apórtense los originales completos en pieza separada, así como copia censurada de tal modo que ésta pueda ser incorporada al expediente.

5.3 Estadísticas u otros datos que se refieran a los hechos expuestos (relativas, por ejemplo, a la evolución y formación de los precios, a las condiciones de oferta o de venta, a las condiciones usuales de las transacciones, o a la existencia de boicoteo o discriminación).

5.4 Características técnicas de la producción, ventas, necesidad de licencias, existencia de otras barreras de entrada en el mercado, y aportándose, o en su caso citándose, las referencias útiles de estudios sectoriales o de mercado y de aplicación de las normas de competencia, incluso de Derecho comparado, en casos similares o cercanos.

5.5 Existencia de cualquier otra prueba de la infracción, con indicación de la forma de actuación necesaria para que pueda ser aportada.

6. Acciones adoptadas.

Descripción de las gestiones efectuadas y de las acciones iniciadas con anterioridad a la denuncia/comunicación con el fin de hacer cesar la presunta infracción o sus efectos perjudiciales sobre las condiciones de competencia. Remítase la información de todas las gestiones y acciones de que se tenga conocimiento, incluso de las realizadas por cualquier otro afectado por la conducta objeto de la comunicación o por conductas similares. Precísese los procedimientos administrativos o judiciales y, en su caso, la identificación de los asuntos y los resultados de los procedimientos.

7. Otras informaciones.

Remisión de cualquier otra información disponible que podría permitir a los órganos de defensa de la competencia apreciar la existencia de prácticas prohibidas y los remedios más eficaces para restaurar las condiciones de competencia.

# 7. CANAL EN EL ÁMBITO DEL MERCADO DE VALORES

## LEY 6/2023, DE 17 DE MARZO, DE LOS MERCADOS DE VALORES Y DE LOS SERVICIOS DE INVERSIÓN.

**Artículo 181. *Notificación de infracciones.*–** 1. Las empresas de servicios de inversión, así como las empresas de asesoramiento financiero nacionales, los organismos rectores del mercado, los agentes de publicación autorizados y los sistemas de información autorizados de conformidad con el Reglamento (UE) n.º 600/2014 que se beneficien de una exención de conformidad con el artículo 2, apartado 3, de dicho Reglamento, entidades de crédito en relación con servicios y actividades de inversión o con servicios auxiliares y sucursales de empresas de terceros países, deberán disponer de procedimientos adecuados para que sus empleados puedan notificar infracciones potenciales o efectivas a nivel interno a través de un canal específico, independiente y autónomo.

2. Estos procedimientos deberán garantizar la confidencialidad tanto de la persona que informa de las infracciones como de las personas físicas presuntamente responsables de la infracción.

3. Asimismo, deberá garantizarse que los empleados que informen de las infracciones cometidas en la entidad sean protegidos frente a represalias, discriminaciones y cualquier otro tipo de trato injusto.

4. Los interlocutores sociales podrán facilitar estos procedimientos siempre que ofrezcan la misma protección que la regulada en los apartados anteriores.

**Artículo 274. *Canales de comunicación.*–** 1. Toda persona que tenga conocimiento o sospecha fundada de la comisión de posibles infracciones previstas en la presente ley; en la Ley 35/2003, de 4 de noviembre; en el Reglamento (UE) n.º 575/2013 del Parlamento Europeo y del Consejo, de 26 de junio de 2013, en lo que respecta a las empresas de servicios de inversión; en el Reglamento (UE) n.º 596/2014 del Parlamento Europeo y del Consejo, de 16 de abril de 2014; en el Reglamento (UE) n.º 600/2014 del Parlamento Europeo y del Consejo, de 15 de mayo de 2014; en el Reglamento (UE) n.º 1286/2014 del Parlamento Europeo y del Consejo, de 26 de noviembre de 2014; en el Reglamento (UE) n.º 2017/1129 del Parlamento Europeo y del Consejo, de 14 de junio de 2017; y en el Reglamento (UE) n.º 2019/2033 del Parlamento Europeo y del Consejo, de 27 de noviembre de 2019, podrá comunicarla a la CNMV en la forma y con las garantías establecidas en este artículo y aquellas que se desarrollen reglamentariamente.

2. Las comunicaciones podrán realizarse:

a) De forma escrita, en formato electrónico o papel;

b) de forma oral, por vía telefónica, que podría ser grabada;

c) a través de reunión física con el personal especializado de la CNMV; o

d) de cualquiera de las formas que establezca la persona titular del Ministerio de Asuntos Económicos y Transformación Digital.

3. La CNMV habilitará los canales, los medios técnicos y el personal que resulten necesarios para recibir y gestionar las comunicaciones señaladas en el apartado 1 del modo más adecuado para lograr la máxima utilidad de la información recibida en la detección y tratamiento de las infracciones. Los canales se adecuarán a la forma en que la información sea presentada.

4. Antes de recibir la comunicación o, a más tardar, en el momento de recibirla, la CNMV facilitará al comunicante:

a) La información básica sobre la comunicación de infracciones, incluyendo, en particular, la posibilidad de anonimato y las medidas de protección de la identidad, en el caso de que desee identificarse, y

b) el acuse de recibo escrito de la información recibida a la dirección postal o electrónica elegida por la persona que la suministra, salvo que esta solicite expresamente lo contrario o que el acuse ponga en peligro la protección de su identidad.

**Artículo 275. *Contenido mínimo de las comunicaciones.–*** 1. Las comunicaciones a que se refiere el artículo anterior podrán ser anónimas o incluir la identificación de la persona que las formula. En todo caso, deberán presentar elementos fácticos de los que razonablemente derive, al menos, una sospecha fundada de infracción.

2. Dentro del plazo de los 20 días siguientes a la recepción de la información, la CNMV determinará si existe o no sospecha fundada de infracción. De no existir, requerirá a la persona que envía la información para que aclare el contenido o lo complemente con nueva información en un plazo razonable para poder obtenerla.

3. Transcurrido el plazo fijado para la aclaración o aportación de nueva información, sin que pueda determinarse sospecha fundada, se notificará tal circunstancia de forma motivada a la persona que envía la información.

4. En todo caso, la CNMV informará a la persona que envía la comunicación del inicio, en su caso, de un procedimiento sancionador a partir de los hechos comunicados o de la remisión de los hechos a otras autoridades, dentro o fuera de España.

5. Los requerimientos y comunicaciones de la CNMV con la persona que formule una comunicación anónima se efectuarán de modo que se mantenga el anonimato en todo caso, salvo que la persona comunicante expresamente decida lo contrario.

**Artículo 276. *Garantías de confidencialidad.–*** 1. La CNMV mantendrá un registro con la totalidad de la información recibida a través de los canales señalados en el artículo 274.3. El registro asegurará la plena confidencialidad de la información recibida, con acceso limitado exclusivamente al personal especializado responsable del tratamiento y gestión de estas comunicaciones.

Las comunicaciones recibidas no tendrán valor probatorio y no podrán ser incorporadas directamente a las diligencias judiciales o administrativas.

2. Cualquier transmisión de la comunicación, dentro o fuera de la CNMV, se realizará sin revelar, directa o indirectamente, los datos personales del comunicante de la infracción, si fuesen conocidos, ni de las personas físicas presuntamente responsables de dicha infracción incluidas en la comunicación, de conformidad con el Reglamento (UE) n.º 2016/679 del Parlamento Europeo y del Consejo, de 27 de abril de 2016, relativo a la protección de las personas físicas en lo que respecta

al tratamiento de datos personales y a la libre circulación de estos datos y por el que se deroga la Directiva 95/46/CE, excepto en los siguientes casos:

a) Los datos personales de la persona presuntamente infractora que resulten necesarios para la realización de actuaciones previas, la iniciación, instrucción y resolución de un procedimiento administrativo sancionador, o bien de un proceso judicial, que tendrán en todo caso un nivel de protección equivalente al de las personas objeto de investigación o de sanción por parte del órgano competente;

b) los datos personales del comunicante cuando fuesen conocidos y así sea expresamente requerido por un órgano judicial competente del orden penal en el curso de diligencias de investigación o proceso penal, cuando constituya un elemento esencial para dicho proceso; y

c) todos los datos personales incluidos en la comunicación que resulten necesarios a autoridades equivalentes a autoridades nacionales competentes en el ámbito de la Unión Europea, previo cumplimiento de los requisitos establecidos en las normas comunitarias o nacionales que resulten de aplicación, o de terceros Estados, siempre que el nivel de protección de la confidencialidad de los datos personales resulte equivalente al vigente en España, y que cumpla los requisitos del Capítulo V del Reglamento general de protección de datos.

**Artículo 277. *Protección en el ámbito laboral y contractual.*–** 1. La comunicación de infracciones:

a) no constituirá violación o incumplimiento de las restricciones sobre divulgación de información impuestas por vía contractual o por cualquier disposición legal, reglamentaria o administrativa que pudieran afectar a la persona comunicante, a las personas estrechamente vinculadas con esta, a las sociedades que administre o de las que sea titular real;

b) no constituirá infracción de ningún tipo en el ámbito de la normativa laboral por parte de la persona comunicante, ni de ella podrá derivar trato injusto o discriminatorio por parte del empleador; y

c) no generará ningún derecho de compensación o indemnización a favor de la empresa a la que presta servicios la persona comunicante o de un tercero, aun cuando se hubiera pactado la obligación de comunicación previa a dicha empresa o a un tercero.

2. La CNMV informará de forma precisa al comunicante sobre las vías de recurso y procedimientos disponibles en derecho para la protección frente a posibles perjuicios que pudieran derivar de alguna de las situaciones previstas en el apartado anterior y de forma que le permita en la práctica utilizar con facilidad dichas vías y procedimientos. Asimismo, prestará asistencia efectiva informando al comunicante de sus derechos, emitiendo, en su caso, la correspondiente certificación de su condición de denunciante para hacerla efectiva ante la jurisdicción laboral. Igualmente, dispondrá los medios necesarios para asistir a la persona comunicante que lo requiera frente a riesgos reales derivados de la comunicación, que incluirán, en particular, la acreditación de la existencia, el contenido y el valor material que de la comunicación haya podido derivar.

**Artículo 278. *Habilitación reglamentaria.*–** La persona titular del Ministerio de Asuntos Económicos y Transformación Digital y, con su habilitación expresa, la CNMV, podrá:

1. Establecer el contenido de la información a publicar por la CNMV en su sitio web sobre la comunicación de infracciones.

2. Desarrollar el procedimiento específico a seguir en la recepción y tramitación de comunicaciones, así como el contenido del acuse de recibo que la CNMV debe suministrar al comunicante antes de recibir la comunicación o, a más tardar, en el momento de recibirla.

3. Establecer las características y requisitos de los canales para la recepción de información de comunicaciones al objeto de asegurar su independencia, seguridad y confidencialidad.

4. Establecer los criterios, plazos e indicadores para la evaluación de la efectividad del sistema de comunicación señalado en los artículos precedentes.

## 8. CANAL EN EL ÁMBITO DE LAS ENTIDADES DE CRÉDITO

### LEY 10/2014, DE 26 DE JUNIO, DE ORDENACIÓN, SUPERVISIÓN Y SOLVENCIA DE ENTIDADES DE CRÉDITO

**Artículo 116. *Notificación de infracciones.*–** Las entidades de crédito deberán disponer de procedimientos adecuados para que sus empleados puedan notificar infracciones a nivel interno a través de un canal independiente, específico y autónomo. Estos procedimientos deberán garantizar la confidencialidad tanto de la persona que informa de las infracciones como de las personas físicas presuntamente responsables de la infracción.

Asimismo, las entidades deberán garantizar la protección de los empleados que informen de las infracciones cometidas en la entidad frente a represalias, discriminaciones y cualquier otro tipo de trato improcedente.

**Artículo 119. *Tipos y canal para las comunicaciones.*–** 1. Toda persona que disponga de conocimiento o sospecha fundada de incumplimiento de las obligaciones en materia de supervisión prudencial de entidades de crédito previstas en esta ley y su normativa de desarrollo, siempre que estén previstas en la Directiva 2013/36/UE, de 26 de junio, o en el Reglamento (UE) n.° 575/2013, de 26 de junio, podrá comunicarlo al Banco de España en la forma y con las garantías establecidas en este artículo.

2. Las comunicaciones deberán presentarse por cualquier vía que permita la constancia fehaciente de la identidad del comunicante y de su presentación ante el Banco de España.

3. Mediante la publicación en su página web, el Banco de España facilitará la información básica sobre el procedimiento de comunicación de infracciones, en particular sobre las medidas de protección de la identidad del comunicante.

**Artículo 120. *Contenido mínimo de las comunicaciones.*–** 1. Las comunicaciones a que se refiere el artículo anterior deberán incluir la identificación de la persona que las formula y presentar elementos fácticos de los que razonablemente derive, al menos, una sospecha fundada de infracción.

2. Una vez recibida la comunicación, el Banco de España realizará las correspondientes comprobaciones para determinar si existe o no sospecha fundada de infracción y su relevancia disciplinaria.

3. Cuando la incoación del procedimiento sancionador se hubiese solicitado expresamente en la comunicación, el Banco de España informará a la persona que envía la comunicación del inicio, en su caso, de un procedimiento sancionador. Si tras la comunicación se iniciase procedimiento sancionador a partir de los hechos comunicados, el Banco de España informará de su inicio al comunicante. La comunicación no otorgará por sí misma la condición de interesado en el procedimiento sancionador a la persona comunicante.

4. El Banco de España también informará, en su caso, de la remisión de los hechos a otras Autoridades, dentro o fuera de España.

**Artículo 121. *Garantías de confidencialidad.*–** 1. El Banco de España dispondrá de mecanismos que garanticen la confidencialidad de la identidad del comunicante y de la información comunicada. Las comunicaciones recibidas no tendrán valor probatorio y no podrán ser incorporadas directamente a diligencias administrativas o judiciales.

2. Cualquier transmisión de la comunicación, dentro o fuera del Banco de España, se realizará sin revelar, directa o indirectamente, los datos personales del comunicante, ni de las personas incluidas en la comunicación, excepto en los siguientes casos:

a) Cuando los datos personales de la persona presuntamente infractora o de terceros distintos del comunicante resulten necesarios para la realización de actuaciones previas, la iniciación, instrucción y resolución de un procedimiento administrativo sancionador, o bien de un proceso judicial.

b) Cuando los datos personales del comunicante sean expresamente requeridos por un órgano judicial del orden penal en el curso de diligencias de investigación o proceso penal. Estos datos tendrán un nivel de protección mínimo equivalente al de las personas objeto de investigación o de sanción por parte del órgano competente.

c) Cuando los datos personales incluidos en la comunicación resulten necesarios a autoridades equivalentes a autoridades nacionales competentes en el ámbito de la Unión Europea, previo cumplimiento de los requisitos establecidos en las normas europeas o nacionales que resulten de aplicación, o de terceros Estados, siempre que el nivel de protección de la confidencialidad de los datos personales resulte equivalente al vigente en España.

d) Cuando así lo permita la normativa de protección de datos.

**Artículo 122. *Protección en el ámbito laboral y contractual.*–** 1. La comunicación de alguna de las infracciones a que se refiere el artículo 119:

a) No constituirá violación o incumplimiento de las restricciones sobre divulgación de información impuestas por vía contractual o por cualquier disposición legal, reglamentaria o administrativa que pudieran afectar a la persona comunicante, a las personas estrechamente vinculadas con ésta, a las sociedades que administre o de las que sea titular real.

b) No constituirá infracción de ningún tipo en el ámbito de la normativa laboral por parte de la persona comunicante, ni de ella podrá derivar trato injusto o discriminatorio por parte del empleador.

c) No generará ningún derecho de compensación o indemnización a favor de la empresa a la que presta servicios la persona comunicante o de un tercero, aun cuando se hubiera pactado la obligación de comunicación previa a dicha empresa o a un tercero.

2. El Banco de España informará de forma práctica y precisa al comunicante sobre las vías de recurso y procedimientos disponibles en derecho para la protección frente a posibles perjuicios que pudieran derivar de alguna de las situaciones previstas en el apartado anterior. Asimismo, prestará asistencia efectiva informando al comunicante de sus derechos, emitiendo, en su caso, la correspondiente certificación de su condición de informante para hacerla efectiva ante los tribunales de justicia. Igualmente, dispondrá los medios necesarios para asistir a la persona comunicante que lo requiera frente a riesgos reales derivados de la comunicación, que incluirán, en particular, la acreditación de la existencia, el contenido y el valor material que de la comunicación haya podido derivar.

3. Cuando la persona comunicante quede sujeta al ámbito de aplicación personal de la Ley reguladora de la protección de las personas que informen sobre infracciones normativas y de lucha contra la corrupción, será la Autoridad Independiente de Protección del Informante, A.A.I. quien adoptará las medidas de protección al informante previstas en la referida ley.»

# D) OTRA NORMATIVA A CONSIDERAR

## 1. INFORME JURÍDICO DE LA AGENCIA ESPAÑOLA DE PROTECCIÓN DE DATOS (AEPD) NÚMERO 20/2022

Examinada su solicitud de informe, remitida a este Gabinete Jurídico, referente al Anteproyecto de Ley reguladora de la protección de las personas que informen sobre infracciones normativas y de lucha contra la corrupción por la que se transpone la Directiva (UE) 2019/1937 del Parlamento Europeo y del Consejo, de 23 de octubre de 2019, relativa a la protección de las personas que informen sobre infracciones del Derecho de la Unión, solicitado, con carácter urgente, de esta Agencia Española de Protección de Datos (AEPD) de conformidad con lo dispuesto en el artículo 47 de la Ley Orgánica 3/2018, de 5 de diciembre, de protección de datos personales y garantía de los derechos digitales (LOPDGDD), en relación con el artículo 57.1, letra c), del Reglamento (UE) 2016/679 del Parlamento Europeo y del Consejo, de 27 de abril de 2016, relativo a la protección de las personas físicas en lo que respecta al tratamiento de datos personales, y a la libre circulación de estos datos y por el que se deroga la Directiva 95/46/CE (Reglamento General de Protección de Datos), y 5 b) del Estatuto de la Agencia, aprobado por Real Decreto 389/2021, de 1 de junio, cúmpleme informarle lo siguiente:

Antes de entrar a analizar el texto sometido a informe es preciso señalar que, habida cuenta de la fundamentación legal del informe que inmediatamente va a evacuarse y su carácter preceptivo, a tenor de lo dispuesto en las normas que acaban de señalar, debería indicarse en la Exposición de Motivos de la norma que la misma ha sido sometida al previo informe de la Agencia Española de Protección de Datos.

El anteproyecto remitido tiene por objeto otorgar protección adecuada frente a las represalias que puedan sufrir las personas físicas que informen, a través de los procedimientos previstos en la misma, alguna de las acciones u omisiones incluidas en su ámbito de aplicación y procede a la transposición al ordenamiento interno la Directiva (UE) 2019/1937, del Parlamento Europeo y del Consejo, de 23 de octubre de 2019, relativa a la protección de las personas que informen sobre infracciones de Derecho de la Unión.

Dicha Directiva parte de la relevancia que tienen las denuncias y revelaciones públicas hechas por los denunciantes para garantizar el cumplimiento del Derecho y de las políticas de la Unión, por lo que, encontrándose fragmentada y siendo desigual en los distintos ámbitos la protección de los denunciantes en la Unión, establece unas normas mínimas comunes que garanticen una protección efectiva de los denunciantes en lo que respecta a aquellos ámbitos que la misma identifica, sin perjuicio de la facultad de los Estados miembros de poder decidir hacer extensiva la aplicación de las disposiciones nacionales a otros ámbitos con el fin de garantizar que exista un marco global y coherente de protección de los denunciantes a escala nacional. A estos efectos, la Directiva establece una serie de garantías, que deben considerarse como un régimen de mínimos, dirigidas a proteger a los informantes, estableciendo un régimen de comunicación de la información que se articula por tres vías: los sistemas internos, los canales externos y la revelación pública.

Asimismo debe tenerse en cuenta que, previamente a la aprobación de la Directiva (UE) 2019/1937, ya existía en el ordenamiento jurídico español una normativa general (sin perjuicio de la normativa especial existente en los sectores específicos en los que así estaba ya previsto) sobre los sistemas de información de denuncias internas en el sector privado, recogida en el artículo 24 de la LOPDGDD:

**Artículo 24. Sistemas de información de denuncias internas.–** 1. Será lícita la creación y mantenimiento de sistemas de información a través de los cuales pueda ponerse en conocimiento de una entidad de Derecho privado, incluso anónimamente, la comisión en el seno de la misma o en la actuación de terceros que contratasen con ella, de actos o conductas que pudieran resultar contrarios a la normativa general o sectorial que le fuera aplicable. Los empleados y terceros deberán ser informados acerca de la existencia de estos sistemas de información.

2. El acceso a los datos contenidos en estos sistemas quedará limitado exclusivamente a quienes, incardinados o no en el seno de la entidad, desarrollen las funciones de control interno y de cumplimiento, o a los encargados del tratamiento que eventualmente se designen a tal efecto. No obstante, será lícito su acceso por otras personas, o incluso su comunicación a terceros, cuando resulte necesario para la adopción de medidas disciplinarias o para la tramitación de los procedimientos judiciales que, en su caso, procedan.

Sin perjuicio de la notificación a la autoridad competente de hechos constitutivos de ilícito penal o administrativo, solo cuando pudiera proceder la adopción de medidas disciplinarias contra un trabajador, dicho acceso se permitirá al personal con funciones de gestión y control de recursos humanos.

3. Deberán adoptarse las medidas necesarias para preservar la identidad y garantizar la confidencialidad de los datos correspondientes a las personas afectadas por la información suministrada, especialmente la de la persona que hubiera puesto los hechos en conocimiento de la entidad, en caso de que se hubiera identificado.

4. Los datos de quien formule la comunicación y de los empleados y terceros deberán conservarse en el sistema de denuncias únicamente durante el tiempo imprescindible para decidir sobre la procedencia de iniciar una investigación sobre los hechos denunciados.

En todo caso, transcurridos tres meses desde la introducción de los datos, deberá procederse a su supresión del sistema de denuncias, salvo que la finalidad de la conservación sea dejar evidencia del funcionamiento del modelo de prevención de la comisión de delitos por la persona jurídica. Las denuncias a las que no se haya dado curso solamente podrán constar de forma anonimizada, sin que sea de aplicación la obligación de bloqueo prevista en el artículo 32 de esta ley orgánica.

Transcurrido el plazo mencionado en el párrafo anterior, los datos podrán seguir siendo tratados, por el órgano al que corresponda, conforme al apartado 2 de este artículo, la investigación de los hechos denunciados, no conservándose en el propio sistema de información de denuncias internas.

5. Los principios de los apartados anteriores serán aplicables a los sistemas de denuncias internas que pudieran crearse en las Administraciones Públicas.

Se procedía, de este modo, a la regulación de una materia que no había sido objeto de regulación específica con anterioridad, sin perjuicio de la existencia de diversos dictámenes de la Agencia Española de Protección de Datos, así como del Grupo de Trabajo creado por el artículo 29 de la Directiva 95/46/CE que se referían a este tipo de tratamientos.

De este modo, la existencia de unos canales de denuncia de incumplimientos internos o de actividades ilícitas de la empresa se justificaba en el régimen de responsabilidad penal de las personas jurídicas introducido en el artículo 31 bis del Código Penal por la reforma operada por la Ley Orgánica 1/2015, de 30 de marzo y en la interpretación de sus requisitos por la Circular 1/2016, de la Fiscalía General del Estado, que consideraba a estos canales como uno de los elementos clave de los modelos de prevención. Por ello, resultaba necesario el establecimiento de un régimen que regulara los sistemas de denuncia interna de estos ilícitos en el que se recogieran las garantías esenciales del derecho fundamental a la protección de datos, cuyo tratamiento, tal y como argumentó el Consejo de Estado en su Dictamen 757/2017, sobre el Anteproyecto de Ley Orgánica de Protección de Datos de Carácter Personal, quedaba legitimado por "la existencia de un interés público legitimador de estos tratamientos".

I

El anteproyecto objeto de informe tiene una especial trascendencia desde la perspectiva de la protección de datos personales, debiendo ajustarse a las previsiones contenidas en el Reglamento (UE) 2016/679 del Parlamento Europeo y del Consejo, de 27 de abril de 2016, relativo a la protección de las personas físicas en lo que respecta al tratamiento de datos personales y a la libre circulación de estos datos por el que se deroga la Directiva 95/46/CE (Reglamento general de protección de datos, RGPD), plenamente aplicable desde el 25 de mayo de 2018, así como a la Ley Orgánica 3/2018, de 5 de diciembre, de Protección de Datos Personales y garantía de los derechos digitales y, en su caso, a la Ley Orgánica 7/2021, de 26 de mayo, de protección de datos personales tratados para fines de prevención, detección, investigación y enjuiciamiento de infracciones penales y de ejecución de sanciones penales, tal y como se recoge expresamente en el artículo 29 del anteproyecto.

En este sentido, destacan las numerosas referencias que, a este respecto, se contienen en la Directiva (UE) 2019/1937 que, además de incluir la protección de los datos personales dentro de los ámbitos de aplicación material (artículo 2.1.x.), cita en reiteradas ocasiones la aplicación de su normativa específica (Considerandos 83, 84 y 85 y artículo 17), e introduce garantías específicas dirigidas a su protección (anonimato, confidencialidad, minimización, formación específica y otras que se analizarán a lo largo del presente informe).

Asimismo, debe recordarse que la regulación de la Directiva es "de mínimos" (Considerando 5 y artículo 1), por lo que los Estados miembros pueden establecer garantías adicionales dirigidas a la protección efectiva de los denunciantes; igualmente, corresponde a los Estados miembros velar por la aplicación de la normativa de protección de datos personales respecto de los distintos sujetos cuyos datos personales puedan ser objeto de tratamiento, y a los que posteriormente nos referiremos (Considerandos 76, 83, 84 y 85), prestando especial a los principios establecidos en el artículo 5 del RGPD y en el artículo 4 de la Directiva (UE) 2016/680 y al principio de protección de datos desde el diseño y por defecto del artículo 25 del RGPD y 20 de la Directiva (UE) 2016/680 y, en su caso, al perseguir los procedimientos previstos en la Directiva "un objetivo importante de interés público de la Unión y de los Estados miembros", mediante la restricción de determinados derechos de protección de datos de las personas afectadas al amparo del artículo 23 del RGPD y 13, 15 y 16 de la Directiva (UE) 2016/680.

Esta especial incidencia en los tratamientos de datos personales se refleje en el texto remitido, el cual dedica un título específico, el Título VI, a la "Protección de datos personales", que comprende los artículos 29 a 34, y cuya inclusión se valora muy positivamente por esta Agencia, sin perjuicio de las observaciones que se realizan a lo largo del presente informe.

Sin embargo, no se analizan con el detalle necesario en la Memoria de Análisis de Impacto Normativo los distintos tratamientos de datos personales que pueden realizarse al amparo de esta norma, ni se justifican determinadas opciones que adopta el legislador, como las relativas al acceso a los datos personales o las limitaciones que la misma establece. Asimismo, hubiera sido deseable una descripción del funcionamiento de los canales de denuncia con el objeto de facilitar la identificación de las garantías que resulten necesarias para la adecuada tutela del derecho fundamental a la protección de datos personales.

A este respecto, teniendo en cuenta que el tratamiento de datos personales viene impuesto o legitimado por el Derecho de la Unión y de los Estados miembros, y dentro del margen de apreciación que deja la Directiva y al objeto de su adecuada incorporación a nuestro ordenamiento jurídico, procede recordar el criterio que viene reiterando esta Agencia al informar los proyectos de ley que tienen una especial incidencia en el tratamiento de datos personales, respecto a la necesidad de evaluar adecuadamente su impacto y poder adoptar las garantías legales oportunas.

En este sentido, en el Informe 86/2021, referente al Anteproyecto de Ley Orgánica por la que se modifican la Ley Orgánica 10/1995, de 23 de noviembre, del Código Penal, para la transposición de directivas en materia de lucha contra el fraude y la falsificación de medios de pago distintos del efectivo y de abuso de mercado, y la Ley Orgánica 7/2014, de 12 de noviembre, sobre intercambio de información de antecedentes penales y consideración de resoluciones judiciales penales en la Unión Europea, recordábamos lo siguiente:

Tal y como resulta del apartado anterior, los tratamientos de datos personales por el Sistema de Registros queda sujeto a la normativa general sobre protección de datos de carácter personal, y en la medida en que los mismos se fundamentarán en el cumplimiento de una misión de interés público o de obligaciones legales, su régimen deberá establecerse por una norma con rango de ley, tal y como resulta de las previsiones del RGPD y la LOPDGDD y de la jurisprudencia del TJUE y de nuestro Tribunal Constitucional.

A este respecto, el artículo 8 de la LOPDGDD recoge el principio constitucional de reserva de ley:

**Artículo 8. Tratamiento de datos por obligación legal, interés público o ejercicio de poderes públicos.–** 1. El tratamiento de datos personales solo podrá considerarse fundado en el cumplimiento de una obligación legal exigible al responsable, en los términos previstos en el artículo 6.1.c) del Reglamento (UE) 2016/679, cuando así lo prevea una norma de Derecho de la Unión Europea o una norma con rango de ley, que podrá determinar las condiciones generales del tratamiento y los tipos de datos objeto del mismo así como las cesiones que procedan como consecuencia del cumplimiento de la obligación legal. Dicha norma podrá igualmente imponer condiciones especiales al tratamiento, tales como la adopción de medidas adicionales de seguridad u otras establecidas en el capítulo IV del Reglamento (UE) 2016/679.

2. El tratamiento de datos personales solo podrá considerarse fundado en el cumplimiento de una misión realizada en interés público o en el ejercicio de poderes públicos conferidos al responsable, en los términos previstos en el artículo 6.1 e) del Reglamento (UE) 2016/679, cuando derive de una competencia atribuida por una norma con rango de ley.

Asimismo, deberá tenerse en cuenta la doctrina constitucional recogida, fundamentalmente en las citadas sentencias 292/2000 de 30 noviembre y 76/2019 de 22 de mayo, conforme a la cual los límites al derecho fundamental a la protección de datos personales deben establecerse por una norma con rango de ley, previa ponderación por el legislador de los intereses en pugna atendiendo al principio de proporcionalidad, definiendo todos y cada uno de los presupuestos materiales de la medida limitadora mediante reglas precisas, que hagan previsible al interesado la imposición de tal limitación y sus consecuencias, de modo que dicha norma con rango de ley *"ha de reunir todas aquellas características indispensables como garantía de la seguridad jurídica», esto es, «ha de expresar todos y cada uno de los presupuestos y condiciones de la intervención»* (STC 49/1999, FJ 4). En otras palabras, *«no sólo excluye apoderamientos a favor de las normas reglamentarias [...], sino que también implica otras exigencias respecto al contenido de la Ley que establece tales límites»* (STC 292/2000, FJ 15).

Asimismo, deberá establecer las garantías adecuadas, siendo la propia ley la que habrá de contener las garantías adecuadas frente a la recopilación de datos personales que autoriza. El Tribunal Constitucional (TC) ha sido claro en cuanto a que la previsión de las garantías adecuadas no puede deferirse a un momento posterior a la regulación legal del tratamiento de datos personales de que se trate. Las garantías adecuadas deben estar incorporadas a la propia regulación legal del tratamiento, ya sea directamente o por remisión expresa y perfectamente delimitada a fuentes externas que posean el rango normativo adecuado. Solo ese entendimiento es compatible con la doble exigencia que dimana del artículo 53.1 CE (...). Es evidente que, si la norma incluyera una remisión para la integración de la ley con las garantías adecuadas establecidas en normas de rango inferior a la ley, sería considerada como una deslegalización que sacrifica la reserva de ley ex artículo 53.1 CE, y, por este solo motivo, debería ser declarada inconstitucional y nula. (...). Se trata, en definitiva, de "garantías adecuadas de tipo técnico, organizativo y procedimental, que prevengan los riesgos de distinta probabilidad y gravedad y mitiguen sus efectos, pues solo así se puede procurar el respeto del contenido esencial del propio derecho fundamental". Tampoco sirve por ello que para el establecimiento de dichas garantías adecuadas y específicas la ley se remita al propio RGPD o a la LOPDGDD.

Además, dicha ley deberá respetar en todo caso el principio de proporcionalidad, tal y como recuerda la Sentencia del Tribunal Constitucional 14/2003, de 28 de enero:

"En otras palabras, de conformidad con una reiterada doctrina de este Tribunal, la constitucionalidad de cualquier medida restrictiva de derechos fundamentales viene determinada por la estricta observancia del principio de proporcionalidad. A los efectos que aquí importan basta con recordar que, para comprobar si una medida restrictiva de un derecho fundamental supera el juicio de proporcionalidad, es necesario constatar si cumple los tres requisitos o condiciones siguientes: si la medida es susceptible de conseguir el objetivo propuesto (juicio de idoneidad); si, además, es necesaria, en el sentido de que no exista otra medida más moderada para la consecución de tal propósito con igual eficacia (juicio de necesidad); y, finalmente, si la misma es ponderada o equilibrada, por derivarse de ella más beneficios o ventajas para el interés general que perjuicios sobre otros bienes o valores en conflicto (juicio de proporcionalidad en sentido estricto; SSTC 66/1995, de 8 de mayo [RTC 1995, 66], F. 5; 55/1996, de 28 de marzo [RTC 1996, 55], FF. 7, 8 y 9; 270/1996, de 16 de diciembre [RTC 1996, 270], F. 4.e; 37/1998, de 17 de febrero [RTC 1998, 37], F. 8; 186/2000, de 10 de julio [RTC 2000, 186] , F. 6)."

La misma doctrina sostiene el Tribunal de Justicia de la Unión Europea (TJUE). Así, si el art. 8 de la Carta Europea de los Derechos Fundamentales reconoce el derecho de toda persona a la protección de los datos de carácter personal que le conciernan, el art. 52.1 reconoce que ese derecho no es ilimitado y permite la limitación del ejercicio de esos derechos y libertades reconocidos por la Carta, limitación que deberá ser establecida por la ley y respetar el contenido esencial de los mismos.

La STJUE de 6 de octubre de 2020, en los casos acumulados C-511/18, C-512/18 y C-520/18, La Quadrature du Net y otros, en su apartado 175, recuerda que:

En cuanto a la justificación de dicha injerencia, cabe precisar que el requisito, previsto en el artículo 52, apartado 1, de la Carta, de que cualquier limitación del ejercicio de los derechos fundamentales deba ser establecida por ley implica que la base legal que la permita debe definir ella misma el alcance de la limitación del ejercicio del derecho de que se trate (véase, en este sentido, la sentencia de 16 de julio de 2020, Facebook Ireland y Schrems, C-311/18, EU:C:2020:559, apartado 175 y jurisprudencia citada).

Igualmente, el apartado 65 de la Sentencia (STJUE) de la misma fecha 6 de octubre de 2020 (C-623/17), Privacy International contra Secretary of State for Foreign and Commonwealth Affairs y otros, con cita, como la anterior, de la sentencia Schrems 2, dice:

65. Cabe añadir que el requisito de que cualquier limitación del ejercicio de los derechos fundamentales deba ser establecida por ley implica que la base legal que permita la injerencia en dichos derechos debe definir ella misma el alcance de la limitación del ejercicio del derecho de que se trate (sentencia de 16 de julio de 2020, Facebook Ireland y Schrems, C-311/18, EU:C:2020:559, apartado 175 y jurisprudencia citada).

En definitiva, el apartado 175 de la STJUE de 16 de julio de 2020, C-311/2020, Schrems 2, dice: Cabe añadir, sobre este último aspecto, que el requisito de que cualquier limitación del ejercicio de los derechos fundamentales deba ser establecida por ley implica que la base legal que permita la injerencia en dichos derechos debe definir ella misma el alcance de la limitación del ejercicio del derecho de que se trate [dictamen 1/15 (Acuerdo PNR UE-Canadá), de 26 de julio de 2017, EU:C:2017:592, apartado 139 y jurisprudencia citada].

Es pues, la misma ley que establece la injerencia en el derecho fundamental la que ha de determinar las condiciones y garantías, esto es, el alcance y la limitación, que han de observarse en dichos tratamientos,

Y en dicha STJUE de 16 de julio de 2020, Schrems 2, se añade (y se reitera posteriormente en las citadas sentencias de 6 de octubre de 2020):

176. Finalmente, para cumplir el requisito de proporcionalidad según el cual las excepciones a la protección de los datos personales y las limitaciones de esa protección no deben exceder de lo estrictamente necesario, la normativa controvertida que conlleve la injerencia debe establecer reglas claras y precisas que regulen el alcance y la aplicación de la medida en cuestión e impongan unas exigencias mínimas, de modo que las personas cuyos datos se hayan transferido dispongan de garantías suficientes que permitan proteger de manera eficaz sus datos de carácter personal contra los riesgos de abuso. En particular, dicha normativa deberá indicar en qué circunstancias y con arreglo a qué requisitos puede adoptarse una medida que contemple el tratamiento de tales datos, garantizando así que la injerencia se limite a lo estrictamente necesario. La necesidad de disponer de tales garantías reviste especial importancia cuando los datos personales se someten a un tratamiento automatizado [véase, en este sentido, el dictamen 1/15 (Acuerdo PNR UE-Canadá), de 26 de julio de 2017, EU:C:2017:592, apartados 140 y 141 y jurisprudencia citada].

Partiendo de las normas y de la doctrina jurisprudencial citada, esta Agencia viene señalando en sus informes más recientes la necesidad de que, por parte del legislador, al introducir regulaciones en nuestro ordenamiento jurídico que tengan especial trascendencia en los tratamientos de datos de carácter personal, se proceda previamente a un análisis de los riesgos que puedan derivarse de los mismos, incluyendo en la Memoria de Análisis de Impacto Normativo un estudio sistematizado del impacto que en el derecho fundamental a la protección de datos personales de los interesados han de tener los distintos tratamientos de datos que prevé la ley. En este sentido se han pronunciado el Informe 77/2020, relativo al Anteproyecto de Ley Orgánica de Lucha contra el Dopaje en el Deporte o el Informe 74/2020 referido al Anteproyecto de Ley de memoria democrática.

Como consecuencia de lo indicado, esta Agencia considera necesario que se realice, con intervención del delegado de protección de datos del Ministerio de Justicia, un análisis de riesgos y, en su caso, una Evaluación de impacto en la protección de datos, que permita identificar las garantías necesarias que habría que trasladar al presente texto legal.

Asimismo, dada la trascendencia que tiene la garantía del derecho fundamental a la protección de datos personales y con la finalidad de permitir que las disposiciones normativas que se tramitan recojan las garantías específicas que resulten necesarias, esta Agencia considera necesario que se impulse una modificación del Real Decreto 931/2017, de 27 de octubre, por el que se regula la Memoria del Análisis de Impacto Normativo, con el fin de que se incluyan, tanto en el contenido de la memoria de análisis de impacto normativa como en el de la memoria abreviada, el impacto en la protección de datos personales.

Por otro lado, en relación con la aplicación de la Ley Orgánica 7/2021, de 26 de mayo, de protección de datos personales tratados para fines de prevención, detección, investigación y enjuiciamiento de infracciones penales y de ejecución de sanciones penales, que ha procedido a la transposición de la Directiva (UE) 2016/680 del Parlamento Europeo y del Consejo, de 27 de abril de 2016, debe recordarse que la misma establece un régimen especial que ha de ser objeto de interpretación restrictiva, tal y como se señaló reiteradamente en nuestro Informe 29/2020 sobre el Anteproyecto dicha Ley Orgánica, recordando que la Directiva "viene a configurar un régimen especial, al que se someterían únicamente los tratamientos que la misma regula, frente al régimen general de protección de datos que se recoge en el Reglamento general de protección de datos. Por este motivo, las disposiciones del mismo serán de aplicación a todos los tratamientos llevados a cabo dentro del ámbito de aplicación del derecho de la Unión y que no estén regulados específicamente por la Directiva, tal y como se desprende del ámbito de aplicación establecido en el artículo 2 del Reglamento".

De este modo, y de acuerdo con los artículos 1 y 2 de la Directiva, la misma se aplica al tratamiento de datos personales por parte de las autoridades competentes a los fines de prevención, investigación, detección o enjuiciamiento de infracciones penales o de ejecución de sanciones penales, incluidas la protección y la prevención frente a las amenazas contra la seguridad pública, debiendo interpretarse este último inciso en relación con las que tengan naturaleza penal, quedando excluidas la de carácter administrativo. Por consiguiente, se configuran dos requisitos cumulativos, que se trate de tratamientos realizados por quien ostente la condición de autoridad competente y para los fines señalados, de modo que faltando alguno de ellos, no se trataría de una norma de transposición de la Directiva y estaría extendiendo a supuestos no contemplados en la misma una regulación más restrictiva del derecho fundamental a la protección de datos personales que la establecida en el RGPD, que sería la norma general aplicable a los tratamientos en los que no concurran esos requisitos. Todo ello sin perjuicio de que, al amparo del artículo 23 del RGPD y siempre que se justifique la concurrencia de alguno de los supuestos previstos en el mismo, puedan establecerse limitaciones a los derechos de los afectados, que deberán responder al principio de proporcionalidad, pero sin que sea extensible, sin más, una regulación más restrictiva prevista para un supuesto diferente, como es la contenida en la Directiva.

Por consiguiente, la misma únicamente resultará de aplicación en cuanto se trate de tratamientos de datos personales realizados por las autoridades competentes designadas en la Ley Orgánica 7/2021 y a los fines determinados en la misma, por lo que, cuando se trate de supuestos de colaboración con dicha autoridades competentes, y como señalábamos en nuestro informe 29/2020:

"el tratamiento llevado a cabo por el sujeto obligado a comunicar los datos a una autoridad competente está sometido a las disposiciones del Reglamento general de protección de datos y no a las de la Directiva, sin perjuicio de que una vez comunicados los datos a la autoridad competente sí será aplicable a ese tratamiento lo establecido en la Directiva, pero sin que esa aplicación implique que el sujeto obligado se encuentra sujeto a las previsiones de ésta última, toda vez que la comunicación se habrá llevado a cabo al amparo del artículo 6.1 c) del reglamento".

## II

Sin perjuicio de lo anterior, procede analizar las principales cuestiones que, en materia de protección de datos personales, suscita el texto remitido, si bien con la concisión propia de la urgencia con la que el mismo se solicita.

A este respecto, pueden identificarse las siguientes cuestiones: posición jurídica de los intervinientes en el tratamiento de los datos personales; sujetos cuyos datos personales pueden ser objeto de tratamiento; base jurídica; aplicación de los principios de protección de datos y limitaciones a los derechos de los afectados.

Comenzando con la posición jurídica de los intervinientes en el tratamiento de los datos personales, debe partirse de la definición de «responsable del tratamiento» contenida en el artículo 4.7. del RGPD: *la persona física o jurídica, autoridad pública, servicio u otro organismo que, solo o junto con otros, determine los fines y medios del tratamiento; si el Derecho de la Unión o de los Estados miembros determina los fines y medios del tratamiento, el responsable del tratamiento o los criterios específicos para su nombramiento podrá establecerlos el Derecho de la Unión o de los Estados miembros;* Así como la de «encargado del tratamiento del artículo 4.8. del RGPD: *la persona física o jurídica, autoridad pública, servicio u otro organismo que trate datos personales por cuenta del responsable del tratamiento.*

En el sistema interno de información, los fines y los medios del tratamiento vendrían determinados por la ley, estableciendo en el artículo 5.1. del anteproyecto que *"El órgano de administración u órgano de gobierno de cada entidad u organismo obligado por la presente ley será el responsable de la implantación del sistema interno de información, previa consulta con la representación legal de las personas trabajadoras"*, y definiendo, en su apartado 2 los requisitos que deberán cumplir dichos sistemas *en cualquiera de sus fórmulas de gestión:*

*2. Los sistemas internos de información, en cualquiera de sus fórmulas de gestión, deberán:*

*a) Permitir comunicar información sobre las infracciones previstas en el artículo 2 a todas las personas referidas en el artículo 3.*

*b) Estar diseñados, establecidos y gestionados de una forma segura, de modo que se garantice la confidencialidad de la identidad del informante y de cualquier tercero mencionado en la comunicación y de las actuaciones que se desarrollen en la gestión y tramitación de la misma, la protección de datos, impidiendo el acceso de personal no autorizado.*

*c) Permitir la presentación de comunicaciones por escrito o verbalmente, o de ambos modos.*

*d) Integrar los distintos canales internos de comunicación que pudieran establecerse dentro de la entidad.*

*e) Garantizar que las comunicaciones presentadas puedan tratarse de manera efectiva dentro de la correspondiente entidad u organismo con el objetivo de que el primero en conocer la posible irregularidad sea el propio empleador.*

*f) Ser independientes y aparecer diferenciados respecto de los sistemas internos de información de otras entidades u organismos, sin perjuicio de lo establecido en los artículos 12 y 13 siguientes.*

*g) Contar con un responsable del Sistema en los términos previstos en el artículo 10 de esta ley.*

*h) Contar con una política o estrategia que enuncie los principios generales en materia de sistemas internos de información y defensa del informante y que sea debidamente publicitada en el seno de la entidad u organismo.*

*i) Contar con un procedimiento de gestión de las comunicaciones recibidas.*

*j) Establecer las garantías para la protección de los informantes en el ámbito de la propia entidad u organismo, respetando, en todo caso, lo dispuesto en el artículo 9.*

Por consiguiente, en virtud de las funciones que se le atribuyen legalmente, corresponde al órgano de administración u órgano de gobierno de cada entidad u organismo obligado ostentar la condición de «responsable del tratamiento» de los datos personales, de conformidad con lo dispuesto en la normativa sobre protección de datos personales, lo que debería recogerse en texto del propio artículo 5.

En este punto, el anteproyecto de ley permite compartir medios tanto en el artículo 12, respecto del sector privado, como en el artículo 14 respecto del sector público. En estos casos, en virtud de cómo se articule esa colaboración, podríamos encontrarnos ante la figura de la corresponsabilidad a la que se refiere el artículo 26 del RGPD, prevista para los supuestos en que "dos o más responsables determinen conjuntamente los objetivos y los medios del tratamiento serán considerados corresponsables del tratamiento" o, por el contrario, ante un supuesto de responsables respectivos respecto de los tratamientos de datos personales que realicen. Por lo tanto, en opinión de esta Agencia, no se puede determinar, a priori, la posición jurídica que corresponderá a cada uno de los responsables del tratamiento. No obstante, se recuerda que, en el caso de que se articule una corresponsabilidad desde la perspectiva de protección de datos personales, deberá suscribirse el acuerdo al que se refiere el citado artículo 26 del RGPD.

Por otro lado, el artículo 6 del anteproyecto regula la «gestión del anteproyecto por tercero externo», el cual tendría la consideración de encargado del tratamiento, como adecuadamente se establece en el propio texto remitido, en el cual se establece la obligación específica de que el mismo ofrezca garantías adecuadas de respeto de la protección de datos (requisito imprescindible al amparo del artículo 28.1. del RGPD):

**Artículo 6. Gestión del sistema por tercero externo.–** 1. La gestión de los sistemas internos de información se podrá llevar a cabo dentro de la propia entidad u organismo o acudiendo a un tercero externo, en los términos previstos en esta ley. A estos efectos, se considera gestión del sistema la recepción de informaciones.

2. La gestión del sistema por un tercero externo exigirá en todo caso que éste ofrezca garantías adecuadas de respeto de la independencia, la confidencialidad, la protección de datos y el secreto.

3. La gestión del sistema interno de información por un tercero no podrá suponer un menoscabo de las garantías y requisitos que para dicho sistema establece la presente ley ni una atribución de la responsabilidad sobre el mismo en persona distinta del Responsable del Sistema.

4. El tercero externo que gestione el canal tendrá la consideración de encargado del tratamiento a efectos de la legislación sobre protección de datos personales.

El citado precepto plantea dudas respecto de su alcance, al limitar, en principio, la gestión del sistema que se puede externalizar a "la recepción de informaciones", lo que implicaría que dicha previsión actuaría como límite o garantía específica, por lo que únicamente podrían externalizarse los tratamientos de datos personales correspondientes a la mera recepción de las informaciones y a su comunicación al órgano competente para su tramitación. No obstante, el artículo 8, al regular el procedimiento de gestión de comunicaciones, incluye otras actuaciones como el envío de acuse de recibo, la posibilidad mantener comunicación con el informante y solicitarle información adicional o su derecho, así como el de las personas investigadas, a ser oídas en el procedimiento y el artículo 12 del anteproyecto, al regular los medios compartidos, hace una referencia conjunta a la "gestión y tramitación de las comunicaciones, tanto si la gestión del sistema se lleva a cabo por la propia entidad como si se ha externalizado", lo que parece dar a entender que el ámbito de actuación de terceros puede ser mayor, pudiendo ser objeto de externalización tanto la gestión como la tramitación. Por el contrario, en el artículo 15 del anteproyecto, se prevé expresamente que la externalización de la gestión del sistema interno de información en el sector público "comprenderá únicamente el procedimiento para la recepción de las informaciones sobre infracciones".

Por otro lado, al regular en el artículo 9 la figura del Responsable del Sistema, parece diferenciarse en el apartado 2 entre "gestión del sistema interno de información" y "tramitación de expedientes de investigación" debiendo recaer dichas funciones, en el sector privado y conforme al apartado 5 del citado artículo 9, en un alto directivo de la entidad, lo que implicaría que las funciones de tramitación de expedientes, no serían susceptibles de externalización al haberse limitado la misma, por el artículo 6, únicamente a la gestión del sistema, entendiendo por tal la recepción de informaciones.

El Considerando 54 de la Directiva (UE) 2019/1937 se refiere expresamente a la posibilidad de externalización en los siguientes términos: "También se puede autorizar a terceros a recibir denuncias de infracciones en nombre de entidades jurídicas de los sectores privado y público, siempre que ofrezcan garantías adecuadas de respeto de la independencia, la confidencialidad, la protección de datos y el secreto. Dichos terceros pueden ser proveedores de plataformas de denuncia externa, asesores externos, auditores, representantes sindicales o representantes de los trabajadores". Aunque el citado considerando se refiere a la recepción de las denuncias, el artículo 8 de la Directiva prevé en su apartado 5 que "Los canales de denuncia podrán gestionarse internamente por una persona o departamento designados al efecto o podrán ser proporcionados externamente por un tercero" y en el apartado 6 que "Las entidades jurídicas del sector privado que tengan entre 50 y 249 trabajadores podrán compartir recursos para la recepción de denuncias y toda investigación que deba llevarse a cabo". Y el artículo 9.1.c) señala que "Los procedimientos de denuncia interna y seguimiento a que se refiere el artículo 8 incluirán lo siguiente: c) la designación de una persona o departamento imparcial que sea competente para seguir las denuncias, que podrá ser la misma persona o departamento que recibe las denuncias y que mantendrá la comunicación con el denunciante y, en caso necesario, solicitará a este información adicional y le dará respuesta".

A juicio de esta Agencia, no existe una regulación clara en el anteproyecto de ley respecto de las actuaciones que pueden ser objeto de externalización, lo que puede generar inseguridad jurídica y, desde la perspectiva de la protección de datos personales, limitar los tratamientos de datos personales que pueden ser realizados por un encargado del tratamiento. La regulación a este respecto que se realiza en el artículo 32, al incluir entre los sujetos que pueden acceder a los datos personales, a los encargados del tratamiento, no es clarificadora al respecto, ya que se limita al ámbito de "sus competencias y funciones", que, al menos en este punto, suscitan las dudas señaladas.

Por consiguiente, debe aclararse en el artículo 6 las actuaciones que pueden ser objeto de externalización clarificando si se limita a la recepción de informaciones o también a otras actuaciones, incluyendo o no la tramitación de las mismas y adaptando, en su caso, el artículo 12, con el objeto de que no existan dudas respecto de los tratamientos de datos personales que se pueden encomendar a un encargado del tratamiento.

Por otro lado, en relación con el encargado del tratamiento, el artículo 28.3. del RGPD prevé que "El tratamiento por el encargado se regirá por un contrato u otro acto jurídico con arreglo al Derecho de la Unión o de los Estados miembros, que vincule al encargado respecto del responsable y establezca el objeto, la duración, la naturaleza y la finalidad del tratamiento, el tipo de datos personales y categorías de interesados, y las obligaciones y derechos del responsable" detallando a continuación el contenido particular del mismo. Por ello, debe incluirse en el apartado 4 del artículo 6 la necesidad de suscribir el acto o contrato al que se refiere el artículo 28.3 del RGPD.

En el caso del sector público, no resulta necesario hacer referencia a dicho acto o contrato, al encontrarse dicha previsión recogida en la disposición adicional vigésima quinta de la Ley 9/2017, de 8 de noviembre, de Contratos del Sector Público, por la que se transponen al ordenamiento jurídico español las Directivas del Parlamento Europeo y del Consejo 2014/23/UE y 2014/24/UE, de 26 de febrero de 2014, si bien las remisiones que realiza la LCSP, al ser anterior a la plena aplicación del RGPD, se realizan a la LOPD de 1999, por lo que dichas remisiones deben entenderse hechas al RGPD.

Por último, procede hacer referencia a la figura del responsable del correcto funcionamiento del sistema y que, bajo la denominación de "responsable del sistema interno de información", se regula en el artículo 9 del anteproyecto, y entre cuyas funciones se encuentra la de aprobar el procedimiento de gestión de comunicaciones. En este caso, de la regulación del artículo 9, que prevé su designación por el órgano de administración u órgano de gobierno de cada entidad u organismo obligado, es decir, desde la perspectiva de la protección de datos personales, por el responsable del tratamiento, resulta que el mismo debe ser un alto directivo, por lo que, en el supuesto en que tenga que acceder a los datos personales, el mismo no tendrá la consideración de encargado sino que accederá en el ejercicio de sus funciones y en su condición de personal del propio responsable.

En lo que se refiere al Canal externo de comunicaciones, el anteproyecto prevé la creación de la Autoridad Independiente de Protección del Informante, a la que atribuye las correspondientes competencias, por lo que la misma ostentará la condición de responsable de los tratamientos de datos personales que realice.

## III

Procede, a continuación, hacer referencia a los distintos sujetos cuyos datos personales pueden ser objeto de tratamiento.

A este respecto, debe partirse de que la finalidad primaria de la norma es proteger a los informantes, que la Directiva define como "una persona física que comunica o revela públicamente información sobre infracciones obtenida en el contexto de sus actividades laborales".

La Directiva (UE) 2019/1937 contempla la posibilidad de que la información se facilite de forma anónima, a la que se refieren expresamente los apartados 2 y 3 de su artículo 6:

*2. Sin perjuicio de la obligación vigente de disponer de mecanismos de denuncia anónima en virtud del Derecho de la Unión, la presente Directiva no afectará a la facultad de los Estados miembros de decidir si se exige o no a las entidades jurídicas de los sectores privado o público y a las autoridades competentes aceptar y seguir las denuncias anónimas de infracciones.*

*3. Las personas que hayan denunciado o revelado públicamente información sobre infracciones de forma anónima pero que posteriormente hayan sido identificadas y sufran represalias seguirán, no obstante, teniendo derecho a protección en virtud del capítulo VI, siempre que cumplan las condiciones establecidas en el apartado 1.*

En este sentido, la posibilidad de presentar denuncias anónimas en los sistemas de información de denuncias internas ya había sido contemplada en nuestro ordenamiento jurídico en el artículo 24 de la LOPDGDD, en el que frente al criterio tradicionalmente sostenido por esta Agencia, en que se propugnaba el carácter confidencial y no anónimo de estos sistemas, se establece la posibilidad de que las denuncias sean comunicadas al sistema "incluso anónimamente". Por consiguiente, debería mantenerse dicha posibilidad, al menos, en los supuestos contemplados en el citado artículo 24, en la medida en que la aplicación de la Directiva "no constituirá en ninguna circunstancia motivo para reducir el nivel de protección ya garantizado por los Estados miembros en los ámbitos regulados por la presente Directiva", en virtud de la cláusula de no regresión contenida en su artículo 25.2.

A este respecto, el anteproyecto de ley prevé la posibilidad del anonimato en todos los canales internos, señalando en su artículo 7.3. que "Los canales internos deberán permitir la presentación y posterior tramitación de comunicaciones anónimas", así como en el canal externo, en el cual, conforme al artículo 17, "La comunicación puede llevarse a cabo de forma anónima". Tal y como se justifica en la Exposición de Motivos "No hay mejor forma de proteger al que informa que garantizando su anonimato".

Por consiguiente, en los casos de que la comunicación se realice de forma anónima, si no es posible identificar a la persona informante, no sería de aplicación respecto de la misma la normativa de protección de datos personales, sin perjuicio de que deban adoptarse las medidas de garantía de la confidencialidad previstas en la norma. No obstante, teniendo en cuenta que la exclusión de la aplicación de la normativa de protección de datos requiere que la información personal no pueda asociarse a una persona física identificable, la simple omisión de los datos identificativos no implica que se trate de información anónima cuando la identidad se puede obtener de manera indirecta, como puede resultar, por ejemplo, en el caso de que la información comunicada únicamente la conozcan un número limitado de personas. Asimismo, la comunicación contendrá datos personales referidos a otros sujetos, como el presunto infractor o terceros que hayan tenido conocimiento, que sí tienen la consideración de datos personales, por lo que en ningún caso puede relajarse el nivel de protección de los datos personales del informante por el hecho de que la comunicación se realice de forma anónima.

Todo ello sin perjuicio de que deban adoptarse todas las medidas necesarias para garantizar dicho anonimato, de modo que los sistemas de denuncias se configuren de tal forma que, para la presentación anónima, no obtengan datos que permitan la identificación del informante, como puede ser la dirección IP o el número de teléfono, lo que debería reflejarse en el artículo 33 del anteproyecto, referido a la preservación de la identidad del informante y de las personas investigadas.

A este respecto, debe tenerse en cuenta, asimismo, la consideración de la voz como un dato personal, en la medida en que se refiere a una persona identificable, tal y como señaló el Tribunal Supremo en su sentencia 1771/2020 de 18 de junio de 2020: *"la grabación de la voz asociada a otros datos como el número de teléfono o su puesta a disposición de otras personas que pueden identificar a quien pertenece ha de considerarse un dato de carácter personal sujeto a la normativa de protección del tratamiento automatizado de los mismos".*

Por otro lado, también van a ser objeto de tratamiento los datos personales de las personas a las que se refiera la comunicación como presuntos infractores, a los que la Directiva se refiere como «persona afectada», entendiendo por tal, conforme a su artículo 5.10, la persona física o jurídica a la que se haga referencia en la denuncia o revelación pública como la persona a la que se atribuye la infracción o con la que se asocia la infracción", y que en el anteproyecto recibe la denominación de "persona investigada".

A este respecto, la Directiva prevé la adopción de medidas de protección en su artículo 22:

*1. Los Estados miembros velarán, de conformidad con la Carta, por que las personas afectadas gocen plenamente de su derecho a la tutela judicial efectiva y a un juez imparcial, así como a la presunción de inocencia y al derecho de defensa, incluido el derecho a ser oídos y el derecho a acceder a su expediente.*

*2. Las autoridades competentes velarán, de conformidad con el Derecho nacional, por que la identidad de las personas afectadas esté protegida mientras cualquier investigación desencadenada por la denuncia o la revelación pública esté en curso.*

*3. Las normas establecidas en los artículos 12, 17 y 18 referidas a la protección de la identidad de los denunciantes se aplicarán también a la protección de la identidad de las personas afectadas.*

Asimismo, la información comunicada puede contener datos personales de terceras personas, como testigos o compañeros de trabajo, cuyos datos personales deben ser igualmente objeto de protección, tal y como resulta del Considerando 76 de la Directiva:

(76) Los Estados miembros deben velar por que las autoridades competentes dispongan de procedimientos de protección adecuados para el tratamiento de las denuncias y para la protección de los datos personales de quienes sean mencionados en la denuncia. Dichos procedimientos deben garantizar la protección de la identidad de cada denunciante, cada persona afectada y cada tercero que se mencione en la denuncia, por ejemplo, testigos o compañeros de trabajo, en todas las fases del procedimiento.

Con objeto de dar cumplimiento a las previsiones de la Directiva, el artículo 33 del anteproyecto, anteriormente citado, regula la Preservación de la identidad del informante y de las personas investigadas:

*1. Quien presente una comunicación o lleve a cabo una revelación pública tiene derecho a que su identidad no será revelada a terceras personas.*

*2. Los sistemas internos de información, los canales externos y quienes reciban revelaciones públicas deberán contar con medidas técnicas y organizativas adecuadas para preservar la identidad y garantizar la confidencialidad de los datos correspondientes a las personas investigadas por la información suministrada, especialmente la identidad del informante en caso de que se hubiera identificado.*

*3. La identidad del informante sólo podrá ser comunicada a la Autoridad judicial, al Ministerio Fiscal o a la autoridad administrativa competente en el marco de una investigación penal, disciplinaria o sancionadora.*

Dicha regulación es conforme con la Directiva y la normativa sobre protección de datos personales, si bien debería modificarse el precepto para incluir expresamente, en su apartado 2, a cualquier tercero que se mencione en la denuncia, por ejemplo, testigos o compañeros de trabajo, tal y como prevé la Directiva, así como a la necesidad de incluir la protección del anonimato a la que anteriormente se ha hecho referencia.

Por otro lado, deben tenerse en cuenta las garantías específicas previstas en el apartado 3 del artículo 16 de la Directiva para el supuesto excepcional, contemplado en su apartado 2, de que se revele la identidad del denunciante:

*2. Como excepción a lo dispuesto en el apartado 1, la identidad del denunciante y cualquier otra información prevista en el apartado 1 solo podrá revelarse cuando constituya una obligación necesaria y proporcionada impuesta por el Derecho de la Unión o nacional en el contexto de una investigación llevada a cabo por las autoridades nacionales o en el marco de un proceso judicial, en particular para salvaguardar el derecho de defensa de la persona afectada.*

*3. Las revelaciones hechas en virtud de la excepción prevista en el apartado 2 estará sujeta a salvaguardias adecuadas en virtud de las normas de la Unión y nacionales aplicables. En particular, se informará al denunciante antes de revelar su identidad, salvo que dicha información pudiera comprometer la investigación o el procedimiento judicial. Cuando la autoridad competente informe al denunciante, le remitirá una explicación escrita de los motivos de la revelación de los datos confidenciales en cuestión.*

A este respecto, la redacción contenida en el apartado 3 del artículo 33 se considera demasiado genérica y no contiene, ni siquiera por referencia, las garantías que cita la Directiva. En este sentido, prevé la comunicación de la identidad a las autoridades que cita, pero no resuelve el problema del posible acceso de quienes sean parte en los procedimientos, singularmente, la revelación de la identidad del informante a la persona investigada como medio para salvaguardar su derecho de defensa. Por ello, y teniendo en cuenta que deberá atenderse a lo dispuesto en la legislación procesal penal y en la normativa sancionadora, sería necesario, al menos, la referencia a que la revelación de la identidad del denunciante en el transcurso de los correspondientes procedimientos solo procederá cuando sea necesario para salvaguardar el derecho de defensa de la persona afectada. En cuanto a las garantías, en el supuesto de la Autoridad Judicial o el Ministerio Fiscal, la misma resulta de la propia intervención de dichas autoridades y de la normativa aplicable, lo que debería hacerse constar con la correspondiente remisión a su normativa específica.

En el caso de los procedimientos sancionadores, procede recordar el criterio que, respecto al acceso por parte del denunciado a los datos personales del denunciante, ha venido manteniendo esta Agencia desde el informe 142/2007, de 25 de julio de 2007:

*"Es decir, si el denunciante ha manifestado expresamente su deseo de confidencialidad o a juicio de la Unidad que deba resolver se entiende la necesidad de garantizar la identidad del denunciante en condiciones de confidencialidad, podrá denegarse el acceso solicitado mediante resolución debidamente motivada del órgano que deba resolver. Y en todo caso, por aplicación del apartado 3 del citado artículo 37, el solicitante deberá acreditar "un interés legítimo y directo" que justifique la cesión, a juicio de la Unidad responsable de resolver, habida cuenta que será una norma con rango de Ley (la propia Ley 30/1992) la que posibilite la cesión cuando concurran determinadas circunstancias".*

Ante la falta de una regulación específica, dicho criterio se ha considerado vigente tras la entrada en vigor de la Ley 39/2015, de 1 de octubre, del Procedimiento Administrativo Común de las Administraciones Públicas, tal y como se recoge en el Informe 74/2019.

No obstante, como consecuencia de la entrada en vigor de la Directiva (UE) 2019/1937, el mismo se ha invertido, ya que la regla general es la garantía de la confidencialidad, de modo que la revelación de la identidad del informante tiene carácter excepcional, siempre que resulte necesaria y proporcionada para salvaguardar el derecho de defensa de la persona investigada. Por ello, y ante la falta de una regulación específica de carácter general, debería incluirse la misma en el anteproyecto objeto de informe.

En este sentido, el propio anteproyecto contempla, respecto de instrucción del procedimiento por la Autoridad Independiente de Protección del Informante, que "En ningún caso se comunicará a los sujetos investigados la identidad del informante ni se dará acceso de la comunicación" y que "a fin de garantizar el derecho de defensa de la persona investigada, la misma tendrá acceso al expediente sin revelar información que pudiera identificar a la persona informante…", por lo que en estos casos el propio legislador estaría considerando que prevalece la protección del informante frente al derecho de defensa de la persona investigada (artículo 19.2, párrafo segundo y tercero). Sin embargo, nada se establece respecto de los supuestos en los que, conforme a lo previsto en el artículo 18, se acuerde remitir la comunicación a la autoridad, entidad u organismo que se considere competente para su tramitación o cuando afecte a los intereses de la Hacienda Pública o, en su caso, al Ministerio Fiscal si fueran indiciariamente constitutivos de delito.

Tampoco se establecen previsiones específicas respecto de los procedimientos disciplinarios o sancionadores que pueden tramitar las entidades del sector público y que se puedan iniciar como consecuencia de informaciones recibidas por el sistema interno de información.

Sin embargo, de la regulación del artículo 31 referida al derecho de información parece derivarse que la intención del legislador es impedir el conocimiento, en todo caso, de la identidad del informante o del que realice una revelación pública.

Por todo ello, se considera necesario modificar el artículo 33 para incluir las garantías específicas que permitirán, excepcionalmente, revelar la identidad del informante a la persona investigada, bien directamente, bien mediante remisión, en su caso, a la normativa legal que resulte de aplicación. O, en el supuesto de que se considere, conforme al principio de proporcionalidad y tal y como se ha realizado para los procedimientos tramitados por la autoridad independiente, que no procede en ningún caso revelar la identidad del denunciante a sujetos distintos de las propias autoridades contempladas en el precepto, debería reflejarse así en la propia norma, en aras de la seguridad jurídica y para evitar posteriores dudas interpretativas.

## IV

La siguiente cuestión que se plantea es la relativa a la licitud del tratamiento, a la que el anteproyecto dedica el artículo 30:

**Artículo 30. Licitud de los tratamientos de datos personales.–** 1. Se considerarán lícitos los tratamientos de datos personales necesarios para la aplicación de la presente ley.

2. El tratamiento de datos personales se entenderá lícito en base a lo que disponen los artículos 6.1.c) del Reglamento (UE) 2016/679 y 8 de la Ley Orgánica 3/2018, de 5 de diciembre, y 11 de la Ley Orgánica 7/2021, de 26 de mayo, cuando, de acuerdo a lo establecido en los artículos 11 y 14, sea obligatorio disponer de un sistema interno de información.

Si no fuese obligatorio, el tratamiento se presumirá amparado en el artículo 6.1.e) del citado Reglamento.

3. El tratamiento de datos personales en los supuestos de canales de comunicación externos se entenderá lícito en base a lo que disponen los artículos 6.1.c) del Reglamento (UE) 2016/679 y 8 de la Ley Orgánica 3/2018, de 5 de diciembre, y 11 de la Ley Orgánica 7/2021, de 26 de mayo.

4. El tratamiento de datos personales derivado de una revelación pública se presumirá amparado en lo dispuesto en el artículo 6.1.e) del Reglamento (UE) 2016/679, y 11 de la Ley Orgánica 7/2021, de 26 de mayo.

Tal y como ya se ha avanzado, el Consejo de Estado en su Dictamen 757/2017, sobre el Anteproyecto de Ley Orgánica de Protección de Datos de Carácter Personal, consideró que el tratamiento de datos personales en los sistemas de denuncias internas quedaba legitimado por "la existencia de un interés público legitimador de estos tratamientos". Por consiguiente, con carácter general, estos tratamientos de datos personales se encuentran amparados por la letra e) del artículo 6.1 del RGPD: "el tratamiento es necesario para el cumplimiento de una misión realizada en interés público o en el ejercicio de poderes públicos conferidos al responsable del tratamiento".

No obstante, tras la entrada en vigor de la Directiva (UE) 2019/1937, se ha establecido la obligación de establecimiento de canales de denuncia interna para determinadas entidades en su artículo 8, a las que el anteproyecto se refiere en el artículo 10, respecto del sector privado, y en el artículo 13, en cuanto al sector público. Asimismo, el artículo 11 de la Directiva (UE) 2019/1937 introduce una obligación de establecer canales de denuncia externa y de seguir las denuncias en su artículo 11, a la que el anteproyecto se refiere en su Título III, regulando el canal externo de comunicaciones de la Autoridad Independiente de Protección del Informante. Por consiguiente, en esto supuestos, el tratamiento encontraría su legitimación en la letra c) del artículo 6.1.del RGPD: el tratamiento es necesario para el cumplimiento de una obligación legal aplicable al responsable del tratamiento.

A este respecto, debe indicarse la trascendencia de que la legitimación venga determinada por uno u otro supuesto, en la medida en que el derecho de oposición previsto en el artículo 21 del RGPD, al que posteriormente nos referiremos, se reconoce respecto de los tratamientos basados en la letra e), pero no respecto de los amparados por la letra c).

Por otro lado, se cumple igualmente con el principio de reserva de ley derivado del artículo 53 de la Constitución, en los términos recogidos por el artículo 8 de la LOPDGDD.

En cuanto a la referencia que se incluye a la Ley Orgánica 7/2021, por la que se ha traspuesto la Directiva (UE) 2016/680, debe recordarse lo ya indicado respecto de su aplicación únicamente a los tratamientos de datos personales que se realicen por las autoridades competentes designadas en dicha ley, y a los específicos fines que la misma determina, no siendo de aplicación a los sujetos que tienen una obligación de colaborar con dichas autoridades, cuyos tratamientos se rigen por el RGPD.

No obstante, cuando se trate de categorías especiales de datos, será requisito indispensable que, con carácter previo, concurra alguna de las causas que levanten la prohibición de su tratamiento conforme al artículo 9.2. del RGPD. A este respecto, el anteproyecto no contiene mención alguna respecto del posible tratamiento de estos datos, debiendo tenerse en cuenta que en las informaciones que se reciban puede contenerse este tipo de información.

Esta Agencia considera que, con carácter general, el tratamiento de las categorías especiales de datos a las que se refiere el artículo 9.1. del RGPD no resultará necesario para la gestión de las comunicaciones recibidas y la tramitación de los correspondientes procedimientos, por lo que debería recogerse expresamente en el anteproyecto que si la información recibida contuviera datos personales incluidos dentro de las categorías especiales de datos, se procederá a su inmediata supresión, sin que se proceda al registro y tratamiento de los mismos.

No obstante, si previo el análisis de riesgos al que nos referíamos en el primer apartado del presente informe, se considerara necesario que en determinados supuestos se trataran categorías especiales de datos personales, su tratamiento podría realizarse conforme a lo previsto en la letra g) del artículo 9.2. del RGPD: el tratamiento es necesario por razones de un interés público esencial, sobre la base del Derecho de la Unión o de los Estados miembros, que debe ser proporcional al objetivo perseguido, respetar en lo esencial el derecho a la protección de datos y establecer medidas adecuadas y específicas para proteger los intereses y derechos fundamentales del interesado.

En este caso, debería recogerse expresamente en el anteproyecto dicha posibilidad, identificando qué tipos de datos personales incluidos en las categorías especiales de datos podrían ser objeto de tratamiento, y limitarlos a los estrictamente necesarios, previendo su supresión inmediata en cuanto no sean necesarios y estableciendo, en su caso, las garantías adicionales que resulten del correspondiente análisis de riesgos para la adecuada protección de los intereses y derechos fundamentales del interesado.

**V**

Una vez determinada la licitud del tratamiento, deben establecerse en la norma las garantías específicas que permitan cumplir con el resto de principios de protección de datos contenidos en el artículo 5 del RGPD:

1. *Los datos personales serán:*

*a) tratados de manera lícita, leal y transparente en relación con el interesado («licitud, lealtad y transparencia»);*

*b) recogidos con fines determinados, explícitos y legítimos, y no serán tratados ulteriormente de manera incompatible con dichos fines; de acuerdo con el artículo 89, apartado 1, el tratamiento ulterior de los datos personales con fines de archivo en interés público, fines de investigación científica e histórica o fines estadísticos no se considerará incompatible con los fines iniciales («limitación de la finalidad»);*

*c) adecuados, pertinentes y limitados a lo necesario en relación con los fines para los que son tratados («minimización de datos»);*

*d) exactos y, si fuera necesario, actualizados; se adoptarán todas las medidas razonables para que se supriman o rectifiquen sin dilación los datos personales que sean inexactos con respecto a los fines para los que se tratan («exactitud»);*

*e) mantenidos de forma que se permita la identificación de los interesados durante no más tiempo del necesario para los fines del tratamiento de los datos personales; los datos personales podrán conservarse durante períodos más largos siempre que se traten exclusivamente con fines de archivo en interés público, fines de investigación científica o histórica o fines estadísticos, de conformidad con el artículo 89, apartado 1, sin perjuicio de la aplicación de las medidas técnicas y organizativas apropiadas que impone el presente Reglamento a fin de proteger los derechos y libertades del interesado («limitación del plazo de conservación»);*

*f) tratados de tal manera que se garantice una seguridad adecuada de los datos personales, incluida la protección contra el tratamiento no autorizado o ilícito y contra su pérdida, destrucción o daño accidental, mediante la aplicación de medidas técnicas u organizativas apropiadas («integridad y confidencialidad»).*

*2. El responsable del tratamiento será responsable del cumplimiento de lo dispuesto en el apartado 1 y capaz de demostrarlo («responsabilidad proactiva»).*

En cuanto al principio de limitación de la finalidad, al tratarse de tratamientos amparados en las letras c) y e) del RGPD, la finalidad del tratamiento deberá quedar determinada en la propia norma que legitima el tratamiento.

A este respecto, dicha finalidad resulta de lo previsto en los artículos 1 (finalidad de la ley) 2 (ámbito material de aplicación) y 3 (ámbito personal de aplicación) del anteproyecto, que no se limita a la mera trasposición de la directiva sino que además pretende un amplio de protección del informante más amplio en todos los supuestos que se identifican en el artículo 2.

A este respecto, haciendo uso de la facultad prevista en el apartado 2 del artículo 2 de la directiva, se incluyen en el ámbito material de aplicación material del artículo 2 del anteproyecto en su apartado b):

*Acciones u omisiones que puedan ser constitutivas de infracción penal o administrativa grave o muy grave o cualquier vulneración del resto del ordenamiento jurídico siempre que, en cualquiera de los casos, afecten o menoscaben directamente el interés general, y no cuenten con una regulación específica. En todo caso, se entenderá afectado el interés general cuando la acción u omisión de que se trate implique quebranto económico para la Hacienda Pública.*

De este modo, el ámbito de aplicación parece limitarse, en un primer momento a los supuestos de infracción penal o administrativa grave o muy grave siempre que afecte o menoscabe directamente el interés general, para posteriormente ampliarlo a cualquier vulneración del resto del ordenamiento jurídico que igualmente afecte o menoscabe directamente el interés general, sin hacer referencia en este caso a su posible gravedad.

Se trata, en opinión de esta Agencia, de una previsión excesivamente genérica que supone la aplicación de un concepto jurídico indeterminado y que, dadas las implicaciones que la aplicación de la normativa proyectada tiene respecto de la protección de los datos personales, incluidos los de las personas investigadas, y las limitaciones que a dicho derecho se establecen, por aplicación del principio de limitación de la finalidad debería buscarse una redacción más precisa que identificara las posibles vulneraciones que afecten al interés general, o los ámbitos en las que las mismas pueden producirse, teniendo en cuenta, además su posible gravedad.

Por otro lado, la aplicación de los restantes principios de protección de datos en los sistemas de información internos requiere que se establezcan garantías específicas, a las cuales se refiere el artículo 32 del anteproyecto, en el que se han incluido las que están previstas en el artículo 24 de la LOPDGDD:

**Artículo 32. Tratamiento de datos personales en los Sistemas internos de información.–** 1. El acceso a los datos personales contenidos en los Sistemas internos de información quedará limitado, dentro del ámbito de sus competencias y funciones, exclusivamente a:

a) El responsable del Sistema y a quien lo gestione directamente.

b) El responsable de recursos humanos, sólo cuando pudiera proceder la adopción de medidas disciplinarias contra un trabajador. En el caso de los empleados públicos, el órgano competente para la tramitación del mismo.

c) El responsable de los servicios jurídicos de la entidad u organismo, si procediera la adopción de medidas legales en relación con los hechos relatados en la comunicación.

d) Los encargados del tratamiento que eventualmente se designen.

e) El Delegado de Protección de Datos.

2. Será lícito el tratamiento de los datos por otras personas, o incluso su comunicación a terceros, cuando resulte necesario para la tramitación de los procedimientos sancionadores o penales que, en su caso, procedan.

3. Los datos que sean objeto de tratamiento podrán conservarse en el sistema de informaciones únicamente durante el tiempo imprescindible para decidir sobre la procedencia de iniciar una investigación sobre los hechos informados.

4. En todo caso, transcurridos tres meses desde la recepción de la comunicación sin que se hubiesen iniciado actuaciones de investigación, deberá procederse a su supresión, salvo que la finalidad de la conservación sea dejar evidencia del funcionamiento del sistema. Las comunicaciones a las que no se haya dado curso solamente podrán constar de forma anonimizada, sin que sea de aplicación la obligación de bloqueo prevista en el artículo 32 de la Ley Orgánica 3/2018, de 5 de diciembre.

5. Los empleados y terceros deberán ser informados acerca de la existencia de los sistemas de información a que se refiere el presente artículo.

La primera cuestión que se plantea es el acceso a los datos personales contenidos en los Sistemas, que debe limitarse a aquellos que tengan la necesidad de conocer dichos datos personales en función de las competencias que tengan atribuidas. En este sentido, el artículo 24.2 de la LOPDGDD prevé, respecto de los establecidos por entidades privadas, que "quedará limitado exclusivamente a quienes, incardinados o no en el seno de la entidad, desarrollen las funciones de control interno y de cumplimiento, o a los encargados del tratamiento que eventualmente se designen a tal efecto. [...]

solo cuando pudiera proceder la adopción de medidas disciplinarias contra un trabajador, dicho acceso se permitirá al personal con funciones de gestión y control de recursos humanos".

El texto proyectado procede a una enumeración de las personas que podrán acceder a los datos personales, que esta Agencia considera que se ajusta a la anterior previsión, si bien sería conveniente justificar en la MAIN las razones que llevan a esa inclusión. En todo caso, destaca la referencia al DPD, al que posteriormente nos referiremos, en el que la posibilidad de acceder a los datos personales para el ejercicio de sus funciones deriva del propio RGPD.

Por otro lado, se hace referencia, igualmente, a la posible comunicación de los datos cuando resulte necesario para la tramitación de los procedimientos sancionadores o penales que, en su caso, procedan, previsión que debe ponerse en conexión con las disposiciones para la preservación de la identidad del informante contenidas en el artículo 33, al que ya nos hemos referido.

Asimismo, se incluye en el precepto la normativa recogida en el artículo 24.4 de la LOPDGDD referida a la limitación del plazo de conservación de los datos personales en los Sistemas. Estas obligaciones son independientes de la existencia del libro-registro a que se refiere el artículo 26, por lo que deben cumplirse en todo caso, independientemente de los datos personales que se hayan podido reflejar en el libro-registro, que está sometido a garantías específicas, destacando singularmente que al mismo solo pueda accederse en virtud de auto judicial.

Esta Agencia valora muy positivamente la regulación que del registro previsto en el artículo 18 de la directiva se realiza en el anteproyecto, introduciendo dicha intervención judicial como garantía específica que el acceso a los datos reflejados en el mismo solo pueda realizarse "a petición razonada de la Autoridad judicial competente, mediante auto, y en el marco de un procedimiento judicial y bajo la tutela de aquélla, podrá accederse total o parcialmente al contenido del referido registro". De este modo, se permite compatibilizar la necesaria supresión de los datos personales en los sistemas internos de información, sometidos a un régimen de acceso más amplio, una vez transcurridos los plazos que se recogen en el artículo 32 del anteproyecto, limitados al tiempo imprescindible para decidir sobre la procedencia de iniciar una investigación, con un plazo máximo de tres meses, con la obligación de llevar el citado registro, en el que se establece un plazo de conservación más amplio que puede alcanzar los diez años.

Por otro lado, otro de los principios fundamentales en materia de protección de datos personales es el de minimización de datos, de modo que los datos que se incluyan en los sistemas sean solo los necesarios, adecuados y pertinentes para la finalidad pretendida, debiendo velar por ello los correspondientes responsables. Sin perjuicio de ser una obligación que viene directamente impuesta por el RGPD, se considera conveniente que el artículo 32 se incluya una referencia expresa, señalando que en ningún caso serán objeto de tratamiento los datos personales que no sean necesarios para el conocimiento e investigación de las acciones u omisiones a las que se refiere el artículo 2, procediéndose, en su caso, a su inmediata supresión. Asimismo, se suprimirán todos aquellos datos personales que se puedan haber comunicado y que se refieran a conductas que no estén incluidas en el ámbito de aplicación de la ley.

Mayores problemas plantea el principio de exactitud de los datos, ya que en muchas ocasiones la información remitida puede responder a meras sospechas, razón por la cual tanto la directiva como el anteproyecto prevén, para poder gozar de la protección que otorgan, que "tengan motivos razonables para pensar que la información referida es veraz en el momento de la comunicación o revelación, aun cuando no aporten pruebas concluyentes". Por ello, si se acreditara que la información facilitada o parte de ella no es veraz, deberá procederse a su inmediata supresión desde el momento en que se tenga constancia de dicha circunstancia, lo que también debería recogerse en el artículo 32.

La inclusión de dichas garantías deriva de lo previsto en la propia Directiva (UE) 2019/1937, cuyo apartado 2 del artículo 17 contiene una previsión específica para garantizar dichos principios, que debe ser oportunamente incorporada al ordenamiento jurídico interno: *"No se recopilarán datos personales cuya pertinencia no resulte manifiesta para tratar una denuncia específica o, si se recopilan por accidente, se eliminarán sin dilación indebida".*

En cuanto al principio de integridad y confidencialidad, así como al de responsabilidad proactiva, corresponde al responsable y, en su caso, al encargado, adoptar todas las medidas necesarias para garantizar la protección de los derechos y libertades de los afectados por el tratamiento de sus datos personales, incluidas las correspondientes medidas de seguridad de los datos, reforzadas, entre otros aspecto, respecto a la necesaria confidencialidad y, singularmente, la revelación de la identidad del informante. En este ámbito, adquieren especial relevancia las medidas de responsabilidad proactiva contenidas en el RGPD, y que deberán ser tenidas en cuenta en el diseño e implementación de los Sistemas de información, tanto internos como externos, incluido el análisis de riesgos el artículo 24, la necesidad de preservar la privacidad desde el diseño y por defecto del artículo 25, la realización de una Evaluación de impacto en la protección de datos del artículo 35 y las medidas de seguridad del artículo 32, todos ellos del RGPD.

Desde esta perspectiva, destaca la designación obligatoria de un delegado de protección de datos, prevista en el artículo 34 del anteproyecto, por todas aquellas entidades obligadas a disponer de un sistema interno de comunicaciones y por las autoridades independientes, lo que sin duda constituye una garantía adicional para la protección del derecho fundamental.

Por otro lado, el RGPD exige a los responsables de un tratamiento de datos personales tener en cuenta la naturaleza del tratamiento, su contexto, su ámbito y alcance, y sus fines con el fin de determinar las posibles consecuencias negativas o riesgos que podría derivar del tratamiento de sus datos personales. En este sentido es preciso tener en cuenta la necesidad de realizar un detallado análisis de toda la información que podría contener un sistema de información destinado a dar respuesta a las obligaciones que exige la normativa aplicable, tanto sectorial como de protección de datos personales, información que permitirá de manera indirecta o directa la identificación de personas físicas, ya sean los informantes o terceros.

Para llevar a cabo el análisis de estos identificadores la normativa de protección de datos personales, en particular el RGPD, pone en manos de los responsables de un tratamiento de datos personales la herramienta de evaluación de impacto en protección de datos personales que puede utilizarse en el desarrollo de la propia normativa (Artículo 35.10 RGPD) o con carácter previo a la puesta en marcha de un tratamiento de datos personales. Entendiendo que tanto por su naturaleza como por el contexto en el que se tratarán los datos personales, hablamos de un tratamiento de datos de alto riesgo para los derechos y libertades de las personas físicas y, por tanto, la herramienta de evaluación de impacto en protección de datos personales se convierte en una obligación de los responsables para proteger los derechos y libertades de las personas físicas cuyos datos serán tratados mediante informaciones o identificadores directos (nombres, apellidos, cargo, DNI, etc.) o indirectos (IP, hora de conexión, ID del dispositivo, MAC, cookies, fingerprinting, etc.), será de obligado cumplimiento para el responsable, dar respuesta a lo previsto en el artículo 35.7 del RGPD, realizando, en el contexto de las actividades de una evaluación de impacto en protección de datos las siguientes actuaciones:

a) Una descripción sistemática de las operaciones de tratamiento previstas y de los fines del tratamiento, en la que se realizará el análisis de los datos e identificadores personales que se incluirán en el sistema de información, que hagan identificables a las personas así como las operaciones de tratamiento que podrían realizarse

b) Una evaluación de la necesidad y la proporcionalidad de las operaciones de tratamiento con relación a los datos o identificadores personales que se hubieran identificado en la descripción sistemática del mismo atendiendo al principio de necesidad y proporcionalidad de las mismas con relación a los fines para los que fueran a ser recogidos

c) La identificación de los riesgos que las operaciones de tratamiento podrían implicar para los interesados, incluyendo las medidas previstas para eliminar los riesgos para las personas físicas derivados de dichas operaciones de tratamiento que hubieran sido identificadas en la descripción sistemática del tratamiento, estableciendo medidas y garantías, entre las que, de acuerdo a la naturaleza del tratamiento, cobrarían especial importancia las orientadas a dar cumplimiento al principio de minimización (Artículo 25.2 del RGPD) así como las medidas de seguridad entre las que serían especialmente relevantes las destinadas a dar cumplimiento a la adecuada seudonimización y cifrado de los datos, cuando fuera necesario, atendiendo a las obligaciones que establece el artículo 32.1.a. Todo ello sin perjuicio del resto de obligaciones derivadas de la normativa de protección de datos (RGPD y LOPDGDD) así como de la normativa sectorial que también le fuera de aplicación al tratamiento de los datos que pudiera realizarse en el ámbito de aplicación de la presente norma como, por ejemplo, la obligación de incluir dicha actividad de tratamiento en su Registro de Actividad de Tratamiento y en su inventario de actividad de tratamiento.

En este sentido y tal como se define en el documento relativo a las "Directrices sobre la evaluación de impacto relativa a la protección de datos (EIPD) y para determinar si el tratamiento «entraña probablemente un alto riesgo» a efectos del RGPD", del Comité Europeo de Protección de Datos, adoptadas el 4 de abril de 2017, se debe entender que "Una EIPD es un proceso concebido para describir el tratamiento, evaluar su necesidad y proporcionalidad y ayudar a gestionar los riesgos para los derechos y libertades de las personas físicas derivados del tratamiento de datos personales evaluándolos y determinando las medidas para abordarlos. Las EIPD son instrumentos importantes para la rendición de cuentas, ya que ayudan a los responsables no solo a cumplir los requisitos del RGPD, sino también a demostrar que se han tomado medidas adecuadas para garantizar el cumplimiento del Reglamento (véase asimismo el artículo 24)5. En otras palabras, una EIPD es un proceso utilizado para reforzar y demostrar el cumplimiento."

En consecuencia con la naturaleza, el contexto, el ámbito o alcance y los fines de cualquiera de las operaciones de tratamiento que pudieran realizarse en el ámbito de las actividades de tratamiento derivadas de la aplicación de la presente norma, a tenor del potencial de riesgo de las mismas para los derechos y libertades de los interesados, la EIPD es una actividad obligada para cualquier responsable.

Por ello, con el fin de reforzar las garantías, debe incluirse, asimismo, la obligación de realizar una Evaluación de impacto, que el artículo 35 del RGPD prevé para los supuestos en los que "sea probable que un tipo de tratamiento, en particular si utiliza nuevas tecnologías, por su naturaleza, alcance, contexto o fines, entrañe un alto riesgo para los derechos y libertades de las personas físicas".

Por otro lado, debería recogerse la obligación del personal de las autoridades independientes que vaya a recibir y tramitar las comunicaciones, de recibir formación sobre las normas aplicables en materia de protección de datos, conforme a lo previsto en el artículo 12.5 y el Considerando 74 de la Directiva (UE) 2019/1937. Asimismo, podría extenderse dicha obligación al personal que vaya a gestionar los sistemas internos de información.

## VI

Para concluir, debe hacerse referencia a los derechos de los afectados por el tratamiento de sus datos personales, comenzando con el deber de información previsto en los artículos 12 a 14 del RGPD, al cual se refiere el artículo 25, al referirse a la información sobre los canales internos y externos de información, que incluirá "d) El régimen de confidencialidad aplicable a las comunicaciones, y en particular, la información sobre el tratamiento de los datos personales de conformidad con lo dispuesto en el Reglamento (UE) 2016/679, la Ley Orgánica 3/2018, y el título VI", el artículo

32.5. que recoge la obligación de informar a empleados y terceros de la existencia de los sistemas internos de información y, específicamente, el artículo 31:

**Artículo 31. Información a los interesados y ejercicio de derechos.–** 1. Cuando se obtengan directamente de los interesados sus datos personales se les facilitará la información a que se refieren los artículos 13 del Reglamento (UE) 2016/679 y 11 de la Ley Orgánica 3/2018, de 5 de diciembre. A los informantes y a quienes lleven a cabo una revelación pública se les informará, además, de forma expresa, de que su identidad será en todo caso reservada, que no se comunicará a las personas a las que se refieren los hechos relatados ni a terceros.

Además, a quienes realicen la comunicación a través de canales internos se les informará, de forma clara y fácilmente accesible, sobre los canales externos de información ante las autoridades competentes y, en su caso, ante las instituciones, órganos u organismos de la Unión Europea.

A este respecto, debe indicarse que la información a la que se refiere el párrafo tercero no guarda relación con la protección de datos personales, por lo que debería ubicarse en otro precepto del propio texto, como el citado artículo 25, estando ya previsto en el artículo 8.

Por otro lado, dicho apartado se refiere únicamente a la información a los interesados cuando se obtiene los datos directamente de ellos, sin embargo, no resuelve la cuestión relativa al cumplimiento del deber de información previsto en el artículo 14 del RGPD, cuando los datos no se obtienen directamente de los interesados, como es el caso de la persona a la que se refieran los hechos o terceros a los que la información se refiera como, por ejemplo, compañeros o testigos.

A este respecto, el artículo 8, incluye entre los principios del procedimiento de gestión de comunicaciones, en apartado 2 letra d: *"Establecimiento del derecho del informante (sic) a que se le informe de las acciones u omisiones que se le atribuyen, y a ser oído en cualquier momento. Dicha comunicación tendrá lugar en el tiempo y forma que se considere adecuado para garantizar el buen fin de la investigación"*.

En dicho precepto se observa una errata, por lo que debe modificarse el citado artículo 8.2.d) en cuanto no se está refiriendo al informante sino a la persona a la que se refiere la información.

En cuanto al canal externo, el artículo 19.2. prevé la posibilidad de retrasar la información para no perjudicar la investigación: *"Se garantizará que la persona investigada por la comunicación tenga noticia de la misma, así como de los hechos relatados de manera sucinta. Adicionalmente se le informará del derecho que tiene a presentar alegaciones por escrito y del tratamiento de sus datos personales. No obstante, esta información podrá efectuarse en el trámite de audiencia si se considerara que su aportación con anterioridad pudiera facilitar la ocultación, destrucción o alteración de las pruebas"*.

La necesidad de limitar los derechos de los afectados por el tratamiento de los datos personales aparece expresamente prevista en los Considerandos 84 y 85 de la Directiva (UE) 2019/1937:

(84) Los procedimientos establecidos en la presente Directiva y relacionados con el seguimiento de denuncias de infracciones del Derecho de la Unión en sus ámbitos de aplicación contribuyen a un objetivo importante de interés público general de la Unión y de los Estados miembros, en el sentido del artículo 23, apartado 1, letra e), del Reglamento (UE) 2016/679, ya que su objetivo es mejorar la ejecución del Derecho y las políticas de la Unión en determinados ámbitos en los cuales el incumplimiento puede provocar graves perjuicios para el interés público. Una protección efectiva de la confidencialidad de la identidad de los denunciantes resulta necesaria a fin de proteger los derechos y libertades de los demás, en particular los de los propios denunciantes, tal como establece el artículo 23, apartado 1, letra i), del Reglamento (UE) 2016/679. Los Estados miembros deben velar por que la presente Directiva sea eficaz, incluso, cuando sea necesario, restringiendo mediante medidas legislativas el ejercicio de determinados derechos de protección de datos de las personas afectadas en consonancia con el artículo 23, apartado 1, letras e) e i), y el artículo 23, apartado 2, del Reglamento (UE) 2016/679, en la medida y durante el tiempo que sea necesario a fin de evitar y abordar los

intentos de obstaculizar las denuncias o de impedir, frustrar o ralentizar su seguimiento, en particular las investigaciones, o los intentos de averiguar la identidad del denunciante.

(85) Una protección efectiva de la confidencialidad de la identidad del denunciante resulta igualmente necesaria a fin de proteger los derechos y libertades de los demás, en particular los del propio denunciante, cuando la denuncia la tratan las autoridades tal como se definen en el artículo 3, punto 7, de la Directiva (UE) 2016/680. Los Estados miembros deben velar que la presente Directiva sea eficaz, incluso, cuando sea necesario, restringiendo mediante medidas legislativas el ejercicio de determinados derechos de protección de datos de las personas afectadas en consonancia con el artículo 13, apartado 3, letras a) y e), el artículo 15, apartado 1, letras a) y e), el artículo 16, apartado 4, letras a) y e), y el artículo 31, apartado 5, de la Directiva (UE) 2016/680, en la medida y durante el tiempo que sea necesario a fin de evitar y abordar los intentos de obstaculizar las denuncias o de impedir, frustrar o ralentizar su seguimiento, en particular las investigaciones, o los intentos de averiguar la identidad del denunciante.

Por consiguiente, sin perjuicio de las menciones específicas contenidas en casos particulares en el texto y a las que se ha hecho referencia, debería recogerse expresamente en el artículo 31 del anteproyecto, la forma en que se procederá al cumplimiento del deber de información respecto de la persona a la que se refiere la información y aquellos otros a los que se cita en la misma y que puedan tener participación en el procedimiento, como pueden ser los testigos, pudiendo limitarse el cumplimiento de dicho deber al momento en el que no se perjudique el buen fin de la investigación, respecto del primero, y al momento en el que vayan a intervenir en el procedimiento, respecto de los segundos.

Por otro lado, como limitación específica que afecta no solo al derecho de información sino también al de acceso, se prevé que *"La persona a la que se refieran los hechos relatados no será en ningún caso informada de la identidad del informante o de quien haya llevado a cabo la revelación pública".*

Por otro lado, el artículo 31, en su apartado 4 señala que *"En caso de que la persona a la que se refieran los hechos relatados en la comunicación o a la que se refiera la revelación pública ejerciese el derecho de oposición se presumirá que, salvo prueba en contrario, existen motivos legítimos imperiosos que legitiman el tratamiento de sus datos personales".*

A este respecto, tal y como se ha indicado al analizar la licitud del tratamiento, el derecho de oposición únicamente procede respecto de los supuestos en que el tratamiento se legitima en la letra e) del artículo 6.1. del RGPD, pero no respecto de los supuestos en los que el mismo se ampara en la letra c) del mismo. Por otro lado, debe recordarse que existen supuestos en nuestro ordenamiento jurídico en los que, por razones de interés público, se excluye directamente el derecho de oposición, como ocurre en el artículo 28.2. de la Ley 39/2015, de 1 de octubre, del Procedimiento Administrativo Común de las Administraciones Públicas: *"No cabrá la oposición cuando la aportación del documento se exigiera en el marco del ejercicio de potestades sancionadoras o de inspección".*

## VII

Por último, la disposición final cuarta modifica el artículo 24 de la LOPDGDD para adecuarla a la nueva regulación, suprimiendo la regulación específica que contenía y remitiendo a lo previsto en la nueva normativa, lo que se considera adecuado en aras de la necesaria seguridad jurídica.

## 2. INFORME JURÍDICO DE LA AGENCIA ESPAÑOLA DE PROTECCIÓN DE DATOS (AEPD) NÚMERO 54/2023

La consulta plantea la conformidad de esta Agencia con la interpretación que la misma realiza del artículo 5.1 de la Ley 2/2023, de 20 de febrero, reguladora de la protección de las personas que informen sobre infracciones normativas y de lucha contra la corrupción, que atribuye la condición de responsable del tratamiento de los datos personales al órgano de administración u órgano de gobierno de cada entidad u organismo obligado por esta ley.

En dicha consulta, tras analizar el nuevo régimen jurídico del sistema interno de información regulado por la Ley 2/2023, de 20 de febrero, la responsabilidad patrimonial de los administradores regulada en el Real Decreto Legislativo 1/2010, de 2 de julio, por el que se aprueba el texto refundido de la Ley de Sociedades de Capital y el concepto de responsable del tratamiento conforme al artículo 4.7. del RGPD, se recogen las siguientes conclusiones:

Considerando el artículo 5 de la Ley de Protección al Informante con el conjunto del Ordenamiento Jurídico, entendemos que la intención del legislador no es exonerar de responsabilidad a la propia Sociedad, sino garantizar la participación activa del Consejo de Administración en la gestión del canal de denuncias y, especialmente, en su implantación, haciéndole responsable del mismo, a fin de garantizar la protección máxima de las personas físicas que informen de las acciones u omisiones que puedan constituir infracciones conforme a lo establecido en el artículo 2 de la Ley 2/2023.

De este modo, a nivel de protección de datos, esta consultante considera lo siguiente, salvo mejor opinión de esta Agencia:

1. El Consejo de Administración es responsable —no del tratamiento de los datos personales incorporados en el canal de denuncias— en lo que se refiere al desarrollo de las funciones que tiene atribuidas para asegurar la implantación de un canal de denuncias que cumpla con los requisitos establecidos por la Ley.

2. La Empresa obligada a disponer del sistema interno de información en los términos previstos en la Ley es la responsable del tratamiento de los tratamientos de datos derivados de la gestión diaria y habitual del canal de denuncias, atendiendo a la definición de responsable del tratamiento del artículo 4.7 del RGPD.

I

La cuestión controvertida deriva de la redacción del artículo 5.1. de la Ley 2/2023, de 20 de febrero, reguladora de la protección de las personas que informen sobre infracciones normativas y de lucha contra la corrupción, el cual establece lo siguiente:

**Artículo 5. Sistema interno de información.–** 1. El órgano de administración u órgano de gobierno de cada entidad u organismo obligado por esta ley será el responsable de la implantación del Sistema interno de información, previa consulta con la representación legal de las personas trabajadoras, y tendrá la condición de responsable del tratamiento de los datos personales de conformidad con lo dispuesto en la normativa sobre protección de datos personales

La consideración del órgano de administración u órgano de gobierno de cada entidad u organismo como responsable del tratamiento de los datos personales deriva de lo informado por esta Agencia al anteproyecto de ley en nuestro Informe 20/2022, en el que manifestábamos lo siguiente:

## II

Sin perjuicio de lo anterior, procede analizar las principales cuestiones que, en materia de protección de datos personales, suscita el texto remitido, si bien con la concisión propia de la urgencia con la que el mismo se solicita.

A este respecto, pueden identificarse las siguientes cuestiones: posición jurídica de los intervinientes en el tratamiento de los datos personales; sujetos cuyos datos personales pueden ser objeto de tratamiento; base jurídica; aplicación de los principios de protección de datos y limitaciones a los derechos de los afectados.

Comenzando con la posición jurídica de los intervinientes en el tratamiento de los datos personales, debe partirse de la definición de «responsable del tratamiento» contenida en el artículo 4.7. del RGPD: la persona física o jurídica, autoridad pública, servicio u otro organismo que, solo o junto con otros, determine los fines y medios del tratamiento; si el Derecho de la Unión o de los Estados miembros determina los fines y medios del tratamiento, el responsable del tratamiento o los criterios específicos para su nombramiento podrá establecerlos el Derecho de la Unión o de los Estados miembros; Así como la de «encargado del tratamiento del artículo 4.8. del RGPD: la persona física o jurídica, autoridad pública, servicio u otro organismo que trate datos personales por cuenta del responsable del tratamiento.

En el sistema interno de información, los fines y los medios del tratamiento vendrían determinados por la ley, estableciendo en el artículo 5.1. del anteproyecto que "El órgano de administración u órgano de gobierno de cada entidad u organismo obligado por la presente ley será el responsable de la implantación del sistema interno de información, previa consulta con la representación legal de las personas trabajadoras", y definiendo, en su apartado 2 los requisitos que deberán cumplir dichos sistemas en cualquiera de sus fórmulas de gestión:

*2. Los sistemas internos de información, en cualquiera de sus fórmulas de gestión, deberán:*

*a) Permitir comunicar información sobre las infracciones previstas en el artículo 2 a todas las personas referidas en el artículo 3.*

*b) Estar diseñados, establecidos y gestionados de una forma segura, de modo que se garantice la confidencialidad de la identidad del informante y de cualquier tercero mencionado en la comunicación y de las actuaciones que se desarrollen en la gestión y tramitación de la misma, la protección de datos, impidiendo el acceso de personal no autorizado.*

*c) Permitir la presentación de comunicaciones por escrito o verbalmente, o de ambos modos.*

*d) Integrar los distintos canales internos de comunicación que pudieran establecerse dentro de la entidad.*

*e) Garantizar que las comunicaciones presentadas puedan tratarse de manera efectiva dentro de la correspondiente entidad u organismo con el objetivo de que el primero en conocer la posible irregularidad sea el propio empleador.*

*f) Ser independientes y aparecer diferenciados respecto de los sistemas internos de información de otras entidades u organismos, sin perjuicio de lo establecido en los artículos 12 y 13 siguientes.*

*g) Contar con un responsable del Sistema en los términos previstos en el artículo 10 de esta ley.*

*h) Contar con una política o estrategia que enuncie los principios generales en materia de sistemas internos de información y defensa del informante y que sea debidamente publicitada en el seno de la entidad u organismo.*

*i) Contar con un procedimiento de gestión de las comunicaciones recibidas.*

*j) Establecer las garantías para la protección de los informantes en el ámbito de la propia entidad u organismo, respetando, en todo caso, lo dispuesto en el artículo 9.*

Por consiguiente, en virtud de las funciones que se le atribuyen legalmente, corresponde al órgano de administración u órgano de gobierno de cada entidad u organismo obligado ostentar la condición de «responsable del tratamiento» de los datos personales, de conformidad con lo dispuesto en la normativa sobre protección de datos personales, lo que debería recogerse en texto del propio artículo 5.

En este punto, el anteproyecto de ley permite compartir medios tanto en el artículo 12, respecto del sector privado, como en el artículo 14 respecto del sector público. En estos casos, en virtud de cómo se articule esa colaboración, podríamos encontrarnos ante la figura de la corresponsabilidad a la que se refiere el artículo 26 del RGPD, prevista para los supuestos en que "dos o más responsables determinen conjuntamente los objetivos y los medios del tratamiento serán considerados corresponsables del tratamiento" o, por el contrario, ante un supuesto de responsables respectivos respecto de los tratamientos de datos personales que realicen. Por lo tanto, en opinión de esta Agencia, no se puede determinar, a priori, la posición jurídica que corresponderá a cada uno de los responsables del tratamiento. No obstante, se recuerda que, en el caso de que se articule una corresponsabilidad desde la perspectiva de protección de datos personales, deberá suscribirse el acuerdo al que se refiere el citado artículo 26 del RGPD.

Por otro lado, el artículo 6 del anteproyecto regula la «gestión del anteproyecto por tercero externo», el cual tendría la consideración de encargado del tratamiento, como adecuadamente se establece en el propio texto remitido, en el cual se establece la obligación específica de que el mismo ofrezca garantías adecuadas de respeto de la protección de datos (requisito imprescindible al amparo del artículo 28.1. del RGPD):

**Artículo 6. Gestión del sistema por tercero externo.–** 1. La gestión de los sistemas internos de información se podrá llevar a cabo dentro de la propia entidad u organismo o acudiendo a un tercero externo, en los términos previstos en esta ley. A estos efectos, se considera gestión del sistema la recepción de informaciones.

2. La gestión del sistema por un tercero externo exigirá en todo caso que éste ofrezca garantías adecuadas de respeto de la independencia, la confidencialidad, la protección de datos y el secreto.

3. La gestión del sistema interno de información por un tercero no podrá suponer un menoscabo de las garantías y requisitos que para dicho sistema establece la presente ley ni una atribución de la responsabilidad sobre el mismo en persona distinta del Responsable del Sistema.

4. El tercero externo que gestione el canal tendrá la consideración de encargado del tratamiento a efectos de la legislación sobre protección de datos personales.

El citado precepto plantea dudas respecto de su alcance, al limitar, en principio, la gestión del sistema que se puede externalizar a "la recepción de informaciones", lo que implicaría que dicha previsión actuaría como límite o garantía específica, por lo que únicamente podrían externalizarse los tratamientos de datos personales correspondientes a la mera recepción de las informaciones y a su comunicación al órgano competente para su tramitación. No obstante, el artículo 8, al regular el procedimiento de gestión de comunicaciones, incluye otras actuaciones como el envío de acuse de recibo, la posibilidad mantener comunicación con el informante y solicitarle información adicional o su derecho, así como el de las personas investigadas, a ser oídas en el procedimiento y el artículo 12 del anteproyecto, al regular los medios compartidos, hace una referencia conjunta a la "gestión y tramitación de las comunicaciones, tanto si la gestión del sistema se lleva a cabo por la propia entidad como si se ha externalizado", lo que parece dar a entender que el ámbito de actuación de terceros puede ser mayor, pudiendo ser objeto de externalización tanto la gestión como la tramitación. Por el contrario, en el artículo 15 del anteproyecto, se prevé expresamente que la externalización de la gestión del sistema interno de información en el sector público "comprenderá únicamente el procedimiento para la recepción de las informaciones sobre infracciones".

Por otro lado, al regular en el artículo 9 la figura del Responsable del Sistema, parece diferenciarse en el apartado 2 entre "gestión del sistema interno de información" y "tramitación de expedientes de investigación" debiendo recaer dichas funciones, en el sector privado y conforme al apartado 5 del citado artículo 9, en un alto directivo de la entidad, lo que implicaría que las funciones de tramitación de expedientes, no serían susceptibles de externalización al haberse limitado la misma, por el artículo 6, únicamente a la gestión del sistema, entendiendo por tal la recepción de informaciones.

El Considerando 54 de la Directiva (UE) 2019/1937 se refiere expresamente a la posibilidad de externalización en los siguientes términos: "También se puede autorizar a terceros a recibir denuncias de infracciones en nombre de entidades jurídicas de los sectores privado y público, siempre que ofrezcan garantías adecuadas de respeto de la independencia, la confidencialidad, la protección de datos y el secreto. Dichos terceros pueden ser proveedores de plataformas de denuncia externa, asesores externos, auditores, representantes sindicales o representantes de los trabajadores". Aunque el citado considerando se refiere a la recepción de las denuncias, el artículo 8 de la Directiva prevé en su apartado 5 que "Los canales de denuncia podrán gestionarse internamente por una persona o departamento designados al efecto o podrán ser proporcionados externamente por un tercero" y en el apartado 6 que "Las entidades jurídicas del sector privado que tengan entre 50 y 249 trabajadores podrán compartir recursos para la recepción de denuncias y toda investigación que deba llevarse a cabo". Y el artículo 9.1.c) señala que "Los procedimientos de denuncia interna y seguimiento a que se refiere el artículo 8 incluirán lo siguiente: c) la designación de una persona o departamento imparcial que sea competente para seguir las denuncias, que podrá ser la misma persona o departamento que recibe las denuncias y que mantendrá la comunicación con el denunciante y, en caso necesario, solicitará a este información adicional y le dará respuesta".

A juicio de esta Agencia, no existe una regulación clara en el anteproyecto de ley respecto de las actuaciones que pueden ser objeto de externalización, lo que puede generar inseguridad jurídica y, desde la perspectiva de la protección de datos personales, limitar los tratamientos de datos personales que pueden ser realizados por un encargado del tratamiento. La regulación a este respecto que se realiza en el artículo 32, al incluir entre los sujetos que pueden acceder a los datos personales, a los encargados del tratamiento, no es clarificadora al respecto, ya que se limita al ámbito de "sus competencias y funciones", que, al menos en este punto, suscitan las dudas señaladas.

Por consiguiente, debe aclararse en el artículo 6 las actuaciones que pueden ser objeto de externalización clarificando si se limita a la recepción de informaciones o también a otras actuaciones, incluyendo o no la tramitación de las mismas y adaptando, en su caso, el artículo 12, con el objeto de que no existan dudas respecto de los tratamientos de datos personales que se pueden encomendar a un encargado del tratamiento.

Por otro lado, en relación con el encargado del tratamiento, el artículo 28.3. del RGPD prevé que "El tratamiento por el encargado se regirá por un contrato u otro acto jurídico con arreglo al Derecho de la Unión o de los Estados miembros, que vincule al encargado respecto del responsable y establezca el objeto, la duración, la naturaleza y la finalidad del tratamiento, el tipo de datos personales y categorías de interesados, y las obligaciones y derechos del responsable" detallando a continuación el contenido particular del mismo. Por ello, debe incluirse en el apartado 4 del artículo 6 la necesidad de suscribir el acto o contrato al que se refiere el artículo 28.3 del RGPD.

En el caso del sector público, no resulta necesario hacer referencia a dicho acto o contrato, al encontrarse dicha previsión recogida en la disposición adicional vigésima quinta de la Ley 9/2017, de 8 de noviembre, de Contratos del Sector Público, por la que se transponen al ordenamiento jurídico español las Directivas del Parlamento Europeo y del Consejo 2014/23/UE y 2014/24/UE, de 26 de febrero de 2014, si bien las remisiones que realiza la LCSP, al ser anterior a la plena aplicación del RGPD, se realizan a la LOPD de 1999, por lo que dichas remisiones deben entenderse hechas al RGPD.

Por último, procede hacer referencia a la figura del responsable del correcto funcionamiento del sistema y que, bajo la denominación de "responsable del sistema interno de información", se regula en el artículo 9 del anteproyecto, y entre cuyas funciones se encuentra la de aprobar el procedimiento de gestión de comunicaciones. En este caso, de la regulación del artículo 9, que prevé su designación por el órgano de administración u órgano de gobierno de cada entidad u organismo obligado, es decir, desde la perspectiva de la protección de datos personales, por el responsable del tratamiento, resulta que el mismo debe ser un alto directivo, por lo que, en el supuesto en que tenga que acceder a los datos personales, el mismo no tendrá la consideración de encargado sino que accederá en el ejercicio de sus funciones y en su condición de personal del propio responsable.

En lo que se refiere al Canal externo de comunicaciones, el anteproyecto prevé la creación de la Autoridad Independiente de Protección del Informante, a la que atribuye las correspondientes competencias, por lo que la misma ostentará la condición de responsable de los tratamientos de datos personales que realice.

De este modo, con dichas observaciones, se trataba de clarificar la distintas posición jurídica que podrían ostentar, desde la perspectiva de la normativa sobre protección de datos personales, los diferentes sujetos que podían intervenir en dichos tratamientos.

A este respecto, esta Agencia viene insistiendo en la necesidad de que las distintas normas que regulan los tratamientos de datos de carácter personal identifiquen adecuadamente el papel que, desde la perspectiva del cumplimiento de las obligaciones en materia de protección de datos personales, corresponda a los intervinientes en los correspondientes tratamientos, diferenciando aquellos que ostentan la condición de responsable de los que puedan tener la condición de encargados del tratamiento.

Tal y como ha venido señalando reiteradamente esta Agencia en relación con la atribución de la condición de responsable o encargado del tratamiento, son diferentes los supuestos que pueden darse, atendiendo a las circunstancias del caso concreto, la relación jurídica que se haya establecido entre los sujetos intervinientes y sus concretas obligaciones, así como las obligaciones que puedan venir impuestas por el ordenamiento jurídico para la correcta prestación del servicio, lo que será determinante al objeto de valorar si se actúa en condición de responsable del tratamiento o de encargado del tratamiento.

Para ello, es necesario partir de las definiciones que establece el RGPD en su artículo 4:

7) *«responsable del tratamiento» o «responsable»: la persona física o jurídica, autoridad pública, servicio u otro organismo que, solo o junto con otros, determine los fines y medios del tratamiento; si el Derecho de la Unión o de los Estados miembros determina los fines y medios del tratamiento, el responsable del tratamiento o los criterios específicos para su nombramiento podrá establecerlos el Derecho de la Unión o de los Estados miembros;*

8) *«encargado del tratamiento» o «encargado»: la persona física o jurídica, autoridad pública, servicio u otro organismo que trate datos personales por cuenta del responsable del tratamiento;*

Como ya señalaba el Grupo del artículo 29, en su Dictamen 1/2010 sobre los conceptos de «responsable del tratamiento» y «encargado del tratamiento», el concepto de responsable era un concepto funcional dirigido a la asignación de responsabilidades, indicando que "El concepto de «responsable del tratamiento» y su interacción con el concepto de «encargado del tratamiento» desempeñan un papel fundamental en la aplicación de la Directiva 95/46/CE, puesto que determinan quién debe ser responsable del cumplimiento de las normas de protección de datos y la manera en que los interesados pueden ejercer sus derechos en la práctica. El concepto de responsable del tratamiento de datos también es esencial a la hora de determinar la legislación nacional aplicable y para el ejercicio eficaz de las tareas de supervisión conferidas a las autoridades de protección de datos".

Asimismo, el citado Dictamen destacaba "las dificultades para poner en práctica las definiciones de la Directiva en un entorno complejo en el que caben muchas situaciones hipotéticas que impliquen la actuación de responsables y encargados del tratamiento, solos o conjuntamente, y con distintos grados de autonomía y responsabilidad" y que "El Grupo reconoce que la aplicación concreta de los conceptos de responsable del tratamiento de datos y encargado del tratamiento de datos se está haciendo cada vez más compleja. Esto se debe ante todo a la creciente complejidad del entorno en el que se usan estos conceptos y, en particular, a una tendencia en aumento, tanto en el sector privado como en el público, hacia una diferenciación organizativa, combinada con el desarrollo de las TIC y la globalización, lo cual puede dar lugar a que se planteen cuestiones nuevas y difíciles y a que, en ocasiones, se vea disminuido el nivel de protección de los interesados".

No obstante, en el momento actual, hay que tener en cuenta que el RGPD ha supuesto un cambio de paradigma al abordar la regulación del derecho a la protección de datos personales, que pasa a fundamentarse en el principio de «accountability» o «responsabilidad proactiva» tal y como ha señalado reiteradamente la AEPD (Informe 17/2019, entre otros muchos) y se recoge en la Exposición de motivos de la Ley Orgánica 3/2018, de 5 de diciembre, de Protección de Datos Personales y garantía de los derechos digitales (LOPDGDD): "la mayor novedad que presenta el Reglamento (UE) 2016/679 es la evolución de un modelo basado, fundamentalmente, en el control del cumplimiento a otro que descansa en el principio de responsabilidad activa, lo que exige una previa valoración por el responsable o por el encargado del tratamiento del riesgo que pudiera generar el tratamiento de los datos de carácter personal para, a partir de dicha valoración, adoptar las medidas que procedan". Dentro de este nuevo sistema, es el responsable del tratamiento el que, a través de los instrumentos regulados en el propio RGPD como el registro de actividades del tratamiento, el análisis de riesgos o la evaluación de impacto en la protección de datos personales, debe garantizar la protección de dicho derecho mediante el cumplimiento de todos los principios recogidos en el artículo 5.1 del RGPD, documentando adecuadamente todas las decisiones que adopte al objeto de poder demostrarlo.

Asimismo, partiendo de dicho principio de responsabilidad proactiva, dirigido esencialmente al responsable del tratamiento, y al objeto de reforzar la protección de los afectados, el RGPD ha introducido nuevas obligaciones exigibles no sólo al responsable, sino en determinados supuestos, también al encargado del tratamiento, quien podrá ser sancionado en caso de incumplimiento de las mismas.

A este respecto, las Directrices 07/2020 del Comité Europeo de Protección de Datos (CEPD) sobre los conceptos de responsable del tratamiento y encargado en el RGPD hacen especial referencia (apartado 93) a la obligación del encargado de garantizar que las personas autorizadas para tratar datos personales se hayan comprometido a respetar la confidencialidad o estén sujetas a una obligación de confidencialidad de naturaleza estatutaria (artículo 28, apartado 3); la de llevar un registro de todas las categorías de actividades de tratamiento efectuadas por cuenta de un responsable (Artículo 30.2); la de aplicar medidas técnicas y organizativas apropiadas para garantizar un nivel de seguridad adecuado al riesgo (artículo 32); la de designar un delegado de protección de datos bajo determinadas condiciones (artículo 37) y la de notificar al responsable del tratamiento sin dilación indebida las violaciones de la seguridad de los datos personales de las que tenga conocimiento (artículo 33 (2)). Además, las normas sobre transferencias de datos a terceros países (capítulo V) se aplican tanto a los encargados como a los responsables. Y por ello el CEPD considera que el artículo 28 (3) del RGPD impone obligaciones directas a los encargados, incluida la obligación de ayudar al responsable del tratamiento a garantizar el cumplimiento.

Sin perjuicio de la atribución de obligaciones directas al encargado, las citadas Directrices, partiendo de que los conceptos de responsable y encargado del RGPD no han cambiado en comparación con la Directiva 95/46 / CE y que, en general, los criterios sobre cómo atribuir los diferentes roles siguen siendo los mismos (apartado 11), reitera que se trata de conceptos funcionales, que tienen por objeto asignar responsabilidades de acuerdo con los roles reales de las partes (apartado 12), lo que implica que en la mayoría de los supuestos deba atenderse a las circunstancias del caso concreto (case by case) atendiendo a sus actividades reales en lugar de la designación formal de un actor como "responsable" o "encargado" (por ejemplo, en un contrato), así como de conceptos autónomos, cuya interpretación debe realizarse al amparo de la normativa europea sobre protección de datos personales (apartado 13), y teniendo en cuenta (apartado 26) que la necesidad de una evaluación fáctica también significa que el papel de un responsable del tratamiento no se deriva de la naturaleza de una entidad que está procesando datos sino de sus actividades concretas en un contexto específico, por lo que la misma entidad puede actuar al mismo tiempo como responsable del tratamiento para determinadas operaciones de tratamiento y como encargado para otras, y la calificación como responsable o encargado debe evaluarse con respecto a cada actividad específica de procesamiento de datos.

En particular, tratándose de la actuación de organismos públicos, debe atenderse, tal y como se ha indicado en los informes anteriormente citados, a las normas jurídicas que atribuyen las correspondientes competencias, criterio recogido asimismo en las Directrices 07/2020 del CEPD, al referirse a los supuestos de control emanado de disposiciones legales:

*22. En algunos casos, el control puede inferirse de una competencia legal explícita; p. ej., cuando la designación del responsable del tratamiento o los criterios específicos de su nombramiento se establecen en el Derecho nacional o de la UE. En este sentido, el artículo 4, punto 7, establece que «si el Derecho de la Unión o de los Estados miembros determina los fines y medios del tratamiento, el responsable del tratamiento o los criterios específicos para su nombramiento podrá establecerlos el Derecho de la Unión o de los Estados miembros». A pesar de que el artículo 4, punto 7, solo hace referencia al «responsable del tratamiento» en singular, el CEPD también considera posible que el Derecho de la Unión o de los Estados miembros designe más de un responsable del tratamiento, incluso en calidad de corresponsables del tratamiento.*

*23. Cuando el responsable del tratamiento se haya identificado expresamente en la normativa, esto se considerará determinante a la hora de establecer quién actúa como tal. Se presupone, por tanto, que el legislador ha designado como responsable del tratamiento al ente con verdadera capacidad para ejercer el control. En algunos países, el Derecho nacional establece que las autoridades públicas son responsables del tratamiento de datos personales en el marco de sus obligaciones.*

*24. No obstante, es más frecuente el caso en que la legislación, más que nombrar directamente al responsable del tratamiento o fijar los criterios para su nombramiento, establezca un cometido o imponga a alguien el deber de recoger y tratar determinados datos. En tales casos, el objetivo del tratamiento suele venir determinado por la ley. El responsable del tratamiento será normalmente el designado por la ley para cumplir este fin, este cometido público. Este sería, por ejemplo, el caso de un ente al que se le encargaran ciertos cometidos públicos (por ejemplo, la seguridad social) que no se pudieran cumplir sin recoger al menos algunos datos personales, y que, por tanto, creara una base de datos o un registro para realizar dichas tareas. En este caso, aunque indirectamente, la legislación establece quién es el responsable del tratamiento. Con mayor frecuencia, la ley puede imponer a entes públicos o privados la obligación de conservar o facilitar determinados datos. Estos entes se considerarían en principio los responsables del tratamiento necesario para cumplir esta obligación.*

Por consiguiente, partiendo de dichos criterios, y teniendo en cuenta que el artículo 5 resulta de aplicación tanto al sector público como al sector privado, la finalidad perseguida con nuestro Informe 20/2022 era contribuir a la correcta identificación de los responsables del tratamiento y de los posibles encargados, pero sin que fuera la intención de atribuir al Consejo de Administración de una sociedad mercantil una responsabilidad respecto del tratamiento de los datos personales en el Sistema interno de información diferenciada respecto de la que corresponde a la propia sociedad con relación a los restantes tratamientos de datos personales conforme al artículo 4.7. del RGPD, ni alterar el régimen de responsabilidad previsto en la normativa sobre protección de datos personales para adecuarlo al régimen de responsabilidad solidaria de los administradores recogido en el artículo 236 del Real Decreto Legislativo 1/2010, de 2 de julio, por el que se aprueba el texto refundido de la Ley de Sociedades de Capital.

Del mismo modo, en el sector público, la condición de responsable del tratamiento corresponderá a la entidad u organismo obligado por la ley y no a su órgano de gobierno, sin perjuicio de que en este ámbito sea una práctica frecuente en la elaboración de los registros de las actividades de tratamiento, la de identificar como responsable del tratamiento al órgano superior o directivo que ostenta las correspondientes competencias, contribuyendo, de este modo, a facilitar la identificación del órgano administrativo que adopta las correspondientes decisiones sobre el tratamiento de los datos personales y el ejercicio de los derechos de los afectados, práctica admitida y seguida por esta Agencia, pero sin que excluya la condición de responsable del tratamiento de la entidad u organismo correspondiente.

Por todo ello, la correcta interpretación del artículo 5 de la Ley 2/2023, de 20 de febrero, desde la perspectiva de la protección de datos personales, requiere identificar como responsable del tratamiento a la entidad u organismo obligado por la ley a disponer de un Sistema interno de información, sin perjuicio de que las decisiones necesarias para su correcta implantación deban adoptarse por el correspondiente órgano de administración u órgano de gobierno.

# 3. INFORME DEL CONSEJO GENERAL DEL PODER JUDICIAL SOBRE EL ANTEPROYECTO DE LEY REGULADORA DE LA PROTECCIÓN DE LAS PERSONAS QUE INFORMEN SOBRE INFRACCIONES NORMATIVAS Y DE LUCHA CONTRA LA CORRUPCIÓN POR LA QUE SE TRASPONE LA DIRECTIVA (UE) 2019/1937 DEL PARLAMENTO EUROPEO Y DEL CONSEJO, DE 23 DE OCTUBRE, RELATIVA A LA PROTECCIÓN DE LAS PERSONAS QUE INFORMEN SOBRE INFRACCIONES DEL DERECHO DE LA UNIÓN

## CERTIFICACIÓN DE ACUERDO RELATIVO A INFORME

Acto que se certifica: Acuerdo adoptado por el Pleno del Consejo General del Poder Judicial en su reunión del día 26 de mayo de 2022, por el que se ha aprobado el siguiente:

### I. ANTECEDENTES

**1.–** Mediante escrito de la Secretaría de Estado de Justicia del Ministerio de Justicia se ha solicitado a este Consejo General del Poder Judicial la evacuación del correspondiente informe sobre el Anteproyecto Ley reguladora de la protección de las personas que informen sobre infracciones normativas y de lucha contra la corrupción por la que se transpone la Directiva (UE) 2019/1937 del Parlamento Europeo y del Consejo, de 23 de octubre de 2019, relativa a la protección de las personas que informen sobre derecho de la Unión, con arreglo a lo dispuesto en el artículo 561.1 de la Ley Orgánica 6/1985, de 1 de julio, del Poder Judicial.

**2.–** La Comisión Permanente del Consejo, en su reunión del día 17 de marzo de 2021, designó como Ponentes de este informe a los Vocales Juan Martínez Moya y Rafael Mozo Muelas.

### II. CONSIDERACIONES GENERALES SOBRE LA FUNCIÓN CONSULTIVA DEL CGPJ

**3.–** La función consultiva del Consejo General del Poder Judicial a que se refiere el artículo 561 de la Ley Orgánica del Poder Judicial (en la redacción dada a dicho precepto por la Ley Orgánica 4/2013, de 28 de junio) tiene por objeto los anteproyectos de leyes y disposiciones generales que afecten total o parcialmente, entre otras materias expresadas en el citado precepto legal, a «[n]

ormas procesales o que afecten a aspectos jurídico-constitucionales de la tutela ante los Tribunales ordinarios del ejercicio de derechos fundamentales», y «cualquier otra cuestión que el Gobierno, las Cortes Generales o, en su caso, las Asambleas Legislativas de las Comunidades Autónomas estimen oportuna» (apartados 6 y 9 del art. 561.1 LOPJ).

**4.-** Atendiendo a este dictado, en aras a una correcta interpretación del alcance y sentido de la potestad consultiva que allí se prevé a favor de este Consejo, y considerado el contenido del Proyecto remitido, el informe que se emite se limitará al examen y alcance de las normas sustantivas o procesales que en él se incluyen específicamente, evitando cualquier consideración sobre cuestiones ajenas al Poder Judicial o al ejercicio de la función jurisdiccional que éste tiene encomendada. En todo caso, considerando el contenido del anteproyecto remitido, el informe versará, en primer lugar, sobre el rango que ha de revestir, en la medida que se conecta con algunos derechos fundamentales, en particular, el del artículo 18.4 CE, sobre protección de datos personales. En segundo lugar, se examinarán los títulos competenciales que invoca la Disposición Final Sexta, que habilitan el ejercicio de la potestad legislativa estatal sobre las materias a las que se refiere. Una vez estudiadas esas cuestiones, se procederá al análisis de los aspectos sustantivos y procesales que inciden en el Poder judicial y en la función jurisdiccional que le es propia y exclusiva. Asimismo, se harán las observaciones pertinentes de buena regulación y técnica legislativa que contribuyan a proporcionar mayor claridad y seguridad jurídica y a mejorar el texto de la iniciativa legislativa.

**5.-** El Anteproyecto de Ley reguladora de la protección de las personas que informen sobre infracciones normativas y de lucha contra la corrupción por la que se transpone la Directiva (UE) 2019/1937 del Parlamento Europeo y del Consejo, de 23 de octubre de 2019, relativa a la protección de las personas que informen sobre derecho de la Unión, tiene por objeto, conforme a su propio título, y según explica su Exposición de Motivos, llevar a cabo la transposición de la citada Directiva, así como proteger a los ciudadanos cuando informan sobre vulneraciones del ordenamiento jurídico nacional, incorporando al texto proyectado los dos claros objetivos de "proteger a los informantes y establecer las normas mínimas de los canales de comunicación".

**6.-** Se trata, por tanto, de un proyecto legislativo de nuevo cuño, optándose por una regulación global y especial de la materia, toda vez que la Directiva que se transpone incide en varias ramas de nuestro derecho, como el Derecho laboral, el Derecho administrativo o el Derecho penal.

**7.-** En todo caso, el contenido y la naturaleza de la propuesta legislativa determinan el contenido y alcance del presente informe. Su fundamento se encuentra tanto en su objeto material, que se extiende a infracciones penales y administrativas del ordenamiento jurídico europeo y nacional, como en la vinculación de parte de su contenido con derechos fundamentales afectados por la regulación. Sin olvidar que con este proyecto normativo se pretende acometer la trasposición de la Directiva 2019/1937, por lo que la función consultiva de este órgano de gobierno del Poder Judicial ha de proyectarse asimismo sobre el modo en que el prelegislador ha llevado a cabo esta incorporación, siquiera sea en el ejercicio del deber de colaboración institucional que ha de guiar en todo caso el desarrollo de la potestad de informe de la que es titular.

**8.-** Sin perjuicio de lo anterior, y con arreglo al principio de colaboración entre los órganos constitucionales, el Consejo General del Poder Judicial ha venido indicando la oportunidad de efectuar en sus informes otras consideraciones relativas, en particular, a cuestiones de técnica legislativa o de orden terminológico, con el fin de contribuir a mejorar la corrección de los textos normativos y, por consiguiente, a su efectiva aplicabilidad en los procesos judiciales, por cuanto son los órganos jurisdiccionales quienes, en última instancia, habrán de aplicar posteriormente las normas sometidas a informe de este Consejo, una vez aprobadas por el órgano competente.

## III. ESTRUCTURA Y CONTENIDO DEL PROYECTO

**9.-** El Anteproyecto consta de una exposición de motivos, estando integrado por sesenta y ocho artículos divididos en nueve Títulos; tres disposiciones adicionales, cuatro disposiciones transitorias y ocho disposiciones finales.

**10.-** El Título I se destina a la finalidad de la Ley y su ámbito de aplicación, abarcando los artículos 1 a 3.

**11.-** El Título II, intitulado "Sistemas internos de información", artículos 4 a 15, está integrado por el Capítulo I, "Disposiciones Generales", Capítulo II, "Sistema interno de información del sector privado", y Capítulo III, "Sistema interno de Información del sector público".

**12.-** El Título III abarca los artículos 16 a 24 bajo la rúbrica "Canal externo de informaciones".

**13.-** El Título IV se destina a las "Disposiciones comunes a los canales internos y externos" está integrado por los artículos 25 y 26.

**14.-** El Título V intitulado "Revelación pública" abarca los artículos 27 y 28.

**15.-** El Título VI trata la "Protección de datos personales" a lo largo de los artículos 29 a 34.

**16.-** El Título VII, babo la rúbrica "Medidas de protección", abarca los artículos 35 a 41.

**17.-** El Título VIII, intitulado "Autoridad Independiente de Protección del Informante" se divide en los Capítulos I "Disposiciones Generales", artículos 42 y 43, Capítulo II "Régimen Jurídico", artículos 44 a 52; y Capítulo III "Organización", artículos 53 a 59.

**18.-** El Título IX se destina al régimen sancionador, abarcando los artículos 60 a 68.

**19.-** El Anteproyecto se cierra con tres disposiciones adicionales, destinadas respectivamente a la Casa de Su Majestad el Rey, a la revisión de los procedimientos de recepción y seguimiento y a los convenios; cuatro disposiciones transitorias relativas a los canales internos de comunicación, la adaptación de los sistemas internos de información existentes, el plazo máximo para el establecimiento de sistemas internos de información y la revisión presupuestaria de la Autoridad Independiente de Protección del Informante y por ocho disposiciones finales, con el siguiente contenido:

- Disposición final primera. Modificación de la Ley 29/1998, de 13 de julio, reguladora de la Jurisdicción Contencioso-administrativa.

- Disposición final segunda. Modificación de la Ley 10/2010, de 28 de abril, de prevención del blanqueo de capitales y de la financiación del terrorismo.

- Disposición final tercera. Modificación de la Ley 9/2017, de 8 de noviembre, de Contratos del Sector Público, por la que se transponen al ordenamiento jurídico español las Directivas del Parlamento Europeo y del Consejo 2014/23/UE y 2014/24/UE, de 26 de febrero de 2014.

- Disposición final cuarta. Modificación de la Ley Orgánica 3/2018, de 5 de diciembre, de protección de datos personales y garantía de los derechos digitales.

- Disposición final quinta. Incorporación de la Directiva (EU) 2019/1937 del Parlamento Europeo y del Consejo, de 23 de octubre de 2019, relativa a la protección de las personas que informen sobre infracciones del Derecho de la Unión.

## IV. CONSIDERACIONES GENERALES

### 1. Sobre el rango normativo y los títulos competenciales

**20.-** Comenzando por su rango normativo, el anteproyecto respeta la reserva de ley orgánica del artículo 81.1 CE, tal y como ha sido interpretada por el Tribunal Constitucional que, como es sabido es muy restrictiva, dada la función que cumple, como prolongación de la obra del poder constituyente (STC de 23 de julio de 1998, FJ 7, ECLI:ES:TC:1998:173), y el riesgo de petrificación del ordenamiento que implica la alteración del juego normal de las mayorías, merced a la exigencia de aprobación del conjunto del texto por la mayoría absoluta del Congreso de los Diputados (SSTC de 13 de febrero de 1981 [ECLI:ES:TC:1981:5] y de 5 de agosto de 1986 [ECLI:ES:TC:1986:73]). Es decir, se trata de una reserva acotada a lo que sea desarrollo directo del correspondiente precepto constitucional y se refiera a los elementos nucleares y definitorios del derecho fundamental. La STC de 18 de julio de 1989, FJ 16, (ECLI:ES:TC:1989:132) afirmó que *«lo que está constitucionalmente reservado a la Ley Orgánica es «la regulación de determinados aspectos esenciales para la definición del derecho, la previsión de su ámbito y la fijación de sus límites en relación con otras libertades constitucionalmente protegidas»." Esta doble referencia a «aspectos esenciales» y al «establecimiento de restricciones o límites» se halla también en las SSTC 88/1995, fundamento jurídico 4; 140/1986, fundamento jurídico 5 y 101/1991, fundamento jurídico 2.».* Los que no reúnan esas características y, en general, todo lo que se refiere a su ejercicio, deben regularse por ley ordinaria. Eso es, precisamente, lo que aquí ocurre con respecto al derecho a la autodeterminación informativa del artículo 18.4 CE, cuya disciplina normativa está contenida en lo sustancial por el RGPD y en Ley Orgánica 3/2018, de 5 de diciembre, de Protección de Datos Personales y garantía de los derechos digitales, que el anteproyecto observa y aplica. En cuanto a otros derechos, como el del artículo 23.2 CE, su configuración es legal y las previsiones del anteproyecto que inciden en el estatuto de quienes desempeñan cargos o funciones públicas tampoco se adentran en aspectos reservados a la ley orgánica. Por último, el derecho al trabajo del artículo 35 CE, está fuera del ámbito de la repetida reserva. A lo largo del informe se harán las observaciones y comentarios que sean precisos sobre el mencionado ajuste normativo.

**21.–** La Disposición Final Sexta, relativa a los títulos competenciales, establece en su apartado primero que la Ley se dicta al amparo de las competencias exclusivas atribuidas al Estado por los títulos competenciales recogidos en los artículos dispuesto en el artículo 149.1 apartados 1º, 6º, 7º, 13º, 18º, 23º de la Constitución Española, en cuanto atribuyen al Estado las competencias exclusivas sobre la regulación de las condiciones básicas que garanticen la igualdad de todos los españoles en el ejercicio de los derechos y en el cumplimiento de los deberes constitucionales; la legislación mercantil; la legislación laboral; las bases y coordinación de la planificación general de la actividad económica; las bases del régimen jurídico de las Administraciones públicas y del régimen estatutario de sus funcionarios; el procedimiento administrativo común; la legislación básica sobre contratos y concesiones administrativas y el sistema de responsabilidad de todas las Administraciones Públicas.

**22.–** Pues bien, respecto de esta previsión sobre los títulos competenciales que habilitan al prelegislador a dictar la norma anteproyectada cabe señalar, en primer lugar, que la concreción del título competencial con arreglo al cual se dicta la norma adolece de la debida identificación de aquel o aquellos títulos que en concreto sirven de título habilitante a de los distintos preceptos del texto proyectado, por lo que la misma no se acomoda a las exigencias de la doctrina del Consejo de Estado y de la jurisprudencia, por lo que sería aconsejable, de acuerdo a dicha doctrina, que se precisaran los preceptos que se dictan al amparo de los ordinales 1º, 6º, 7º, 13º, 18º, 23º del artículo 149.1 CE.

**23.–** En cuanto al título contenido en el artículo 149.1.1º CE, la doctrina jurisprudencial recuerda (cfr. SSTC 16/2018,de 22 de febrero [ECLI: ECLI:ES:TC:2018:16] y 32/2018, de 12 de abril [ECLI: ECLI:ES:TC:2018:32]) que este título competencial *«lo que contiene es una habilitación normativa para que el Estado condicione —mediante, precisamente, el establecimiento de unas condiciones básicas uniformes— el ejercicio de esas competencias autonómicas con el objeto de garantizar la igualdad de todos los españoles en el ejercicio de sus derechos y en el cumplimiento de sus deberes constitucionales (SSTC 173/1998, de 23 de julio, FJ 9, 178/2004, de 21 de octubre, FJ 7), lo que convierte en estos supuestos el enjuiciamiento de las leyes autonómicas a la luz del artículo 149.1.1º CE en un análisis de constitucionalidad mediata (STC 94/2014, de 12 de* *junio), que comienza con la identificación de la ley estatal que, dictada en ejercicio de la competencia atribuida por el artículo 149.1.1°, va a operar como parámetro de constitucionalidad (...)».*

**24.–** La misma doctrina constitucional ha precisado también, sobre la caracterización general del título competencial dimanante del artículo 149.1.1° que el mismo (i) es un título autónomo, habilitante: *«Constituye un título competencial autónomo, positivo o habilitante, constreñido al ámbito normativo, lo que permite al Estado una "regulación", aunque limitada a las condiciones básicas que garanticen la igualdad, que no el diseño completo y acabado de su régimen jurídico (...)»* STC 61/1997, de 20 de marzo, FJ 7 b); no es un título prohibitivo ni residual: *«No debe ser entendido como una prohibición de divergencia autonómica, ni tampoco como un título residual»* [STC 61/1997, de 20 de marzo, FJ 7 b)]; (iii) no es un título horizontal: *«No puede operar como una especie de título horizontal, capaz de introducirse en cualquier materia o sector del ordenamiento por el mero hecho de que pudieran ser reconducibles, siquiera sea remotamente, hacia un derecho o deber constitucional.»* [STC 61/1997, de 20 de marzo, FJ 7 b)]; (iv) no habilita el establecimiento de un régimen jurídico completo: *«Con la finalidad de establecer las condiciones básicas ex art. 149.1.1 CE para garantizar la igualdad en el ejercicio de los derechos, el Estado no puede pretender alterar el sistema de reparto competencial. Así lo entendimos en la STC 148/2012, de 5 de julio, FJ 4, cuando afirmamos que, amparado sólo en este título competencial (el art. 149.1.1 CE), "el legislador estatal no puede establecer el régimen jurídico completo de la materia, regulación acabada que corresponde, con el límite de tales condiciones básicas de dominio estatal, a poder público que corresponda según el sistema constitucional de distribución de competencias [STC 61/1997,de 20 de marzo, FJ 7 b)]"»* [STC 173/2012,de 15 de octubre, FJ 5 a)]; (v) no es excluyente del ejercicio de competencias autonómicas, pero puede incidir en su eficacia: *«El art. 149.1.1 C.E., más que delimitar un ámbito material excluyente de toda intervención de las Comunidades Autónomas, lo que contiene es una habilitación para que el Estado condicione —mediante, precisamente, el establecimiento de unas "condiciones básicas" uniformes— el ejercicio de esas competencias autonómicas con el objeto de garantizar la igualdad de todos los españoles en el ejercicio de sus derechos y en el cumplimiento de sus deberes constitucionales. En suma, si el Estado considerara necesario establecer en el futuro esas condiciones básicas y al dictarlas éstas entraran en contradicción con preceptos de leyes autonómicas en vigor, éstos últimos quedarían automáticamente desplazados por aquéllas»* (STC 173/1998, de 23 de julio, FJ 9); y (vi) la mera invocación del art. 149.1.1° no sostiene una impugnación, por cuanto es necesario precisar la "condición básica" afectada ya que, como señala la STC 109/2003, de 5 de junio, FJ 17: *«[t]ampoco se enuncian por parte del Abogado del Estado los preceptos legales concretos de la normativa estatal que contienen la regulación de las condiciones básicas que garanticen la igualdad de los españoles en el ejercicio de los derechos constitucionales que se dicen vulnerados, es notorio que este Tribunal carece de canon de referencia para realizar el juicio de constitucionalidad que aquella representación procesal le solicita, lo que nos impide apreciar si se ha conculcado el contenido primario de algún derecho o las posiciones jurídicas fundamentales relativas al mismo».* En igual sentido, STC 98/2004, de 25 de mayo, FJ 9 e, inequívocamente, la STC 247/2007, de 12 diciembre, FJ 17: *«[n]uestra doctrina entiende que no puede invocarse en abstracto, como motivo de inconstitucionalidad, la vulneración del art. 149.1.1 CE, sino que ha de aducirse en cada caso, como parámetro, la "condición básica" del ejercicio del derecho constitucional que se considere infringida.»*

**25.–** Todo lo cual debe ponerse en relación tanto con la prexistencia y mantenimiento de autoridades competentes designadas como canal externo en el ámbito autonómico para recibir informaciones sobre vulneraciones del ordenamiento jurídico, como con el segundo párrafo de la propia Disposición final sexta que confiere carácter básico a la norma anteproyectada, exceptuando su Título VIII, destinado a la regulación de la Autoridad Independiente de Protección del Informante, el cual, en recta lógica, y de conformidad con lo expuesto en párrafos anteriores, solo resulta de aplicación a la Administración General del Estado, siguiendo, como señala la propia Exposición de Motivos la doctrina del Tribunal Constitucional, expuesta en la Sentencia 130/2013, al indicar que «*en casos como los que contemplamos, las disposiciones del Estado que establezcan reglas destinadas a permitir la ejecución de los Reglamentos comunitarios en España y que no puedan considerarse normas básicas o de coordinación, tienen un carácter supletorio de las que pueden dictar las Comunidades Autónomas para los mismos fines de sus competencias. Sin olvidar que la cláusula de supletoriedad del artículo 149.3 de la CE no constituye una cláusula universal atributiva de competencias, en tales casos, la posibilidad de que el Estado dicte normas innovadoras de carácter supletorio está plenamente justificada*».

**26.–** En lo que concierne al título competencial contenido en el artículo 149.1.13º CE, la STC de 22 de julio de 2020 (ECLI:ES:TC:2020:100) ha declarado que «*atribuye al Estado, conforme a la jurisprudencia constitucional, "una competencia para 'la ordenación general de la economía' que 'responde al principio de unidad económica y abarca la definición de las líneas de actuación tendentes a alcanzar los objetivos de política económica global o sectorial fijados por la propia Constitución, así como la adopción de las medidas precisas para garantizar la realización de los mismos' (STC 186/1988, de 17 de octubre, FJ 2). Se trata, pues, de una regla de carácter transversal en el orden económico que responde a la 'necesaria coherencia de la política económica' y que 'exige decisiones unitarias que aseguren un tratamiento uniforme de determinados problemas en orden a la consecución de dichos objetivos y evite que, dada la interdependencia de las actuaciones llevadas a cabo en las distintas partes del territorio, se produzcan resultados disfuncionales y disgregadores' (STC 186/1988, FJ 2)". Esta doctrina se reitera, entre otras, en las SSTC 141/2014, de 11 de septiembre, FJ 5; 147/2017, de 14 de diciembre, FJ 2; y 15/2018, de 22 de febrero, FJ 5. En la STC 79/2017, FJ 5, el Tribunal declara que esta competencia "ampara todas las normas y actuaciones, sea cual sea su naturaleza, orientadas a la ordenación de sectores económicos concretos y para el logro de fines entre los que la doctrina constitucional ha situado el de garantizar el mantenimiento de la unidad de mercado (SSTC 118/1996, de 27 de junio, FJ 10; y 208/1999, de 11 de noviembre, FJ 6) o de la 'unidad económica' (SSTC 152/1988, de 20 de julio, FJ 2; 186/1988, de 17 de octubre, FJ 2; 96/1990, de 24 de mayo, FJ 3, y 146/1992, de 16 de octubre, FJ 2)". El Tribunal subraya también que, conforme a consolidada jurisprudencia constitucional, "el art. 149.1.13 CE exige una lectura restrictiva, puesto que una excesivamente amplia podría constreñir e incluso vaciar las competencias sectoriales legítimas de las Comunidades Autónomas (SSTC 29/1986, FJ 4, y 141/2014, FJ 5). Este Tribunal ha señalado que 'el posible riesgo de que por este cauce se produzca un vaciamiento de las concretas competencias autonómicas en materia económica obliga a enjuiciar en cada caso la constitucionalidad de la medida estatal que limita la competencia asumida por una Comunidad Autónoma como exclusiva en su Estatuto, lo que implica un examen detenido de la finalidad de la norma estatal de acuerdo con su objetivo predominante, así como su posible correspondencia con intereses y fines generales que precisen de una actuación unitaria en el conjunto del Estado [por todas, STC 225/1993, de 8 de julio, FJ 3 d)]' (STC 143/2012, de 2 de julio, FJ 3). Asimismo, es doctrina de este Tribunal que no toda medida que incida en la actividad económica puede incardinarse en este título. Para ello es preciso, como se ha indicado, que tenga 'una incidencia directa y significativa sobre la actividad económica general, pues de no ser así se vaciaría de contenido una materia y un título competencial más específico' (SSTC 21/1999, de 25 de febrero, FJ 5; 141/2014, FJ 5)*».

**27.–** La advertencia sobre el no vaciamiento de las competencias autonómicas pone de manifiesto su extraordinaria *vis* expansiva de este título y su capacidad para penetrar en cualquier ámbito material y, por supuesto, en el que es objeto del anteproyecto. De hecho, ha sido empleado de manera sistemática por el Estado e invocado en los procedimientos habidos ante el Tribunal Constitucional, si bien con distinto resultado ya que, por mucha amplitud que se le quiera dar a esta norma, será preciso comprobar en cada caso si, efectivamente, la regulación que se dicte a su amparo constituye verdaderamente una medida incardinable en la misma por su trascendencia económica.

**28.–** Por lo que se refiere al título del subapartado 6 del artículo 149.1 CE, relativo a legislación mercantil, penal y penitenciaria; legislación procesal, sin perjuicio de las necesarias especialidades que en este orden se deriven de las particularidades del derecho sustantivo de las Comunidades Autónomas, el espacio para la normación autonómica es muy escaso, sin que sea necesario abundar en ello con la cita de la abundante jurisprudencia constitucional sobre el mismo. No obstante, la falta de indicación precisa por la Disposición Final Sexta del anteproyecto dificulta la identificación de sus contornos precisos.

**29.–** Algo similar ocurre con el 7, sobre legislación laboral; sin perjuicio de su ejecución por los órganos de las Comunidades Autónomas. Materia en la que solo caben reglamentos autonómicos de organización para la ejecución de la dicha legislación conforme a una jurisprudencia consolidada que arranca de las SSTC de 4 de mayo de 1982, FFJJ 2 (ECLI:ES:TC:1982:18) y 5; de 14 de junio de 1982, FJ 2, ECLI:ES:TC:1982:35. Recuerda a este respecto la STC de 18 de febrero de 2021, FJ 2, ECLI:ES:TC:2021:39 que «*la competencia estatal es exclusiva y plena, comprendiendo tanto las leyes y normas con rango de ley como los reglamentos, de conformidad con el art. 149.1.7 CE lo que excluye absolutamente la intervención legislativa de las comunidades autónomas en esta materia (por todas, 7/1985, de 25 de enero, FJ 2; 86/1991, de 25 de abril, FJ 3; 51/2006, de 16 de febrero, FJ 4, y 244/2012, de 18 de diciembre, FJ 4)*». No obstante, añade, «*(l)as comunidades autónomas únicamente pueden disponer de una competencia de mera ejecución de la normación estatal, que incluye la emanación de reglamentos internos de organización de los servicios necesarios, de regulación de la propia competencia funcional de ejecución y, en general, el desarrollo del conjunto de actuaciones preciso para la puesta en práctica de la normativa reguladora del conjunto del sistema de relaciones laborales, así como la potestad sancionadora en la materia (por todas, STC 176/2014, de 3 de noviembre, FJ 3).*» No obstante, a pesar de la limitada competencia autonómica en materia laboral, el anteproyecto debería señalar con claridad los artículos que se fundamentan en ella y así evitar los problemas interpretativos a los que puede dar lugar y los posibles conflictos competenciales que se pudieran suscitar.

**30.–** La crítica ha de extenderse a la invocación del título previsto en el apartado 18° del artículo 149. CE, ya que este versa diversas submaterias en las que el reparto competencial es distinto, pues, en unos casos, opera el binomio bases/desarrollo y, en otros, la completa regulación es estatal con algunas salvedades. Se trata de las bases del régimen jurídico de las Administraciones públicas y del régimen estatutario de sus funcionarios que, en todo caso, garantizarán a los administrados un tratamiento común ante ellas; el procedimiento administrativo común, sin perjuicio de las especialidades derivadas de la organización propia de las Comunidades Autónomas; legislación sobre expropiación forzosa; legislación básica sobre contratos y concesiones administrativas y el sistema de responsabilidad de todas las Administraciones públicas. Nuevamente, la falta de concreción de la que adolece el anteproyecto impide apreciar si se mueven en su ámbito propio.

**31.–** Finalmente, el anteproyecto, tampoco especifica la aplicación del subapartado 23° del mismo artículo 149.1 CE, que alude a la legislación básica sobre protección del medio ambiente, sin perjuicio de las facultades de las Comunidades Autónomas de establecer normas adicionales de protección. La legislación básica sobre montes, aprovechamientos forestales y vías pecuarias.

## 2. Sobre los antecedentes legislativos y jurisprudenciales de los canales de denuncia y la protección del denunciante

**32.–** Señalado lo anterior, el Anteproyecto que se informa tiene como objeto, tal y como se recoge en su Exposición de Motivos y más concretamente en su artículo 1, tanto la protección de las personas físicas que informen, a través de los procedimientos previstos en la propia norma proyectada, de alguna acción u omisión contenida en su ámbito material de aplicación (artículo 2), como la transposición de la Directiva (UE) 2019/1937, sin perjuicio de que lo segundo conlleva inevitablemente lo primero, al menos en lo que al ámbito de aplicación de la Directiva se refiere, esto es, en relación con informaciones sobre infracciones de Derecho de la Unión Europea. En todo caso, la regulación europea incide en varias ramas de nuestro derecho, como el Derecho laboral, el Derecho administrativo o el Derecho penal, lo que lleva a una valoración positiva de la opción del prelegislador de abordar la transposición mediante una ley especial.

**33.–** La Directiva que se transpone es conocida como Directiva *Whistleblowing* ("tocar el silbato"), ya que recoge una regulación de mínimos tanto sobre los canales de denuncia por irregularidades en los sectores público y privado, reforzando así la aplicación del Derecho y las políticas de la Unión en ámbitos específicos, como sobre protección de los *"whisteblowers"* (artículo 1 de la Directiva (UE) 2019/1937, en adelante DPI), términos que han sido objeto de diversas aproximaciones conceptuales, cabiendo citar la de Ralph Nader en la década de 1970, quien definió el *whistleblowing* como el *"el acto de un hombre o una mujer que, creyendo que el interés público es superior al interés de la organización a la que sirve, toca el silbato que alerta de que la organización está realizando actividades corruptas, ilegales, fraudulentas o perjudiciales"*, o la definición utilizada por Transparencia Internacional en su informe *International principles for whistleblower legislation (2013)*: «*la divulgación de información relacionada con actividades corruptas, ilegales, fraudulentas o peligrosas que se cometen en organizaciones del sector público o privado — incluidas malas prácticas percibidas o potenciales—, que preocupan o amenazan el interés público, a personas o entidades que se cree que pueden actuar contra ellas*», si bien no hay un consenso sobre la correcta traducción del término en español, hablándose de "denunciante", "informante", "alertador", etc. y habiendo optado el prelegislador nacional por emplear el término "informante" —a pesar de que la Directiva emplea la voz "denunciante" en su versión en español—, lo que resulta adecuado, dado el significado jurídico del término y su empleo preferente en el ámbito judicial penal.

**34.–** Más allá de las definiciones doctrinales, de carácter más o menos genérico, que ayudan a comprender de forma instintiva la finalidad de la norma europea, su concepto jurídico concreto se acota a través del articulado de la Directiva mediante la delimitación de los ámbitos material y personal de aplicación —cuya trasposición será objeto del correspondiente análisis en las Consideraciones particulares de este informe—, y de las definiciones contenidas en su artículo 5, siendo con carácter general el "denunciante" «*una persona física que comunica o revela públicamente información sobre infracciones obtenida en el contexto de sus actividades laborales*», y la "información sobre infracciones": «*la información, incluidas las sospechas razonables, sobre infracciones reales o potenciales, que se hayan producido o que muy probablemente puedan producirse en la organización en la que trabaje o haya trabajado el denunciante o en otra organización con la que el denunciante esté o haya estado en contacto con motivo de su trabajo, y sobre intentos de ocultar tales infracciones*».

**35.–** En todo caso, el objetivo de establecer canales para la denuncia de infracciones empresariales o de prácticas corruptas y de proteger frente a represalias a las personas que informan de ellas, en aras del interés general, tiene una trayectoria de cierta duración; así la instauración en el seno de las organizaciones empresariales de canales internos de comunicación de denuncias (también conocidos como *"whistleblower lines"*) tiene su origen en los Estados Unidos de Norteamérica donde, desde la *Public Company Accounting Reform and Investor Protection Act* de 2002, conocida como *Sarbanes-Oxley Act (SOX Act)*, se exige a las sociedades cotizadas en bolsa la adopción de procedimientos de recepción de comunicaciones por parte de los empleados, con carácter anónimo y confidencial, sobre cuestiones contables o de auditoría cuestionables.

**36.–** En el marco de las Naciones Unidas, el artículo 33 de la Convención contra la Corrupción de 31 de octubre de 2003 —ratificada por España el 16 de septiembre de 2005—, bajo la rúbrica "protección de los denunciantes" establece que: «*cada Estado Parte considerará la posibilidad de incorporar en su ordenamiento jurídico interno medidas apropiadas para proporcionar protección contra todo trato injustificado a las personas que denuncien ante las autoridades competentes, de* *buena fe y con motivos razonables, cualesquiera hechos relacionados con delitos tipificados con arreglo a la presente Convención»*, contemplando en su artículo 8.4 el establecimiento de sistemas para facilitar que los funcionarios públicos denuncien todo acto de corrupción a las autoridades competentes, y en su artículo 13.2 la posibilidad de la denuncia anónima.

**37.–** Por su parte, la Organización para la Cooperación y el Desarrollo Económico (OCDE), trabaja también por la protección de los denunciantes, dentro del marco de la consecución de la integridad y la anticorrupción en el sector público, definiendo dicha protección como la protección legal frente a las acciones discriminatorias o disciplinarias tomadas contra los empleados que ponen en conocimiento de las autoridades competentes, de buena fe y por motivos razonables, irregularidades de cualquier clase en el contexto de su espacio de trabajo, siendo merecedor de atención su informe de 2016 sobre la implantación de medidas efectivas en este ámbito: *Committing to Effective Whistleblower Protection*.

**38.–** La propia Unión Europea contaba ya con normativa en materia de protección del denunciante con anterioridad a la Directiva que ahora se transpone, pero dicha normativa, a la que se hace referencia en los Considerandos 7, 9 y 10 de la norma europea que nos ocupa se encuentra fragmentada por materias a nivel comunitario. De esta forma, cabe mencionar la protección al denunciante en el ámbito de los servicios financieros, que se regula en la Directiva 2013/36/UE del Parlamento Europeo y del Consejo[1], en relación con el Reglamento (UE) núm. 575/2013 sobre los requisitos prudenciales de las entidades de crédito y las empresas de inversión[2], que refiere canales de denuncia interna y externa y la prohibición expresa de represalias en un importante número de actos legislativos en el ámbito de los servicios financieros. En materia de seguridad aérea, la Unión ha reconocido la importancia de la protección de los denunciantes para prevenir y disuadir la comisión de infracciones en materia de seguridad del transporte, que puedan llegar a poner en peligro vidas humanas, tal y como se ha reconocido en el Reglamento (UE) núm. 376/2014 del Parlamento Europeo y del Consejo[3], en el que se recogen medidas específicas de protección frente a represalias de los trabajadores que informen sobre sus propios errores cometidos de buena fe. En el ámbito de la seguridad del transporte marítimo, procede mencionar las Directivas 2013/54/UE[4] y 2009/16/CE[5] del Parlamento Europeo y del Consejo, que prevén medidas específicas de protección de los denunciantes, así como canales de denuncia específicos. En materia de medioambiente también existe una regulación previa, la Directiva 2013/30/UE del Parlamento Europeo y del Consejo[6], calificada

---

[1]   Directiva 2013/36/UE del Parlamento Europeo y del Consejo, de 26 de junio de 2013, relativa al acceso a la actividad de las entidades de crédito y a la supervisión prudencial de las entidades de crédito y las empresas de inversión, por la que se modifica la Directiva 2002/87/CE y se derogan las Directivas 2006/48/CE y 2006/49/CE (DO L 176 de 27.6.2013).

[2]   Reglamento (UE) núm. 575/2013 del Parlamento Europeo y del Consejo, de 26 de junio de 2013, sobre los requisitos prudenciales de las entidades de crédito y las empresas de inversión, y por el que se modifica el Reglamento (UE) núm. 648/2012 (DO L 176 de 27.6.2013).

[3]   Reglamento (UE) núm. 376/2014 del Parlamento Europeo y del Consejo, de 3 de abril de 2014, relativo a la notificación de sucesos en la aviación civil, que modifica el Reglamento (UE) núm. 996/2010 del Parlamento Europeo y del Consejo, y por el que se derogan la Directiva 2003/42/CE del Parlamento Europeo y del Consejo y los Reglamentos (CE) núm. 1321/2007 y (CE) núm. 1330/2007 de la Comisión (DO L 122 de 24.4.2014).

[4]   Directiva 2013/54/UE del Parlamento Europeo y del Consejo, de 20 de noviembre de 2013, sobre determinadas responsabilidades del Estado del pabellón en materia de cumplimiento y control de la aplicación del Convenio sobre el trabajo marítimo, de 2006 (DO L 329 de 10.12.2013).

[5]   Directiva 2009/16/CE del Parlamento Europeo y del Consejo, de 23 de abril de 2009, sobre el control de los buques por el Estado rector del puerto (DO L 131 de 28.5.2009).

[6]   Directiva 2013/30/UE del Parlamento Europeo y del Consejo, de 12 de junio de 2013, sobre la seguridad de las operaciones relativas al petróleo y al gas mar adentro, y que modifica la Directiva 2004/35/CE (DO L 178 de 28.6.2013).

en este ámbito de deficiente por la propia Directiva 2019/1937, en relación con la comunicación de la Comisión de 18 de enero de 2018 «*Acciones de la UE para mejorar el cumplimiento y la gobernanza medioambiental*».

**39.–** Tras esta regulación fragmentada, el 23 de abril de 2018 la Comisión europea presentó la Propuesta de Directiva del Parlamento Europeo y del Consejo relativa a la protección de las personas que informen sobre infracciones del Derecho de la Unión, siguiendo las Resoluciones del Parlamento Europeo de 14 de febrero de 2017 sobre la Función de los denunciantes en la protección de los intereses financieros de la Unión, así como la Recomendación de 24 de octubre de 2017 sobre Medidas legítimas para la protección de los denunciantes de infracciones que actúan en aras del interés público —que tras exponer una larga enumeración de considerandos sobre la importancia de proteger a los denunciantes de irregularidades en el marco de la Unión Europea, declara la necesidad de «*establecer con carácter de urgencia un marco horizontal y exhaustivo que, mediante la formulación de derechos y obligaciones, proteja eficazmente a los denunciantes en los Estados miembros y en las instituciones, autoridades y organizaciones de la Unión*»—. El pasado 16 de abril de 2019, el Parlamento Europeo aprobó el texto de la Directiva 2019/1937, cuyo plazo de transposición general finalizó el 17 de diciembre de 2021, exceptuando lo dispuesto respecto a la obligación de establecer canales de denuncia interna para las entidades jurídicas del sector privado que tengan de 50 a 249 trabajadores, en cuyo caso el plazo de transposición se amplía hasta el 17 de diciembre de 2023 (artículo 26, apartados 1 y 2 DPI).

**40.–** En términos de la propia Comisión, la razón y necesidad de acometer la Directiva *Whistleblowing* —más allá de la existencia de una normativa que estaba fragmentada— derivaba de «*Escándalos recientes, como el Dieselgate, Luxleaks, Panama Papers, el caso Fipronil o Cambridge Analytica, han mostrado errores importantes dentro de compañías u organizaciones, lo que perjudicó el interés público en toda la UE. En muchos casos, estos escándalos y el daño causado al medio ambiente, la salud y la seguridad públicas, y las finanzas públicas nacionales o de la UE, han salido a la luz gracias a las personas que hablan cuando encuentran irregularidades en el contexto de su trabajo*».

**41.–** En ese sentido, los Considerandos 1, 2 y 3 de la DPI desarrollan esta premisa, partiendo de que las infracciones del Derecho de la Unión, con independencia de si el Derecho nacional las clasifica como administrativas, penales o de otro tipo, pueden provocar graves perjuicios al interés público, en el sentido de que crean riesgos importantes para el bienestar de la sociedad. Al mismo tiempo, las denuncias y revelaciones públicas hechas por los denunciantes —«*personas que trabajan para una organización pública o privada o están en contacto con ella en el contexto de sus actividades laborales son a menudo las primeras en tener conocimiento de amenazas o perjuicios para el interés público que surgen en ese contexto*»— desempeñan un papel clave a la hora de descubrir y prevenir esas infracciones y, por tanto, para proteger el bienestar de la sociedad europea. Por lo que, en consecuencia, se hace necesario prestar una protección equilibrada y efectiva a los denunciantes para despejar los obstáculos que desincentivan la formulación de denuncias o revelaciones públicas por su parte, como sus preocupaciones o sospechas por temor a represalias, y, en resumen, potenciar la aplicación del Derecho introduciendo canales de denuncia efectivos, confidenciales y seguros y garantizando la protección efectiva de los denunciantes frente a represalias.

**42.–** En el ámbito nacional, también desde comienzos de este siglo se camina hacia el establecimiento de canales de denuncia y de medidas de protección del denunciante o informante. Así, aunque no tuviera eficacia normativa, el Código unificado de buen gobierno de las sociedades cotizadas del año 2006 ya recomendaba, por indicación de la Comisión Europea, "*que las sociedades cotizadas encomienden al Comité de Auditoría el establecimiento y seguimiento de mecanismos de esa naturaleza, que protejan la identidad del denunciante e incluso, si se considera oportuno, permitan su anonimato*". Posteriormente, en su versión de 2013, se puntualizó que estos mecanismos debían ser canales de denuncia.

**43.–** Procede citar el artículo 70 *sexies* de la Ley 24/1988, de 28 de julio, del Mercado de Valores incorporado por la disposición final 1.16 de la Ley 10/2014, de 26 de junio, y que ahora se halla en el artículo 197 del Real Decreto Legislativo 4/2015, de 23 de octubre, por el que se aprueba el texto refundido de la Ley del Mercado de Valores, así como el nuevo Capítulo IV bis (arts. 276 bis a 276 sexies) sobre «comunicación de infracciones», introducido por el Real Decreto-ley 14/2018, de 28 de septiembre; los artículos 26, 26 bis, 26 ter y 27 a 30, y 65 de la Ley 10/2010 de 28 de abril, de prevención del blanqueo de capitales y de la financiación del terrorismo, introducidos o modificados por el Real Decreto-ley 11/2018, de 31 de octubre —en relación con el artículo 8.4 de la Directiva 2015/849 del Parlamento Europeo y del Consejo, de 20 de mayo de 2015[7]; la Ley 19/2013, de 9 de diciembre de transparencia, acceso a la información pública y buen gobierno, y la Ley 15/ 2007, de 3 de julio de defensa de la competencia, así como la Ley 1/2019, de 20 de febrero, de Secretos Empresariales —que supuso la transposición al derecho nacional de la Directiva Europea 2016/943[8]—, en la medida en que permite excepcionar las medidas de protección en ella previstas cuando los actos de obtención, utilización o revelación de un secreto empresarial hayan tenido lugar con la finalidad de descubrir, en defensa del interés general, alguna falta, irregularidad o actividad ilegal que guarden relación directa con dicho secreto empresarial (artículo 2, apartado 3.2). Finalmente, no procede pasar por alto el artículo 48 de la LO 3/2007, para la Igualdad efectiva de mujeres y hombres, que para los casos de acoso sexual y por razón de sexo establece que las empresas deben *"arbitrar procedimientos específicos para dar cauce a las denuncias o reclamaciones que puedan formular quienes hayan sido objeto del mismo".*

**44.–** También cabe recordar que las Comunidades Autónomas de Cataluña, Valencia, Islas Baleares, Navarra y Asturias han abordado la cuestión de la protección de los denunciantes, si bien la regulación ha sido parcial y centrada fundamentalmente en la creación de oficinas o agencias con la específica función de prevenir e investigar casos de uso o destino fraudulentos de fondos públicos, aprovechamientos ilícitos derivados de actuaciones que comporten conflictos de intereses o uso de información privilegiada o, en general, conductas contrarias a la integridad, es decir, han circunscrito esta legislación al ámbito público, a diferencia de la Directiva Europea, cuya aplicación se extiende también a las empresas que operan en el sector privado. El primer organismo de este tipo fue la Oficina Antifraude de Cataluña creada por la Ley 14/2008, de 5 de noviembre, y con posterioridad se han creado la Agencia de Prevención y Lucha contra el Fraude y la Corrupción de la Comunidad Valenciana, por la Ley 11/2016, de 28 de noviembre; la Oficina de Prevención y Lucha contra la Corrupción en las Illes Balears, por la Ley 16/2016, de 9 de diciembre; la Oficina de Buenas Prácticas y Anticorrupción de la Comunidad Foral de Navarra, por la Ley Foral 7/2018, de 17 de mayo; la Oficina de Buen Gobierno y Lucha contra la Corrupción del Principado de Asturias, creada por la Ley 8/2018, de 14 de septiembre, de Transparencia, Buen Gobierno y Grupos de Interés y la Oficina Andaluza contra el Fraude y la Corrupción, creada por Ley 2/21, de 18 de junio, de lucha contra el fraude y la corrupción en Andalucía y protección de la persona denunciante. En muchos casos dichas agencias cuentan con un procedimiento específico de recepción de denuncias y con la posibilidad de adoptar medidas de tutela de las personas denunciantes ante posibles represalias.

---

[7]  Directiva (UE) 2015/849 del Parlamento Europeo y del Consejo, de 20 de mayo de 2015, relativa a la prevención de la utilización del sistema financiero para el blanqueo de capitales o la financiación del terrorismo, y por la que se modifica el Reglamento (UE) núm. 648/2012 del Parlamento Europeo y del Consejo, y se derogan la Directiva 2005/60/CE del Parlamento Europeo y del Consejo y la Directiva 2006/70/CE de la Comisión (DO L 141 de 5 de junio de 2015).

[8]  Directiva (UE) 2016/943 del Parlamento Europeo y del Consejo, de 8 de junio de 2016, relativa a la protección de los conocimientos técnicos y la información empresarial no divulgados (secretos comerciales) contra su obtención, utilización y revelación ilícitas. (DO L 157 de 15 de junio de 2016).

**45.–** Procede detenerse en el hecho de que la normativa internacional, europea y nacional señaladas, y en concreto la propia DPI y el Anteproyecto que se informa no pueden desvincularse de la figura de la *"Legal Compliance"*, y en este sentido, resulta imprescindible tener en cuenta, en el marco legislativo español, la responsabilidad penal de las personas jurídicas, y concretamente los artículos 31 bis. 2, 1° y 2°, 31 bis.5, 4° y 31 quater d) del Código Penal, introducidos por la Ley Orgánica 1/2015, de 30 de octubre:

**Artículo 31bis.2**. *Si el delito fuere cometido por las personas indicadas en la letra a) del apartado anterior, la persona jurídica quedará exenta de responsabilidad si se cumplen las siguientes condiciones:*

***1.ª** el órgano de administración ha adoptado y ejecutado con eficacia, antes de la comisión del delito, modelos de organización y gestión que incluyen las medidas de vigilancia y control idóneas para prevenir delitos de la misma naturaleza o para reducir de forma significativa el riesgo de su comisión;*

***2.ª** la supervisión del funcionamiento y del cumplimiento del modelo de prevención implantado ha sido confiada a un órgano de la persona jurídica con poderes autónomos*

*de iniciativa y de control o que tenga encomendada legalmente la función de supervisar la eficacia de los controles internos de la persona jurídica.*

**Artículo 31 bis.5.** *Los modelos de organización y gestión a que se refieren la condición 1.ª del apartado 2 y el apartado anterior deberán cumplir los siguientes requisitos:*

***4.°** Impondrán la obligación de informar de posibles riesgos e incumplimientos al organismo encargado de vigilar el funcionamiento y observancia del modelo de prevención.*

**Artículo 31 quater. 1**: *"Sólo podrán considerarse circunstancias atenuantes de la responsabilidad penal de las personas jurídicas haber realizado, con posterioridad a la comisión del delito y a través de sus representantes legales, las siguientes actividades: **d)** Haber establecido, antes del comienzo del juicio oral, medidas eficaces para prevenir y descubrir los delitos que en el futuro pudieran cometerse con los medios o bajo la cobertura de la persona jurídica".*

**46.–** Aunque no se contempla en la norma penal ninguna obligación de que las personas jurídicas privadas se doten de un procedimiento específico de denuncia, ni se regula específicamente la protección de estos informadores, la Circular de la Fiscalía 1/2016, sobre la configuración de la responsabilidad de las personas jurídicas ya ponía de manifiesto que «*la existencia de unos canales de denuncia de incumplimientos internos o de actividades ilícitas de la empresa es uno de los elementos clave de los modelos de prevención. Ahora bien, para que la obligación impuesta pueda ser exigida a los empleados resulta imprescindible que la entidad cuente con una regulación protectora específica del denunciante (whistleblower), que permita informar sobre incumplimientos varios, facilitando la confidencialidad mediante sistemas que la garanticen en las comunicaciones (llamadas telefónicas, correos electrónicos…) sin riesgo a sufrir represalias*».

**47.–** Cabe igualmente señalar que si bien, como se ha expuesto, a falta de la trasposición de la Directiva, nuestro ordenamiento jurídico carece de una regulación general e integral de los canales de denuncias, de forma que la regulación vigente no cubre todos los ámbitos y no parece proporcionar suficiente claridad y seguridad jurídica para los sujetos informantes, sobre todo en el ámbito laboral, no puede dejar de mencionarse que nuestro Código Penal no es ajeno a la problemática, tipificando en su artículo 464.2 las represalias contra los denunciantes (entre otros sujetos), debiendo señalar que, aunque la Recomendación de 30 de abril de 2014 del Comité de Ministros del Consejo de Europa (Recommendation CM/REC (2014)7) indica la necesidad de revisar las leyes penales, entre otras muchas, para ofrecer una mayor protección al *whistleblower* —y que sería aplicable al citado artículo 464.2 CP donde resultan difícilmente encajables las represalias laborales— la DPI excluye de su ámbito de aplicación las normas de enjuiciamiento criminal (artículo 3.3.d) DPI).

**48.–** También debe traerse a colación la LO 19/1994, de 23 de diciembre, de protección a testigos y peritos en causas criminales la cual, aunque no queda circunscrita al ámbito de los denunciantes que hacen uso de los canales que habiliten internamente las empresas, al ser de aplicación general dentro del proceso penal, guarda semejanzas con la DPI, en lo que a sus fundamentos y fines se refiere, si bien debe tenerse en cuenta que las medidas de protección previstas están relacionadas fundamentalmente con la preservación de la identidad del testigo y no contemplan la posibilidad de actuar en situaciones de represalias laborales o en la función pública, y procediendo destacar que hasta la fecha no se ha procedido al desarrollo reglamentario de esta Ley, tal y como se determina en su disposición adicional segunda, cuestión que este órgano constitucional viene poniendo reiteradamente de manifiesto.

**49.–** No puede olvidarse tampoco la doctrina constitucional, en relación con la protección de los denunciantes frente a las represalias laborales, así, cabe citar la Sentencia de 25 de noviembre de 2019 [ECLI:ES:TC:2019:146]: «*Dado que se plantea en este caso la cuestión relativa a la protección del derecho a la libertad de expresión frente al ejercicio del poder disciplinario empresarial en el seno de una relación laboral, se hace preciso tener presente también que la celebración de un contrato de trabajo no implica, en modo alguno, la privación para una de las partes, el trabajador, de los derechos que la Constitución le reconoce como ciudadano, así como que la libertad de empresa (art. 38 CE) no legitima que los trabajadores hayan de soportar limitaciones injustificadas de sus derechos fundamentales y libertades públicas (por todas, SSTC 88/1985, de 19 de julio, FJ 2, y 89/2018, de 12 de octubre, FJ 3). En definitiva, es preciso que los órganos judiciales preserven el necesario equilibrio entre las obligaciones del trabajador dimanantes del contrato de trabajo y el ámbito de sus derechos y libertades constitucionales, pues dada la posición preeminente de estos en el ordenamiento jurídico, la modulación que el contrato de trabajo puede producir en su ejercicio ha de ser la estrictamente imprescindible para el logro de los legítimos intereses empresariales, y proporcional y adecuada a la consecución de tal fin (por todas, STC 170/2013, de 7 de octubre, FJ 3). En tal sentido, se ha venido pronunciando el Tribunal Europeo de Derechos Humanos al examinar el alcance permisible de la restricción de la libertad de expresión en la relación laboral desde la perspectiva del art. 10 del Convenio europeo de derechos humanos (SSTEDH Fuentes Bobo c. España, de 29 de febrero de 2000; Palomo Sánchez y otros c. España, de 21 de septiembre de 2011 y Herbai c. Hungría, de 5 de noviembre de 2019*». Añade esta resolución en relación con las conclusiones del tribunal de instancia que señaló que el trabajador planteó "reivindicaciones laborales por cauce inadecuado" que: «*tales argumentos resultan inadmisibles por varios motivos. (i) por suponer una injustificada limitación del derecho a la libertad de expresión del recurrente en la medida en que condicionó su ejercicio a que las críticas del trabajador respecto a su empresa tuvieran como único y posible receptor a esta última. Tal interpretación supone un claro vaciamiento del contenido del derecho fundamental, que precisamente está caracterizado por otorgar a la persona el poder jurídico de expresar sus pensamientos, ideas y opiniones "libremente", siempre que se haga de forma respetuosa con los límites constitucionalmente impuestos al ejercicio del derecho; (ii) por cuanto que, en contra de lo mantenido por la sentencia impugnada, la conducta sancionada no habría resultado reprobable por ser contraria a la "buena fe contractual" o al "deber de lealtad" hacia la empresa. Así lo evidencia, en efecto, el que el trabajador formulase sus quejas, en primer lugar y ante todo, frente a su propia empleadora (fundamento jurídico 3 de la sentencia de instancia), y que, solo una vez desatendidas sus reivindicaciones las formulase, en segundo lugar, ante el propio ayuntamiento, que como titular del centro de trabajo y contratante de los servicios de la empresa Clece, podía hacer que sus peticiones fueran atendidas; de este modo hay que concluir que la reclamación del trabajador había sido formulada ante quien debía dirigirse; (iii) el contrato de la empresa empleadora con el ayuntamiento tenía como objeto la prestación de unos servicios de tipo social, lo que implica que deban tenerse en cuenta estas circunstancias en las que se ha producido la crítica del trabajador ahora demandante de amparo*».

**50.-** Finalmente, tampoco es ajeno nuestro ordenamiento jurídico, y concretamente nuestra jurisprudencia, a la protección del trabajador frente a las consecuencias de una revelación de secretos (artículo 278 CP), de tal forma que los tribunales españoles han considerado que no existe delito alguno cuando la información que da a conocer el denunciante está centrada en el fraude denunciado y en sus responsables. Cabe citar el Auto de 28 de mayo de 2013 de la Audiencia Nacional que denegó la extradición a Suiza del informante Hervé Falciani, por considerar que aquella persona que defrauda al fisco no puede tener una expectativa legítima de que su conducta no sea conocida por terceros, por lo que quien denuncia dicha conducta no está revelando secreto alguno que merezca protección penal.

## 3. Sobre el vigente régimen jurídico de la protección de datos personales en los canales de denuncia

**51.-** La protección de los datos personales de los interesados cuya información personal se incluye en las denuncias vertidas en los canales de whistleblowing y, en particular, la protección de la identidad y los datos personales de los denunciantes son esenciales para que los sistemas de denuncias generen confianza a los informantes.

**52.-** En el ordenamiento jurídico español, la normativa vigente se encuentra integrada por el Reglamento (UE) 2016/679 General de Protección de Datos 106 (el "RGPD") y la Ley Orgánica 3/2018, de 5 de diciembre, de Protección de Datos Personales y garantía de los derechos digitales. Aunque el RGPD no regula de forma expresa los tratamientos de datos relacionados con los canales de whistleblowing, la LOPDGDD —que entró en vigor con anterioridad a la publicación de la Directiva—, y como ya se ha señalado, dedica su artículo 24 a regular de forma específica cómo deben aplicarse las reglas y principios de la protección de datos a los tratamientos relacionados con los sistemas de denuncias.

**53.-** El artículo 17 de la DPI, en relación con el considerando 83 de la Directiva, establece que cualquier tratamiento de datos personales, incluido su intercambio o transmisión, deberá cumplir con las obligaciones establecidas por el RGPD y demás normativa aplicable, que, como ha quedado anotado, en el caso de España, es la LOPDGDD, y, en particular, su artículo 24.

**54.-** La normativa vigente en materia de protección de datos ya permitía establecer una serie de requisitos aplicables al establecimiento de canales de denuncia por parte de cualesquiera entidades en relación con (i) las bases jurídicas del tratamiento (ii) la aplicación del principio de minimización del dato la admisibilidad de las denuncias anónimas (iv) la información sobre el canal de denuncias (v) los plazos para el tratamiento de las denuncias (vi) las restricciones y limitaciones de acceso a los datos de las denuncias (vii) las medidas de seguridad.

**55.-** Por lo que hace a las exigencias dimanantes de las Bases jurídicas del tratamiento, constituye una verdadera premisa del sistema la de que el responsable del tratamiento compruebe que existe una base jurídica, de entre las recogidas en el artículo 6 del RGPD, para tratar los datos personales concernidos. Las dos bases jurídicas que podrían tener cabida para legitimar el tratamiento de datos incluidos en las denuncias serían, o bien que exista una norma que obligue al responsable del tratamiento a implementar un canal de *whistleblowing* (art. 6.1.c del RGPD), o bien que sea de aplicación una norma que autorice —en virtud del artículo 6.1.f del RGPD— la instalación de dicho sistema.

**56.-** No obstante lo anterior, no cabe desconocer que a través de los canales de denuncias pueden ser objeto de tratamiento datos especialmente protegidos, por cuanto en las denuncias es habitual que se incluyan datos relacionados con presuntas comisiones de delitos, datos de orientación sexual de otros trabajadores, datos de salud del sujeto denunciado o datos de afiliación sindical del denunciante.

**57.–** Las bases de legitimación de datos especialmente protegidos como los anteriores se encuentran reguladas en los artículos 9 y 10 del RGPD y en los artículos 9 y 10 de la LOPDGDD. Sobre dichos preceptos cabe destacar que el artículo 10 de la LOPDGDD —en línea con el art. 10 del RGPD— señala que el tratamiento de infracciones penales "solo podrá llevarse a cabo cuando se encuentre amparado en una norma de Derecho de la Unión, en esta ley orgánica o en otras normas de rango legal". Por lo tanto, las entidades privadas solo podrán tratar datos sobre infracciones o antecedentes penales si existe una norma con rango de ley que autorice dicho tratamiento.

**58.–** Un principio básico en materia de protección de datos, conocido como el principio de la minimización del dato (art. 5.1.c del RGPD), es el que establece que solo se deben tratar aquellos datos que sean "adecuados, pertinentes y limitados a lo necesario" en relación con el fin con el que se pretenden tratar.

**59.–** Corolario lógico de la regla anterior es el de que debería pechar sobre los responsables del tratamiento de datos la obligación de advertir a los denunciantes sobre la prohibición de incluir datos excesivos o no necesarios para denunciar un determinado hecho. En este sentido, tal y como recomendó el Supervisor Europeo de Protección de Datos Personales en su informe sobre cómo debían tratarse los datos personales[9], las denuncias que no guardaran la debida relación con el ámbito que pretende cubrir un determinado sistema de denuncias, deberían ser suprimidas por los responsables del tratamiento.

**60.–** La admisibilidad de las denuncias anónimas resulta de la redacción vigente del artículo 24.1 de la LOPDGDD en cuanto dispone que «será lícita la creación y mantenimiento de sistemas de información a través de los cuales pueda ponerse en conocimiento de una entidad de Derecho privado, incluso anónimamente, la comisión en el seno de la misma o en la actuación de terceros que contratasen con ella, de actos o conductas que pudieran resultar contrarios a la normativa general o sectorial que le fuera aplicable» y el APL, como se analizará de forma específica en las Consideraciones particulares de este informe, refuerza la idea de tal admisibilidad con ocasión de la regulación propuesta de la preservación de la identidad del informante, al prescribir que los sistemas internos de información, los canales externos y quienes reciban revelaciones públicas deberán contar con medidas técnicas y organizativas adecuadas para preservar la identidad y garantizar la confidencialidad de los datos correspondientes a las personas investigadas por la información suministrada, especialmente la identidad del informante *en caso de que se hubiera identificado.*»

**61.–** Pese a la admisibilidad de las denuncias anónimas contemplada por la LOPDGDD y por el Anteproyecto en los términos referidos, no cabe desconocer en línea con lo sostenido por el Supervisor Europeo de Protección de datos personales en la Guía de procedimiento referida, que la identificación del informante puede coadyuvar a evitar el abuso y el uso indiscriminado de los canales de denuncias y permitir, asimismo, la efectiva protección de los *whistleblowers* contra posibles represalias, además, de permitir que sea posible recabar más información sobre los hechos denunciados que pueda ser relevante para la resolución del conflicto[10].

**62.–** Una de las obligaciones esenciales dimanantes del régimen jurídico de la protección de datos —contemplada en los artículos 13 y 14 del RGPD y el artículo 11 de la LOPDGDD— es la de que los titulares de los datos sean informados acerca de cuestiones tales como quién está tratando

---

[9]   Guidelines on processing personal information within a whistleblowing procedure, publicadas en el mes de julio de 2016 y actualizadas en diciembre de 2019. Disponible en https://edps.europa. eu/data- protection/ our-work/our-work-by-type/guidelines_en.

[10]  SEPD: Directrices sobre Whistleblowing, pág. 6: "*In principle, whistleblowing should not be anonymous. Whistleblowers should be invited to identify themselves not only to avoid abuse of the procedure but also to allow their effective protection against any retaliation. This will also allow better management of the file if it is necessary to gather further information*".

sus datos personales, con qué finalidad y durante cuánto tiempo. Con todo, el artículo 24.1 de la LOPDGDD únicamente establece que "Los empleados y terceros deberán ser informados acerca de la existencia de estos sistemas de información"; reproduciéndose dicha regla en idénticos términos por el artículo 32.5 del anteproyecto, lo que suscita la cuestión acerca de si la mera traslación a los afectados de la noticia de la existencia del canal de denuncias es o no suficiente para garantizar la tutela efectiva de sus derechos desde la perspectiva de la protección de datos. Por otro lado, ni el citado artículo 24 de la LOPDGDD, ni artículo 32.5 del APL concretan en qué momento debe proporcionarse dicha información.

**63.–** El artículo 5.1.e del RGPD, prescribe que los datos personales no deben conservarse "más tiempo del necesario para los fines del tratamiento". Como traslación de este principio al contexto de los canales de denuncias, el artículo 24.4 de la LOPDGDD establece que los datos de quien formule la comunicación y de los empleados y terceros deberán tratarse en el sistema de denuncias "únicamente durante el tiempo imprescindible para decidir sobre la procedencia de iniciar una investigación sobre los hechos denunciados". Además, el mismo precepto dispone que "En todo caso, transcurridos tres meses desde la introducción de los datos, deberá procederse a su supresión del sistema de denuncias, salvo que la finalidad de la conservación sea dejar evidencia del funcionamiento del modelo de prevención de la comisión de delitos por la persona jurídica".

**64.–** Por ello, los responsables del tratamiento solo se encuentran habilitados para tratar datos personales dentro del canal de denuncias durante el tiempo imprescindible para determinar si la denuncia va a ser investigada o no y, en todo caso, solo pueden tratar las denuncias durante un plazo máximo de tres meses desde la fecha en que estas hubieran sido incluidas en el canal. Las denuncias que pasen a ser investigadas solo se podrán conservar dentro del canal con el único fin de "dejar evidencia del funcionamiento del modelo de prevención de la comisión de delitos por la persona jurídica" (art. 24.4 de la LOPDGDD).

**65.–** En relación con las denuncias que pasen a ser investigadas, el art. 24.4. de la LOPDGDD señala que las mismas podrán seguir siendo tratadas, en un sistema lógico distinto, por el órgano al que corresponda la investigación de los hechos denunciados sin que se conserven en el propio sistema de información de denuncias internas. Ello no obstante, no es ocioso señalar que la Guía de procedimiento del Servicio Europeo de Protección de Datos, a la que se viene haciendo referencia, postula que —antes de que el órgano o equipo correspondiente investigue los hechos— cualquier dato que no sea necesario para la investigación sea eliminado de la denuncia con el fin de cumplir con el principio de minimización del dato[11].

**66.–** Por el contrario, de acuerdo con el artículo 24.4. de la LOPDGDD, las denuncias "a las que no se haya dado curso" deben ser anonimizadas si se pretenden mantener en el sistema de denuncias, con el fin de dejar evidencia del funcionamiento del modelo de prevención de la comisión de delitos por la entidad responsable del tratamiento.

**67.–** El acceso a los datos contenidos en los canales de denuncias debe quedar limitado exclusivamente a quienes, incardinados o no en el seno del responsable del tratamiento, desarrollen las funciones de control interno y de cumplimiento. No obstante, el artículo 24.2 de la LOPDGDD señala que será lícito el acceso de otras personas (incluso por el personal de recursos humanos) cuando resulte necesario para la adopción de medidas disciplinarias o para la tramitación de los procedimientos judiciales.

**68.–** Los derechos de los interesados en el ámbito de la protección de datos se encuentran contemplados en los artículos 12 y siguientes del RGPD. Entre tales derechos cabe destacar, por su inci-

---

[11] SEPD: Directrices sobre Whistleblowing, pág. 10: *"Personal information that is not relevant to the allegations should not be further processed (see section 4) and deleted with undue delay"*.

dencia sobre el funcionamiento de los canales de denuncias, el derecho de acceso de los afectados por una denuncia, entre los que se incluyen los denunciados, los testigos y los terceros concernidos.

**69.–** Con carácter general el derecho de acceso se regula en el artículo 15 del RGPD, y, en lo esencial, confiere la opción de conocer qué categorías de datos relativos al afectado se están tratando, su procedencia, a quién han sido cedidos, con qué finalidades se están tratando y el plazo de conservación previsto. No obstante, este derecho, en el contexto del canal de denuncias, se ve limitado con el fin de preservar la confidencialidad de los datos relativos a la identidad del denunciante —en aplicación de las previsiones establecidas al respecto por los artículos 23 del RGPD, 16 de la DPI y 24.3 de la LOPDGDD. Por lo tanto, ni la persona a quien se imputen los hechos objeto de denuncia, ni los testigos ni los terceros que se vean afectados por una determinada denuncia podrán acceder a los datos relativos a la identidad del informante.

**70.–** El artículo 5.1.f del RGPD obliga a los responsables del tratamiento a implementar medidas técnicas y organizativas para garantizar la seguridad adecuada de los datos personales. En este sentido, el artículo 32 del RGPD exige que los responsables de los datos personales analicen el nivel de riesgo del tratamiento y, en consecuencia, implementen las medidas de seguridad que consideren apropiadas para el mismo. Dado que en los sistemas de whistleblowing, como se ha señalado con anterioridad, se tratan datos especialmente protegidos, las medidas de seguridad han de ser suficientemente sólidas como para impedir brechas de seguridad y accesos no autorizados a los canales de denuncias.

**71.–** En coherencia con lo anterior, en aquellos casos en los que tras el pertinente análisis de los riesgos asociados al tratamiento se concluya, por los responsables del mismo, que en el canal de denuncias pueden llegar a incluirse datos relativos a hechos potencialmente categorizables como delictivos, los responsables del tratamiento deberán llevar a cabo una evaluación de impacto en los términos señalados en el artículo 35 del RGPD.

## 4. Sobre el concreto modelo de canal externo diseñado en el Anteproyecto: La Autoridad Independiente de Protección del Informante

**72.–** La Ley 40/2015, de 1 de octubre, de Régimen Jurídico del Sector Público regula la organización y funcionamiento del sector público institucional del Estado en el Capítulo II del Título II (arts. 84 a 87), realizando en su art. 84.1 una clasificación de los entes integrantes del mismo que incluye a los organismos públicos —organismos autónomos y entidades públicas empresariales—, las autoridades administrativas independientes, las sociedades mercantiles, los consorcios, las fundaciones, los fondos sin personalidad jurídica y las universidades públicas no transferidas. Las disposiciones transitorias primera y segunda contienen varias reglas de derecho intertemporal en relación con esta clasificación.

**73.–** Como indicó el Consejo de Estado en su dictamen 247/2015, de 29 de abril, ésta «es una clasificación realizada con base en criterios que no pueden considerarse estrictamente organizativos, en el sentido de que, de acuerdo con el anteproyecto, no sólo se integran en el sector público institucional estatal aquellos entes que se encuentran en una relación de dependencia o instrumentalidad de la Administración del Estado —como sucedía en la Ley de Entidades Estatales Autónomas de 1958 y todavía sucede en la vigente Ley 6/1997-, sino también aquellos que, siendo parte del sector público estatal a otros efectos, no están sometidos —desde un punto de vista orgánico y funcional— a las instrucciones de aquélla».

**74.–** A la cuestión de la existencia de entidades integradas en la administración institucional con un estatuto de independencia respecto de la administración general tuvo ocasión de referirse el Tribunal de Justicia de la Unión Europea en Sentencia de 9 de marzo de 2010 dictada, en el asunto C-518/07, Comisión Europea contra Alemania, señalando que «Este principio no se opone a la existencia de autoridades públicas al margen de la Administración jerarquizada clásica y más *o menos dependientes del Gobierno. La existencia y requisitos de funcionamiento de esas entidades se regulan, en los Estados miembros, mediante ley, e incluso, en algunos de ellos, mediante la Constitución, y esas autoridades están sujetas a la ley, bajo el control del juez competente. Este tipo de autoridades administrativas independientes —añadió— ejercen con frecuencia una función reguladora o de otro tipo que exige que deban estar protegidas de la influencia política, sin dejar por ello de estar sujetas a la ley, bajo el control del Juez competente»(considerando 42); por estas razones, «el hecho de conceder» a estas autoridades «un estatuto independiente de la Administración general — concluyó el Tribunal— no priva, por sí mismo, a dichas autoridades de legitimación democrática»(considerando 46).*

**75.–** La Ley 40/2015, de 1 de octubre dedica tan solo dos artículos —el 109 y el 110, que constituyen el Capítulo IV del Título II— a las autoridades administrativas independientes de ámbito estatal, que se definen en el primero de ellos como "entidades de derecho público que, vinculadas a la Administración General del Estado y con personalidad jurídica propia, tienen atribuidas funciones de regulación o supervisión de carácter externo sobre sectores económicos o actividades determinadas, por requerir su desempeño de independencia funcional o una especial autonomía respecto de la Administración General del Estado, lo que deberá determinarse en una norma con rango de Ley".

**76.–** En cuanto a su régimen jurídico, de conformidad con las prescripciones del artículo 110 de la Ley 40/2015, de 1 de octubre, se dispone que las autoridades administrativas independientes se regirán por su Ley de creación, sus estatutos y la legislación especial de los sectores económicos sometidos a su supervisión y, supletoriamente y en cuanto sea compatible con su naturaleza y autonomía, por lo dispuesto en la Ley 40/2015, de 1 de octubre, en particular lo dispuesto para organismos autónomos, la Ley del Procedimiento Administrativo Común de las Administraciones Públicas, la Ley 47/2003, de 26 de noviembre, el Real Decreto Legislativo 3/2011, de 14 de noviembre, la Ley 33/2003, de 3 de noviembre, así como el resto de las normas de derecho administrativo general y especial que le sea de aplicación. En defecto de norma administrativa, se aplicará el derecho común. Se prevé igualmente su sujeción al principio de sostenibilidad financiera, de acuerdo con lo previsto en la Ley Orgánica 2/2012, de 27 de abril, de Estabilidad Presupuestaria y Sostenibilidad Financiera.

**77.–** La exposición de Motivos del Anteproyecto sirve al prelegislador para ofrecer una doble justificación de la opción por la creación de una Autoridad Independiente de Protección del Informante señalándose, en primer lugar, que la naturaleza y encaje institucional en el sector público permitirá canalizar satisfactoriamente el conjunto de funciones que la Directiva atribuye a las autoridades competentes de cada Estado miembro.

**78.–** Abundando en la misma línea argumentativa se afirma también que el carácter independiente y la autonomía de que gozan este tipo de entes del sector público *«se considera la mejor forma de instrumentar el engranaje institucional de la protección del informante, excluyendo otras alternativas con menor independencia del poder ejecutivo y permitiendo, en definitiva, que sea una entidad de nueva creación la que garantice la funcionalidad del sistema, una entidad independiente de quien la nombra y de la Administración Pública, que atienda, en el ejercicio de sus funciones, a criterios de naturaleza técnica».*

**79.–** La Exposición de Motivos del Anteproyecto ofrece una segunda justificación de la opción elegida al precisar que *«el carácter específico de la materia hace igualmente aconsejable que las funciones que la Directiva atribuye a las autoridades competentes sean ejercidas por una Autoridad de nueva creación sin posibilidad de acudir a otras ya existentes dentro del sector público. Además, resulta determinante a efectos de la creación de una nueva autoridad, la articulación, en cumplimiento de la Directiva, de un canal externo de información que complementa los canales internos (tanto en el sector privado como público). Resulta de especial interés que sea una entidad que bajo* *un especial régimen de autonomía y con un marcado carácter técnico y especializado en la materia sea la encargada de la llevanza y gestión del citado canal externo.»*

**80.–** El considerando 64 de la DPI dispone que «*Debe corresponder a los Estados miembros determinar qué autoridades son competentes para recibir la información sobre infracciones que entren en el ámbito de aplicación de la presente Directiva y seguir adecuadamente las denuncias. Dichas autoridades competentes podrían ser autoridades judiciales, organismos de regulación o de supervisión competentes en los ámbitos específicos de que se trate, o autoridades con una competencia más general a escala central dentro de un Estado miembro, autoridades encargadas del cumplimiento del Derecho, organismos de lucha contra la corrupción o defensores del pueblo.*». Partiendo de la esta previsión de la Directiva debe concluirse que la opción del prelegislador es, efectivamente, una de las autorizadas por la misma para determinar —con un innegable grado de discrecionalidad— qué autoridad debe ser la competente para recibir la información sobre infracciones que entren en el ámbito de aplicación de la misma y seguir adecuadamente las denuncias.

## V. CONSIDERACIONES PARTICULARES

### 1. Ámbito material y personal de aplicación

**81.–** La Directiva 2019/1937 se circunscribe al ámbito de las infracciones del Derecho de la Unión Europea, sin que su transposición pueda servir de excusa o justificación para disminuir el «*nivel de protección de que ya gozan los denunciantes en virtud del Derecho nacional en sus ámbitos de aplicación*» (Considerando 104), y estableciéndose dicho ámbito «*sin perjuicio de la facultad de los Estados miembros para ampliar la protección en su Derecho nacional a otros ámbitos o actos no previstos en el apartado 1*» (Considerando 5 y artículo 2.2 DPI). En virtud del reconocimiento de dicha facultad, el prelegislador nacional opta por llevar a cabo una regulación global que amplía el ámbito material de aplicación a las infracciones penales o administrativas, graves o muy graves o a las vulneraciones del ordenamiento jurídico español, siempre que afecten directamente al interés general (artículo 2 APL), una opción que, sin venir impuesta por la norma europea, como se ha señalado, responde adecuadamente al principio de buena regulación, proporcionando una ordenación no fragmentada y coherente en la materia, así como una mayor eficiencia, debiendo valorarse positivamente desde el punto de vista de la seguridad jurídica, pues una acotación del ámbito material podría conllevar una importante falta de certeza acerca de si la divulgación de la información que se pretende denunciar goza o no de la protección prevista. De otro lado, un alcance ilimitado, que abarcase, por ejemplo, infracciones leves, podría generar una carga excesiva sobre los sujetos públicos y privados obligados a establecer los canales de denuncia y tramitar las mismas, dada la vastedad del Derecho administrativo sancionador y la pluralidad de fuentes que lo integran, por lo que resulta adecuada la acotación a las infracciones "graves o muy graves" y la señalada vinculación de afectación al interés general (que, por otro lado, responde a la propia finalidad de la norma).

**82.–** De esta forma, el artículo 2 APL recoge en primer lugar en su apartado a) el ámbito material de aplicación establecido en el artículo 2.1 DPI, si bien la redacción es jurídicamente confusa, emergiendo la duda —en una lectura no cotejada con la DPI— de si las infracciones en relación con los actos de la Unión enumerados en el Anexo de la Directiva deben o no afectar a los intereses de la U.E. o incidir en su mercado interior, sugiriéndose al prelegislador nacional que utilice la misma enumeración en tres apartados que realiza el legislador europeo, y, que deslinda los tres tipos de infracciones, así como que complete adecuadamente la referencia a las infracciones que afectan a los intereses financieros de la Unión que se contemplan en el artículo 325 TFUE, añadiendo la frase "*tal como se concretan en las correspondientes medidas de la Unión*". Además, debe tenerse en cuenta que el artículo 2, apartado 1, letra a) DPI, define el ámbito de aplicación material de la Directiva mediante la remisión a una lista de actos de la Unión que figura en el anexo, lo que implica que, de conformidad con el Considerando 19 «*se debe entender que la remisión a los actos del* *anexo incluye todas las medidas delegadas y de ejecución nacionales y de la Unión que se hayan adoptado con arreglo a dichos actos. Asimismo, se debe entender la remisión a los actos de la Unión que figuran anexo como una referencia dinámica, de conformidad con el sistema normal para hacer referencia a los actos jurídicos de la Unión. De este modo, si un acto de la Unión que figura en el anexo ha sido modificado o se modifica, la remisión se hace al acto modificado; si un acto de la Unión que figura en el anexo ha sido sustituido o se sustituye, la remisión se hace al nuevo acto».*

**83.–** Del mismo modo, el artículo 2 DPI debe necesariamente interpretarse de acuerdo con las definiciones contenidas en el artículo 5, donde se especifica que la información sobre infracciones es *«la información, incluidas las sospechas razonables, sobre infracciones reales o potenciales, que se hayan producido o que muy probablemente puedan producirse en la organización en la que trabaje o haya trabajado el denunciante o en otra organización con la que el denunciante esté o haya estado en contacto con motivo de su trabajo, y sobre intentos de ocultar tales infracciones».* Sin perjuicio de que no resulta de obligada inclusión en el APL un precepto del exacto tenor al del artículo 5 DPI, sí es inexcusable que el articulado de la norma proyectada responda a las definiciones del texto europeo, siendo por ello necesario, para una adecuada transposición y una mayor seguridad jurídica, que el artículo 2 APL incluya de forma clara y taxativa todas las informaciones sobre infracciones que abarca la Directiva, y en este sentido, no puede pasarse por alto el Considerando 42, que señala que *«La detección y la prevención efectivas de perjuicios graves para el interés público exige que el concepto de infracción incluya también prácticas abusivas, como establece la jurisprudencia del Tribunal de Justicia, a saber, actos u omisiones que no parecen ilícitos desde el punto de vista formal, pero que desvirtúan el objeto o la finalidad de la ley».*

**84.–** Como se ha apuntado anteriormente, haciendo uso de la libertad concedida en el artículo 2.2 DPI, el apartado b) del artículo 2 APL extiende el ámbito material de aplicación a las *"Acciones u omisiones que puedan ser constitutivas de infracción penal o administrativa grave o muy grave o cualquier vulneración del resto del ordenamiento jurídico siempre que, en cualquiera de los casos, afecten o menoscaben directamente el interés general, y no cuenten con una regulación específica. En todo caso, se entenderá afectado el interés general cuando la acción u omisión de que se trate implique quebranto económico para la Hacienda Pública".* Resulta necesario mencionar en este punto los artículos 259 y 262 de la LECrim que establecen la obligación de denunciar (con las excepciones contempladas en los artículos 260, 261 y 263) la perpetración de cualquier delito público ante las autoridades judiciales, fiscales o policiales. Si bien las consecuencias del incumplimiento son sin duda simbólicas (la multa no llega a los dos euros cuando se trata de un testigo directo), la preexistencia de dichas disposiciones en nuestro ordenamiento jurídico tiene un encaje cuanto menos complejo con la norma europea y el Anteproyecto que se informa, que diseñan un sistema de denuncia de infracciones penales —graves o muy graves que afecten al interés general— dirigido a la confidencialidad y protección del informante, al que se le otorga la opción preferente del uso de los canales internos de las propias empresas privadas u organismos públicos. Es más, en cierta medida, ya existía cierta incoherencia interna en nuestro sistema jurídico tras la introducción del deber de información de posibles incumplimientos que establece el artículo 31 *bis* CP antes citado.

**85.–** A este respecto, debe tenerse en cuenta que el objetivo de la DPI es alentar la denuncia interna, y proteger al informante, y en modo alguno penalizar a aquel que, precisamente para evitar represalias, acude a canales internos o externos (pudiendo ser estos últimos administrativos, como en la norma proyectada) y evita denunciar ante la autoridad judicial, fiscal o policial, teniendo en cuenta además que *«Las personas que comunican información sobre amenazas o perjuicios para el interés público obtenida en el marco de sus actividades laborales hacen uso de su derecho a la libertad de expresión. El derecho a la libertad de expresión y de información, consagrado en el artículo 11 de la Carta y en el artículo 10 del Convenio Europeo para la Protección de los Derechos Humanos y de las Libertades Fundamentales, incluye el derecho a recibir y comunicar informaciones, así como la libertad y el pluralismo de los medios de comunicación. En consecuencia, la presente*

*Directiva se basa en la jurisprudencia del Tribunal Europeo de Derechos Humanos (TEDH) sobre el derecho a la libertad de expresión y en los principios desarrollados por el Consejo de Europa en su Recomendación sobre protección de los denunciantes adoptada por su Comité de ministros el 30 de abril de 2014»* (Considerando 31).

**86.–** En definitiva, si bien la denuncia a través de los canales internos o externos es una opción que se proporciona al ciudadano que no resulta *per se* incompatible con la obligación de denunciar establecida en la LECrim, la consecución real del objetivo de fomento del empleo de estos canales de forma preferente —y en especial, del canal interno— para combatir los incumplimientos del Derecho de la Unión Europea y nacional que se enmarcan en su ámbito de aplicación sí resulta difícilmente conciliable con dicha obligación legal, y ello sin perjuicio de la obligación de la Autoridad Independiente de Protección del Informante (canal externo creado *ex novo* por el prelegislador, y que es objeto de análisis en párrafos posteriores) de remitir al Ministerio Fiscal los hechos informados que pudieran ser indiciariamente constitutivos de delito (artículo 18.2. c APL), obligación que, de otro lado, no se impone a los responsables del sistema interno de información (artículo 9 APL). Por todo lo anteriormente expuesto, debe valorarse positivamente que el Anteproyecto de Ley Orgánica de Enjuiciamiento Criminal, que se encuentra en trámite de informe de este órgano constitucional, si bien mantiene la obligación de denunciar en su artículo 526, prevé al tiempo, a fin de conseguir su adaptación a la DPI, como específicamente señala su Exposición de motivos, que *"Cuando la noticia de la comisión de un delito cometido en el seno de una entidad del sector público o privado la hubiese dado un funcionario o empleado a través de un procedimiento de denuncia interna, la comunicación del hecho delictivo a las autoridades podrá realizarla el responsable del canal de denuncia sin revelar la identidad del alertador, salvo que fuese especialmente requerido para hacerlo"* (artículo 528.6). En todo caso, dada la competencia de los Juzgados y Tribunales para el conocimiento de las infracciones penales (artículo 23 LOPJ), las autoridades judiciales siempre serán autoridades competentes para la recepción de denuncias sobre las infracciones penales que constituyen el ámbito material del APL, con independencia de que la norma proyectada no los mencione y cree y diseñe un nuevo canal externo administrativo.

**87.–** El legislador europeo solo excluye de forma expresa aquellas materias que tienen que ver con la protección de información clasificada, la protección del secreto médico y del secreto profesional en la relación cliente abogado, el secreto de las deliberaciones judiciales, las normas sobre protección y confidencialidad establecidas a nivel nacional en la ley de enjuiciamiento criminal, y los derechos de los trabajadores en relación con sus representantes sindicales (artículo 3), lo que encuentra su reflejo en los apartados 2, 3 y 5 del artículo 2 APL, que se enmarcan adecuadamente en las excepciones que permite la DPI en los Considerandos 21 a 26. Es por ello que debe entenderse que la extensión del ámbito material que realiza el prelegislador nacional abarca las infracciones laborales entre trabajadores, y ello tanto en virtud de la redacción empleada en el artículo 2.1 b) APL, que refiere cualquier acción u omisión penal o administrativa grave o muy grave, como de conformidad con el propio artículo 2.2., que contempla específicamente la información de infracciones sobre derecho laboral en materia de seguridad y salud en el trabajo, si bien sería conveniente que ello apareciera oportunamente especificado en el texto proyectado.

**88.–** De gran relevancia resulta el apartado 4 del artículo 2 APL, que establece *"esta protección no excluirá la aplicación de las normas relativas al proceso penal, incluyendo las diligencias de investigación"*, y que debe ser interpretado de conformidad con el Considerando 28 DPI: «*Si bien la presente Directiva debe establecer, en determinadas condiciones, una exención limitada de responsabilidad, incluida la responsabilidad penal, en caso de violación de la confidencialidad, ello no debe afectar a las normas nacionales relativas al proceso penal, especialmente a las destinadas a proteger la integridad de las investigaciones y procedimientos o los derechos de defensa de las personas afectadas*».

**89.–** La DPI impone la obligación a los Estados Miembros de establecer un canal de denuncia externo independiente y autónomo, quedando a la discrecionalidad de los Estados el designar qué autoridades son competentes para recibir dichas denuncias. En este contexto, el prelegislador nacional opta por configurar la Autoridad Independiente de Protección del Informante que se regula en el Título VIII APL, si bien no es la única autoridad competente en el sentido del artículo 5.14 DPI, pues el apartado 2 del artículo 24 del Anteproyecto que se informa contempla también a entidades "señaladas" en las Comunidades Autónomas. Pues bien, el apartado 6 del artículo 2 APL establece la vigencia de la regulación ya existente sobre canales y procedimientos de información externa, sin perjuicio de la aplicación de la norma proyectada en todo aquello que no se adecue a la Directiva (partiendo del hecho de que la trasposición de la norma europea a este respecto se ha llevado a cabo adecuadamente, como se verá), estableciendo como mínimo la protección del denunciante regulada en el APL, sin perjuicio de la adicional protección de esa normativa específica. En este sentido, se retiene en la Autoridad de nueva creación la competencia para adoptar las concretas medidas de protección generales contenidas en la norma proyectada y para el ejercicio de la potestad sancionadora. Ahora bien, el precepto resulta confuso, pues de su referencia genérica no resulta posible dilucidar a qué normativa específica preexistente sobre canales y procedimientos de información externa se refiere, y si estos se limitan a los de las Comunidades Autónomas (en relación con el citado artículo 24.2 APL), o existen otros, y, en consecuencia, cuáles son en definitiva las autoridades competentes existentes en nuestro país, siendo que la DPI impone su designación (artículo 11.1), por lo que se sugiere al prelegislador que clarifique este aspecto.

**90.–** De conformidad con el apartado 1 del artículo 3 DPI *«cuando, en los actos sectoriales de la Unión enumerados en la parte II del anexo, se establezcan normas específicas sobre la denuncia de infracciones, se aplicarán dichas normas. Lo dispuesto en la presente Directiva será aplicable en la medida en que un asunto no se rija obligatoriamente por los citados actos sectoriales de la Unión»*, previsión que encuentra su acomodo en el apartado 7 del artículo 2 APL, pudiendo ser conveniente que se especificase que la normativa específica que resultará de aplicación es la aprobada por la Unión Europea.

**91.–** En definitiva, no toda información sobre infracciones penales o administrativas del Derecho de la Unión o del Derecho nacional se encuentran amparadas por la DPI y el APL, lo que resulta extremadamente relevante no ya solo en relación con el uso adecuado y pertinente de los canales de denuncia, sino con la posibilidad de ser objeto de las medidas de protección contempladas en la Directiva y en el Título VII del APL, sin perjuicio de la existencia de otras medidas de protección del denunciante vigentes en nuestro ordenamiento jurídico como los que se encuentran en la ya mencionada LO de 1994.

**92.–** Más allá de la delimitación del ámbito material de la norma, se establece un ámbito personal de aplicación que lleva a completar la delimitación jurídica del concepto de *whistleblower* o informante. Dicho ámbito personal se establece en el artículo 4 DPI en relación con los Considerandos 38 a 41, partiendo de que *«la ejecución efectiva del Derecho de la Unión exige que debe otorgarse protección a la gama más amplia posible de categorías de personas que, independientemente de que sean ciudadanos de la Unión o nacionales de un tercer país, en virtud de sus actividades laborales, con independencia de su naturaleza y de si son retribuidas, disponen de un acceso privilegiado a información sobre infracciones que redundaría en interés de los ciudadanos denunciar y que pueden sufrir represalias si lo hacen. Los Estados miembros deben garantizar que la necesidad de protección se determine atendiendo a todas las circunstancias pertinentes y no solo a la naturaleza de la relación, para amparar al conjunto de personas vinculadas a la organización, en sentido amplio, en la que se haya cometido la infracción»* (Considerando 37). De esta forma, la protección se extiende al trabajador en sentido estricto —persona que lleva a cabo, durante un cierto tiempo, en favor de otra y bajo su dirección, determinadas prestaciones a cambio de una retribución—; a los trabajadores que se encuentran en relaciones laborales atípicas, incluidos los trabajadores a tiempo parcial y los trabajadores con contratos de duración determinada, así como a las personas con un contrato de trabajo o una relación laboral con una empresa de trabajo temporal; funcionarios, empleados del servicio público, así como a cualquier otra persona que trabaje en el sector público; personas físicas que no son trabajadores, como son los trabajadores que prestan servicios por cuenta propia, los profesionales autónomos, los contratistas, subcontratistas y proveedores; los accionistas y quienes ocupan puestos directivos; las personas cuya relación laboral haya terminado y los aspirantes a un empleo o personas que buscan prestar servicios en una organización que obtengan información sobre infracciones durante el proceso de contratación u otra fase de negociación precontractual; voluntarios y trabajadores en prácticas que perciben o no una remuneración; compañeros de trabajo o familiares del denunciante que también mantengan una relación laboral con el empresario o los clientes o destinatarios de los servicios del denunciante; los representantes sindicales o los representantes de los trabajadores, tanto si denuncian infracciones en su calidad de trabajadores como si han prestado asesoramiento y apoyo al denunciante; los facilitadores —persona física que asiste a un denunciante en el proceso de denuncia en un contexto laboral, y cuya asistencia debe ser confidencial (artículo 5.8 DPI) y las entidades jurídicas que sean propiedad del denunciante, para las que trabaje o con las que mantenga cualquier otro tipo de relación en un contexto laboral.

**93.-** El prelegislador nacional incorpora adecuadamente dicho ámbito personal de aplicación en el artículo 3 APL, si bien se sugiere revisar la redacción del apartado 2 *in fine*, a fin de clarificar adecuadamente que la limitación a los *"casos en que la información sobre infracciones haya sido obtenida durante el proceso de selección o de negociación precontractual"* se refiere únicamente a aquellas personas físicas cuya relación laboral todavía no ha haya comenzado y no al resto de las categorías enumeradas en el apartado.

**94.-** Cabe destacar que el APL amplía la protección dispensada por la DPI al extender el concepto de entidad jurídica *propiedad* del informante a la *ostentación de una participación significativa* por parte del informante en la entidad jurídica, entendida como aquella participación que *"permite a la persona que la posea tener capacidad de influencia en la persona jurídica participada"* (artículo 3.4c) *in fine*), lo que debe valorarse positivamente, pues responde adecuadamente a la capacidad de las organizaciones para tomar represalias más allá de las personas que se encuentran bajo su organización, tal y como expone la Directiva.

**95.-** La DPI dispensa también protección a los «*terceros que estén relacionados con el denunciante y que puedan sufrir represalias en un contexto laboral, como compañeros de trabajo o familiares del denunciante*», es decir, como señala el Considerando 41 «*que también mantengan una relación laboral con el empresario*». Si bien la DPI permite introducir o mantener disposiciones más favorables para los derechos de los denunciantes que los establecidos en la Directiva (artículo 25.1), el APL prescinde en su artículo 3.4 b) de la referencia al contexto laboral, referencia que puede resultar innecesaria en relación con los compañeros de trabajo, pero no en relación con los familiares, resultando conveniente, dado el objetivo y ámbito material de aplicación del APL que la protección a los familiares esté vinculada a las represalias laborales, pues su establecimiento con carácter general parece desvirtuar el contexto jurídico de la norma, más teniendo en cuenta que el Considerando 44 DPI señala que «[...] *La protección efectivade los denunciantes como medio para potenciar el cumplimiento del Derecho de la Unión requiere una definición amplia de represalia que comprenda todo acto u omisión que se produzca en un contexto laboral y que les cause un perjuicio*».

## 2. Canales internos de información

**96.-** La Directiva ofrece al *whistleblower* una multiplicidad de medios para informar de la existencia de irregularidades detectadas en el seno de la organización, de tal forma que este no solo cuenta con un canal interno, sino que también puede valerse de canales externos o, subsidiariamente, de la revelación pública, si bien el canal de denuncia interna constituye el principio general y se debe tratar como preferente (apartados 1 y 2 del artículo 7 DPI). Y ello porque, de conformidad con el Considerando 33 «*los denunciantes se sienten más cómodos denunciando por canales internos, a menos que tengan motivos para denunciar por canales externos. Estudios empíricos demuestran que la mayoría de los denunciantes tienden a denunciar por canales internos, dentro de la organización en la que trabajan. La denuncia interna es también el mejor modo de recabar información de las personas que pueden contribuir a resolver con prontitud y efectividad los riesgos para el interés público*» y porque en la medida de lo posible se debe garantizar «*que la información* pertinente llegue rápidamente a quienes están más próximos a la fuente del problema y tienen más posibilidades de investigarlo y competencias para remediarlo*» (Considerando 47).

**97.–** En todo caso, la DPI establece en el artículo 8.1 la obligación de establecer canales de denuncia interna (entendida esta como "*la comunicación verbal o por escrito de información sobre infracciones dentro de una entidad jurídica de los sectores privado o público*» artículo 5.4 DPI), resultando sujetos obligados las entidades jurídicas del sector privado que tengan cincuenta o más trabajadores (artículo 8.3) —si bien "*los Estados miembros podrán exigir que las entidades jurídicas del sector privado con menos de 50 trabajadores establezcan canales y procedimientos de denuncia interna de conformidad con el Capítulo II*" (artículo 8.7)— o que tengan menos de cincuenta trabajadores y que actúen en los siguientes sectores: servicios, productos y mercados financieros, prevención del blanqueo de capitales y la financiación del terrorismo, seguridad del transporte y protección del medio ambiente (artículo 8.4), así como todas las entidades jurídicas del sector público, con la excepción de los municipios de menos de diez mil habitantes o las entidades con menos de cincuenta trabajadores (artículo 8.9).

**98.–** El APL se ajusta adecuadamente a la normativa europea, optando por establecer "*sistemas internos de información*", como cauce preferente (artículo 4.1), en cuyo seno estarían integrados los canales internos (artículos 5.2.d) y 7.1), e imponiendo la obligación de disponer de un sistema interno (artículo 4.2) —de cuya implantación es responsable el órgano de administración o gobierno respectivo, previa consulta con "la representación legal de las personas trabajadoras", donde, ante la dicción empleada, procede entender incluidos los representantes legales en un sentido amplio, es decir, tanto la representación sindical como la unitaria (artículo 5.1, en relación con el artículo 8.1 DPI)—, tanto a sujetos del sector privado como del sector público (artículos 10 y 13).

**99.–** En el primer caso (artículo 10 APL), resultan obligadas las personas físicas o jurídicas del sector privado que tengan contratados 50 o más trabajadores y todas las entidades jurídicas del sector privado que entren en el ámbito de aplicación de los actos de la Unión Europea en materia de servicios, productos y mercados financieros, prevención del blanqueo de capitales o de la financiación del terrorismo, seguridad del transporte y protección del medio ambiente, las cuales se regirán por la normativa específica, sin perjuicio de la aplicación supletoria del Anteproyecto. El APL señala que "*Se considerarán incluidas en el párrafo anterior las personas jurídicas que, pese a no tener su domicilio en territorio nacional, desarrollen en España actividades a través de sucursales o agentes o mediante prestación de servicios sin establecimiento permanente*". Debe deducirse en consecuencia que las sucursales o agentes o cualquier otro instrumento de actuación que la empresa en cuestión —dedicada a alguno de los ámbitos delimitados en la norma europea— tenga en España, debe disponer de las medidas o canales que establece la normativa específica de la U.E. —más allá de que la citada empresa pudiera disponer de las mismas en otros países— y, en su caso, de las que establece el APL.

**100.–** El prelegislador español extiende la obligación a los partidos políticos, los sindicatos, las patronales y las fundaciones creadas por unos y otros, siempre que reciban o gestionen fondos públicos, independientemente del número de trabajadores, haciendo por tanto uso de la potestad que le confiere la DPI en el citado artículo 8.7. Señala la Exposición de motivos que "*La razón de esta exigencia se ampara en el singular papel constitucional que tienen estas organizaciones tal y como proclaman los artículos 6 y 7 de la Constitución Española, como manifestación del pluralismo* político y vehículo de defensa y protección de los intereses económicos y sociales que les son propios, respectivamente. La existencia de casos de corrupción que han afectado a algunas de estas organizaciones incrementa la preocupación entre la ciudadanía por el recto funcionamiento de las instituciones, por lo que resulta indispensable exigir a estas organizaciones una actitud ejemplar que asiente la confianza en ellos de la sociedad pues de ello depende en buena medida el adecuado funcionamiento del sistema democrático. De ahí la obligación de que se configuren, con independencia del número de trabajadores, un sistema interno de informaciones para atajar con rapidez cualquier indicio de delito o infracción grave contra el interés general. La generalización de un sistema interno de comunicaciones facilitará la erradicación de cualquier sospecha de nepotismo, clientelismo, derroche de fondos públicos, financiación irregular u otras prácticas corruptas". La extensión, debe valorarse positivamente, por las propias razones señaladas por el prelegislador.

**101.-** El APL recoge en su artículo 11 disposiciones relativas al establecimiento de sistemas internos de información en los grupos de sociedades (artículo 42 Código de Comercio), imponiendo la obligación de que sea la sociedad dominante la que apruebe la política general y garantice la aplicación en todas las entidades del grupo. Estas disposiciones no vienen impuestas por la DPI, que a este respecto se limita a señalar que «*los procedimientos de denuncia interna deben permitir a entidades jurídicas del sector privado recibir e investigar con total confidencialidad denuncias de los trabajadores de la entidad y de sus filiales (en lo sucesivo, «grupo»), pero también, en la medida de lo posible, de cualquiera de los agentes y proveedores del grupo y de cualquier persona que acceda a la información a través de sus actividades laborales relacionadas con la entidad y el grupo*» (Considerando 55), pero responde de forma coherente al diseño elegido por el prelegislador y que parte de un sistema interno en el que a su vez pueden resultar integrados diversos canales de información, siendo una forma adecuada y eficiente de imponer la obligación de la creación de canales internos en el marco de los grupos de sociedades.

**102.-** La Directiva prevé la posibilidad de que las entidades jurídicas del sector privado que tengan entre 50 y 249 trabajadores compartan recursos para la recepción de denuncias y toda investigación que deba llevarse a cabo, sin perjuicio de las obligaciones impuestas a dichas entidades de mantener la confidencialidad, de dar respuesta al denunciante y de tratar la infracción denunciada (artículo 8.6), lo que encuentra su reflejo en el artículo 12 APL. Además, de conformidad con el artículo 26.2 DPI el plazo previsto para contar con este sistema se extiende al 17 de diciembre de 2023 (Disposición transitoria tercera, apartado 2).

**103.-** En todo caso, y como señala el Considerando 51 DPI, en el caso de entidades jurídicas del sector privado que no prevean canales de denuncia interna, los denunciantes deben poder informar externamente a las autoridades competentes y dichos denunciantes deben gozar de la protección frente a represalias que contempla la Directiva, lo que se articula por el prelegislador nacional a través de la creación de la Autoridad Independiente de Protección del Informante.

**104.-** En el sector público, se impone la obligación a todas las entidades que lo integran, especificándose en el apartado 13.1 APL que se entiende por sujetos comprendidos en el sector público a efectos de la norma proyectada. En este sentido, debe tenerse en cuenta el Considerando 52 DPI que señala que «*A fin de garantizar, en particular, el respeto de las normas de contratación pública en el sector público, la obligación de establecer canales de denuncia interna debe aplicarse a todas las autoridades contratantes y entidades contratantes a nivel local, regional y nacional, pero de forma que guarde proporción con su tamaño*». La enumeración contenida en el artículo 13 APL no resulta coincidente con el ámbito subjetivo de aplicación de la Ley 9/2017, de 8 de noviembre, de Contratos del Sector Público (artículo 3), de tal forma que no se mencionan expresamente ni las entidades públicas empresariales ni los consorcios ni los fondos sin personalidad jurídica. Si bien procede entender que se encuentran incluidos en el apartado b) ("*Los Organismos y Entidades públicas vinculadas o dependientes de alguna Administración pública, así como aquellas otras asociaciones y corporaciones en las que participen Administraciones y organismos públicos*"), se sugiere la conveniencia, para una mayor coherencia normativa, de realizar una enumeración paralela a la contenida en la LCSP.

**105.–** Se amplía la obligación, en línea de coherencia con los objetivos de la DPI, a la Casa de su Majestad el Rey y a los órganos constitucionales, y, por tanto, a este Consejo General del Poder Judicial, así como a las instituciones autonómicas análogas.

**106.–** El prelegislador nacional no excluye de la obligación de contar con un sistema interno de información a los municipios de menos de 10.000 habitantes o a las entidades con menos de 50 trabajadores como autoriza la DPI, «*atendiendo a la necesidad de ofrecer un marco común y general de protección de los informantes, de no facilitar resquicios que puedan dañar gravemente el interés general*» (Exposición de motivos), pero les permite "compartir" el sistema, bien con los propios municipios de la misma Comunidad Autónoma en el primer caso, bien con la administración de adscripción en el segundo, si bien, debe garantizarse que los canales sean independientes y aparezcan diferenciados para no generar confusión en el ciudadano (artículo 14), y que cada administración local tenga un responsable de su sistema interno de informaciones, todo ello de conformidad con el artículo 8.9 *in fine* DPI.

**107.–** Los requisitos que deben cumplir los canales internos de comunicación según la Directiva (artículos 8.2 y 9), se encuentran recogidos de forma dispersa, y no siempre conforme a las exigencias de la norma europea, en el Título II APL. De esta forma, el requisito de base (artículo 8.2 DPI) según el cual los canales deben permitir a los trabajadores de la entidad comunicar información sobre infracciones, pudiendo también permitir dicha comunicación a otras personas, mencionadas en el artículo 4, apartado 1, letras b), c) y d), y en el artículo 4, apartado 2, que estén en contacto con la entidad en el contexto de sus actividades laborales, encuentra su adecuado acomodo en el artículo 5.1 a) APL. Además, aunque la norma europea establece que «*Los Estados miembros podrían decidir que las denuncias relativas a reclamaciones interpersonales que afecten exclusivamente al denunciante, a saber, reclamaciones sobre conflictos interpersonales entre el denunciante y otro trabajador, puedan ser canalizadas hacia otros procedimientos*» (Considerando 22), el prelegislador nacional prevé que los canales puedan estar habilitados para gestionar otras comunicaciones o informaciones, si bien quedando fuera del ámbito de protección de la norma (artículo 7.4 APL, en relación con el artículo 35.2b APL), lo que merece una valoración positiva en términos de eficiencia organizativa. En todo caso, los canales deben estar «*separados de los canales generales que las autoridades competentes utilizan para comunicarse con el público, como los sistemas normales de reclamación pública, o de los canales que la autoridad competente utiliza para comunicarse internamente y con terceros en el curso ordinario de sus actividades*» (Considerando 73 DPI). Si bien el APL no recoge específicamente tal previsión, sí hace alusión a la necesidad de que la información sobre canales interno y externo conste en una sección separada y fácilmente identificable en las webs o sedes electrónicas (artículo 25 APL), y a que los sistemas sean independientes y estén diferenciados respecto a los de otras entidades y organismos (artículo 5.2 f) APL). Además se prevé, adecuadamente, que "*En caso de organismos públicos con funciones de comprobación o investigación de incumplimientos sujetos a esta norma, se distinguirá, al menos, entre un canal interno referente a los propios incumplimientos del organismo o su personal, y un canal interno referente a las comunicaciones que reciba de los incumplimientos de terceros cuya investigación corresponda a sus competencias*" (Artículo 13.3 APL).

**108.–** La garantía de confidencialidad del informante y de los terceros mencionados en la información (artículo 9.1 a) DPI) se encuentra recogida en el artículo 5.2 b) APL; la obligación de realizar un acuse de recibo en un plazo máximo de 7 días (artículo 9.1.b) DPI) se traslada al artículo 8, que regula el "*procedimiento de gestión de comunicaciones*", si bien el prelegislador nacional adiciona la excepción "*salvo que ello pueda poner en peligro la confidencialidad de la información*". De un lado, la existencia de un riesgo para la confidencialidad debería justificarse y motivarse adecuadamente, para evitar cualquier peligro del uso de la excepción como mera excusa para la no emisión o la emisión con retraso del acuse de recibo. De otro, aunque la norma europea prevé en el apartado f) del mismo artículo 9 la posibilidad de que no se haya emitido un acuse de recibo, ello parece responder a una simple salvaguarda para la fijación de los plazos de tramitación en caso de un error o mala praxis en la emisión del acuse de recibo, resultando este, y su plazo, preceptivo. Por todo lo anterior, sería conveniente que la excepcionalidad introducida en la norma proyectada fuese eliminada.

**109.–** El apartado c) del artículo 9.1 DPI establece que los canales deben incluir *"la designación de una persona o departamento imparcial que sea competente para seguir las denuncias, que podrá ser la misma persona o departamento que recibe las denuncias y que mantendrá la comunicación con el denunciante y, en caso necesario, solicitará a este información adicional y le dará respuesta"*. El APL establece la obligación de contar con un "responsable del sistema" (artículo 5.2g), quien debe aprobar el procedimiento de gestión —con los requisitos establecidos en el artículo 8 APL—, responsable que se regula en el artículo 9 (debe ponerse de manifiesto que erróneamente el artículo 5.2g) remite al artículo 10, debiendo remitir al 9). Este responsable, que puede ser una persona física o un órgano colegiado, debe ser designado por el órgano de administración o gobierno de la entidad, designación que ha de comunicarse a la Autoridad Independiente de Protección del Informante y que, de conformidad con la Directiva, debe desarrollar sus funciones de forma independiente y autónoma del resto de los órganos de la entidad. A ello la norma proyectada suma la obligación de que en el caso de las entidades privadas sea *"un alto directivo de la entidad, que asumirá exclusivamente dichas funciones y que ejercerá su cargo con independencia del órgano de administración o de gobierno de la misma. Cuando la naturaleza o la dimensión de las actividades de la entidad no justifiquen o permitan la existencia de un directivo Responsable del Sistema, será posible el desempeño ordinario de las funciones del puesto o cargo con las de Responsable del Sistema, tratando en todo caso de evitar posibles situaciones de conflicto de interés"*, previsión que merece una valoración positiva en aras de la consecución del requisito de independencia exigido por la norma europea. Por su parte, el apartado c) del artículo 8.2 APL incluye la necesidad establecida en el Considerando 57 *in fine* y en el artículo 9.1 c) DPI de que el procedimiento de gestión de comunicaciones prevea la posibilidad de mantener la comunicación con el informante, y de solicitarle información adicional.

**110.–** La Directiva requiere un seguimiento diligente de la denuncia interna, también en el caso de ser anónima, si así lo impone el derecho nacional (apartados d) y e) del artículo 9), lo que encuentra su reflejo en el apartado del artículo 5.2 APL, que garantiza que *"las comunicaciones presentadas puedan tratarse de manera efectiva dentro de la correspondiente entidad u organismo con el objetivo de que el primero en conocer la posible irregularidad sea el propio empleador"*, y en la propia existencia de un procedimiento de gestión (artículo 5.2 i) y artículo 8). En cuanto a la denuncia anónima, a pesar de que la Directiva deja a la discreción de los Estados miembros su aceptación (artículo 6.2), estas se permiten sin género de duda en el artículo 7.3 APL (así como en el artículo 17.1 APL en relación con el canal externo). Dada la relevancia de esta cuestión, se aborda de forma separada en el epígrafe V de estas Consideraciones particulares.

**111.–** La Directiva impone un plazo máximo de 3 meses para dar respuesta a la comunicación (artículo 9.1 f). Nuevamente el prelegislador nacional parece no confiar en que dicho plazo pueda ser adecuadamente cumplido por las entidades obligadas, permitiendo su ampliación a 6 meses en casos de especial complejidad (artículo 8.2 g) APL), lo que no se contempla en la norma europea, que es taxativa al respecto de cuál es el plazo razonable, independientemente de la complejidad del asunto, no solo en el articulado, sino en sus Considerandos (58). Debe ponerse de manifiesto que la posibilidad de incrementar el plazo de respuesta otros tres meses, *«cuando sea necesario debido a circunstancias específicas del caso, en particular la naturaleza y la complejidad del objeto de la denuncia, que puedan justificar una investigación larga»* (Considerando 67), solo se permite en los canales externos (artículo 11.2.d) DPI), de ahí la necesidad de adecuar el artículo 8.2.g) APL a la norma europea.

**112.–** El requisito de que los canales contengan información clara y fácilmente accesible sobre los procedimientos de denuncia externa (artículo 9.1.g) DPI) se recoge en el artículo 8.2 h) APL, y, finalmente, las exigencias vinculadas a los modos de presentación de la comunicación (Considerando 57 y artículo 9.2) encuentran adecuado acomodo los artículos 5.2.c) y 7.2 APL.

**113.–** El prelegislador ha optado por introducir también en el Título II del APL la previsión de que las comunicaciones verbales se documenten adecuadamente y de que el informante pueda comprobar y rectificar la trascripción del mensaje, lo que supone la transposición del apartado 2 del artículo 18, relativo al registro de denuncias.

**114.–** Se incluye igualmente la garantía de confidencialidad cuando la comunicación sea remitida a personal no competente y el establecimiento de la obligación del receptor de la comunicación de remitirla inmediatamente al Responsable del Sistema (artículo 8.2.i), lo que debe valorarse positivamente ya que la DPI solo lo contempla en relación con los canales externos (artículo 12.3).

**115.–** Procede detenerse en los apartados h) y f) del artículo 8.2, en relación con el procedimiento de gestión de las comunicaciones, donde el prelegislador introduce la exigencia del derecho del investigado (por manifiesto error se dice "informante", debiendo proceder a la oportuna corrección), a que se le informe de las acciones u omisiones que se le atribuyen y a ser oído en todo momento, así como la exigencia de respeto a la presunción de inocencia, el derecho a ser oído y el honor de las personas investigada (afectada, de conformidad con la definición del artículo 5.10 DPI), lo que debe ponerse en relación con el artículo 39 APL intitulado *"Medidas para la protección de las personas investigadas"* que señala que *"Durante la tramitación del expediente las personas investigadas en la comunicación tendrán derecho a la presunción de inocencia, al derecho de defensa y de acceso al expediente en los términos regulados en esta ley, así como de la misma protección establecida en la misma para los informantes, preservándose su identidad y garantizándose la confidencialidad de los hechos y datos del procedimiento"*, en adecuada trasposición del artículo 22 DPI y el derecho a una tutela judicial efectiva contra una decisión que le concierna con arreglo a los procedimientos aplicables establecidos en el Derecho nacional en el contexto de investigaciones o procesos judiciales ulteriores. La protección de las personas investigadas tiene también su reflejo en la instrucción del procedimiento ante el canal externo (artículo 19.2 y 3).

**116.–** Dichas previsiones cobran una gran importancia, a fin de que las empresas y organismos públicos, cuyo ámbito de especialización no es en general el de investigar delitos ni evitar su comisión, se doten de los mecanismos adecuados para no incurrir en una vulneración de garantías, es decir, para poder llevar una adecuada autorregulación —dentro de los márgenes normativos— como base del sistema de información, pues la posible vulneración de las garantías de la persona afectada tiene una notable incidencia en el caso de que el asunto fuese judicializado, toda vez que un tratamiento inadecuado podría llevar a una inadmisión de lo actuado o investigado. No olvidemos que el artículo 11.1 de la Ley Orgánica del Poder Judicial señala que «*en todo tipo de procedimiento se respetarán las reglas de la buena fe. No surtirán efecto las pruebas obtenidas, directa o indirectamente, violentando los derechos o libertades fundamentales*», y que el Tribunal Supremo señala claramente a los particulares que «*no podrá valerse de aquello que ha obtenido mediante la consciente y deliberada infracción de derechos fundamentales de un tercero*» (STS de 23 de febrero de 2017, [ECLI:ES:TS:2017:471]).

**117.–** El artículo 8.5 DPI permite la gestión del canal interno por un tercero, sin perjuicio del respeto a las garantías y requisitos establecidos en la norma europea. En virtud de ello, el prelegislador nacional regula en el artículo 6 APL la gestión del sistema de información por un tercero externo, bajo el requisito de que ofrezca garantías adecuadas de independencia, confidencialidad, protección de datos y secreto, y al que se le atribuye la consideración de encargado del tratamiento, en relación con la protección de datos. De conformidad con el apartado 2 de este artículo 6, la gestión externa no excluye la designación de un Responsable interno del Sistema. No obstante, el artículo 15 DPI limita las posibilidades de gestión externa en el caso del sistema interno de información de la Administración General del estado, las Administraciones de las Comunidades Autónomas y las Ciudades con Estatuto de Autonomía y a las Entidades que integran la Administración local (artículo 13.1 a) a los caos en que se acredite la insuficiencia de medios propios, conforme al artículo 116.4f) de la LCSP.

**118.–** Finalmente, procede detenerse en las previsiones que el prelegislador introduce en los apartados 4 y 5 del artículo 13, destinado al sistema interno de información del sector público, previsiones que, en consecuencia, no son de carácter general. Se limita así en primer lugar la información que se puede proporcionar al informante sobre el resultado del proceso de comprobación o investigación, en caso de que haya datos clasificados, lo que no merece objeción. De otro lado, en el apartado cinco, se establece que "*Las decisiones adoptadas por los organismos públicos con funciones de comprobación o investigación en relación con las comunicaciones no serán recurribles en vía administrativa ni en vía contencioso-administrativa. En todo caso, podrá acudir al canal externo de la Autoridad Independiente de Protección del Informante*". Ello debe ponerse en relación, a su vez, con el artículo 20.5 que proscribe igualmente los recursos administrativo y judicial en el ámbito del canal externo, la Autoridad Independiente de Protección del Informante, toda vez que ambos preceptos llevan a la exclusión de las decisiones administrativas de todo control judicial. Si bien es cierto que nuestro ordenamiento jurídico excluye la legitimación del denunciante —salvo que tenga el carácter de interesado— para recurrir el archivo de la denuncia (así resulta del artículo 62.5 de la Ley 39/2015 y lo ha reiterado la jurisprudencia, por todas, STS de 5 de febrero del 2018 ECLI:ES:TS:2018:344), las previsiones del APL contravienen lo establecido en el Considerando 103 DPI que señala que «*Toda decisión adoptada por autoridades en perjuicio de los derechos otorgados por la presente Directiva, <u>en particular las decisiones por las que las autoridades</u> competentes de-<u>cidan archivar el procedimiento relativo a una infracción</u> denunciada a causa de ser manifiestamente <u>menor o reiterada</u>, o decidan que una denuncia concreta no merece tratamiento prioritario, <u>está</u> <u>sujeta a control judicial</u> de conformidad con el artículo 47 de la Carta*». Además, el artículo 20.5 no se cohonesta adecuadamente con la Disposición adicional primera que modifica el apartado 5 de la Disposición adicional cuarta de la Ley 29/1998, de 13 de julio, reguladora de la Jurisdicción Contencioso-Administrativa, incluyendo a la Autoridad Independiente para la Protección del Informante, y atribuyendo a la Audiencia Nacional la competencia para resolver los recursos frente a sus "actos y disposiciones", sin que se establezca por tanto en la ley procesal una distinción entre las decisiones relativas a la tramitación y las vinculadas a las sanciones, tal como sí se hace en el artículo 20.5.

## 3.  Canal externo de comunicaciones

**119.–** A pesar de la instauración de los canales internos como canales preferentes, la Directiva también prevé la comunicación directa a las autoridades —canales de denuncias externos— que se regula con detalle en su Capítulo III, y la revelación pública de la información (artículo 15). La justificación de la necesidad de existencia de canales externos se encuentra en el Considerando 62 que señala «*En otros casos, no puede esperarse razonablemente que los canales internos funcionen adecuadamente. Este es el caso, en particular, cuando los denunciantes tengan razones válidas para pensar que podrían sufrir represalias en relación con la denuncia de infracciones, en particular como resultado de una vulneración de su confidencialidad, y que las autoridades competentes estarían mejor situadas para adoptar medidas eficaces para ocuparse de la infracción. Las autoridades competentes podrían estar mejor situadas, por ejemplo, cuando el responsable último en el contexto laboral está implicado en la infracción, o existe el riesgo de que se oculten o destruyan la infracción o las pruebas conexas o, de manera más general, porque la eficacia de las investigaciones por parte de las autoridades competentes podría verse amenazada de otra manera, como en el caso de que se denuncien prácticas colusorias u otras infracciones de las normas en materia de competencia; o porque la infracción requiere medidas urgentes, por ejemplo, para proteger la vida, la salud y la* *seguridad de las personas o para proteger el medio ambiente [...]* ». A lo que el Considerando 63 añade que «*La falta de confianza en la eficacia de las denuncias es uno de los principales factores que desalientan a los denunciantes potenciales. En consecuencia, existe la necesidad de imponer una obligación clara a las autoridades competentes para que establezcan canales de denuncia externa adecuados, sigan con diligencia las denuncias recibidas y, en un plazo razonable, den respuesta a los denunciantes*». Así, el artículo 5.5 DPI define denuncia externa como «*la comunicación verbal o por escrito de información sobre infracciones ante las autoridades competentes*».

**120.–** El artículo 10 DPI permite a los informadores acudir a los canales externos tras haber comunicado la información «*en primer lugar a través de los canales de denuncia interna, o bien comunicándola directamente a través de los canales de denuncia externa*». Por tanto, aunque se haga hincapié en los Considerandos en la preferencia de los canales internos, y se ordene a los Estados Miembros que promuevan la comunicación interna frente a la externa siempre que, a juicio del alertador, la denuncia pueda tratarse internamente de manera efectiva y considere que no hay riesgo de represalias (artículo 7.2 DPI), no se establece una prioridad obligatoria, quedando, por el contrario, consagrado el derecho de los informadores a elegir el tipo de canal de denuncia que consideren más adecuado en función de las circunstancias particulares del caso. Y así se regula en el APL, cuyo artículo 16 contempla el derecho de toda persona física a utilizar el canal externo de forma directa o previa comunicación por canales internos. Sería conveniente, no obstante, que, dado que existe más de una autoridad competente para las denuncias externas (de conformidad con el artículo 24.2), se incluyese en el artículo 16 una referencia genérica al derecho a informar a través del canal externo de los órganos designados en cada Comunidad autónoma.

**121.–** Por su parte, el artículo 11 DPI hace responsable a los Estados de la designación de las autoridades competentes para recibir las denuncias —que podrían ser *autoridades judiciales, organismos de regulación o de supervisión competentes en los ámbitos específicos de que se trate, o autoridades con una competencia más general a escala central dentro de un Estado miembro, autoridades encargadas del cumplimiento del Derecho, organismos de lucha contra la corrupción o defensores del pueblo* (Considerando 64)— y establece una serie de principios que deberán regir en el funcionamiento de estos canales, principios que son muy similares a los previstos para los canales internos (independencia, autonomía, diligencia en la tramitación, respuesta en un plazo razonable, etc.). La Directiva establece qué características debe tener el canal externo de denuncias para reunir las notas de independencia y autonomía, consagrando el artículo 12.1 un triple criterio de exhaustividad, integridad y confidencialidad informativa a salvo del acceso no autorizado que, a su vez, pueda ser utilizado para nuevas investigaciones.

**122.–** En cuanto a la designación de autoridades competentes, el prelegislador opta, como se ha venido adelantando, por la creación de una entidad administrativa, la Autoridad Independiente de Protección del Informante, que se regula en el Título VIII, y cuyo régimen jurídico se analizada en páginas posteriores de este informe. Como ya se ha señalado, de conformidad con la Exposición de Motivos, la elección de este modelo responde a los siguientes motivos: «*Entre las diferentes alternativas que ofrece nuestro ordenamiento interno se considera idóneo acudir a la figura de la Autoridad Independiente de Protección del Informante como pilar básico del sistema institucional en materia de protección del informante. Su particular naturaleza y encaje institucional en el sector público permitirá canalizar satisfactoriamente el conjunto de funciones que la Directiva atribuye a las autoridades competentes de cada Estado miembro. Entre las diversas posibilidades abiertas en el reto de afrontar eficazmente la trasposición de la Directiva, el carácter independiente y la autonomía de que gozan este tipo de entes del sector público se considera la mejor forma de instrumentar el engranaje institucional de la protección del informante, excluyendo otras alternativas con menor independencia del poder ejecutivo y permitiendo, en definitiva, que sea una entidad de nueva creación la que garantice la funcionalidad del sistema, una entidad independiente de quien la nombra y de la Administración Pública, que atienda, en el ejercicio de sus funciones, a criterios de naturaleza técni-*

*ca. De otro lado, el carácter específico de la materia hace igualmente aconsejable que las funciones que la Directiva atribuye a las autoridades competentes sean ejercidas por una Autoridad de nueva creación sin posibilidad de acudir a otras ya existentes dentro del sector público».* Más allá de estas razones, el ámbito material de aplicación del APL permite apreciar con facilidad que podría haber una pluralidad de entidades que serían competentes en un modelo descentralizado para recibir, tramitar y seguir las denuncias en atención a su contenido, lo que podría llevar a los informantes a importantes dificultades para identificar la concreta autoridad a la que dirigirse, desincentivando las denuncias, por lo que la opción del prelegislador puede valorarse positivamente, sin perjuicio de la existencia de autoridades a nivel autonómico (artículo 24.2 APL). En todo caso, la creación de esta nueva entidad y el silencio del APL sobre otras autoridades competentes, no implica en modo alguno, como también se ha indicado, ninguna alteración de la competencia de los Jueces y Tribunales para conocer de las infracciones penales, incluidas las que forman parte del ámbito material del APL.

**123.–** La competencia de esta esta Autoridad de nueva creación se extiende a la Administración General del Estado y entidades que integran el sector público estatal, a las Administraciones de las comunidades autónomas, a las entidades que integran la Administración y el sector público institucional autonómico o local, cuando se atribuya la competencia a la Autoridad Independiente de Protección del Informante por virtud de un convenio o cuando la respectiva Comunidad Autónoma no haya atribuido competencia para gestionar el canal externo de informaciones a ningún órgano o autoridad propios (lo que debe ponerse en relación con la Disposición adicional tercera, relativa a los "convenios"), al resto de entidades del sector público, Casa de Su Majestad el Rey y órganos constitucionales a que se refiere el artículo 13 y a las Entidades que integran el sector privado, cuando la infracción o el incumplimiento informado afecte o produzca sus efectos en el ámbito territorial de más de una comunidad autónoma (apartado 1 del artículo 24), previéndose la existencia de autoridades u órganos en cada Comunidad Autónoma con competencia limitada a cada territorio (apartado 2 del artículo 24), lo que debe ponerse en relación con la preexistencia de oficinas antifraude en varias CC.AA, como se expuso en las Consideraciones generales de este informe, y que, en todo caso, deberán adaptarse a las exigencias de la Directiva. De conformidad con la Exposición de Motivos, la designación de autoridades competentes autonómicas sigue la doctrina del Tribunal Constitucional, expuesta en la Sentencia 130/2013, al indicar que *"en casos como los que contemplamos, las disposiciones del Estado que establezcan reglas destinadas a permitir la ejecución de los Reglamentos comunitarios en España y que no puedan considerarse normas básicas o de coordinación, tienen un carácter supletorio de las que pueden dictar las Comunidades Autónomas para los mismos fines de sus competencias. Sin olvidar que la cláusula de supletoriedad del artículo 149.3 de la CE no constituye una cláusula universal atributiva de competencias, en tales casos, la posibilidad de que el Estado dicte normas innovadoras de carácter supletorio está plenamente justificada".*

**124.–** En cuanto al proceso de recepción de las comunicaciones y su tramitación (artículos 17 a 22 APL) responde adecuadamente a las exigencias establecidas para los canales externos en los artículos 11 y 12 DPI, de tal forma que (i) se establece un seguimiento diligente (artículo 17.3 y 20.1 APL, en relación con el artículo 11.2 c) DPI); (ii) se respetan los plazos para emitir acuse de recibo (artículos 17.4 y 18.2 b) APL en relación con el artículo 11.2b) DPI) y emitir y comunicar la resolución (artículo 20.4 APL en relación con el artículo 11.2 d) DPI) —si bien cabe destacar que, estando permitido por la Directiva una ampliación del plazo en casos de complejidad, no se contempla en el APL esta posibilidad—; (iii) se regula la obligación de informar al denunciante del resultado final de la investigación (artículo 18.2 a) *in fine*, 18.2 b), 20.2 a) y 20.4 *in fine* en relación con el artículo 11.2 e) DPI) —si bien procedería, a fin de llevar a cabo una transposición adecuada, que el artículo 18.2 c) recogiese también la obligación de comunicar al informante la remisión a otra autoridad o al Ministerio Fiscal, o a la Fiscalía Europea—; y (iv) se contempla la remisión a otras autoridades competentes o al Ministerio Fiscal y la Fiscalía Europea (artículos 18.2 c) y 20.2 b) en relación con el artículo 11.2 DPI).

**125.–** En relación con la obligación de informar al denunciante, y hacerlo adecuadamente y en el plazo establecido, debe señalarse que supone una medida de gran importancia para evitar las duplicidades, como indica el Considerando 57: «*En el contexto de la denuncia interna de infracciones, informar al denunciante, en la medida de lo jurídicamente posible y de la manera más completa posible, sobre el seguimiento de la denuncia es crucial para generar confianza en la eficacia del sistema de protección de los denunciantes y reducir la probabilidad de que se produzcan nuevas denuncias o revelaciones públicas innecesarias*». El silencio administrativo en este ámbito puede llevar al denunciante a considerar que no se ha dado ningún curso a su comunicación, procediendo a ponerla en conocimiento de otras autoridades, y derivando la situación en una duplicidad de investigaciones y en una mayor vulnerabilidad del informante.

**126.–** Del mismo modo, el diseño parece apropiado para que se garantice *la exhaustividad, integridad y confidencialidad de la información y se impida el acceso a ella al personal no autorizado de la autoridad competente y permitan el almacenamiento duradero de información, de conformidad con el artículo 18, para que puedan realizarse nuevas investigaciones* (Artículo 12.1 DPI), dadas las medidas relativas al registro y acceso restringido (artículo 17.3), a la terminación de actuaciones (artículo 20.1 APL) y a la conservación de los datos (artículo 26.2 en relación con el 32.3 APL), y a la preservación de la identidad del informante (artículo 33.2 APL). En cuanto a la forma de la denuncia (escrita o verbal, artículo 12.2 DPI) y el registro o documentación de las comunicaciones verbales (artículo 18 DPI), encuentran adecuado reflejo en el apartado 2 del artículo 17 APL. La formación específica del personal que trata las denuncias (artículo 12.5 DPI) se recoge en el artículo 45.3 APL.

**127.–** Procede detenerse en algunos aspectos destacados de la norma proyectada: en primer lugar, como ya se ha adelantado, se permite la denuncia anónima (artículo 17.1 y 21.1 APL), siendo de aplicación las consideraciones que se realizan a este respecto en líneas posteriores; en segundo lugar, se establece la posibilidad de que el denunciante renuncie expresamente a las comunicaciones de la Autoridad Independiente (artículo 17.2 APL) lo que debe valorarse positivamente, pues refuerza las garantías de confidencialidad, sin perjuicio de que una renuncia no meditada, que deja al informante sin conocimiento posterior de la tramitación, puede llevar a la duplicidad de comunicaciones anteriormente alertada.

**128.–** De otro lado, el APL contempla una serie de motivos de inadmisión de las comunicaciones, tras un análisis preliminar de las mismas (artículo 18). Procede señalar en primer lugar, que el apartado 1 del artículo 18 se refiere exclusivamente a "hechos indiciariamente constitutivos de delito", debiendo incluirse la referencia a las infracciones administrativas o de Derecho de la Unión Europea, pues el ámbito de aplicación de la Directiva y de la norma proyectada no se limitan a las infracciones penales. En segundo lugar, los motivos de inadmisión contemplados son más extensos que los referidos en la Directiva —vinculados a comunicaciones sobre infracciones menores o accesorias y comunicaciones reiterativas (artículo 11.2 y 4 en relación con el Considerando 70)— de tal forma que el APL regula la inadmisión por los siguientes motivos: "*1º) Cuando los hechos relatados carezcan de toda verosimilitud. 2º. Cuando los hechos relatados no sean constitutivos de infracción del ordenamiento jurídico incluida en el ámbito de aplicación de esta ley o, siéndolo, no afecten al interés general. 3º. Cuando la comunicación carezca manifiestamente de fundamento o existan, a juicio de la Autoridad Independiente de Protección del Informante, indicios racionales de haberse obtenido de forma ilícita. 4º. Cuando la información sea mera reproducción de otra anterior previamente inadmitida o debidamente investigada*" (artículo 18.2). El precepto debe ser objeto de crítica en lo que se refiere a sus motivos 2º y 3º: En el primer caso, la redacción elegida no se cohonesta adecuadamente con el ámbito material de aplicación de la ley, que abarca (y ese es su ámbito obligado por la norma europea), las infracciones del derecho de la Unión Europea establecidas en el artículo 2 DPI. Dado que dichas infracciones se caracterizan en sí mismas por afectar al interés general, y que el ámbito de aplicación al derecho nacional solo se refiere igualmente a infracciones que afectan al interés general, se sugiere al prelegislador que este motivo de inadmisión se reformule de la siguiente manera o similar: *Cuando los hechos relatados no sean constitutivos de infracción del Derecho de la Unión Europea o del Derecho Nacional incluida en el ámbito de aplicación de esta ley.* En cuanto a la posibilidad de inadmisión establecida en el motivo 3° y referido a la obtención ilícita de la información, si bien aparentemente se encuentra en línea con lo establecido en el artículo 21.3 y 21.4, y el Considerando 92 DPI, debe ponerse de manifiesto que la Directiva establece claramente la exención de responsabilidad del informante por responsabilidades de tipo civil, administrativo o laboral, y que residencia en el derecho nacional la responsabilidad respecto de la adquisición o el acceso a la información que es comunicada o revelada públicamente *solo cuando constituye de por sí un delito*, y no otro tipo de vulneración normativa, estableciéndose además en el artículo 21.7 DPI que «*En los procesos judiciales, incluidos los relativos a difamación, violación de derechos de autor, vulneración de secreto, infracción de las normas de protección de datos, revelación de secretos comerciales, o a solicitudes de indemnización basadas en el Derecho laboral privado, público o colectivo, las personas a que se refiere el artículo 4 no incurrirán en responsabilidad de ningún tipo como consecuencia de denuncias o de revelaciones públicas en virtud de la presente Directiva. Dichas personas tendrán derecho a alegar en su descargo el haber denunciado o haber hecho una revelación pública, siempre que tuvieran motivos razonables para pensar que la denuncia o revelación pública era necesaria para poner de manifiesto una infracción en virtud de la presente Directiva*». Ante esta discrepancia entre el APL, que permite la inadmisión de la denuncia si la AIPI considera que hay indicios racionales de haberse obtenido la información de forma ilícita, y lo establecido en la Directiva, que se circunscribe a aquella obtención de la información que constituye en sí misma un delito, se sugiere al prelegislador la conveniencia de reformular el apartado 3° del artículo 18, reduciendo la inadmisión a aquellos casos en los que haya indicios racionales de la comisión de un ilícito *penal* y no cualquier otra vulneración normativa.

**129.–** Los apartados 2, 3 y 4 del artículo 19 recogen específicamente las garantías de las personas investigadas en el ámbito de la instrucción de las informaciones recibidas por el canal externo, que resultan ajustadas a nuestro ordenamiento jurídico y a las previsiones de la norma europea (artículo 22), y que revierten gran importancia tanto en caso de apertura de un procedimiento administrativo sancionador como de la judicialización de las actuaciones, como ya se ha señalado anteriormente.

**130.–** Merecen una valoración positiva las previsiones de los apartados 4 y 5 del artículo 19, pues coadyuvan en una mayor eficacia del canal externo.

**131.–** El artículo 21 APL viene a resumir los derechos y garantías del informante ante la Autoridad Independiente de Protección del Informante. La mayoría de ellos se encuentran ya recogidos en los artículos anteriores (principalmente en el artículo 17), pudiendo resultar este precepto parcialmente reiterativo, si bien no deja de aportar claridad y seguridad jurídica.

**132.–** Cabe señalar que el artículo 13 DPI intitulado "*Información relativa a la recepción y seguimiento de denuncias*" establece la obligación de los Estados Miembros de velar porque las autoridades competentes publiquen, en una sección separada, fácilmente identificable y accesible de sus sitios web, toda una serie de informaciones relevantes sobre el canal externo. Aunque el artículo 22 del APL se limita a señalar la obligación de la Autoridad Independiente de Protección del Informante de publicar su procedimiento de gestión, el artículo 25 (Titulo IV. Disposiciones comunes a los canales internos o externos) sí recoge en toda su extensión las obligaciones de publicidad establecidas por la norma europea, pudiendo resultar conveniente que se hiciera la oportuna remisión a este precepto en el artículo 22 APL.

**133.–** El segundo párrafo del artículo 22 APL establece que "*Periódicamente podrá revisar, y en su caso, modificar dicho procedimiento teniendo en cuenta su experiencia y la de otras autoridades competentes. La modificación será asimismo objeto de publicación*". La disposición supone una transposición incompleta del artículo 14 DPI que impone claramente una revisión periódica "*por lo *menos una vez cada tres años"*, plazo temporal que debe incorporarse a la norma proyectada, y si bien dicho plazo sí se contempla en la Disposición adicional segunda, resultaría sistemáticamente más adecuado que viniese referido en el artículo 22.

**134.–** El artículo 23 establece la obligación de otras autoridades de remitir las comunicaciones relativas a las infracciones del Título IX, y de exclusiva competencia de la nueva Autoridad independiente a dicha Autoridad, lo que no es más que una simple reiteración de la obligación administrativa establecida en el artículo 14 de la Ley 40/2015, de 1 de octubre, debiendo significarse la obligación de comunicar dicha circunstancia al interesado.

**135.–** La regulación relativa a los canales interno y externo se cierra en el Anteproyecto que se informa mediante una serie de disposiciones de aplicación común a ambos (Título IV, artículos 25 y 26). Ya se ha referido que el artículo 25 viene a transponer en su segundo párrafo las obligaciones establecidas para los canales externos en el artículo 13 DPI. Su primer párrafo impone igualmente la obligación de publicitar adecuadamente el uso de los canales internos (y que ya venía anunciada en el artículo 5.2 h), de conformidad con el artículo 7.3 DPI.

**136.–** En cuanto al artículo 26.1 intitulado "registro de comunicaciones", debe ponerse en relación con el artículo 17.3, suponiendo una adecuada transposición del artículo 18.1 DPI. El apartado segundo establece que Los datos personales relativos a las comunicaciones recibidas y a las investigaciones internas a que se refiere el párrafo anterior sólo se conservarán durante el período que sea necesario y proporcionado a efectos de cumplir con la presente ley. En particular, se tendrá en cuenta lo previsto en los apartados tercero y cuarto del artículo 32. En ningún caso podrán conservarse los datos por un período superior a 10 años. A su vez, el apartado 3 del artículo 32 precisa que los datos podrán conservarse durante el tiempo imprescindible para decidir sobre la procedencia de iniciar una investigación sobre los hechos informados, lo que es acorde con la Directiva, y debe ponerse también en relación con el artículo 24.4 de la Ley Orgánica 3/2018 de 5 de diciembre, de Protección de Datos Personales y garantía de los derechos digitales (en adelante LOPD).

## 4. Revelación Pública

**137.–** Como se ha venido adelantando, la DPI incluye una tercera opción para que los informantes puedan desvelar la comisión de infracciones que atentan contra el derecho de la U.E., cual es la revelación pública, definida en el artículo 5.6 como «*la puesta a disposición del público de información sobre infracciones*», y regulada en el artículo 15. Tanto dicho artículo como los Considerandos respectivos (80 y 81) extienden la protección regulada en la norma europea a aquellas personas que hacen una revelación pública, pero solo si se cumplen alguna de las condiciones enumeradas, esto es que «*a) la persona había denunciado primero por canales internos y externos, o directamente por canales externos de conformidad con los capítulos II y III, sin que se hayan tomado medidas apropiadas al respecto en el plazo establecido en el artículo 9, apartado 1, letra f), o en el artículo 11, apartado 2, letra d); o b) la persona tiene motivos razonables para pensar que: i) la infracción puede constituir un peligro inminente o manifiesto para el interés público, como, por ejemplo, cuando se da una situación de emergencia o existe un riesgo de daños irreversibles, o ii) en caso de denuncia externa, existe un riesgo de represalias o hay pocas probabilidades de que se dé un tratamiento efectivo a la infracción debido a las circunstancias particulares del caso, como que puedan ocultarse o destruirse las pruebas o que una autoridad esté en connivencia con el autor de la infracción o implicada en la infracción*».

**138.–** El prelegislador nacional transpone esta cuestión en los artículos 27 y 28 APL, procediendo a una regulación prácticamente idéntica, si bien se sugiere que, dada la claridad de la norma europea a este respecto se añadan al artículo 28.b) ii) *in fine* APL los ejemplos empleados por el legislador europeo: *"como que puedan ocultarse o destruirse las pruebas o que una autoridad esté en connivencia con el autor de la infracción o implicada en la infracción"*.

**139.-** Procede detenerse en el apartado 2 del artículo 15 DPI que establece que el artículo *"no se aplicará en los casos en que una persona revele información directamente a la prensa con arreglo a disposiciones nacionales específicas por las que se establezca un sistema de protección relativo a la libertad de expresión y de información"*, lo que debe ponerse en relación con el Considerando 46 que señala: *«En especial, los denunciantes constituyen fuentes importantes para los periodistas de investigación. Ofrecer una protección efectiva a los denunciantes frente a represalias aumenta la seguridad jurídica de los denunciantes potenciales y de esta forma incentiva que se informe sobre infracciones también a través de los medios de comunicación. A este respecto, la protección de los denunciantes como fuente de informaciones periodísticas es crucial para salvaguardar la función de guardián que el periodismo de investigación desempeña en las sociedades democráticas»*.

**140.-** En este sentido, la doctrina constitucional contine ya desde hace tiempo precedentes claramente favorables para aquellos trabajadores que acuden a la revelación pública, como la STC 6/1998, de 21 de enero [ECLI:ES:TC:1988:6] que declaró la nulidad del despido disciplinario de un trabajador destinado en el gabinete de prensa del Ministerio de Justicia que se había justificado en transgresión de la buena fe contractual por haber aquel denunciado públicamente que, desde la llegada al poder del PSOE, se filtraban noticias de manera privilegiada a la Editorial Prisa: *«el deber de buena fe que pesa sobre el trabajador no se puede interpretar en términos tales que vengan a resultar amparadas por esta exigencia de honestidad y de lealtad en el cumplimiento de las obligaciones, situaciones o circunstancias que, lejos de corresponderse con el ámbito normal y regular de la prestación de trabajo, supondrían desviaciones de tal normalidad, merecedoras, acaso, de la reacción que a todos los ciudadanos cumple para hacer valer el imperio de las normas, cuando se aprecie una contravención del ordenamiento, o para hacer llegar a la opinión pública la existencia de eventuales anomalías que —aun no constitutivas, en sí, de ilicitud alguna— sí pudieran llegar a poner en juego el principio de responsabilidad que pesa sobre todos los Poderes Públicos»*. En el mismo sentido, la Sentencia de 12 de abril de 1999 [ECLI:ES:TC:1999:57] que otorga el amparo frente a un despido por transgresión de la buena fe contractual de un inspector de la Dirección General de Aviación que, tras un accidente aéreo, efectuó declaraciones a un periódico denunciando las malas condiciones de aviones como el siniestrado y la supuesta pasividad de la empresa propietaria y de Aviación Civil, considerando que el despido era contrario al derecho fundamental a la libertad de información —por versar la revelación sobre hechos noticiables y de interés general—, sin existir quiebra alguna del deber de buena fe. Ahora bien el Tribunal Constitucional ha matizado esta doctrina favorable, siendo claro ejemplo de ello la Sentencia de 30 de junio de 2003 [ECLI:ES:TC:2003:126] que no concedió el amparo argumentando que *«el hecho de que la información difundida por el recurrente pudiera afectar a la seguridad de los procesos de producción en una fábrica de explosivos situada en las proximidades de una población reviste la suficiente gravedad como para que un mínimo de lealtad por parte de quien durante varios años había sido trabajador de la empresa se cuidara de irrogar a ésta el quebranto derivado de una información inevitablemente alarmista, sin antes dar ocasión al menos para que los organismos públicos a los que había dirigido sus denuncias pudieran constatar su realidad»*. Según el Tribunal *«el fin de información pública perseguido por el recurrente, esto es, la subsanación de las deficiencias que en su opinión padecía el proceso productivo, no hacía necesario que las informaciones difundidas alcanzasen la reiteración, la trascendencia y notoriedad públicas que obtuvieron ni, dada su gravedad, debía considerarse medio adecuado para su conocimiento la publicación en medios de comunicación de difusión nacional y local. En condiciones como las concurrentes, el ejercicio del derecho a la libertad de información recomienda no utilizar cauces informativos que, por su trascendencia y repercusión sociales, además de innecesarios para el cumplimiento de los fines pretendidos, pueden ocasionar un perjuicio excesivo para una de las partes. Y es evidente que las declaraciones efectuadas por el señor L. provocaron una clara afectación de los intereses empresariales, con notable menoscabo de* *su imagen pública, tanto más trascendente cuanto la misma se encuentra vinculada con una actividad de alto riesgo y elevada peligrosidad».*

**141.–** En relación con ello, para llevar a cabo una acotación de los sujetos merecedores de protección en la propuesta de Directiva, la Comisión acudió a la jurisprudencia del Tribunal Europeo de Derechos Humanos (TEDH) en aquellos supuestos donde conductas asimilables a las de un *whistleblower* habían sido objeto de amparo por considerar que quedaban bajo la bóveda de los artículos 10 y 11 del Convenio Europeo de los Derechos Humanos (CEDH), concretamente en los asuntos *Guja vs. Moldavia* (12 de febrero de 2008, ECLI:ES:TEDH:2008:2); y, más tarde, en *Heinisch vs. Alemania* (21 de julio de 2011, ECLI:CE:ECHR:2011:0721JUD002827408) y *Bucur y Toma vs. Romania* (8 de enero de 2013, ECLI:CE:ECHR:2013:0108JUD004023802), asuntos en los que se examinaba la concurrencia de elementos para la vulneración del artículo 10 del CEDH en relación con las *revelaciones públicas*, en tanto conductas necesarias en una sociedad democrática, y se analiza si la persona que efectuó la divulgación tenía a su disposición «canales alternativos» para realizarla, señalándose concretamente que *«para juzgar el carácter proporcionado o no de la restricción impuesta a la libertad de expresión del demandante en este caso concreto, el Tribunal debe examinar si el interesado <u>disponía de otros medios efectivos para poner remedio a la situación que considera criticable</u>»*; el «*interés público*» en la información; la «*autenticidad*» de la información divulgada, y si la actuación está amparada por la «*buena fe*».

**142.–** Así, la regulación del artículo 15 DPI y del artículo 28 APL deben ponerse en relación con la jurisprudencia europea y con las condiciones establecidas en el artículo 6 DPI (y transpuestas en el artículo 35.1 APL) relativas a la protección de informante, con independencia del canal que este haya empleado, y, entre las que se encuentra el tener motivos razonables para pensar que la información sobre infracciones denunciadas <u>es veraz</u> en el momento de la denuncia y ello como «*una salvaguardia esencial frente a denuncias malintencionadas, frívolas o abusivas, para garantizar que quienes, en el momento de denunciar, comuniquen deliberada y conscientemente información incorrecta o engañosa no gocen de protección. Al mismo tiempo, el requisito garantiza que la protección no se pierda cuando el denunciante comunique información inexacta sobre infracciones por error cometido de buena fe*» (Considerando 32). Nuestra doctrina constitucional se encuentra en línea con ello, pues interpreta el requisito de la veracidad como un deber de buena fe y diligencia por parte del informador, de tal forma que aunque luego la noticia se revele falsa, el requisito de veracidad queda satisfecho si el informador creía que era cierta sobre la base de fuentes fiables y, en su caso, contrastadas: «*las afirmaciones erróneas son inevitables en un debate libre, de tal forma que, de imponerse "la verdad" como condición para el reconocimiento del derecho, la única garantía de la seguridad jurídica sería el silencio [...] la verdad se predica más del sujeto que del objeto; más que una información verdadera, se requiere un informador creíble, excluyendo de raíz que pueda hablarse de un derecho a transmitir rumores o sucesos inventados o hechos mal presentados*» (STC de 21 de enero de 1988 [ECLI:ES:TC:1988:6]).

## 5. La denuncia anónima

**143.–** La denuncia anónima no es un elemento extraño en la normativa europea, pudiendo citar la Directiva de Ejecución (UE) 2015/2392 de la Comisión, de 17 de diciembre de 2015, relativa al Reglamento (UE) núm. 596/2014 del Parlamento Europeo y del Consejo en lo que respecta a la comunicación de posibles infracciones o infracciones reales de dicho Reglamento a las autoridades competentes[12], donde se recogen las normas que especifican los procedimientos de denuncia del artículo 32.1 del Reglamento, incluyendo la posibilidad de que la denuncia se presente de forma

---

[12]  DO L 332, de 18 de diciembre de 2015.

anónima (artículo 5.1 a). Por otro lado, la Directiva (UE) 2015/849 del Parlamento Europeo y del Consejo, de 20 de mayo de 2015, relativa a la prevención de la utilización del sistema financiero para el blanqueo de capitales o la financiación del terrorismo, y por la que se modifica el Reglamento (UE) núm. 648/2012 del Parlamento Europeo y del Consejo[13], recoge dos normas en su artículo 61: (i) la confidencialidad cuando se trata de la denuncia a las autoridades competentes (artículo 61.2 e) y (ii) el anonimato cuando se comunican infracciones a nivel interno en una entidad (artículo 61.3).

**144.–** Como se ha expuesto en párrafos anteriores, la Directiva *Whistleblowing*, por su parte, no impone a los Estados Miembros la obligación de aceptar las denuncias anónimas, si bien, en caso de que así se establezca en el derecho nacional, las personas denunciantes, cuyo anonimato llegara a desaparecer, deben gozar de la protección dispensada por la norma europea, tal y como determina claramente el Considerando 34: «*Sin perjuicio de las obligaciones vigentes de disponer la denuncia anónima en virtud del Derecho de la Unión, debe ser posible para los Estados miembros decidir si se requiere a las entidades jurídicas de los sectores privado y público y a las autoridades competentes que acepten y sigan denuncias anónimas de infracciones que entren en el ámbito de aplicación de la presente Directiva. No obstante, las personas que denuncien de forma anónima o hagan revelaciones públicas de forma anónima dentro del ámbito de aplicación de la presente Directiva y cumplan sus condiciones deben gozar de protección en virtud de la presente Directiva si posteriormente son identificadas y sufren represalias*», y de conformidad con lo establecido en su artículo 6, apartados 2 y 3.

**145.–** Ante ello, el prelegislador nacional opta, como también se ha adelantado, por regular la posibilidad de informar de forma anónima tanto a través de los canales internos (artículo 7.3 APL), como de la Autoridad Independiente de Protección del Informante (artículo 17.1 y 21.1º APL). En este sentido, nuestro ordenamiento jurídico tampoco es ajeno a la denuncia anónima, la cual ya se regula en algunos ámbitos como el de Hacienda (artículo 114 de la Ley 58/2003, General Tributaria), o el de blanqueo de capitales (artículo 26 bis 1 de la Ley 10/2010, de 28 de junio, en transposición de la Directiva 2015/849, citada en el párrafo anterior), y se admite en otros, por ejemplo, a través de los buzones de denuncia de la Comisión Nacional de los Mercados y la Competencia, la Comisión Nacional del Mercado de Valores, o del propio Ministerio de Trabajo y Seguridad Social, siendo especialmente necesario mencionar la LOPD, que ha reconocido y regulado, desde la perspectiva de la protección de datos, estos sistemas en su artículo 24, precepto que declara "*lícita la creación y mantenimiento de sistemas de información a través de los cuales pueda ponerse en conocimiento de una entidad de Derecho privado, incluso anónimamente, la comisión en el seno de la misma o en la actuación de terceros que contratasen con ella, de actos o conductas que pudieran resultar contrarios a la normativa general o sectorial que le fuera aplicable*", siempre que se cumplan los principios que el precepto establece. Por su parte, el apartado 5 de este artículo 24 se ocupa de precisar que dicho régimen legal será aplicable a "*los sistemas de denuncias internas que pudieran crearse en las Administraciones Públicas*".

**146.–** No obstante, con carácter general es preciso recordar que quien denuncie una infracción administrativa tiene obligación de identificarse, a tenor de lo dispuesto en el artículo 62.2 de la Ley 39/2015 de 1 de octubre, del Procedimiento Administrativo Común de las Administraciones Públicas: "*Las denuncias deberán expresar la identidad de la persona o personas que las presentan y el relato de los hechos que se ponen en conocimiento de la Administración*". En el ámbito social, conforme al artículo 20.5 de la Ley 23/2015, Ordenadora del Sistema la Inspección de Trabajo y Seguridad Social: "*no se tramitarán las denuncias anónimas ni las que tengan defectos o insuficien-*

---

[13]   DO L141, de 5 de junio de 2015.

*cias de identificación que no hayan sido subsanadas en el plazo establecido para ello"*, siendo, por tanto, la identificación del denunciante necesaria para la remisión del informe sobre las actuaciones de comprobación y medidas administrativas llevadas a cabo con relación a los hechos denunciados. En todo caso, debe matizarse que, conforme al artículo 20.5 de la Ley 23/2015 y el artículo 9.1 f) del Real Decreto 928/1998, de 14 de mayo, los supuestos en los que las denuncias no se deben tramitar son los siguientes: las denuncias anónimas o que tengan defectos o insuficiencias de identificación que no se subsanen en plazo; referidas a materias cuya vigilancia no corresponda a la Inspección de Trabajo y Seguridad Social (ITSS); carentes de fundamento o inteligibles; las coincidentes con asuntos de los que esté conociendo un órgano jurisdiccional. Específicamente en cuanto a las denuncias anónimas, en el ámbito de la actuación de la Inspección de Trabajo se distingue entre las denuncias y reclamaciones que no tienen datos identificativos del denunciante, y las que sí los tienen. Respecto a las primeras, en principio no pueden ser admitidas, y por lo tanto deben ser archivadas sin más trámite. No obstante, en la práctica de la actuación inspectora, a estas denuncias, aunque sean anónimas, se les da en ocasiones curso cuando se detecta que son manifestación de una situación real de especial importancia y gravedad sobre todo en materia de prevención de riesgos laborales o de economía sumergida, por lo que es criterio habitual que, una vez ponderadas las circunstancias por el Jefe de la Inspección, se inicien las correspondientes comprobaciones, si bien no en virtud de denuncia sino por orden superior. Habitualmente, estas denuncias anónimas se venían comunicando telemáticamente a través del denominado buzón del fraude laboral, el cual no exige identificación de la persona que transmite los datos, pudiendo la ITSS utilizar la información que contienen para iniciar actuaciones de oficio. Similar situación se produce en los escritos remitidos a través de correo electrónico. El Plan Director por un Trabajo Digno 2018-2020 reguló dicho buzón de denuncias ante la Inspección de Trabajo, que sustituye al buzón de lucha contra el fraude del Ministerio de Empleo que venía funcionando desde 2013. También procede mencionar la Sentencia de la Sala de lo Contencioso-Administrativo del Tribunal Superior de Justicia de Madrid de 3 de abril de 2018 [ECLI:ES:TSJM:2018:3241] señalaba que «*Llegados a este punto, no puede perderse de vista que la administración puede tener conocimiento de los hechos por cualquier medio, incluso por una noticia publicada en los medios de comunicación. Y desde esta perspectiva, nada impide que determinados hechos sean llevados al conocimiento de la Administración de forma anónima. Cuando la Administración se encuentre ante una denuncia anónima, obviamente, no podrá, sin más, acordar en base a la misma el inicio del procedimiento. Ahora bien, <u>nada impide que, cuando la denuncia presente ciertos signos de veracidad y credibilidad, la Administración pueda realizar una cierta investigación mediante la realización de determinadas actuaciones previas tendentes a verificar, prima facie, los hechos irregulares puestos en conocimiento</u>. En tales situaciones el eventual acuerdo de inicio del procedimiento no vendrá amparado o fundamentado en la denuncia anónima sino en la información previa, que es la que verdaderamente determina el inicio del procedimiento sancionador. De esta forma, el acuerdo de inicio del procedimiento será adoptado por propia iniciativa, que es una de las modalidades de inicio de oficio de un procedimiento que se contempla en el art. 58 LPAC*».

**147.–** En el ámbito penal, de la lectura de los artículos 266 y 267 LECRim parece deducirse que las denuncias anónimas no son admisibles en el proceso, sin embargo el inicio de diligencias de investigación con base en *notitia criminis* anónima no aparece proscrita por nuestra jurisprudencia, que las permite, siempre bajo el requisito de un análisis reforzado, debiendo citarse la STS de 11 de abril de 2013 [ECLI:ES:TS:2013:1825], que no solo resume la jurisprudencia anterior, sino que continua siendo citada en resoluciones posteriores del Tribunal (véase también la reciente STS de 23 de enero de 2020 [ECLI:ES:TS:2020:270]):.«*Sin embargo, la lógica prevención frente a la denuncia anónima no puede llevarnos a conclusiones contrarias al significado mismo de la fase de investigación. Se olvidaría con ello que el art. 308 de la LECrim referido al sumario ordinario, obliga a la práctica de las primeras diligencias "inmediatamente que los Jueces de instrucción (...)*

tuvieren conocimiento de la perpetración de un delito". Es indudable que ese conocimiento puede serle proporcionado por una denuncia en la que no consta la identidad del denunciante. Cuestión distinta es que ese carácter anónimo de la denuncia refuerce el deber del Juez instructor de realizar un examen anticipado, provisional y, por tanto, en el plano puramente indiciario, de la verosimilitud de los hechos delictivos puestos en su conocimiento. Ante cualquier denuncia —sea anónima o no— el Juez instructor puede acordar su archivo inmediato si el hecho denunciado "... no revistiere carácter de delito" o cuando la denuncia "... fuera manifiestamente falsa" (art. 269 LECrim). Nuestro sistema no conoce, por tanto, un mecanismo jurídico que habilite formalmente la denuncia anónima como vehículo de incoación del proceso penal, pero sí permite, reforzadas todas las cautelas juris-diccionales, convertir ese documento en la fuente de conocimiento que, conforme al art. 308 de la LECrim, hace posible el inicio de la fase de investigación. Esta idea está también presente en el art. 5 del EOMF, aprobado por la ley 50/1981, de diciembre. En él se precisa la capacidad del Fiscal para recibir denuncias y para decretar su archivo "... cuando no encuentre fundamentos para ejer-citar acción alguna". Y ya en el ámbito de la actuación de la Fuerzas y Cuerpos de Seguridad del Estado, junto a la función principal de prevención e investigación de los hechos delictivos de los que tuvieren conocimiento, el art. 11.1.h) de la LO 2/1986, 13 de marzo, señala entre sus funciones las de ". captar, recibir y analizar cuantos datos tengan interés para el orden y la Seguridad Públi-ca, y estudiar, planificar y ejecutar los métodos y técnicas de prevención de la delincuencia". Todo indica, por tanto, que la información confidencial, aquella cuyo transmitente no está necesariamente identificado, debe ser objeto de un juicio de ponderación reforzado, en el que su destinatario valore su verosimilitud, credibilidad y suficiencia para la incoación del proceso penal. Un sistema que rindiera culto a la delación y que asociara cualquier denuncia anónima a la obligación de incoar un proceso penal, estaría alentado la negativa erosión, no sólo de los valores de la convivencia, sino el círculo de los derechos fundamentales de cualquier ciudadano frente a la capacidad de los poderes públicos para investigarle. Pero nada de ello impide que esa información, una vez valorada su integridad y analizada de forma reforzada su congruencia argumental y la verosimilitud de los datos que se suministran, pueda hacer surgir en el Juez, el Fiscal o en las Fuerzas y Cuerpos de Seguridad del Estado, el deber de investigar aquellos hechos con apariencia delictiva de los que tengan conocimiento por razón de su cargo».

**148.–** Sin duda el anonimato del informante que se establece en el APL lleva su protección más allá de la confidencialidad, al impedir que ni el propio órgano encargado de la tramitación de las denuncias conozca su identidad, y tampoco cabe duda de que podría llegar a comprometer el derecho de defensa de la persona afectada por la denuncia, al enfrentarse a una investigación en la que desconoce la identidad de quien le acusa y la procedencia de la evidencia que contra él se aporta. En este sentido, la propia Directiva establece, para salvaguardar el derecho de defensa, una excepción a la regla de la confidencialidad en su artículo 16.2, permitiendo que la identidad del denunciante u otra información sea revelada cuando exista una obligación legal necesaria y proporcionada en el contexto de una investigación o en el marco de un proceso judicial, para ga-rantizar el derecho de defensa de la persona afectada, que deriva de la Directiva 2012/13/UE del Parlamento Europeo y del Consejo, de 22 de mayo de 2012, relativa al derecho a la información en los procesos penales[14], con su correspondiente reflejo en el artículo 33.3 APL. Ahora bien, dicha necesidad de revelación aparece conectada, en el concreto contexto de un procedimiento penal, al empleo de las alegaciones del denunciante como fuente de prueba y como testimonio de cargo, pues en ese marco, como señala la STS de 23 de julio de 2020 [ECLI:ES:TS:2020:2636] «es la imposibilidad de contradicción y el total anonimato de los testigos de cargo lo que el citado Tribunal (Europeo de Derechos Humanos) considera contrario a las exigencias derivadas del art. 6 del Con-

---

[14] DO L142, de 1 de junio de 2012.

venio; por el contrario, en aquellos casos en que el testimonio no pueda calificarse de anónimo sino, en todo caso, de "oculto" (entendiendo por tal aquel que se presta sin ser visto por el acusado), pero, en los que la posibilidad de contradicción y el conocimiento de la identidad de los testigos —tanto para la defensa como para el Juez o Tribunal llamado a decidir sobre la culpabilidad o inocencia del acusado— resulten respetados, han de entenderse cumplidas las exigencias derivadas del art. 6.3 d) del Convenio y, en consecuencia, también las garantías que consagra el art. 24.2 de nuestra Constitución».

**149.-** Si el informante no es fuente de prueba ni medio probatorio, sino medio de investigación, y en definitiva, la información aportada de forma anónima goza de verosimilitud, siendo objeto de investigación por otros medios que, en su caso, podrán generar fuentes y medios probatorios, la denuncia anónima es admisible como *notitia criminis*, con los requisitos jurisprudenciales expuestos. En este sentido, debe trazarse su similitud con la figura del confidente, señalando que el Tribunal Europeo de Derechos Humanos ha admitido la legalidad de la utilización de estas fuentes confidenciales de información, siempre que se utilicen exclusivamente como medios de investigación y no tengan acceso al proceso como prueba de cargo (asunto *Kostovski c. Los Países Bajos*, 20 de noviembre de 1989, ECLI:CE:ECHR:1989:1120JUD001145485, y asunto *Windisch c. Austria*, de 27 de septiembre de 1990). De esta manera, la STS de 27 de mayo de 2020 [ECLI:ES:TS:2020:2046], tras referirse a la utilización de los confidentes exclusivamente como medio de investigación, afirma lo siguiente: «*la fase previa a la investigación que no se vierte sobre el proceso y que, por ende, carece de virtualidad como fuente de prueba, no integra el "expediente" preciso para el efectivo ejercicio de defensa*». También la STS de 8 de noviembre de 2018 [ECLI:ES:TS:2018:4557] razona que «*esas informaciones confidenciales pueden y deben desencadenar una investigación policial si gozan de verosimilitud. Si a raíz de ellas se obtienen datos que les confieren credibilidad pues son coherentes con lo relatado por la fuente anónima, y cobran una explicación lógica desde la hipótesis suministrada confidencialmente; no cabe hacer abstracción de esas informaciones anónimas, como si no existiesen. Cuando lo que han transmitido se confirma a través de la obtención de otros datos habrá que valorar aquéllas y éstos*».

**150.-** Finalmente, resulta ineludible mencionar la STS de 6 de febrero de 2020 [ECLI:ES:TS:2020:272], que precisamente acude a la Directiva 2019/1937, aun no traspuesta, para acoger sin ningún género de dudas la virtualidad de la denuncia anónima a través de los canales internos de la empresa como generador de la *notitia criminis*, y en consecuencia, como justificación suficiente para el inicio de la correspondiente investigación penal, sin perjuicio de la necesidad de que no sea el único elemento de convicción penal: «*En el caso ahora analizado una denuncia interna, al modo del canal de denuncias aquí expuesto, provoca la apertura de la investigación que desemboca en el descubrimiento de las operaciones que estaban realizando los recurrentes durante el periodo de tiempo indicado en los hechos probados, y que causó el perjuicio económico que se ha considerado probado. Resulta, pues, necesaria la correlación entre el programa de cumplimiento normativo en la empresa para evitar y prevenir los delitos cometidos por directivos y empleados ad intra, como aquí ocurrió con los tres empleados, a fin de potenciar el control interno y el conocimiento de directivos y empleados de la posibilidad de que dentro de su empresa, y ante el conocimiento de alguna irregularidad, como aquí ocurrió perjudica a la propia empresa, y, al final, a los propios trabajadores, si el volumen de la irregularidad podría poner en riesgo y peligro hasta sus propios puestos de trabajo, pero más por el propio sentimiento de necesidad de la honradez profesional y evitación de actividades delictivas, o meras irregularidades en el seno de la empresa, circunstancia que de haber existido en este caso hubiera cortado la comisión de estos hechos, aunque sin que por su ausencia, por falta de medidas de autoprotección, derive en una exención de responsabilidad penal, como se propone en este caso por el recurrente*».

**151.-** No cabe, en todo caso, desconocer que, como se ha indicado ya en las Consideraciones generales de este informe, pese a la admisibilidad de las denuncias anónimas contemplada por la

LOPDGDD y por el Anteproyecto en los términos referidos, la identificación del informante puede coadyuvar a evitar el abuso y el uso indiscriminado de los canales de denuncias y permitir, asimismo, la efectiva protección de los *whistleblowers* contra posibles represalias, además, de permitir que sea posible recabar más información sobre los hechos denunciados que pueda ser relevante para la resolución del conflicto, y ello en línea con los sostenido por el Supervisor Europeo de Protección de datos personales en la Guía de procedimiento referida[15].

## 6. La Protección de datos personales

**152.–** El Título VI del Anteproyecto se intitula "Protección de datos personales". Sobre el régimen jurídico de los tratamientos de datos personales que deriven de la aplicación de la norma proyectada, el artículo 29 del anteproyecto afirma, en primer lugar, y, de manera cohonestada con la prescripción contenida en el artículo 17 de la Directiva (UE) 2019/1937 del Parlamento Europeo y del Consejo, de 23 de octubre de 2019,que los mismos se regirán por (i) lo dispuesto en el Reglamento (UE) 2016/679, del Parlamento Europeo y del Consejo de 27 de abril de 2016 relativo a la protección de las personas físicas en lo que respecta al tratamiento de datos personales y a la libre circulación de estos datos y por el que se deroga la Directiva 95/46/CE (Reglamento general de protección de datos (ii) la Ley Orgánica 3/2018, de 5 de diciembre, de Protección de Datos y garantía de los derechos digitales, en la Ley Orgánica 7/2021, de 26 de mayo, de protección de datos personales tratados para fines de prevención, detección, investigación y enjuiciamiento de infracciones penales y de ejecución de sanciones penales.

**153.–** Sentado lo anterior matiza el prelegislador que el régimen jurídico de aplicación a los tratamientos de referencia estará también integrado por las disposiciones establecidas en el propio título VI de la norma proyectada en cuanto las mismas, como seguidamente se verá, pretenden ampliar las previsiones de la Ley Orgánica 3/2018, de 5 de diciembre, de Protección de Datos y garantía de los derechos digitales al objeto de integrar en su ámbito los tratamientos de datos que se lleven a cabo en los canales de comunicación externos y en los supuestos de revelación pública.

**154.–** Conviene señalar en primer término que, en puridad, la DPI, no contiene obligaciones en materia de protección de datos de carácter novedoso, ya que el artículo que la Directiva destina específicamente a esta materia se limita a recordar que los tratamientos de datos relacionados con los canales de denuncias se deben realizar cumpliendo con la normativa aplicable en materia de protección de datos.

**155.–** Ello no obstante, la Directiva sí enfatiza —mediante el traslado de obligaciones generales en materia de protección de datos al contexto de los canales de denuncias— algunos de los requisitos que deben cumplirse cuando se implementan dichos sistemas. En este sentido, el artículo 17 de la DPI, en relación con el considerando 83 de la Directiva, establece que cualquier tratamiento de datos personales, incluido su intercambio o transmisión, deberá cumplir con las obligaciones establecidas por el RGPD y demás normativa aplicable, que, en el ordenamiento interno, es, como es sabido, la Ley Orgánica 3/2018, de 5 de diciembre, de Protección de Datos y garantía de los derechos digitales, y, en particular su artículo 24.

**156.–** Partiendo de la premisa de la afirmación del carácter lícito de los tratamientos de datos personales necesarios para la aplicación de la norma proyectada, el apartado segundo del artículo 30 del anteproyecto explicita los títulos que legitiman los tratamientos de datos personales señalando

---

[15]  EPD: Directrices sobre Whistleblowing, pág. 6: "*In principle, whistleblowing should not be anonymous. Whistleblowers should be invited to identify themselves not only to avoid abuse of the procedure but also to allow their effective protection against any retaliation. This will also allow better management of the file if it is necessary to gather further information*".

—en coherencia con las exigencias dimanantes del artículo 6 del Reglamento (UE) 2016/679— que los tratamientos de datos personales se entenderá lícito en base a lo que disponen los artículos 6.1.c) del Reglamento (UE) 2016/679 y 8 de la Ley Orgánica 3/2018, de 5 de diciembre, y 11 de la Ley Orgánica 7/2021, de 26 de mayo, cuando, de acuerdo a lo establecido en los artículos 11 y 14, sea obligatorio disponer de un sistema interno de información; señalando por último, que cuando los tratamientos no fuesen obligatorios se presumirán amparado en el artículo 6.1.e) del citado Reglamento.

**157.–** La referencia a la licitud de los tratamientos de datos personales necesarios para la aplicación de la norma proyectada que recoge el apartado primero del artículo 30 del anteproyecto conecta con el principio de minimización del dato al que se ha hecho anterior referencia en las consideraciones generales de este informe.

**158.–** Ocurre que la regulación de la DPI, en este punto, resulta más amplia en su formulación del citado principio de lo que lo es la contemplada por el anteproyecto, toda vez que el párrafo segundo del artículo 17 de la DPI, tras establecer que no se recopilarán datos personales cuya pertinencia no resulte manifiesta para tratar una denuncia específica, añade que si tales datos se recopilan por accidente «se eliminarán sin dilación indebida.»

**159.–** Con respecto al tratamiento de datos personales en los supuestos de canales de comunicación externos el apartado tercero del artículo 30 señala que el mismo se entenderá lícito en base a lo que disponen los artículos 6.1.c) del Reglamento (UE) 2016/679 y 8 de la Ley Orgánica 3/2018, de 5 de diciembre, y 11 de la Ley Orgánica 7/2021, de 26 de mayo; y en relación con el tratamiento de datos personales derivado de una revelación pública el apartado cuarto del mismo precepto precisa, a su vez, que tales tratamientos se presumirán amparados en lo dispuesto en el artículo 6.1.e) del Reglamento (UE) 2016/679, y 11 de la Ley Orgánica 7/2021, de 26 de mayo.

**160.–** El apartado primero del artículo 31 del anteproyecto señala, en cuanto a la información a facilitar a los interesados y el ejercicio por estos de los derechos que eventualmente les asistan, que cuando se obtengan directamente de los interesados sus datos personales se les facilitará la información a que se refieren los artículos 13 del Reglamento (UE) 2016/679 y 11 de la Ley Orgánica 3/2018, de 5 de diciembre.

**161.–** A la previsión anterior, los apartados segundo y tercero del mismo artículo 31 del anteproyecto añaden que (i) a los informantes y a quienes lleven a cabo una revelación pública se les informará, además, de forma expresa, de que su identidad será en todo caso reservada, no comunicándose a las personas a las que se refieren los hechos relatados ni a terceros (ii) quienes realicen la comunicación a través de canales internos serán informados de forma clara y fácilmente accesible sobre los canales externos de información ante las autoridades competentes y, en su caso, ante las instituciones, órganos u organismos de la Unión Europea.

**162.–** El régimen jurídico de la información a los interesados se completa en el apartado segundo del mismo precepto del anteproyecto con la previsión de que la persona a la que se refieran los hechos relatados no será en ningún caso informada de la identidad del informante o de quien haya llevado a cabo la revelación pública.

**163.–** La regulación propuesta por el prelegislador no parece haber recogido en debida forma algunas de las previsiones contenidas en la Directiva en relación con los deberes de información al denunciante sobre las medidas previstas y adoptadas para la tramitación de la denuncia.

**164.–** La anterior afirmación se advera al constatar que (i) el artículo 9.1 f) de la DPI señala que «Los procedimientos de denuncia interna y seguimiento a que se refiere el artículo 8 incluirán lo siguiente: un plazo razonable para dar respuesta, que no será superior a tres meses a partir del acuse de recibo o, si no se remitió un acuse de recibo al denunciante, a tres meses a partir del vencimiento del plazo de siete días después de hacerse la denuncia» (ii) el artículo 11.2 d) de la DPI, en relación con el canal externo, establece que «Los Estados miembros velarán por que las autoridades competentes: den respuesta al denunciante en un plazo razonable, no superior a tres meses, o a seis meses en casos debidamente justificados».

**165.–** En el mismo sentido, en relación con los cabales internos y externos, respectivamente, el Considerando 58 de la Directiva refiere que «*Un plazo razonable para informar al denunciante no debe exceder de tres meses. Cuando todavía se esté considerando el seguimiento apropiado, el denunciante debe ser informado de ello, así como de cualquier otra respuesta que haya de esperar.*»; y el Considerando 67 que «*El seguimiento y la respuesta al denunciante deben producirse en un plazo razonable, dada la necesidad de abordar con prontitud el problema que sea objeto de denuncia, así como la necesidad de evitar la revelación pública innecesaria de información. El plazo no debe exceder de tres meses, pero podría ampliarse a seis cuando sea necesario debido a circunstancias específicas del caso, en particular la naturaleza y la complejidad del objeto de la denuncia, que puedan justificar una investigación larga.*»

**166.–** En mérito a todo ello, parece aconsejable que el prelegislador lleve a cabo la integración en el régimen jurídico de la información al denunciante de alguna previsión relativa a la información que debe suministrarse al mismo acerca de las medidas previstas y adoptadas para la tramitación de la denuncia en consonancia con las prescripciones contenidas en los artículos 9.1 f) y 11.2 d) y Considerandos 58 y 67 de la DPI.

**167.–** Por lo que hace al ejercicio de derechos por los interesados los apartados tercero y cuarto del artículo 31 del APL señalan finalmente que (i) los interesados podrán ejercer los derechos a que se refieren los artículos 15 a 22 del Reglamento (UE) 2016/679 (ii) en caso de que la persona a la que se refieran los hechos relatados en la comunicación o a la que se refiera la revelación pública ejerciese el derecho de oposición se presumirá que, salvo prueba en contrario, existen motivos legítimos imperiosos que legitiman el tratamiento de sus datos personales.

**168.–** Al tratamiento de datos personales en los Sistemas internos de información se refiere el artículo 32 del anteproyecto identificando, en primer término, las personas que podrán acceder a los datos personales contenidos en los Sistemas internos de información, precisando que, dentro del ámbito de sus respectivas competencias y funciones, tales personas serán exclusivamente: a) El responsable del Sistema y a quien lo gestione directamente. b) El responsable de recursos humanos, sólo cuando pudiera proceder la adopción de medidas disciplinarias contra un trabajador. En el caso de los empleados públicos, el órgano competente para la tramitación del mismo. c) El responsable de los servicios jurídicos de la entidad u organismo, si procediera la adopción de medidas legales en relación con los hechos relatados en la comunicación. d) Los encargados del tratamiento que eventualmente se designen. e) El Delegado de Protección de Datos.

**169.–** Por excepción, el anteproyecto dispone, no obstante, que será lícito el tratamiento de los datos por otras personas, o incluso su comunicación a terceros, cuando resulte necesario para la tramitación de los procedimientos sancionadores o penales que, en su caso, procedan (apartado segundo del artículo 32).

**170.–** Respecto al tiempo durante el cual podrán ser conservados los datos personales que sean objeto de tratamiento en los sistemas internos de información el prelegislador postula que (i) será únicamente el imprescindible para decidir sobre la procedencia de iniciar una investigación sobre los hechos informados (artículo 32.3 del anteproyecto) (ii) transcurridos tres meses desde la recepción de la comunicación sin que se hubiesen iniciado actuaciones de investigación, deberá procederse a su supresión, salvo que la finalidad de la conservación sea dejar evidencia del funcionamiento del sistema (artículo 32.4).

**171.–** La regulación propuesta por el prelegislador en relación con los plazos de tramitación de las denuncias en los sistemas internos de información resulta acorde con las prescripciones contenidas en los artículos 18 de la DPI y 24.4 de la LOPDGDD, y está en línea de coherencia con lo establecido en el artículo 9.1f) y Considerando 58 DPI. Debe recordarse aquí que, en contravención de dicho artículo de la Directiva, el artículo 8.2.g) APL prevé una extensión excepcional de tres meses de la duración de la investigación en el marco de los sistemas internos, transposición incorrecta que implica, además, cierta incoherencia entre dicho artículo 8.2 g) y el precitado artículo 32.4 APL.

**172.–** Sentadas las anteriores limitaciones temporales a la conservación de los datos personales incorporados a los canales de denuncias, el inciso final del artículo 32 del APL dispone, además, que las comunicaciones a las que no se haya dado curso solamente podrán constar de forma anonimizada, sin que sea de aplicación la obligación de bloqueo prevista en el artículo 32.4 de la Ley Orgánica 3/2018, de 5 de diciembre

**173.–** En relación con esta obligación de anonimizar los datos de las denuncias, conviene precisar que la anonimización es un proceso mediante el cual los datos anonimizados se transforman en información que no permite reidentificar a la persona física a la que pertenecen, a diferencia de lo que ocurre en el proceso de seudonimización, que sí podría llegar a permitir, en un contexto determinado —de forma indirecta— llegar a saber quién es la persona física a la que pertenece la información que se le asocia.

**174.–** Así el RGPD define en su art. 4.5. la seudonimización como "el tratamiento de datos personales de manera tal que ya no puedan atribuirse a un interesado sin utilizar información adicional, siempre que dicha información adicional figure por separado y esté sujeta a medidas técnicas y organizativas destinadas a garantizar que los datos personales no se atribuyan a una persona física identificada o identificable". La importancia de la distinción radica en que el RGPD establece que a la información agregada o anonimizada no le es de aplicación la normativa de protección de datos, mientras que a la seudonimizada, sí.

**175.–** Finalmente, el apartado quinto del artículo 32 del anteproyecto, en consonancia con la previsión establecida en el artículo 12.4 a) de la DPI, ultima el régimen propuesto para el tratamiento de datos personales en los sistemas internos de información reiterando la regla ya contenida en el artículo 24.1 de la Ley Orgánica 3/2018, de 5 de diciembre según la cual los empleados y terceros deberán ser informados acerca de la existencia de tales sistemas de información.

**176.–** Desde la perspectiva de la normativa que disciplina la protección de datos personales, globalmente considerada, se ha venido cuestionando la suficiencia de que los responsables de los canales de denuncias se limiten a informar a los empleados y terceros acerca de la mera existencia del canal tal y como, únicamente, exigen el anteproyecto y el citado artículo 24 de la LOPDGDD. La cuestión estriba en determinar si el deber de información a los empleados y terceros debe extenderse o abarcar, también, la noticia sobre la recepción de una denuncia en la que se incluyan sus datos personales. Por otro lado, el citado artículo no concreta en qué momento debe proporcionarse dicha información.

**177.–** La eventual conclusión de que los titulares de los datos personales deben ser informados no solo sobre la existencia del canal de denuncias, sino, también, sobre el tratamiento de sus datos personales en relación con las concretas denuncias en las que se vean involucrados (directa o indirectamente) resulta abonada por la proyección sistemática del marco normativo regulador del deber de información en materia de protección de datos.

**178.–** Ello es así por cuanto el art. 13 del Reglamento (UE) 2016/679 del parlamento europeo y del consejo de 27 de abril de 2016 —aplicable a los casos en los que los datos se obtengan directamente de los interesados— y el art. 14 del mismo Reglamento —de aplicación a aquellos supuestos en los que estos no se obtengan de los interesados— exigen que los responsables del tratamiento pongan a disposición de los interesados una información muy exhaustiva sobre los tratamientos de datos que pretendan llevar a cabo (por ejemplo, indicar qué tipología de datos se tratan y a quién van a ser cedidos), de lo que cabe colegir que la mera publicidad de la existencia de un canal de denuncias, tal y como únicamente exigen los artículos 24.1 de la LOPDGDD y 32.5 del APL, no agote el cumplimiento del deber de información, por lo que la adición complementaria de una referencia a la extensión del deber de información a estos extremos podría ser contemplada por el prelegislador.

**179.–** El prelegislador contempla seguidamente la preservación de la identidad del informante y de las personas investigadas previendo de manera expresa, por una parte, el derecho de quien presente una comunicación o lleve a cabo una revelación pública a que su identidad no sea revelada a terceras personas (artículo 33.1 del anteproyecto); y, por otra, la necesidad de que los canales externos y quienes reciban revelaciones públicas cuenten con medidas técnicas y organizativas adecuadas para preservar la identidad y garantizar la confidencialidad de los datos correspondientes a las personas investigadas por la información suministrada, especialmente la identidad del informante en caso de que se hubiera identificado (artículo 33.2 del anteproyecto).

**180.–** Como garantía de la preservación de la identidad del informante, se establece asimismo en el anteproyecto la prescripción de que la identidad del informante sólo podrá ser comunicada a la Autoridad judicial, al Ministerio Fiscal o a la autoridad administrativa competente en el marco de una investigación penal, disciplinaria o sancionadora (artículo 33.3).

**181.–** Otra de las particularidades del deber de informar —en el contexto de los canales de denuncias— es que, aunque el artículo 14 del RGPD exige que los afectados sean informados de la procedencia de sus datos, de acuerdo con el artículo 16 de la Directiva y el artículo 24.3 126 de la LOPDGDD —como regla general— la identidad del denunciante no debe ser revelada al resto de afectados (i. e., denunciado y terceros mencionados en la denuncia) con el fin de preservar sus datos confidenciales.

**182.–** La regulación que el Título VI del anteproyecto dedica a la protección de datos personales se cierra con la previsión contenida en el artículo 34 sobre la necesidad del nombramiento de un Delegado de protección de datos para todos los tratamientos llevados a cabo por las entidades obligadas a disponer de un sistema interno de comunicaciones y los terceros externos que en su caso lo gestionen, para el caso de que unas y otros no vinieran ya obligadas a su designación conforme al Reglamento (UE) 2016/679 del Parlamento Europeo y del Consejo de 27 de abril de 2016.

## 7. La protección del denunciante

**183.–** El Título VII del anteproyecto, bajo la rúbrica "Medidas de Protección" pretende constituir, según confiesa el prelegislador en la Exposición de motivos de la norma proyectada, «*el eje de la ley*» mediante el establecimiento de «*medidas de protección para amparar a aquellas personas que mantienen una actitud cívica y de respeto democrático al alertar sobre infracciones graves que dañan el interés general*».

**184.–** El artículo 35 del anteproyecto, intitulado «Condiciones de Protección» establece en su apartado primero los requisitos subjetivos, objetivos y formales de las medidas de protección estatuidas en favor de las personas que comuniquen o revelen infracciones tipificadas en la norma proyectada.

**185.–** En cuanto a los aludidos requisitos subjetivos, el inciso primero de la letra a) del precepto, pretende establecer lo que constituye, en realidad, una suerte de requisito intelectivo, al disponer que será condición necesaria para la aplicación de las medidas de protección que el informante tenga *"motivos razonables para pensar que la información referida es veraz en el momento de la comunicación o revelación, aun cuando no aporten pruebas concluyentes"*. A los requisitos objetivos se refiere el inciso segundo de la letra a) del artículo 35.1 al disponer que será igualmente necesario que la información comunicada o revelada entre dentro del ámbito de aplicación de la norma.

**186.–** El apartado segundo del artículo 35 del anteproyecto establece la delimitación negativa del ámbito subjetivo de aplicación de las medidas de protección propuestas por el prelegislador al señalar que quedan expresamente excluidas de la protección prevista por la norma las personas que comuniquen o revelen: a) Informaciones contenidas en comunicaciones que hayan sido inadmitidas por alguna de las causas previstas en el artículo 18.2 a) del anteproyecto (hechos carentes de toda verosimilitud o que no sean constitutivos de infracción del ordenamiento o siéndolo no afecten al interés general; comunicaciones carentes manifiestamente de fundamento; existencia, a juicio de la Autoridad Independiente de Protección del Informante, de indicios racionales de que la información se obtuvo de forma ilícita; informaciones que sean mera reproducción de otras anteriores previamente inadmitidas o debidamente investigadas). b) informaciones vinculadas a reclamaciones sobre conflictos interpersonales o que afecten únicamente al informante y a las personas a las que se refiera la comunicación o revelación. c) informaciones que ya estén completamente disponibles para el público, o que constituyan meros rumores. d) informaciones que se refieran a acciones u omisiones no comprendidas en el artículo 2.

**187.–** La expresa exclusión de la protección que el anteproyecto prevé en el apartado a) del artículo 35.1 respecto de quienes faciliten informaciones contenidas en comunicaciones que hayan sido inadmitidas por incidir sobre hechos carentes de toda verosimilitud o que no sean constitutivos de infracción del ordenamiento o siéndolo no afecten al interés general o carezcan manifiestamente de fundamento está en línea de coherencia con la caracterización como seguimiento adecuado en los términos de la Directiva objeto de trasposición que el Considerando 79 de la misma otorga a las decisiones de archivo de los procedimientos de investigación de denuncias que puedan adoptar las autoridades nacionales.

**188.–** Y lo mismo cabe afirmar respecto de la exclusión prevista en el apartado c) del artículo 35 en relación con las informaciones que ya estén completamente disponibles para el público, o que constituyan meros rumores y la referencia establecida al respecto en el Considerando 43 de la DPI. Con todo, la expresa previsión de la exclusión de protección a las informaciones «que constituyan meros rumores» resulta redundante con la exclusión que la aplicación conjunta de los artículos 35.3 a) y 18 a) del anteproyecto establecen respecto de las denuncias que carezcan manifiestamente de fundamento

**189.–** El artículo 36 del anteproyecto principia la regulación sustantiva de las medidas de protección los informantes proclamando la prohibición expresa de los actos de represalia, incluidos los que se produzcan en grado de tentativa o en forma de amenaza.

**190.–** El prelegislador propone un concepto de represalia que se identifica con cualesquiera actos u omisiones que estén prohibidos por la ley, o que, de forma directa o indirecta, supongan un trato desfavorable que sitúe a las personas que las sufren en desventaja particular con respecto a otra en el contexto laboral o profesional, sólo por su condición de informantes, o por haber realizado una revelación pública, y siempre que tales actos u omisiones se produzcan mientras dure el procedimiento de investigación o en los dos años siguientes a la finalización del mismo o de la fecha en que tuvo lugar la revelación pública (artículo 36.2).

**191.–** La positivización propuesta de la noción de represalia queda delimitada en sentido negativo por el inciso final del apartado segundo del artículo 36 del anteproyecto, en cuanto en él se precisa que se entienden exceptuados los supuestos en los que las acciones u omisiones puedan justificarse objetivamente en atención a una finalidad legítima y que los medios para alcanzar dicha finalidad sean necesarios y adecuados.

**192.–** Así pues el prelegislador introduce en la definición de las acciones u omisiones que pueden categorizarse como represalias una acotación temporal en cuya virtud solo se reputaran tales aquellas que se produzcan *"mientras dure el procedimiento de investigación o en los dos años siguientes a la finalización del mismo o de la fecha en que tuvo lugar la revelación pública"*.

**193.–** Ocurre que el artículo 5 de la DPI define la represalia como «toda acción u omisión, directa o indirecta, que tenga lugar en un contexto laboral, que esté motivada por una denuncia interna o externa o por una revelación pública y que cause o pueda causar perjuicios injustificados al denunciante». La definición propuesta por el prelegislador introduce, por tanto, una limitación temporal que restringe o acota de manera relevante el número de acciones u omisiones que pueden catalogarse como represalias a los efectos de la aplicación de la norma sin que la Directiva objeto de trasposición avale tal limitación o restricción. Amén de lo anterior, sería igualmente conveniente que el prelegislador articulara alguna fórmula de cohonestación del ámbito temporal de aplicabilidad de la protección ofrecida con el marco normativo establecido en la Ley 36/2011, de 10 de octubre, reguladora de la jurisdicción social en relación con los plazos generales de prescripción o caducidad de las acciones previsto para las conductas o actos sobre los que se concrete la lesión del derecho fundamental o libertad pública tutelado mediante el procedimiento establecido en el Capítulo XI de la Ley reguladora de la jurisdicción social.

**194.–** Seguidamente el prelegislador ofrece un catálogo —sedicentemente establecido «a título enunciativo» de acciones consideradas como represalias a los efectos de lo previsto en la norma proyectada; así, se consideran represalias las acciones u omisiones siguientes: a) suspensión del contrato de trabajo, despido o extinción de la relación laboral o estatutaria, incluyendo la terminación anticipada de un contrato de trabajo temporal una vez superado el período de prueba, o terminación anticipada o anulación de contratos de bienes o servicios, imposición de cualquier medida disciplinaria, degradación o denegación de ascensos y cualquier otra modificación sustancial de las condiciones de trabajo, salvo que estas medidas se llevaran a cabo dentro del ejercicio regular del poder de dirección al amparo de la legislación laboral reguladora del estatuto del empleado público correspondiente, por circunstancias, hechos o infracciones acreditadas, y ajenas a la presentación de la comunicación. b) daños, incluidos los de carácter reputacional, o pérdidas económicas, coacciones, intimidaciones, acoso u ostracismo. c) evaluación o referencias negativas respecto al desempeño laboral o profesional. d) inclusión en listas negras o difusión de información en un determinado ámbito sectorial, que dificulten o impidan el acceso al empleo o la contratación de obras o servicios. e) anulación de una licencia o permiso. Aun cuando, como ha quedado anotado, el prelegislador enfatiza el carácter meramente enunciativo del catálogo de acciones consideradas como represalias arriba trascrito, convendría quizá llamar la atención sobre el hecho de que el apartado e) del artículo 36.3 del anteproyecto resultaría más preciso si, en vez de referirse sólo a la anulación de licencias o permisos incluyera en la categoría de represalias, también la "denegación" de tales licencias o permisos para clarificar la protección que, en coherencia con el conjunto del texto, pretende ofrecerse en ese ámbito.

**195.–** El apartado cuarto del artículo 36 del anteproyecto pretende habilitar una extensión temporal de la protección ofrecida por la norma frente a las represalias que, como ha quedado anotado, el apartado segundo del mismo precepto refiere al periodo de tiempo que media entre la incoación del procedimiento de investigación y los dos años subsiguientes a la finalización del mismo.

**196.–** Así, el artículo 36.4 del APL dispone que *"La persona que viera lesionados sus derechos por causa de su comunicación o revelación una vez transcurrido el plazo de un año a que se refiere este artículo, podrá solicitar la protección de la autoridad competente que, excepcionalmente y de forma justificada, podrá extender el periodo de protección, previa audiencia de las personas u órganos que pudieran verse afectados"*. Amén de reiterar en este punto lo anteriormente señalado sobre la incompatibilidad apreciable entre la definición de represalia contenida en la DPI y la limitación temporal que el artículo 36.2 del anteproyecto introduce al restringir o acotar las acciones u omisiones que pueden catalogarse como represalias a las que *«se produzcan mientras dure el procedimiento de investigación o en los dos años siguientes a la finalización del mismo o de la fecha en que tuvo lugar la revelación pública»*, debe, además, añadirse que la referencia al "plazo de un año a que se refiere este artículo", que se contiene en el apartado 4 del precepto no se compadece con el plazo al que verdaderamente alude el apartado segundo del mismo artículo 36, que es de dos años y no de uno.

**197.–** El régimen jurídico de la interdicción de las represalias se ultima por el prelegislador mediante la prescripción de la nulidad de pleno derecho de los actos administrativos que tengan por objeto impedir o dificultar la presentación de comunicaciones y revelaciones, así como los que constituyan represalia o causen discriminación tras la presentación de aquellas, a lo que se añade la previsión de la eventual adopción de medidas correctoras disciplinarias o de responsabilidad, que puedan incluir la correspondiente indemnización de los daños y perjuicios infligidos al perjudicado

**198.–** Contempla el prelegislador, a continuación, una serie de medidas de apoyo a los informantes que el apartado primero del artículo 37 del anteproyecto concreta en las siguientes: a) información y asesoramiento integral, accesible y gratuito, sobre los procedimientos y recursos disponibles, para la protección frente a represalias y sobre los derechos del informante. b) asistencia efectiva en su protección frente a represalias. c) apoyo financiero y psicológico, de forma excepcional, si procede tras la valoración por la autoridad independiente de protección del informante de las circunstancias derivadas de la presentación de la comunicación.

**199.–** Entre las medidas de protección frente a las represalias, el apartado primero del artículo 38 del anteproyecto contempla una suerte de declaración legal de ineficacia de las cláusulas de confidencialidad o declaraciones de renuncia expresa a la revelación de información en cuya virtud los informantes no incurrirán en responsabilidad de ningún tipo siempre que tuvieran motivos razonables para pensar que la comunicación o revelación pública de dicha información era necesaria para hacer pública una acción u omisión enmarcable en el ámbito material de la norma.

**200.–** La regla anterior, no obstante, es excepcionada por el prelegislador en relación con (i) la información clasificada, el deber de confidencialidad o el carácter reservado de la información establecido en normativa específica [artículo 2.3 del anteproyecto] (ii) las responsabilidades de carácter penal.

**201.–** En sentido opuesto, la misma regla se extiende a la comunicación de informaciones realizadas por los representantes de las personas trabajadoras, aunque se encuentren sometidas a obligaciones legales de sigilo o de no revelar información reservada, sin perjuicio de las normas específicas de protección aplicables conforme a la normativa laboral.

**202.–** El apartado segundo del artículo 38 del anteproyecto viene a establecer una exención de responsabilidad para los informantes en relación con la adquisición o el acceso a la información que es comunicada o revelada públicamente, siempre que dicha adquisición o acceso no constituya un delito. Como complemento o delimitación negativa de la regla anterior, el apartado tercero del precepto precisa, sin embargo, que cualquier otra posible responsabilidad de los informantes derivada de actos u omisiones que no estén relacionados con la comunicación o la revelación pública o que no sean necesarios para revelar una infracción en virtud de la presente ley serán exigibles conforme a la normativa aplicable.

**203.–** A la exención de responsabilidad de los informantes, pero referida en este caso a las comunicaciones o revelaciones públicas realizadas en el ámbito intrajudicial, con ocasión de la sustanciación de procesos judiciales civiles o laborales —incluidos los relativos a difamación, violación de derechos de autor, vulneración de secreto, infracción de las normas de protección de datos, revelación de secretos empresariales, o a solicitudes de indemnización basadas en el derecho laboral o estatutario— se refiere el apartado quinto del artículo 38, precisando que, en tales casos, los informantes, de una parte, no incurrirán en responsabilidad de ningún tipo como consecuencia de comunicaciones o de revelaciones públicas protegidas por la norma; y, por otra, tendrán derecho a alegar en su descargo el haber comunicado o haber hecho una revelación pública, siempre que tuvieran motivos razonables para pensar que la comunicación o revelación pública era necesaria para poner de manifiesto una infracción producida en el ámbito de la ley.

**204.–** Entre las medidas de protección de los informantes postuladas por el prelegislador se encuentra, asimismo, una específica previsión de inversión de la carga de la prueba en el ámbito de los procedimientos laborales ante órganos jurisdiccionales relativos a los perjuicios sufridos por los informantes en cuya virtud, una vez que el informante haya demostrado razonablemente que ha comunicado o ha hecho una revelación pública de conformidad con la norma proyectada y que ha sufrido un perjuicio, se presumirá que el mismo se produjo como represalia por informar o por hacer una revelación pública, correspondiendo en tales casos a la persona que haya tomado la medida perjudicial probar que esa medida se basó en motivos debidamente justificados no vinculadas a la comunicación o revelación pública (artículo 38.4 del anteproyecto).

**205.–** En relación con la expresa previsión de la inversión de la carga de la prueba a que se refiere el precepto anotado del anteproyecto, sería conveniente que el prelegislador adicionara una regla similar para los procedimientos administrativos, singularmente los sustanciados con la intervención de la Inspección de Trabajo.

**206.–** Como contrapunto debido de las medidas de protección de los informantes el prelegislador dedica el artículo 39 del anteproyecto a las medidas para la protección de las personas investigadas, señalando que durante la tramitación del expediente las personas investigadas en la comunicación tendrán derecho a la presunción de inocencia, al derecho de defensa y de acceso al expediente en los términos regulados en la norma, así como de la misma protección establecida en esta para los informantes, preservándose su identidad y garantizándose la confidencialidad de los hechos y datos del procedimiento.

**207.–** El artículo 40 del anteproyecto pretende trasladar al ámbito material de la ley los programas de clemencia, cuya primera introducción en el derecho interno español fue operada por la Ley 15/2007, de 3 de julio, de Defensa de la Competencia que incorporó la clemencia como cauce específico para obtener la exención o reducción del importe de la multa en casos de cárteles. Así, el apartado primero del precepto dispone que cuando una persona que hubiera participado en la comisión de la infracción administrativa objeto de la información sea la que informe de la existencia de la misma mediante la presentación de la información y siempre que la misma hubiera sido presentada con anterioridad a que hubiera sido notificada la incoación del procedimiento de investigación o sancionador, el órgano competente para resolver el procedimiento, mediante resolución motivada, podrá eximirle del cumplimiento de la sanción administrativa que le correspondiera.

**208.–** La aplicabilidad de los programas de clemencia queda sin embargo condicionada al cumplimiento de una serie de requisitos a los que alude el propio apartado primero del artículo 40 del anteproyecto, a saber: a) Haber cesado en la comisión de la infracción en el momento de presentación de la comunicación o revelación e identificado, en su caso, al resto de las personas que hayan participado o favorecido aquella. b) Haber cooperado plena, continua y diligentemente a lo largo de todo el procedimiento de investigación. c) Haber facilitado información veraz y relevante, medios de prueba o datos significativos para la acreditación de los hechos investigados, sin que haya procedido a la destrucción de estos o a su ocultación, ni haya revelado a terceros, directa o indirectamente a terceros su contenido. d) Haber procedido a la reparación del daño causado que le sea imputable.

**209.–** En caso de que los requisitos mencionados solo se cumplan parcialmente, el apartado segundo del precepto precisa que quedará a criterio de la autoridad competente, previa valoración del grado de contribución a la resolución del expediente, la posibilidad de atenuar la sanción que habría correspondido a la infracción cometida, siempre que el informante o autor de la revelación no haya sido sancionado anteriormente por hechos de la misma naturaleza que los que dieron origen al inicio del procedimiento.

**210.–** El apartado tercero del precepto prevé la posibilidad de que la atenuación de las eventuales sanciones pueda extenderse, por el órgano encargado de la resolución, al resto de los participantes en la comisión de la infracción en función de (i) el grado de colaboración activa en el esclarecimiento de los hechos (ii) la identificación de otros participantes (iii) la reparación o minoración del daño causado.

**211.–** El régimen jurídico propuesto para los programas de clemencia se cierra con una medida que pretende cohonestar la regulación ahora introducida con las previsiones de la Ley 15/2007, de 3 de julio, de Defensa de la Competencia que, como ha quedado anotado, supuso la primera introducción de los mismos en el derecho interno español. A tal efecto, el apartado cuarto del artículo 40 del anteproyecto dispone que las previsiones de la norma proyectada que no será de aplicación a las sanciones que pudieran imponerse por la realización de las conductas prohibidas por la Ley 15/2007, de 3 de julio, de Defensa de la Competencia en cuanto las mismas seguirán rigiéndose, en su caso, por lo dispuesto en los artículos 65 y 66 de la misma.

**212.–** El Título VII del anteproyecto se cierra con una previsión relativa a las autoridades competentes para la prestación de las medidas de apoyo previstas en el mismo en cuya virtud tales medidas serán prestadas por la Autoridad Independiente de Protección del Informante regulada en el Título VIII, cuando se trate de infracciones cometidas en el ámbito del sector privado y en el sector público estatal, y, en su caso, por los órganos competentes de las comunidades autónomas, respecto de las infracciones en el ámbito del sector público autonómico y local del territorio de la respectiva comunidad autónoma, sin perjuicio de de las medidas de apoyo y asistencia específicas que puedan articularse por las entidades del sector público y privado (artículo 41 del anteproyecto).

## 8. El régimen jurídico de la Autoridad Independiente de Protección del Informante

**213.–** El Título VIII del Anteproyecto se reserva por el prelegislador a la regulación de la Autoridad Independiente de Protección del Informante estructurándose en tres capítulos respectivamente intitulados «Disposiciones Generales», «Régimen Jurídico» y «Organización».

**214.–** A la caracterización general de la proyectada Autoridad Independiente de Protección del Informante se refiere el prelegislador como una autoridad administrativa independiente como ente de derecho público de ámbito estatal, de las previstas en la Ley 40/2015, de 1 de octubre, de Régimen Jurídico del Sector Público, con personalidad jurídica propia y plena capacidad pública y privada, que actuará en el desarrollo de su actividad y para el cumplimiento de sus fines con plena autonomía e independencia orgánica y funcional respecto del Gobierno, de las entidades integrantes del sector público y de los poderes públicos en el ejercicio de sus funciones y con adscripción al Ministerio de Justicia a efectos de su relación con el Gobierno. (artículos 42.1 y 42.2 del anteproyecto).

**215.–** Por lo que hace a la cooperación entre la Presidencia de la Autoridad Independiente de Protección del Informante y las autoridades autonómicas de protección, el artículo 42.3 del anteproyecto prevé (i) la celebración de reuniones semestrales y de las que sean convocadas por la Presidencia de la Autoridad Independiente de Protección del Informante u otra autoridad para contribuir a la aplicación coherente de la normativa en materia de protección del informante (ii) la posibilidad de que por la Presidencia de la Autoridad Independiente de Protección del Informante y las autoridades autonómicas de protección pueda solicitarse la información necesaria para el cumplimiento de las respectivas funciones.

**216.–** La caracterización institucional de la Autoridad Independiente de Protección del Informante se cierra por el prelegislador con la positivización expresa de una garantía de su independencia consistente en la interdicción de la posibilidad de que el personal o los miembros de los órganos de la Autoridad Independiente de Protección del Informante puedan solicitar o aceptar instrucciones de ninguna entidad pública o privada (artículo 42.4 del anteproyecto).

**217.–** Las funciones que el prelegislador pretende atribuir a la proyectada Autoridad Independiente de Protección del Informante aparecen detalladas en el artículo 43 del anteproyecto que alude a las siguientes: «1°. Gestión del canal externo de comunicaciones regulado en el título III. 2°.

Adopción de las medidas de protección al informante previstas en la presente ley. 3°. Participar, mediante informe preceptivo, en el proceso de elaboración de normas que afecten a su ámbito de competencias y a la ley reguladora de sus funciones en cuanto la Autoridad Independiente de Protección del Informante y su normativa de desarrollo. 4°. Tramitación de los procedimientos sancionadores e imposición de sanciones por las infracciones previstas en el título IX. 7 (sic). Elaboración de recomendaciones y directrices que establezcan los criterios y prácticas adecuados para el cumplimiento de las disposiciones contenidas en la presente ley.», como es de ver el texto contiene una errata que debe corregirse, cual es la de la anteposición del numeral "7" a la última de las funciones listadas, que, en cambio, debería ir precedida del ordinal "5°".

**218.–** El régimen jurídico general al que el prelegislador propone sujetar a la Autoridad Independiente de Protección del Informante se rige por lo dispuesto en la propia norma proyectada, en su Estatuto —que deberá contenerse en un Real Decreto aprobado por el Consejo de Ministros comprensivo de su estructura, organización y funcionamiento interno— y en las leyes reguladoras de los sectores sometidos a su supervisión (artículo 44 del anteproyecto).

**219.–** Por lo que hace al régimen del personal al servicio de la Autoridad Independiente de Protección del Informante, la norma proyectada prevé que el mismo será funcionario o laboral y se regirá por lo previsto en el texto refundido de la Ley del Estatuto Básico del Empleado Público, aprobado por Real Decreto Legislativo 5/2015, de 30 de octubre, y demás normativa reguladora de los funcionarios públicos y, en su caso, por la normativa laboral.

**220.–** El resto de previsiones que, sobre el régimen jurídico del personal al servicio de la Autoridad Independiente de Protección del Informante, contiene el anteproyecto, se refieren, de una parte, a la elaboración y aprobación de la relación de puestos de trabajo al servicio de la misma, que, según se propone (i) incumbirá a la propia Autoridad Independiente con el límite de gasto de personal establecido en el presupuesto (ii) deberá hacer constar de manera expresa los puestos que deban ser desempeñados en exclusiva por funcionarios públicos, por consistir en el ejercicio de las funciones que impliquen la participación directa o indirecta en el ejercicio de potestades públicas y la salvaguarda de los intereses generales del Estado y de las Administraciones Públicas; y, de otra a la selección del personal directivo que, se supedita por el prelegislador a «principios de competencia y aptitud profesional.» (artículo 45 del anteproyecto)

**221.–** El anteproyecto alude, seguidamente, a determinadas particularidades sectoriales del régimen jurídico de actuación de la Autoridad Independiente de Protección. En el ámbito de la contratación pública se dispone, sin más, la sujeción a la legislación sobre contratación del sector público (artículo 46 del anteproyecto) y en el patrimonial se propone atribuir a la Autoridad Independiente de Protección del Informante patrimonio propio e independiente del patrimonio de la Administración General del Estado previendo la asignación a la misma, para el cumplimiento de sus fines, de bienes y medios económicos consistentes en a) las asignaciones que se establezcan anualmente con cargo a los presupuestos generales del estado. b) los bienes y derechos que constituyan su patrimonio, así como los productos y rentas del mismo. c) el porcentaje que se determine en la ley de presupuestos generales del estado sobre las cantidades correspondientes a sanciones pecuniarias impuestas por la propia autoridad en el ejercicio de su potestad sancionadora. d) cualesquiera otros que legal o reglamentariamente puedan serle atribuidos.

**222.–** Las referencias sectoriales al régimen jurídico de actuación de la Autoridad Independiente de Protección del Informante se completan con la expresa previsión de la atribución de su asistencia jurídica a la Abogacía General del Estado-Servicio Jurídico del Estado mediante la formalización del oportuno convenio (artículo 48 del anteproyecto) y una serie de remisiones expresas de cuestiones relativas a su régimen presupuestario, de contabilidad y control económico y financiero a las prescripciones de la Ley 47/2003, de 26 de noviembre, General Presupuestaria.

**223.-** Finalmente, el régimen de recursos frente a los actos y resoluciones del Presidente de la Autoridad Independiente de Protección del Informante es abordado por el prelegislador en el artículo 50 del anteproyecto, precisándose que tales actos y resoluciones pondrán fin a la vía administrativa, siendo únicamente recurribles ante la jurisdicción contencioso-administrativa, sin perjuicio del recurso potestativo de reposición y de la eventual interposición de recursos administrativos o contencioso administrativos que pudieran interponerse frente a las resoluciones dictadas en los procedimientos sancionadores que se hubieran sustanciado ante la misma.

**224.-** Una doble singularidad relevante del régimen normativo que propone el anteproyecto en relación con las atribuciones de la Autoridad Independiente de Protección del Informante radica (i) en la posibilidad de que la misma pueda ejercer la potestad normativa, mediante la emisión de circulares en desarrollo y ejecución de normas de naturaleza reglamentaria previa habilitación por parte de las mismas, destacando, asimismo, la posibilidad de que dicha Autoridad elabore circulares, recomendaciones y directrices que establezcan los criterios y prácticas adecuadas para el cumplimiento de las disposiciones contenidas en la presente ley y las normas que la desarrollen (ii) en la atribución a la Autoridad Independiente de Protección del Informante del ejercicio de la potestad sancionadora cuya propuesta de regulación se contiene en el título IX del APL. (artículos 51 y 52)

**225.-** El Capítulo III y último del Título VII del anteproyecto se dedica por el prelegislador al régimen de organización interna de la Autoridad Independiente de Protección del Informante previéndose la existencia de una Presidencia, órgano de gobierno de la Autoridad, que tendrá como órgano de asesoramiento una Comisión Consultiva, de carácter técnico, en la que se integrarán, como miembros natos, vocales procedentes de diversos organismos reguladores o supervisores.

**226.-** Merece finalmente destacarse que el artículo 59 del anteproyecto establece de manera expresa el mecanismo de control parlamentario en cuya virtud la persona titular de la Presidencia de la Autoridad Independiente de Protección del Informante comparecerá anualmente ante las comisiones que en materia de protección de los informantes se formen en el Congreso de los Diputados y el Senado.

## 9. El régimen sancionador

**227.-** En el Título IX del Anteproyecto —comprensivo de los artículos 60 a 68 de la norma proyectada— el prelegislador pretende estatuir el régimen de infracciones y sanciones en la materia de referencia sobre la base de la consideración general de que el ejercicio de la potestad sancionadora en el ámbito de la norma proyectada se llevará cabo conforme a los principios y con sujeción a las reglas de procedimiento previstas en la Ley 40/2015, de 1 de octubre, del Régimen Jurídico del Sector Público y la Ley 39/2015, de 1 de octubre, del Procedimiento Administrativo Común de las Administraciones Públicas (artículo 60 del APL).

**228.-** En el plano competencial el apartado primero del artículo 61 del anteproyecto atribuye el ejercicio de la potestad sancionadora prevista en la norma proyectada a la Autoridad Independiente de Protección del Informante y a los órganos competentes de las Comunidades Autónomas, sin perjuicio de las facultades disciplinarias que en el ámbito interno de cada organización pudieran tener los órganos competentes. Al deslinde competencial de la materia sancionadora entre la Autoridad Independiente de Protección del Informante y los órganos competentes de las Comunidades Autónomas se refiere el apartado segundo del mismo precepto precisando que la Autoridad Independiente de Protección del Informante será competente respecto de las infracciones cometidas en el ámbito del sector público estatal y del sector privado cuando la infracción o el incumplimiento informado afecte o produzca sus efectos en el ámbito territorial de más de una comunidad autónoma

**229.-** La delimitación subjetiva de la aplicabilidad del régimen sancionador propuesto se establece por el prelegislador precisando que estarán sujetos al mismo las personas físicas y jurídicas que lleven a cabo, a título de dolo, cualquiera de las actuaciones descritas como infracciones en el artículo 63 del anteproyecto; precisándose, además que (i) cuando la comisión de la infracción se atribuya a un órgano colegiado responderán de manera personal sus miembros en los términos que señale la resolución sancionadora, si bien quedarán exentos de responsabilidad aquellos miembros que no hayan asistido por causa justificada o que hayan votado en contra del acuerdo (ii) la exigencia de responsabilidades derivada de las infracciones tipificadas en la presente ley se extenderá a los responsables incluso aunque haya desaparecido su relación o cesado en su actividad en o con la entidad respectiva

**230.–** El artículo 63 del anteproyecto lleva a cabo la tipificación de las infracciones llamadas a integrar el régimen sancionador que el prelegislador pretende estatuir. El catálogo de las infracciones que el prelegislador considera integradas en el régimen sancionador propuesto principia con la enumeración de las consideradas como muy graves, contenida en el apartado 1 del artículo 63 del anteproyecto, a cuyo tenor se consideran como tales: a) cualquier actuación que suponga una efectiva limitación de los derechos y garantías previstos en la presente ley introducida a través de contratos o acuerdos a nivel individual o colectivo y en general cualquier intento o acción efectiva de obstaculizar la presentación de comunicaciones o de impedir, frustrar o ralentizar su seguimiento, incluida la aportación dolosa de información o documentación falsa por parte de los requeridos para ello. b) la adopción de cualquier represalia frente a los informantes derivada de la comunicación. c) vulnerar las garantías de confidencialidad y anonimato previstas en esta ley, y de forma particular cualquier acción u omisión tendente a revelar la identidad del informante cuando este haya optado por el anonimato, aunque no se llegue a producir la efectiva revelación de la misma. d) vulnerar el deber de mantener secreto sobre cualquier aspecto relacionado sobre la información. e) la comisión de una infracción grave cuando el autor hubiera sido sancionado mediante resolución firme por dos infracciones graves en los dos años anteriores a la comisión de la infracción, contados desde la firmeza de las sanciones. f) comunicar o revelar públicamente información a sabiendas de su falsedad, en las comunicaciones en las que se identifique el informante.

**231.–** El carácter grave se atribuye por el artículo 63.2 del anteproyecto a las infracciones consistentes en: a) cualquier actuación que suponga limitación de los derechos y garantías previstos en la presente ley o cualquier intento o acción efectiva de obstaculizar la presentación de informaciones o de impedir, frustrar o ralentizar su seguimiento que no tenga la consideración de infracción muy grave conforme al apartado 1 anterior. b) vulnerar las garantías de confidencialidad y anonimato previstas en esta ley cuando no tenga la consideración de infracción muy grave. c) vulnerar el deber de secreto en los supuestos en que no tenga la consideración de infracción muy grave. d) incumplimiento de la obligación de adoptar las medidas para garantizar la confidencialidad y secreto de las informaciones. e) la comisión de una infracción leve cuando el autor hubiera sido sancionado por dos infracciones leves en los dos años anteriores a la comisión de la infracción, contados desde la firmeza de las sanciones.

**232.–** Finalmente como infracciones leves integradoras del régimen propuesto por el prelegislador, el artículo 66.3 del anteproyecto identifica las siguientes: a) remisión de información de forma incompleta, de manera deliberada por parte del responsable del sistema a la autoridad, o fuera del plazo concedido para ello. b) incumplimiento de la obligación de colaboración con la investigación de informaciones. c) cualquier incumplimiento de las obligaciones previstas en esta ley que no esté tipificado como infracción muy grave o grave.

**233.–** Los artículos 64 y 68 de la norma proyectada, disponen los plazos y reglas de cómputo de prescripción de las infracciones y sanciones y el artículo 67 del anteproyecto, por su parte, introduce una regla especial que prevé la eventual concurrencia entre el ejercicio de la potestad sancionadora regulado en la norma proyectada y el régimen disciplinario del personal funcionario.

**234.–** El apartado primero del artículo 65 del anteproyecto se dedica al establecimiento de las sanciones disponiendo que la comisión de infracciones previstas en la norma proyectada llevará aparejada la imposición de las siguientes multas: a) Si son personas físicas las responsables de las infracciones, serán multadas con una cuantía de hasta 10.000 euros por la comisión de infracciones leves; de 5.001 hasta 30.000 euros por la comisión de infracciones graves y de 30.001 hasta 300.000 euros por la comisión de infracciones muy graves. b) Si son personas jurídicas serán multadas con una cuantía hasta 100.000 euros en caso de infracciones leves, entre 100.001 y 600.000 euros en caso de infracciones graves y entre 600.001 y 1.000.000 euros en caso de infracciones muy graves.

**235.–** Por lo que hace a las infracciones muy graves, el apartado segundo del artículo 65 del anteproyecto refiere en relación a las mismas que la Autoridad Independiente de Protección del Informante podrá acordar, adicionalmente: a) la amonestación pública. b) la prohibición de obtener subvenciones u otros beneficios fiscales durante un plazo máximo de cuatro años. c) la prohibición de contratar con el sector público durante un plazo máximo de tres años de conformidad con lo previsto en la Ley 9/2017 de 8 de noviembre, de Contratos del Sector Público, por la que se transponen al ordenamiento jurídico español las Directivas del Parlamento Europeo y del Consejo 2014/23/UE y 2014/24/UE, de 26 de febrero de 2014.

**236.–** El establecimiento de una sanción accesoria determinada formal, material y temporalmente como la que contempla la prohibición de obtener subvenciones u otros beneficios fiscales durante un plazo máximo de cuatro años asociada a la imposición de una sanción muy grave, resulta conforme con el artículo 13.2 de la Ley 38/2003, de 17 de noviembre, general de subvenciones, que establece que no podrán obtener la condición de beneficiario o entidad colaboradora de las subvenciones reguladas en dicha ley las personas o entidades en quienes concurra alguna de las circunstancias enumeradas, entre las que se encuentra, en el apartado h), "el haber sido sancionado mediante resolución firme con la pérdida de la posibilidad de obtener subvenciones conforme a ésta u otras leyes que así lo establezcan".

**237.–** Ahora bien, en relación con esta previsión cabe recordar el criterio del Consejo de Estado sostenido en su Dictamen de 14 de mayo de 2018, dictado en el expediente 297/2018, conforme al cual «no existe correlación entre la medida prevista (imposibilidad de obtener una subvención, bonificación o ayudas públicas de ningún tipo) y la conducta que se pretende reprobar (actuaciones sancionadas por resolución administrativa firme por atentar, alentar o tolerar prácticas en contra de la Memoria Histórica y Democrática de Extremadura). Sin cuestionar lo condenable de estas actuaciones, su realización no justifica per se la imposición de una inhabilitación total y absoluta para su destinatario de ningún tipo de medida de fomento que pueda tener fines distintos y ajenos a los concernientes a la actuación reprobada. Debería por ello acotarse con mayor precisión el objeto y la duración de la medida referida y vincularlos de manera expresa con la actuación cuya sanción merece aquella». En línea con lo expresado por el Consejo de Estado, el precepto proyectado debería limitar la medida de privación de obtener subvenciones u otros beneficios fiscales durante un plazo máximo de cuatro años al ámbito propio regulado por la Ley, esto es, a aquellas subvenciones y beneficios fiscales vinculados a la protección de las personas que informen sobre infracciones normativas y de lucha contra la corrupción, en consonancia con lo que este Consejo tuvo igualmente ocasión de señalar en el acuerdo adoptado por el Pleno, en fecha 7 de junio de 2021, mediante el que se vino a aprobar el informe evacuado en relación con el Anteproyecto de Ley de Memoria Democrática.

**238.–** Como corolario de la expresa previsión como sanción accesoria de la prohibición de contratar con el sector público durante un plazo máximo de tres años de conformidad con lo previsto en la Ley 9/2017 de 8 de noviembre, de Contratos del Sector Público, por la que se transponen al ordenamiento jurídico español las Directivas del Parlamento Europeo y del Consejo 2014/23/UE y 2014/24/UE, de 26 de febrero de 2014 la Disposición Final Tercera propone la modificación de la Ley 9/2017 de 8 de noviembre, de Contratos del Sector Público.

**239.–** En concreto se postula la modificación del artículo 71.1, concretamente su apartado b), que en su vigente redacción recoge como motivo que determina la prohibición de contratar de las empresas con el sector público el "Haber sido sancionadas con carácter firme por infracción grave en materia profesional que ponga en entredicho su integridad, de disciplina de mercado, de falseamiento de la competencia, de integración laboral y de igualdad de oportunidades y no discriminación de las personas con discapacidad, o de extranjería, de conformidad con lo establecido en la normativa vigente; o por infracción muy grave en materia medioambiental de conformidad con lo establecido en la normativa vigente, o por infracción muy grave en materia laboral o social, de acuerdo con lo dispuesto en el texto refundido de la Ley sobre Infracciones y Sanciones en el Orden Social, aprobado por el Real Decreto Legislativo 5/2000, de 4 de agosto, así como por la infracción grave prevista en el artículo 22.2 del citado texto".

**240.–** La modificación proyectada añade como motivo que determina la prohibición de contratar de las empresas el haber sido sancionadas por "infracciones muy graves previstas en la Ley reguladora de la protección de las personas que informen sobre infracciones normativas y de lucha contra la corrupción por la que se transpone la Directiva (UE) 2019/1937 del Parlamento Europeo y del Consejo, de 23 de octubre de 2019, relativa a la protección de las personas que informen sobre infracciones del Derecho de la Unión"·

**241.–** Finalmente, el artículo 66 del anteproyecto establece los criterios de graduación de las sanciones prescribiendo que las sanciones a imponer como consecuencia de la comisión de infracciones tipificadas en la norma proyectada se graduarán teniendo en cuenta la naturaleza de la infracción y las circunstancias concurrentes en cada caso; añadiendo el precepto que, de modo especial, y siempre que no se haya tenido en cuenta para la tipificación de la infracción, la ponderación valorará: a) La reincidencia b) La entidad y persistencia temporal del daño o perjuicio causado. c) La intencionalidad y culpabilidad del autor. d) El resultado del ejercicio anterior del infractor. e) La circunstancia de haber procedido a la subsanación del incumplimiento que dio lugar a la infracción por propia iniciativa. f) La reparación de los daños o perjuicios causados. g) La colaboración con la Autoridad Independiente de Protección del Informante u otras autoridades administrativas.

## VI. CONCLUSIONES

### A) EN RELACIÓN CON LAS CONSIDERACIONES GENERALES

### 1. Rango normativo y títulos competenciales

**PRIMERA.–** Por lo que hace al rango normativo, el anteproyecto respeta la reserva de ley orgánica del artículo 81.1 CE, tal y como ha sido interpretada por el Tribunal Constitucional (STC de 23 de julio de 1998, FJ 7, ECLI:ES:TC:1998:173). Se trata de una reserva acotada a lo que sea desarrollo directo del correspondiente precepto constitucional y se refiera a los elementos nucleares y definitorios del derecho fundamental. Eso es, precisamente, lo que aquí ocurre con respecto al derecho a la autodeterminación informativa del artículo 18.4 CE, cuya disciplina normativa está contenida en lo sustancial por el RGPD y en Ley Orgánica 3/2018, de 5 de diciembre, de Protección de Datos Personales y garantía de los derechos digitales, que el anteproyecto observa y aplica. En cuanto a otros derechos, como el del artículo 23.2 CE, su configuración es legal y las previsiones del anteproyecto que inciden en el estatuto de quienes desempeñan cargos o funciones públicas tampoco se adentran en aspectos reservados a la ley orgánica. Por último, el derecho al trabajo del artículo 35 CE, está fuera del ámbito de la repetida reserva. A lo largo del informe se harán las observaciones y comentarios que sean precisos sobre el mencionado ajuste normativo.

**SEGUNDA.–** Respecto de la previsión contenida en la Disposición Final Sexta relativa a los títulos competenciales que habilitan al prelegislador a dictar la norma anteproyectada, la concreción del título competencial con arreglo al cual se dicta la norma adolece de la debida identificación de aquel o aquellos títulos que en concreto sirven de título habilitante a de los distintos preceptos del texto proyectado, por lo que la misma no se acomoda a las exigencias de la doctrina del Consejo de Estado y de la jurisprudencia.

**TERCERA.–** Los títulos competenciales invocados, y en concreto el artículo 149. 1.1 CE, deben ponerse en relación tanto con la prexistencia y mantenimiento de autoridades competentes designadas como canal externo en el ámbito autonómico para recibir informaciones sobre vulneraciones del ordenamiento jurídico, como con el segundo párrafo de la propia Disposición final sexta que confiere carácter básico a la norma anteproyectada, exceptuando su Título VIII, destinado a la regulación de la Autoridad Independiente de Protección del Informante, el cual, en recta lógica, y de conformidad con lo expuesto en párrafos anteriores, solo resulta de aplicación a la Administración General del Estado, siguiendo, como señala la propia Exposición de Motivos la doctrina del Tribunal Constitucional, expuesta en la Sentencia 130/2013.

**CUARTA.–** En lo que concierne al título competencial contenido en el artículo 149.1.13° CE, la STC de 22 de julio de 2020 (ECLI:ES:TC:2020:100) recuerda la doctrina constitucional sobre la competencia estatal para 'la ordenación general de la economía', así como la necesidad de dar una lectura restrictiva a este título competencial, pues en caso contrario podrían vaciarse las concretas competencias autonómicas en materia económica, de tal forma que no toda medida que incida en la actividad económica puede incardinarse en este título, siendo necesario que haya una incidencia directa y significativa sobre la actividad económica general.

**QUINTA.–** Por lo que se refiere al título del subapartado 6 del artículo 149.1 CE, relativo a legislación mercantil, penal y penitenciaria; legislación procesal, aunque el espacio para la normación autonómica es muy escaso, la falta de indicación precisa por la Disposición Final Sexta del anteproyecto dificulta la identificación de sus contornos precisos.

**SEXTA.–** Algo similar ocurre con el 7, sobre legislación laboral, ya que, a pesar de la limitada competencia autonómica en materia laboral, el anteproyecto debería señalar con claridad los artículos que se fundamentan en ella y así evitar los problemas interpretativos a los que puede dar lugar y los posibles conflictos competenciales que se pudieran suscitar.

**SÉPTIMA.–** La crítica ha de extenderse a la invocación del título previsto en el apartado 18° del artículo 149. CE, ya que este versa diversas submaterias en las que el reparto competencial es distinto, pues, en unos casos, opera el binomio bases/desarrollo y, en otros, la completa regulación es estatal con algunas salvedades. Nuevamente, la falta de concreción de la que adolece el anteproyecto impide apreciar si se mueven en su ámbito propio.

**OCTAVA.–** El anteproyecto, tampoco especifica la aplicación del subapartado 23° del mismo artículo 149.1 CE, que alude a la legislación básica sobre protección del medio ambiente, sin perjuicio de las facultades de las Comunidades Autónomas de establecer normas adicionales de protección.

## 2. Antecedentes legislativos y jurisprudenciales

**NOVENA.–** El Anteproyecto que se informa tiene como objeto tanto la protección de las personas físicas que informen, a través de los procedimientos previstos en la propia norma proyectada, de alguna acción u omisión contenida en su ámbito material de aplicación, como la transposición de la Directiva (UE) 2019/1937, sin perjuicio de que lo segundo conlleva inevitablemente lo primero, al menos en lo que al ámbito de aplicación de la Directiva se refiere, esto es, en relación con informaciones sobre infracciones de Derecho de la Unión Europea. En todo caso, la regulación europea incide en varias ramas de nuestro derecho, como el Derecho laboral, el Derecho administrativo o el Derecho penal, lo que lleva a una valoración positiva de la opción del prelegislador de abordar la transposición mediante una ley especial.

**DÉCIMA.-** La Directiva que se transpone es conocida como Directiva *Whistleblowing* ("tocar el silbato"), ya que recoge una regulación de mínimos tanto sobre los canales de denuncia por irregularidades en los sectores público y privado, reforzando así la aplicación del Derecho y las políticas de la Unión en ámbitos específicos, como sobre protección de los "*whistblowers*" (artículo 1). No hay un consenso sobre la correcta traducción del término en español, hablándose de "denunciante", "informante", "alertador", etc., y habiendo optado el prelegislador nacional por emplear el término "informante" —a pesar de que la Directiva emplea la voz "denunciante" en su versión en español—, lo que resulta adecuado, dado el significado jurídico del término y su empleo preferente en el ámbito judicial penal.

**DECIMOPRIMERA.-** El objetivo de establecer canales para la denuncia de infracciones empresariales o de prácticas corruptas y de proteger frente a represalias a las personas que informan de ellas, en aras del interés general, tiene una trayectoria de cierta duración, cabiendo citar la *Public Company Accounting Reform and Investor Protection Act* de 2002, conocida como *Sarbanes-Oxley Act* (*SOX Act*), de los Estados Unidos, o, en el ámbito internacional el artículo 33 de la Convención contra la Corrupción de 31 de octubre de 2003 destinado a la "protección de los denunciantes". La propia Unión Europea contaba ya con normativa en materia de protección del denunciante con anterioridad a la Directiva que ahora se transpone, pero dicha normativa, a la que se hace referencia en los Considerandos 7, 9 y 10 de la norma europea, se encuentra fragmentada por materias a nivel comunitario.

**DECIMOSEGUNDA.-** En el ámbito nacional, también desde comienzos de este siglo se camina hacia el establecimiento de canales de denuncia y de medidas de protección del denunciante o informante, pudiendo citarse el Real Decreto Legislativo 4/2015, de 23 de octubre, por el que se aprueba el texto refundido de la Ley del Mercado de Valores, la Ley 10/2010 de 28 de abril, de prevención del blanqueo de capitales y de la financiación del terrorismo, la Ley 19/2013, de 9 de diciembre de transparencia, acceso a la información pública y buen gobierno, la Ley 15/ 2007, de 3 de julio de defensa de la competencia, así como la Ley 1/2019, de 20 de febrero, de Secretos Empresariales, y la LO 3/2007, para la Igualdad efectiva de mujeres y hombres.

**DECIMOTERCERA.-** Las Comunidades Autónomas de Cataluña, Valencia, Islas Baleares, Navarra y Asturias han abordado la cuestión de la protección de los denunciantes, si bien la regulación ha sido parcial y centrada fundamentalmente en la creación de oficinas o agencias con la específica función de prevenir e investigar casos de uso o destino fraudulentos de fondos públicos, aprovechamientos ilícitos derivados de actuaciones que comporten conflictos de intereses o uso de información privilegiada o, en general, conductas contrarias a la integridad, es decir, han circunscrito esta legislación al ámbito público, a diferencia de la Directiva europea, cuya aplicación se extiende también a las empresas que operan en el sector privado.

**DECIMOCUARTA.-** La normativa internacional, europea y nacional señaladas, y en concreto la propia DPI y el Anteproyecto que se informa no pueden desvincularse de la figura de la "*Legal Compliance*", y en este sentido, resulta imprescindible tener en cuenta, en el marco legislativo español, la responsabilidad penal de las personas jurídicas, y concretamente los artículos 31 bis. 2, 1° y 2°, 31 bis.5, 4° y 31 quater d) del Código Penal, introducidos por la Ley Orgánica 1/2015, de 30 de octubre.

**DECIMOQUINTA.-** Si bien es cierto que, a falta de la trasposición de la Directiva, nuestro ordenamiento jurídico carece de una regulación general e integral de los canales de denuncias, de forma que la regulación vigente no cubre todos los ámbitos y no parece proporcionar suficiente claridad y seguridad jurídica para los sujetos informantes, sobre todo en el ámbito laboral, no puede dejar de mencionarse que nuestro Código Penal no es ajeno a la problemática, tipificando en su artículo 464.2 las represalias contra los denunciantes (entre otros sujetos). También debe traerse a colación la LO 19/1994, de 23 de diciembre, de protección a testigos y peritos en causas criminales la cual, aunque no queda circunscrita al ámbito de los denunciantes que hacen uso de los canales que habiliten internamente las empresas, al ser de aplicación general dentro del proceso penal, guarda semejanzas con la DPI, en lo que a sus fundamentos y fines se refiere, si bien debe tenerse en cuenta que las medidas de protección previstas están relacionadas fundamentalmente con la preservación de la identidad del testigo y no contemplan la posibilidad de actuar en situaciones de represalias laborales o en la función pública.

**DECIMOSEXTA.–** No puede olvidarse tampoco la doctrina constitucional, en relación con la protección de los denunciantes frente a las represalias laborales, cabiendo mencionar la Sentencia de 25 de noviembre de 2019 [ECLI:ES:TC:2019:146].

### 3. La protección de datos personales en los canales de denuncia

**DECIMOSÉPTIMA.–** La protección de los datos personales de los interesados cuya información personal se incluye en las denuncias vertidas en los canales de whistleblowing y, en particular, la protección de la identidad y los datos personales de los denunciantes son esenciales para que los sistemas de denuncias generen confianza a los informantes.

**DECIMOCTAVA.–** El artículo 17 de la DPI, en relación con el considerando 83 de la Directiva, establece que cualquier tratamiento de datos personales, incluido su intercambio o transmisión, deberá cumplir con las obligaciones establecidas por el RGPD y demás normativa aplicable, que, como ha quedado anotado, en el caso de España, es la LOPDGDD y, en particular, su artículo 24.

**DECIMONOVENA.–** La normativa vigente en materia de protección de datos ya permitía establecer una serie de requisitos aplicables al establecimiento de canales de denuncia por parte de cualesquiera entidades en relación con (i) las bases jurídicas del tratamiento (ii) la aplicación del principio de minimización del dato (iii) la admisibilidad de las denuncias anónimas (iv) la información sobre el canal de denuncias (v) los plazos para el tratamiento de las denuncias (vi) las restricciones y limitaciones de acceso a los datos de las denuncias (vii) las medidas de seguridad.

**VIGÉSIMA.–** Por lo que hace a las exigencias dimanantes de las Bases jurídicas del tratamiento, constituye una verdadera premisa del sistema la de que el responsable del tratamiento compruebe que existe una base jurídica, de entre las recogidas en el artículo 6 del RGPD, para tratar los datos personales concernidos. Las dos bases jurídicas que podrían tener cabida para legitimar el tratamiento de datos incluidos en las denuncias serían, o bien que exista una norma que obligue al responsable del tratamiento a implementar un canal de whistleblowing (art. 6.1.c del RGPD), o bien que sea de aplicación una norma que autorice —en virtud del artículo 6.1.f del RGPD— la instalación de dicho sistema.

**VIGESIMOPRIMERA.–** No obstante lo anterior, no cabe desconocer que a través de los canales de denuncias pueden ser objeto de tratamiento datos especialmente protegidos, por cuanto en las denuncias es habitual que se incluyan datos relacionados con presuntas comisiones de delitos, datos de orientación sexual de otros trabajadores, datos de salud del sujeto denunciado o datos de afiliación sindical del denunciante.

**VIGESIMOSEGUNDA.–** Las bases de legitimación de datos especialmente protegidos como los anteriores se encuentran reguladas en los artículos 9 y 10 del RGPD y en los artículos 9 y 10 de la LOPDGDD. Sobre dichos preceptos cabe destacar que el artículo 10 de la LOPDGDD —en línea con el art. 10 del RGPD— señala que el tratamiento de infracciones penales "solo podrá llevarse a cabo cuando se encuentre amparado en una norma de Derecho de la Unión, en esta ley orgánica o en otras normas de rango legal". Por lo tanto, las entidades privadas solo podrán tratar datos sobre infracciones o antecedentes penales si existe una norma con rango de ley que autorice dicho tratamiento.

**VIGESIMOTERCERA.–** Un principio básico en materia de protección de datos, conocido como el principio de la minimización del dato (art. 5.1.c del RGPD), es el que establece que solo se deben tratar aquellos datos que sean "adecuados, pertinentes y limitados a lo necesario" en relación con el fin con el que se pretenden tratar.

**VIGESIMOCUARTA.–** Corolario lógico de la regla anterior es el de que debería pechar sobre los responsables del tratamiento de datos la obligación de advertir a los denunciantes sobre la prohibición de incluir datos excesivos o no necesarios para denunciar un determinado hecho. En este sentido, tal y como recomendó el Supervisor Europeo de Protección de Datos Personales en su informe sobre cómo debían tratarse los datos personales[16], las denuncias que no guardaran la debida relación con el ámbito que pretende cubrir un determinado sistema de denuncias, deberían ser suprimidas por los responsables del tratamiento.

**VIGESIMOQUINTA.–** La admisibilidad de las denuncias anónimas resulta de la redacción vigente del artículo 24.1 de la LOPDGDD en cuanto dispone que «será lícita la creación y mantenimiento de sistemas de información a través de los cuales pueda ponerse en conocimiento de una entidad de Derecho privado, incluso anónimamente, la comisión en el seno de la misma o en la actuación de terceros que contratasen con ella, de actos o conductas que pudieran resultar contrarios a la normativa general o sectorial que le fuera aplicable» y el APL, como se analizará de forma específica en las Consideraciones particulares de este informe, refuerza la idea de tal admisibilidad con ocasión de la regulación propuesta de la preservación de la identidad del informante, al prescribir que los sistemas internos de información, los canales externos y quienes reciban revelaciones públicas deberán contar con medidas técnicas y organizativas adecuadas para preservar la identidad y garantizar la confidencialidad de los datos correspondientes a las personas investigadas por la información suministrada, especialmente la identidad del informante «*en caso de que se hubiera identificado.*»

**VIGESIMOSEXTA.–** Pese a la admisibilidad de las denuncias anónimas contemplada por la LOPDGDD y por el Anteproyecto en los términos referidos, no cabe desconocer en línea con lo sostenido por el Supervisor Europeo de Protección de datos personales en la Guía de procedimiento referida, que la identificación del informante puede coadyuvar a evitar el abuso y el uso indiscriminado de los canales de denuncias y permitir, asimismo, la efectiva protección de los *whistleblowers* contra posibles represalias, además, de permitir que sea posible recabar más información sobre los hechos denunciados que pueda ser relevante para la resolución del conflicto[17].

**VIGESIMOSÉPTIMA.–** Una de las obligaciones esenciales dimanantes del régimen jurídico de la protección de datos —contemplada en los artículos 13 y 14 del RGPD y el artículo 11 de la LOPDGDD— es la de que los titulares de los datos sean informados acerca de cuestiones tales como quién está tratando sus datos personales, con qué finalidad y durante cuánto tiempo. Con todo, el artículo 24.1 de la LOPDGDD únicamente establece que "Los empleados y terceros deberán ser informados acerca de la existencia de estos sistemas de información"; reproduciéndose dicha regla en idénticos términos por el artículo 32.5 del anteproyecto, lo que suscita la cuestión acerca de si la mera traslación a los afectados de la noticia de la existencia del canal de denuncias es o no suficiente para garantizar la tutela efectiva de sus derechos desde la perspectiva de la protección de datos. Por otro

---

[16] Guidelines on processing personal information within a whistleblowing procedure, publicadas en el mes de julio de 2016 y actualizadas en diciembre de 2019. Disponible en https://edps.europa. eu/data- protection/our-work/our-work-by-type/guidelines_en.

[17] SEPD: Directrices sobre Whistleblowing, pág. 6: "*In principle, whistleblowing should not be anonymous. Whistleblowers should be invited to identify themselves not only to avoid abuse of the procedure but also to allow their effective protection against any retaliation. This will also allow better management of the file if it is necessary to gather further information*".

lado, ni el citado artículo 24 de la LOPDGDD, ni artículo 32.5 del APL concretan en qué momento debe proporcionarse dicha información.

**VIGESIMOCTAVA.–** El artículo 5.1.e del RGPD, prescribe que los datos personales no deben conservarse "más tiempo del necesario para los fines del tratamiento". Como traslación de este principio al contexto de los canales de denuncias, el artículo 24.4 de la LOPDGDD establece que los datos de quien formule la comunicación y de los empleados y terceros deberán tratarse en el sistema de denuncias "únicamente durante el tiempo imprescindible para decidir sobre la procedencia de iniciar una investigación sobre los hechos denunciados". Además, el mismo precepto dispone que "En todo caso, transcurridos tres meses desde la introducción de los datos, deberá procederse a su supresión del sistema de denuncias, salvo que la finalidad de la conservación sea dejar evidencia del funcionamiento del modelo de prevención de la comisión de delitos por la persona jurídica".

**VIGESIMONOVENA.–** Por ello, los responsables del tratamiento solo se encuentran habilitados para tratar datos personales dentro del canal de denuncias durante el tiempo imprescindible para determinar si la denuncia va a ser investigada o no y, en todo caso, solo pueden tratar las denuncias durante un plazo máximo de tres meses desde la fecha en que estas hubieran sido incluidas en el canal. Las denuncias que pasen a ser investigadas solo se podrán conservar dentro del canal con el único fin de "dejar evidencia del funcionamiento del modelo de prevención de la comisión de delitos por la persona jurídica" (art. 24.4 de la LOPDGDD).

**TRIGÉSIMA.–** En relación con las denuncias que pasen a ser investigadas, el art. 24.4. de la LOPDGDD señala que las mismas podrán seguir siendo tratadas, en un sistema lógico distinto, por el órgano al que corresponda la investigación de los hechos denunciados sin que se conserven en el propio sistema de información de denuncias internas. Ello no obstante, no es ocioso señalar que la Guía de procedimiento del Servicio Europeo de Protección de Datos, a la que se viene haciendo referencia, postula que —antes de que el órgano o equipo correspondiente investigue los hechos— cualquier dato que no sea necesario para la investigación sea eliminado de la denuncia con el fin de cumplir con el principio de minimización del dato[18].

**TRIGÉSIMO PRIMERA.–** Por el contrario, de acuerdo con el artículo 24.4. de la LOPDGDD, las denuncias "a las que no se haya dado curso" deben ser anonimizadas si se pretenden mantener en el sistema de denuncias, con el fin de dejar evidencia del funcionamiento del modelo de prevención de la comisión de delitos por la entidad responsable del tratamiento.

**TRIGÉSIMO SEGUNDA.–** El acceso a los datos contenidos en los canales de denuncias debe quedar limitado exclusivamente a quienes, incardinados o no en el seno del responsable del tratamiento, desarrollen las funciones de control interno y de cumplimiento. No obstante, el artículo 24.2 de la LOPDGDD señala que será lícito el acceso de otras personas (incluso por el personal de recursos humanos) cuando resulte necesario para la adopción de medidas disciplinarias o para la tramitación de los procedimientos judiciales.

**TRIGÉSIMO TERCERA.–** Los derechos de los interesados en el ámbito de la protección de datos se encuentran contemplados en los artículos 12 y siguientes del RGPD. Entre tales derechos cabe destacar, por su incidencia sobre el funcionamiento de los canales de denuncias, el derecho de acceso de los afectados por una denuncia, entre los que se incluyen los denunciados, los testigos y los terceros concernidos.

**TRIGÉSIMO CUARTA.–** Con carácter general el derecho de acceso se regula en el artículo 15 del RGPD, y, en lo esencial, confiere la opción de conocer qué categorías de datos relativos al afectado se están tratando, su procedencia, a quién han sido cedidos, con qué finalidades se están

---

[18] SEPD: Directrices sobre Whistleblowing, pág. 10: *"Personal information that is not relevant to the allegations should not be further processed (see section 4) and deleted with undue delay"*.

tratando y el plazo de conservación previsto. No obstante, este derecho, en el contexto del canal de denuncias, se ve limitado con el fin de preservar la confidencialidad de los datos relativos a la identidad del denunciante —en aplicación de las previsiones establecidas al respecto por los artículos 23 del RGPD, 16 de la DPI y 24.3 de la LOPDGDD. Por lo tanto, ni la persona a quien se imputen los hechos objeto de denuncia, ni los testigos ni los terceros que se vean afectados por una determinada denuncia podrán acceder a los datos relativos a la identidad del informante.

**TRIGÉSIMO QUINTA.-** El artículo 5.1.f del RGPD obliga a los responsables del tratamiento a implementar medidas técnicas y organizativas para garantizar la seguridad adecuada de los datos personales. En este sentido, el artículo 32 del RGPD exige que los responsables de los datos personales analicen el nivel de riesgo del tratamiento y, en consecuencia, implementen las medidas de seguridad que consideren apropiadas para el mismo. Dado que en los sistemas de whistleblowing, como se ha señalado con anterioridad, se tratan datos especialmente protegidos, las medidas de seguridad han de ser suficientemente sólidas como para impedir brechas de seguridad y accesos no autorizados a los canales de denuncias

**TRIGÉSIMO SEXTA.-** En coherencia con lo anterior, en aquellos casos en los que tras el pertinente análisis de los riesgos asociados al tratamiento se concluya, por los responsables del mismo, que en el canal de denuncias pueden llegar a incluirse datos relativos a hechos potencialmente categorizables como delictivos, los responsables del tratamiento deberán llevar a cabo una evaluación de impacto en los términos señalados en el artículo 35 del RGPD.

### 4. La Autoridad Independiente de Protección del Informante

**TRIGÉSIMO SÉPTIMA.-** La Ley 40/2015, de 1 de octubre, de Régimen Jurídico del Sector Público regula la organización y funcionamiento del sector público institucional del Estado en el Capítulo II del Título II (arts. 84 a 87), realizando en su art. 84.1 una clasificación de los entes integrantes del mismo que incluye a los organismos públicos —organismos autónomos y entidades públicas empresariales—, las autoridades administrativas independientes, las sociedades mercantiles, los consorcios, las fundaciones, los fondos sin personalidad jurídica y las universidades públicas no transferidas. Las disposiciones transitorias primera y segunda contienen varias reglas de derecho intertemporal en relación con esta clasificación.

**TRIGÉSIMO OCTAVA.-** Como indicó el Consejo de Estado en su dictamen 247/2015, de 29 de abril, ésta «*es una clasificación realizada con base en criterios que no pueden considerarse estrictamente organizativos, en el sentido de que, de acuerdo con el anteproyecto, no sólo se integran en el sector público institucional estatal aquellos entes que se encuentran en una relación de dependencia o instrumentalidad de la Administración del Estado —como sucedía en la Ley de Entidades Estatales Autónomas de 1958 y todavía sucede en la vigente Ley 6/1997-, sino también aquellos que, siendo parte del sector público estatal a otros efectos, no están sometidos —desde un punto de vista orgánico y funcional— a las instrucciones de aquélla*».

**TRIGÉSIMO NOVENA.-** A la cuestión de la existencia de entidades integradas en la administración institucional con un estatuto de independencia respecto de la administración general tuvo ocasión de referirse el Tribunal de Justicia de la Unión Europea en Sentencia de 9 de marzo de 2010 dictada, en el asunto C-518/07, Comisión Europea contra Alemania, señalando que «*Este principio no se opone a la existencia de autoridades públicas al margen de la Administración jerarquizada clásica y más o menos dependientes del Gobierno. La existencia y requisitos de funcionamiento de esas entidades se regulan, en los Estados miembros, mediante ley, e incluso, en algunos de ellos, mediante la Constitución, y esas autoridades están sujetas a la ley, bajo el control del juez competente. Este tipo de autoridades administrativas independientes — añadió— ejercen con frecuencia una función reguladora o de otro tipo que exige que deban estar protegidas de la influencia política, sin dejar por ello de estar sujetas a la ley, bajo el control del Juez competente*»(considerando 42);

*por estas razones, «el hecho de conceder» a estas autoridades «un estatuto independiente de la Administración general — concluyó el Tribunal— no priva, por sí mismo, a dichas autoridades de legitimación democrática»*(considerando 46).

**CUADRAGÉSIMA.–** La Ley 40/2015, de 1 de octubre dedica tan solo dos artículos —el 109 y el 110, que constituyen el Capítulo IV del Título II— a las autoridades administrativas independientes de ámbito estatal, que se definen en el primero de ellos como "entidades de derecho público que, vinculadas a la Administración General del Estado y con personalidad jurídica propia, tienen atribuidas funciones de regulación o supervisión de carácter externo sobre sectores económicos o actividades determinadas, por requerir su desempeño de independencia funcional o una especial autonomía respecto de la Administración General del Estado, lo que deberá determinarse en una norma con rango de Ley".

**CUADRAGÉSIMO PRIMERA.–** En cuanto a su régimen jurídico, de conformidad con las prescripciones del artículo 110 de la Ley 40/2015, de 1 de octubre, se dispone que las autoridades administrativas independientes se regirán por su Ley de creación, sus estatutos y la legislación especial de los sectores económicos sometidos a su supervisión y, supletoriamente y en cuanto sea compatible con su naturaleza y autonomía, por lo dispuesto en la Ley 40/2015, de 1 de octubre, en particular lo dispuesto para organismos autónomos, la Ley del Procedimiento Administrativo Común de las Administraciones Públicas, la Ley 47/2003, de 26 de noviembre, el Real Decreto Legislativo 3/2011, de 14 de noviembre, la Ley 33/2003, de 3 de noviembre, así como el resto de las normas de derecho administrativo general y especial que le sea de aplicación. En defecto de norma administrativa, se aplicará el derecho común. Se prevé igualmente su sujeción al principio de sostenibilidad financiera, de acuerdo con lo previsto en la Ley Orgánica 2/2012, de 27 de abril, de Estabilidad Presupuestaria y Sostenibilidad Financiera.

**CUADRAGÉSIMO SEGUNDA.–** La exposición de Motivos del Anteproyecto sirve al prelegislador para ofrecer una doble justificación de la opción por la creación de una Autoridad Independiente de Protección del Informante señalándose, en primer lugar, que la naturaleza y encaje institucional en el sector público permitirá canalizar satisfactoriamente el conjunto de funciones que la Directiva atribuye a las autoridades competentes de cada Estado miembro.

**CUADRAGÉSIMO TERCERA.–** Abundando en la misma línea argumentativa se afirma también que el carácter independiente y la autonomía de que gozan este tipo de entes del sector público *«se considera la mejor forma de instrumentar el engranaje institucional de la protección del informante, excluyendo otras alternativas con menor independencia del poder ejecutivo y permitiendo, en definitiva, que sea una entidad de nueva creación la que garantice la funcionalidad del sistema, una entidad independiente de quien la nombra y de la Administración Pública, que atienda, en el ejercicio de sus funciones, a criterios de naturaleza técnica».*

**CUADRAGÉSIMO CUARTA.–** La Exposición de Motivos del Anteproyecto ofrece una segunda justificación de la opción elegida al precisar que *«el carácter específico de la materia hace igualmente aconsejable que las funciones que la Directiva atribuye a las autoridades competentes sean ejercidas por una Autoridad de nueva creación sin posibilidad de acudir a otras ya existentes dentro del sector público. Además, resulta determinante a efectos de la creación de una nueva autoridad, la articulación, en cumplimiento de la Directiva, de un canal externo de información que complementa los canales internos (tanto en el sector privado como público). Resulta de especial interés que sea una entidad que bajo un especial régimen de autonomía y con un marcado carácter técnico y especializado en la materia sea la encargada de la llevanza y gestión del citado canal externo.»*

**CUADRAGÉSIMO QUINTA.–** El considerando 64 de la DPI dispone que *«Debe corresponder a los Estados miembros determinar qué autoridades son competentes para recibir la información sobre infracciones que entren en el ámbito de aplicación de la presente Directiva y seguir adecuadamente las denuncias. Dichas autoridades competentes podrían ser autoridades judiciales, organismos de* *regulación o de supervisión competentes en los ámbitos específicos de que se trate, o autoridades con una competencia más general a escala central dentro de un Estado miembro, autoridades encargadas del cumplimiento del Derecho, organismos de lucha contra la corrupción o defensores del pueblo.».* Partiendo de la esta previsión de la Directiva debe concluirse que la opción del prelegislador es, efectivamente, una de las autorizadas por la misma para determinar —con un innegable grado de discrecionalidad— qué autoridad debe ser la competente para recibir la información sobre infracciones que entren en el ámbito de aplicación de la misma y seguir adecuadamente las denuncias.

### B) EN RELACIÓN CON EL ÁMBITO MATERIAL Y PERSONAL DE APLICACIÓN

**CUADRAGÉSIMO SEXTA.-** La opción del prelegislador de llevar a cabo una regulación global que amplía el ámbito material de aplicación del Anteproyecto que se informa a las infracciones penales o administrativas, graves o muy graves o a las vulneraciones del ordenamiento jurídico español, siempre que afecten directamente al interés general (artículo 2 APL), en virtud de la facultad reconocida a los Estados Miembros en el artículo 2.2 DPI, responde adecuadamente al principio de buena regulación, proporcionando una ordenación no fragmentada y coherente en la materia, así como una mayor eficiencia, debiendo valorarse positivamente desde el punto de vista de la seguridad jurídica.

**CUADRAGÉSIMO SÉPTIMA.-** La redacción del apartado a) del artículo 2 APL es jurídicamente confusa, emergiendo la duda —en una lectura no cotejada con la DPI— de si las infracciones en relación con los actos de la Unión enumerados en el Anexo de la Directiva deben o no afectar a los intereses de la U.E. o incidir en su mercado interior, sugiriéndose al prelegislador nacional que utilice la misma enumeración en tres apartados que realiza el legislador europeo, y, que deslinda los tres tipos de infracciones, así como que complete adecuadamente la referencia a las infracciones que afectan a los intereses financieros de la Unión que se contemplan en el artículo 325 TFUE, añadiendo la frase *"tal como se concretan en las correspondientes medidas de la Unión".*

**CUADRAGÉSIM OCTAVA.-** El artículo 2 DPI debe necesariamente interpretarse de acuerdo con las definiciones contenidas en el artículo 5, por lo que es inexcusable que el articulado de la norma proyectada responda a las definiciones del texto europeo, siendo por ello necesario, para una adecuada transposición y una mayor seguridad jurídica, que el artículo 2 APL incluya de forma clara y taxativa todas las informaciones sobre infracciones que abarca la Directiva.

**CUADRAGÉSIMO NOVENA.-** En relación con el apartado b) del artículo 2 APL, resulta necesario mencionar los artículos 259 y 262 de la LECrim, que establecen la obligación de denunciar (con las excepciones contempladas en los artículos 260, 261 y 263) la perpetración de cualquier delito público ante las autoridades judiciales, fiscales o policiales. La preexistencia de dichas disposiciones en nuestro ordenamiento jurídico tiene un encaje cuanto menos complejo con la norma europea y el Anteproyecto que se informa. Si bien la denuncia a través de los canales internos o externos es una opción que se proporciona al ciudadano que no resulta *per se* incompatible con la obligación de denunciar establecida en la LECrim, la consecución real del objetivo de fomento del empleo de estos canales de forma preferente —y en especial, del canal interno— para combatir los incumplimientos del Derecho de la Unión Europea y nacional que se enmarcan en su ámbito de aplicación sí resulta difícilmente conciliable con dicha obligación legal. Por todo ello, debe valorarse positivamente que el Anteproyecto de Ley Orgánica de Enjuiciamiento Criminal, que se encuentra en trámite de informe de este órgano constitucional, si bien mantiene la obligación de denunciar en su artículo 526, prevé, a fin de conseguir su adaptación a la DPI, como específicamente señala su Exposición de motivos, que *"Cuando la noticia de la comisión de un delito cometido en el seno de una entidad del sector público o privado la hubiese dado un funcionario o empleado a través de un procedimiento de denuncia interna, la comunicación del hecho delictivo a las autoridades podrá realizarla el responsable del canal de denuncia sin revelar la identidad del alertador, salvo que fuese especialmente requerido* *para hacerlo"* (artículo 528.6). En todo caso, dada la competencia de los Juzgados y Tribunales para el conocimiento de las infracciones penales (artículo 23 LOPJ), las autoridades judiciales siempre serán autoridades competentes para la recepción de denuncias sobre las infracciones penales que constituyen el ámbito material del APL, con independencia de que la norma proyectada no los mencione y cree y diseñe un nuevo canal externo administrativo. En relación con el artículo 2.1b), también debe señalarse que en la extensión del ámbito material que realiza el prelegislador nacional procede entender incluidas las infracciones laborales entre trabajadores, y ello tanto en virtud de la redacción empleada en el propio artículo 2.1 b) APL, que refiere cualquier acción u omisión penal o administrativa grave o muy grave, como de conformidad con el propio artículo 2.2., que contempla específicamente la información de infracciones sobre derecho laboral en materia de seguridad y salud en el trabajo, si bien sería conveniente que ello apareciera oportunamente especificado en el texto proyectado.

**QUINCUAGÉSIMA.–** El apartado 6 del artículo 2 APL resulta impreciso, pues de su referencia genérica no resulta posible dilucidar a qué normativa específica prexistente sobre canales y procedimientos de información externa se refiere, y si estos se limitan a los de las Comunidades Autónomas (en relación con el artículo 24.2 APL), o existen otros, y, en consecuencia, cuáles son en definitiva las autoridades competentes existentes en nuestro país, siendo que la DPI impone su designación (artículo 11.1), por lo que se sugiere al prelegislador que clarifique este aspecto.

**QUINCUAGÉSIMO PRIMERA.–** Sería conveniente que en el apartado 7 del artículo 2 APL se clarificase que la normativa específica que resultará de aplicación es la aprobada por la Unión Europea.

**QUINCUAGÉSIMO SEGUNDA.–** Más allá de la delimitación del ámbito material de la norma, se establece un ámbito personal de aplicación que lleva a completar la delimitación jurídica del concepto de *whistleblower* o informante. El prelegislador nacional incorpora adecuadamente dicho ámbito personal de aplicación en el artículo 3 APL, si bien se sugiere revisar la redacción del apartado 2 *in fine*, a fin de clarificar adecuadamente que la limitación a los *"casos en que la información sobre infracciones haya sido obtenida durante el proceso de selección o de negociación precontractual"* se refiere únicamente a aquellas personas físicas cuya relación laboral todavía no ha haya comenzado y no al resto de las categorías enumeradas en el apartado.

**QUINCUAGÉSIMO TERCERA.–** Procede valorar positivamente la ampliación que hace el APL en relación con la protección dispensada por la DPI, al extender el concepto de entidad jurídica *propiedad* del informante a la *ostentación de una participación significativa* por parte del informante en la entidad jurídica, entendida como aquella participación que *"permite a la persona que la posea tener capacidad de influencia en la persona jurídica participada"* (artículo 3.4c) *in fine*), pues responde adecuadamente a la capacidad de las organizaciones para tomar represalias más allá de las personas que se encuentran bajo su organización, tal y como expone la Directiva.

**QUINCUAGÉSIMO CUARTA.–** La DPI dispensa también protección a los «*terceros que estén relacionados con el denunciante y que <u>puedan sufrir</u> <u>represalias en un contexto laboral</u>, como compañeros de trabajo o familiares del denunciante*», es decir, como señala el Considerando 41 «*que también mantengan una relación laboral con el empresario*». Si bien la DPI permite introducir o mantener disposiciones más favorables para los derechos de los denunciantes que los establecidos en la Directiva (artículo 25.1), el APL prescinde en su artículo 3.4 b) de la referencia al contexto laboral, referencia que puede resultar innecesaria en relación con los compañeros de trabajo, pero no en relación con los familiares, resultando conveniente, dado el objetivo y ámbito material de aplicación del APL que la protección a los familiares esté vinculada a las represalias laborales, pues su establecimiento con carácter general parece desvirtuar el contexto jurídico de la norma.

## C) EN RELACIÓN CON LOS CANALES INTERNOS DE INFORMACIÓN

**QUINCUAGÉSIMO QUINTA.-** La DPI establece en el artículo 8.1 la obligación de establecer canales de denuncia interna. El APL se ajusta adecuadamente a la normativa europea, optando por establecer "*sistemas internos de información*", como cauce preferente (artículo 4.1), en cuyo seno estarían integrados los canales internos (artículos 5.2.d) y 7.1), e imponiendo la obligación de disponer de un sistema interno (artículo 4.2) —de cuya implantación es responsable el órgano de administración o gobierno respectivo, previa consulta con "la representación legal de las personas trabajadoras", donde, ante la dicción empleada, procede entender incluidos los representantes legales en un sentido amplio, es decir, tanto la representación sindical como la unitaria (artículo 5.1, en relación con el artículo 8.1 DPI)—, tanto a sujetos del sector privado como del sector público (artículos 10 y 13).

**QUINCUAGÉSIMO SEXTA.-** En el primer caso (artículo 10 APL), resultan obligadas las personas físicas o jurídicas del sector privado que tengan contratados 50 o más trabajadores y todas las entidades jurídicas del sector privado que entren en el ámbito de aplicación de los actos de la Unión Europea en materia de servicios, productos y mercados financieros, prevención del blanqueo de capitales o de la financiación del terrorismo, seguridad del transporte y protección del medio ambiente, las cuales se regirán por la normativa específica, sin perjuicio de la aplicación supletoria del Anteproyecto, ello de conformidad con la DPI (artículos 8.3 y 8.4).

**QUINCUAGÉSIMO SÉPTIMA.-** El prelegislador español extiende la obligación a los partidos políticos, los sindicatos, las patronales y las fundaciones creadas por unos y otros, siempre que reciban o gestionen fondos públicos, independientemente del número de trabajadores. La extensión, debe valorarse positivamente, por las propias razones señaladas por el prelegislador en la Exposición de Motivos.

**QUINCUAGÉSIMO CTAVA.-** Las disposiciones relativas al establecimiento de sistemas internos de información en los grupos de sociedades que el APL recoge en su artículo 11 responden de forma coherente al diseño elegido por el prelegislador y que parte de un sistema interno en el que a su vez pueden resultar integrados diversos canales de información, siendo una forma adecuada y eficiente de imponer la obligación de la creación de canales internos en el marco de los grupos de sociedades.

**QUINCUAGÉSIMO NOVENA.-** En el sector público, se impone la obligación a todas las entidades que lo integran, especificándose en el apartado 13.1 APL qué se entiende por sujetos comprendidos en el sector público a efectos de la norma proyectada. En este sentido, debe tenerse en cuenta el Considerando 52 DPI que señala que «*A fin de garantizar, en particular, el respeto de las normas de contratación pública en el sector público, la obligación de establecer canales de denuncia interna debe aplicarse a todas las autoridades contratantes y entidades contratantes a nivel local, regional y nacional, pero de forma que guarde proporción con su tamaño*». La enumeración contenida en el artículo 13 APL no resulta coincidente con el ámbito subjetivo de aplicación de la Ley 9/2017, de 8 de noviembre, de Contratos del Sector Público (artículo 3), de tal forma que no se mencionan expresamente ni las entidades públicas empresariales ni los consorcios ni los fondos sin personalidad jurídica. Si bien procede entender que se encuentran incluidos en el apartado b) ("*Los Organismos y Entidades públicas vinculadas o dependientes de alguna Administración pública, así como aquellas otras asociaciones y corporaciones en las que participen Administraciones y organismos públicos*"), se sugiere la conveniencia, para una mayor coherencia normativa, de realizar una enumeración paralela a la contenida en la LCSP.

**SEXAGÉSIMA.-** Se amplía la obligación, en línea de coherencia con los objetivos de la DPI, a la Casa de su Majestad el Rey y a los órganos constitucionales, y por tanto, a este Consejo General del Poder Judicial, así como a las instituciones autonómicas análogas.

**SEXAGÉSIMO PRIMERA.-** El prelegislador nacional no excluye de la obligación de contar con un sistema interno de información a los municipios de menos de 10.000 habitantes o a las entidades con menos de 50 trabajadores como autoriza la DPI (artículo 8.9), pero les permite "compartir" el sistema, si bien, debe garantizarse que los canales sean independientes y aparezcan diferenciados para no generar confusión en el ciudadano (artículo 14), y que cada administración local tenga un responsable de su sistema interno de informaciones, todo ello de conformidad con el artículo 8.9 *in fine* DPI.

**SEXAGÉSIMO SEGUNDA.-** Los requisitos que deben cumplir los canales internos de comunicación según la Directiva (artículos 8.2 y 9), se encuentran recogidos de forma dispersa, y no siempre conforme a las exigencias de la norma europea, en el Título II APL.

**SEXAGÉSIMO TERCERA.-** La obligación de realizar un acuse de recibo en un plazo máximo de 7 días (artículo 9.1.b) DPI) se traslada al artículo 8, que regula el *"procedimiento de gestión de comunicaciones"*, si bien el prelegislador nacional adiciona la excepción *"salvo que ello pueda poner en peligro la confidencialidad de la información"*. De un lado, la existencia de un riesgo para la confidencialidad debería justificarse y motivarse adecuadamente, para evitar cualquier peligro del uso de la excepción como mera excusa para la no emisión o la emisión con retraso del acuse de recibo. De otro, aunque la norma europea prevé en el apartado f) del mismo artículo 9 la posibilidad de que no se haya emitido un acuse de recibo, ello parece responder a una simple salvaguarda para la fijación de los plazos de tramitación en caso de un error o mala praxis en la emisión del acuse de recibo, resultando este, y su plazo, preceptivo. Por todo lo anterior, sería conveniente que la excepcionalidad introducida en la norma proyectada fuese eliminada.

**SEXAGÉSIMO CUARTA.-** El responsable del sistema se regula en el artículo 9 (debe ponerse de manifiesto que erróneamente el artículo 5.2g) remite al artículo 10, debiendo remitir al 9), de conformidad con la exigencia del artículo 9.1c) DPI. Además, la previsión contenida en el apartado 5 del artículo 9 merece una valoración positiva en aras de la consecución del requisito de independencia exigido por la norma europea. Por su parte, el apartado c) del artículo 8.2 APL incluye la necesidad establecida en el Considerando 57 *in fine* y en el artículo 9.1 c) DPI de que el procedimiento de gestión de comunicaciones prevea la posibilidad de mantener la comunicación con el informante, y de solicitarle información adicional.

**SEXAGÉSIMO QUINTA.-** La Directiva impone un plazo máximo de 3 meses para dar respuesta a la comunicación (artículo 9.1 f). Nuevamente el prelegislador nacional parece no confiar en que dicho plazo pueda ser adecuadamente cumplido por las entidades obligadas, permitiendo su ampliación a 6 meses en casos de especial complejidad (artículo 8.2 g) APL), lo que no se contempla en la norma europea, que es taxativa al respecto de cuál es el plazo razonable, independientemente de la complejidad del asunto.

**SEXAGÉSIMO SEXTA.-** Se incluye la garantía de confidencialidad cuando la comunicación sea remitida a personal no competente y el establecimiento de la obligación del receptor de la comunicación de remitirla inmediatamente al Responsable del Sistema (artículo 8.2.i), lo que debe valorarse positivamente ya que la DPI solo lo contempla en relación con los canales externos (artículo 12.3).

**SEXAGÉSIMO SÉPTIMA.-** En los apartados h) y f) del artículo 8.2 el prelegislador introduce la exigencia del derecho del investigado (por manifiesto error se dice "informante", debiendo proceder a la oportuna corrección), a que se le informe de las acciones u omisiones que se le atribuyen y a ser oído en todo momento, así como la exigencia de respeto a la presunción de inocencia, el derecho a ser oído y el honor de las personas investigada, lo que debe ponerse en relación con el artículo 39 APL intitulado *"Medidas para la protección de las personas investigadas"*, en adecuada trasposición del artículo 22 DPI.

**SEXAGÉSIMO OCTAVA.-** Dichas previsiones cobran una gran importancia, a fin de que las empresas y organismos públicos, cuyo ámbito de especialización no es en general el de investigar delitos ni evitar su comisión, se doten de los mecanismos adecuados para no incurrir en una vulneración de garantías, es decir, para poder llevar una adecuada autorregulación —dentro de los márgenes normativos— como base del sistema de información, pues la posible vulneración de las garantías de la persona afectada tiene una notable incidencia en el caso de que el asunto fuese judicializado, toda vez que un tratamiento inadecuado podría llevar a una inadmisión de lo actuado o investigado. No olvidemos que el artículo 11.1 de la Ley Orgánica del Poder Judicial señala que «*en todo tipo de procedimiento se respetarán las reglas de la buena fe. No surtirán efecto las pruebas obtenidas, directa o indirectamente, violentando los derechos o libertades fundamentales*», y que el Tribunal Supremo señala claramente a los particulares que «*no podrá valerse de aquello que ha obtenido mediante la consciente y deliberada infracción de derechos fundamentales de un tercero*» (STS de 23 de febrero de 2017, [ECLI:ES:TS:2017:471]).

**SEXAGÉSIMO NOVENA.–** El apartado 5 del artículo 13 proscribe los recursos administrativo y judicial en el ámbito del canal interno (cuestión que recibe el mismo tratamiento en relación con el canal externo en el artículo 20.5), suponiendo, en definitiva, ambos preceptos, la exclusión de las decisiones administrativas del control judicial. Si bien es cierto que nuestro ordenamiento jurídico excluye la legitimación del denunciante —salvo que tenga el carácter de interesado— para recurrir el archivo de la denuncia (así resulta del artículo 62.5 de la Ley 39/2015 y lo ha reiterado la jurisprudencia, por todas, STS de 5 de febrero del 2018 ECLI:ES:TS:2018:344), las previsiones del APL contravienen lo establecido en el Considerando 103 DPI. Además, el artículo 20.5 no se cohonesta adecuadamente con la Disposición adicional primera que modifica el apartado 5 de la Disposición adicional cuarta de la Ley 29/1998, de 13 de julio, reguladora de la Jurisdicción Contencioso-Administrativa, incluyendo a la Autoridad Independiente para la Protección del Informante, y atribuyendo a la Audiencia Nacional la competencia para resolver los recursos frente a sus "actos y disposiciones", sin que se establezca por tanto en la ley procesal una distinción entre las decisiones relativas a la tramitación y las vinculadas a las sanciones, tal como sí se hace en el artículo 20.5.

### D) EN RELACIÓN CON EL CANAL EXTERNO DE COMUNICACIONES

**SEPTUAGÉSIMA.–** A pesar de la instauración de los canales internos como canales preferentes, la Directiva también prevé la comunicación directa a las autoridades —canales de denuncias externos—. Y así se regula en el APL, cuyo artículo 16 contempla el derecho de toda persona física a utilizar el canal externo de forma directa o previa comunicación por canales internos. Sería conveniente, no obstante, que, dado que existe más de una autoridad competente para las denuncias externas (de conformidad con el artículo 24.2), se incluyese en el artículo 16 una referencia genérica al derecho a informar a través del canal externo de los órganos designados en cada Comunidad autónoma.

**SEPTUAGÉSIMO PRIMERA.–** En cuanto a la designación de autoridades competentes, el prelegislador opta por la creación de una entidad administrativa, la Autoridad Independiente de Protección del Informante, que se regula en el Título VIII. El ámbito material de aplicación del APL permite apreciar con facilidad que podría haber una pluralidad de entidades que serían competentes en un modelo descentralizado para recibir, tramitar y seguir las denuncias en atención a su contenido, lo que podría llevar a los informantes a importantes dificultades para identificar la concreta autoridad a la que dirigirse, desincentivando las denuncias, por lo que la opción del prelegislador puede valorarse positivamente, sin perjuicio de la existencia de autoridades a nivel autonómico (artículo 24.2 APL). En todo caso, la creación de esta nueva entidad y el silencio del APL sobre otras autoridades competentes, no implica en modo alguno ninguna alteración de la competencia de los Jueces y Tribunales para conocer de las infracciones penales, incluidas las que forman parte del ámbito material del APL.

**SEPTUAGÉSIMO SEGUNDA.–** En cuanto al proceso de recepción de las comunicaciones y su tramitación (artículos 17 a 22 APL) responde adecuadamente a las exigencias establecidas para los canales externos en los artículos 11 y 12 DPI, de tal forma que (i) se establece un seguimiento diligente (artículo 17.3 y 20.1 APL, en relación con el artículo 11.2 c) DPI); (ii) se respetan los plazos para emitir acuse de recibo (artículos 17.4 y 18.2 b) APL en relación con el artículo 11.2b) DPI) y emitir y comunicar la resolución (artículo 20.4 APL en relación con el artículo 11.2 d) DPI) —si bien cabe destacar que, estando permitido por la Directiva una ampliación del plazo en casos de complejidad, no se contempla en el APL esta posibilidad—; (iii) se regula la obligación de informar al denunciante del resultado final de la investigación (artículo 18.2 a) *in fine*, 18.2 b), 20.2 a) y 20.4 *in fine* en relación con el artículo 11.2 e) DPI) —si bien procedería, a fin de llevar a cabo una transposición adecuada, que el artículo 18.2 c) recogiese también la obligación de comunicar al informante la remisión a otra autoridad o al Ministerio Fiscal, o a la Fiscalía Europea—; y (iv) se contempla la remisión a otras autoridades competentes o al Ministerio Fiscal y la Fiscalía Europea (artículos 18.2 c) y 20.2 en relación con el artículo 11.2 f) DPI).

**SEPTUAGÉSIMO TERCERA.–** El APL contempla una serie de motivos de inadmisión de las comunicaciones, tras un análisis preliminar de las mismas (artículo 18). El apartado 1 del artículo 18 se refiere exclusivamente a "hechos indiciariamente constitutivos de delito", debiendo incluirse la referencia a las infracciones administrativas o de Derecho de la Unión Europea, pues el ámbito de aplicación de la Directiva y de la norma proyectada no se limitan a las infracciones penales. Además, los motivos de inadmisión contemplados son más extensos que los referidos en la Directiva, debiendo ser objeto de crítica los motivos 2° y 3°: En el primer caso, la redacción elegida no se cohonesta adecuadamente con el ámbito material de aplicación de la ley, que abarca (y ese es su ámbito obligado por la norma europea), las infracciones del derecho de la Unión Europea establecidas en el artículo 2 DPI. Dado que dichas infracciones se caracterizan en sí mismas por afectar al interés general, y que el ámbito de aplicación al derecho nacional solo se refiere igualmente a infracciones que afectan al interés general, se sugiere al prelegislador que este motivo de inadmisión se reformule de la siguiente manera o similar: *Cuando los hechos relatados no sean constitutivos de infracción del Derecho de la Unión Europea o del Derecho Nacional incluida en el ámbito de aplicación de esta ley.* En cuanto a la posibilidad de inadmisión establecida en el motivo 3° y referido a la obtención ilícita de la información, si bien aparentemente se encuentra en línea con lo establecido en el artículo 21.3 y 4 DPI, y el Considerando 92, debe ponerse de manifiesto que la Directiva establece claramente la exención de responsabilidad del informante por responsabilidades de tipo civil, administrativo o laboral, y que residencia en el derecho nacional la responsabilidad respecto de la adquisición o el acceso a la información que es comunicada o revelada públicamente *solo cuando constituye de por sí un delito*, y no otro tipo de vulneración normativa. Ante esta discrepancia entre el APL, que permite la inadmisión si la AIPI considera que hay indicios racionales de haberse obtenido la información de forma ilícita, y lo establecido en la Directiva, que se circunscribe a aquella obtención de la información que constituye en sí misma un delito, se sugiere al prelegislador la conveniencia de reformular el apartado 3° del artículo 18, reduciendo la inadmisión a aquellos casos en los que haya indicios racionales de la comisión de un ilícito *penal*.

**SEPTUAGÉSIMO CUARTA.–** El segundo párrafo del artículo 22 APL establece que "*Periódicamente podrá revisar, y en su caso, modificar dicho procedimiento teniendo en cuenta su experiencia y la de otras autoridades competentes. La modificación será asimismo objeto de publicación*". La disposición supone una transposición incompleta del artículo 14 DPI que impone claramente una revisión periódica "*por lo menos una vez cada tres años*", plazo temporal que debe incorporarse a la norma proyectada, y si bien dicho plazo sí se contempla en la Disposición adicional segunda, resultaría sistemáticamente más adecuado que viniese referido en el artículo 22.

#### E) En relación con la revelación pública

**SEPTUAGÉSIMO QUINTA.–** La DPI incluye una tercera opción para que los informantes puedan desvelar la comisión de infracciones que atentan contra el derecho de la U.E., cual es la revelación pública, extendiendo la protección regulada en la norma europea a aquellas personas que hacen una revelación pública, pero solo si se cumplen alguna de las condiciones enumeradas en el propio texto. El prelegislador nacional transpone esta cuestión en los artículos 27 y 28 APL, procediendo a una regulación prácticamente idéntica, si bien se sugiere que, dada la claridad de la norma europea a este respecto se añadan al artículo 28.b) ii) *in fine* APL los ejemplos empleados por el legislador europeo: *"como que puedan ocultarse o destruirse las pruebas o que una autoridad esté en connivencia con el autor de la infracción o implicada en la infracción".*

**SEPTUAGÉSIMO SEXTA.–** El apartado 2 del artículo 15 DPI establece que el artículo *"no se aplicará en los casos en que una persona revele información directamente a la prensa con arreglo a disposiciones nacionales específicas por las que se establezca un sistema de protección relativo a la libertad de expresión y de información"*, lo que debe ponerse en relación con el Considerando 46 que señala [...] *la protección de los denunciantes como fuente de informaciones periodísticas es crucial para salvaguardar la función de guardián que el periodismo de investigación desempeña en las sociedades democráticas».*

**SEPTUAGÉSIMO SÉPTIMA.–** En este sentido, la doctrina constitucional contine ya desde hace tiempo precedentes claramente favorables para aquellos trabajadores que acuden a la revelación pública, como la STC 6/1998, de 21 de enero [ECLI:ES:TC:1988:6] que declaró la nulidad del despido disciplinario de un trabajador destinado en el gabinete de prensa del Ministerio de Justicia que se había justificado en transgresión de la buena fe contractual por haber aquel denunciado públicamente que, desde la llegada al poder del PSOE, se filtraban noticias de manera privilegiada a la Editorial Prisa (en el mismo sentido, la Sentencia de 12 de abril de 1999 [ECLI:ES:TC:1999:57]), aunque el Tribunal Constitucional ha matizado esta doctrina favorable, siendo claro ejemplo de ello la Sentencia de 30 de junio de 2003 [ECLI:ES:TC:2003:126] que no concedió el amparo argumentando *«el fin de información pública perseguido por el recurrente, esto es, la subsanación de las deficiencias que en su opinión padecía el proceso productivo, no hacía necesario que las informaciones difundidas alcanzasen la reiteración, la trascendencia y notoriedad públicas que obtuvieron ni, dada su gravedad, debía considerarse medio adecuado para su conocimiento la publicación en medios de comunicación de difusión nacional y local.*

**SEPTUAGÉSIMO OCTAVA.–** En relación con ello, para llevar a cabo una acotación de los sujetos merecedores de protección en la propuesta de Directiva, la Comisión acudió a la jurisprudencia del Tribunal Europeo de Derechos Humanos (TEDH) en aquellos supuestos donde conductas asimilables a las de un *whistleblower* habían sido objeto de amparo por considerar que quedaban bajo la bóveda de los artículos 10 y 11 del Convenio Europeo de los Derechos Humanos (CEDH), concretamente en los asuntos *Guja vs. Moldavia* (12 de febrero de 2008, ECLI:ES:TEDH:2008:2); y, más tarde, en *Heinisch vs. Alemania* (21 de julio de 2011, ECLI:CE:ECHR:2011:0721JUD002827408) y *Bucur y Toma vs. Romania* (8 de enero de 2013, ECLI:CE:ECHR:2013:0108JUD004023802), asuntos en los que se examinaba la concurrencia de elementos para la vulneración del artículo 10 del CEDH en relación con las *revelaciones públicas*, en tanto conductas necesarias en una sociedad democrática, y se analiza si la persona que efectuó la divulgación tenía a su disposición «canales alternativos» para realizarla, señalándose concretamente que *«para juzgar el carácter proporcionado o no de la restricción impuesta a la libertad de expresión del demandante en este caso concreto, el Tribunal debe examinar si el interesado disponía de otros medios efectivos para poner remedio a la situación que consideraba criticable»*; el «interés público» en la información; la «autenticidad» de la información divulgada, y si la actuación está amparada por la «buena fe».

**SEPTUAGÉSIMO NOVENA.–** La regulación del artículo 28 APL debe ponerse en relación con la jurisprudencia europea y con las condiciones establecidas en el artículo 6 DPI (y transpuestas en el artículo 35.1 APL) relativas a la protección de informante, con independencia del canal que este haya empleado, y, entre las que se encuentra el tener motivos razonables para pensar que la información sobre infracciones denunciadas *es veraz* en el momento de la denuncia. Nuestra doctrina constitucional se encuentra en línea con ello, pues interpreta el requisito de la veracidad como un deber de buena fe y diligencia por parte del informador, de tal forma que, aunque luego la noticia se revele falsa, el requisito de veracidad queda satisfecho si el informador creía que era cierta sobre la base de fuentes fiables y, en su caso, contrastadas (STC de 21 de enero de 1988 [ECLI:ES:TC:1988:6]).

### F) EN RELACIÓN CON LA DENUNCIA ANÓNIMA

**OCTOGÉSIMA.-** La Directiva *Whistleblowing* no impone a los Estados Miembros la obligación de aceptar las denuncias anónimas, si bien, en caso de que así se establezca en el derecho nacional, las personas denunciantes, cuyo anonimato llegara a desaparecer, deben gozar de la protección dispensada por la norma europea. El prelegislador nacional opta por regular la posibilidad de informar de forma anónima tanto a través de los canales internos (artículo 7.3 APL), como de la Autoridad Independiente de Protección del Informante (artículo 17.1 y 21.1º APL).

**OCTOGÉSIMO PRIMERA.-** Nuestro ordenamiento jurídico tampoco es ajeno a la denuncia anónima, la cual ya se regula en algunos ámbitos como el de Hacienda (artículo 114 de la Ley 58/2003, General Tributaria), o el de blanqueo de capitales (artículo 26 bis 1 de la Ley 10/2010, de 28 de junio, en transposición de la Directiva 2015/849), si bien, con carácter general es preciso recordar que quien denuncie una infracción administrativa tiene obligación de identificarse, a tenor de lo dispuesto en el artículo 62.2 de la Ley 39/2015 de 1 de octubre, del Procedimiento Administrativo Común de las Administraciones Públicas. A pesar de ello, la Sentencia de la Sala de lo Contencioso-Administrativo del Tribunal Superior de Justicia de Madrid de 3 de abril de 2018 [ECLI:ES:TSJM:2018:3241] señalaba que « *Ahora bien, nada impide que, cuando la denuncia presente ciertos signos de veracidad y credibilidad, la Administración pueda realizar una cierta investigación mediante la realización de determinadas actuaciones previas tendentes a verificar, prima facie, los hechos irregulares puestos en conocimiento. En tales situaciones el eventual acuerdo de inicio del procedimiento no vendrá amparado o fundamentado en la denuncia anónima sino en la información previa, que es la que verdaderamente determina el inicio del procedimiento sancionador. De esta forma, el acuerdo de inicio del procedimiento será adoptado por propia iniciativa, que es una de las modalidades de inicio de oficio de un procedimiento que se contempla en el art. 58 LPAC*».

**OCTOGÉSIMO SEGUNDA.-** En el ámbito penal, de la lectura de los artículos 266 y 267 LECRim parece deducirse que las denuncias anónimas no son admisibles en el proceso, sin embargo el inicio de diligencias de investigación con base en *notitia criminis* anónima no aparece proscrita por nuestra jurisprudencia, que las permite, siempre bajo el requisito de un análisis reforzado, debiendo citarse la STS de 11 de abril de 2013 [ECLI:ES:TS:2013:1825], que no solo resume la jurisprudencia anterior, sino que continua siendo citada en resoluciones posteriores del Tribunal (véase también la reciente STS de 23 de enero de 2020 [ECLI:ES:TS:2020:270]).

**OCTOGÉSIMO TERCERA.-** Sin duda el anonimato del informante que se establece en el APL lleva su protección más allá de la confidencialidad, al impedir que ni el propio órgano encargado de la tramitación de las denuncias conozca su identidad, y tampoco cabe duda de que podría llegar a comprometer el derecho de defensa de la persona afectada por la denuncia, al enfrentarse a una investigación en la que desconoce la identidad de quien le acusa y la procedencia de la evidencia que contra él se aporta. En este sentido, la propia Directiva establece, para salvaguardar el derecho de defensa, una excepción a la regla de la confidencialidad en su artículo 16.2, permitiendo que la identidad del denunciante u otra información sea revelada cuando exista una obligación legal necesaria y proporcionada en el contexto de una investigación o en el marco de un proceso judicial, para garantizar el derecho de defensa de la persona afectada, que deriva de la Directiva 2012/13/UE del Parlamento Europeo y del Consejo, de 22 de mayo de 2012, relativa al derecho a la información en los procesos penales. Ahora bien, dicha necesidad de revelación aparece conectada, en el concreto contexto de un procedimiento penal, al empleo de las alegaciones del denunciante como fuente de prueba y como testimonio de cargo (STS de 23 de julio de 2020 [ECLI:ES:TS:2020:2636]).

**OCTOGÉSIMO CUARTA.–** Si el informante no es fuente de prueba ni medio probatorio, sino medio de investigación, y en definitiva, la información aportada de forma anónima goza de verosimilitud, siendo objeto de investigación por otros medios que, en su caso, podrán generar fuentes y medios probatorios, la denuncia anónima es admisible como *notitia criminis*, con los requisitos jurisprudenciales expuestos. En este sentido, debe trazarse su similitud con la figura del confidente, señalando que el Tribunal Europeo de Derechos Humanos ha admitido la legalidad de la utilización de estas fuentes confidenciales de información, siempre que se utilicen exclusivamente como medios de investigación y no tengan acceso al proceso como prueba de cargo (asunto *Kostovski c. Los Países Bajos*, 20 de noviembre de 1989, ECLI:CE:ECHR:1989:1120JUD001145485, y asunto *Windisch c. Austria*, de 27 de septiembre de 1990), debiendo citarse igualmente la STS de 27 de mayo de 2020 [ECLI:ES:TS:2020:2046] y la STS de 8 de noviembre de 2018 [ECLI:ES:TS:2018:4557].

**OCTOGÉSIMO QUINTA.–** También resulta ineludible mencionar la STS de 6 de febrero de 2020 [ECLI:ES:TS:2020:272], que precisamente acude a la Directiva 2019/1937, aun no traspuesta, para acoger sin ningún género de dudas la virtualidad de la denuncia anónima a través de los canales internos de la empresa como generador de la *notitia criminis*, y en consecuencia, como justificación suficiente para el inicio de la correspondiente investigación penal, sin perjuicio de la necesidad de que no sea el único elemento de convicción penal.

### G) En relación con la proteccion de datos personales

**OCTOGÉSIMO SEXTA.–** La referencia a la licitud de los tratamientos de datos personales necesarios para la aplicación de la norma proyectada que recoge el apartado primero del artículo 30 del anteproyecto conecta con el principio de minimización del dato al que se ha hecho anterior referencia en las consideraciones generales de este informe.

**OCTOGÉSIMO SÉPTIMA.–** Ocurre que la regulación de la DPI, en este punto, resulta más amplia en su formulación del citado principio de lo que lo es la contemplada por el anteproyecto, toda vez que el párrafo segundo del artículo de la DPI, tras establecer que no se recopilarán datos personales cuya pertinencia no resulte manifiesta para tratar una denuncia específica, añade que si tales datos se recopilan por accidente «se eliminarán sin dilación indebida.»

**OCTOGÉSIMO OCTAVA.–** El apartado primero del artículo 31 del anteproyecto señala, en cuanto a la información a facilitar a los interesados y el ejercicio por estos de los derechos que eventualmente les asistan, que cuando se obtengan directamente de los interesados sus datos personales se les facilitará la información a que se refieren los artículos 13 del Reglamento (UE) 2016/679 y 11 de la Ley Orgánica 3/2018, de 5 de diciembre.

**OCTOGÉSIMO NOVENA.–** A la previsión anterior, los apartados segundo y tercero del mismo artículo 31 del anteproyecto añaden que (i) a los informantes y a quienes lleven a cabo una revelación pública se les informará, además, de forma expresa, de que su identidad será en todo caso reservada, no comunicándose a las personas a las que se refieren los hechos relatados ni a terceros (ii) quienes realicen la comunicación a través de canales internos serán informados de forma clara y fácilmente accesible sobre los canales externos de información ante las autoridades competentes y, en su caso, ante las instituciones, órganos u organismos de la Unión Europea.

**NONAGÉSIMA.–** El régimen jurídico de la información a los interesados se completa en el apartado segundo del mismo precepto del anteproyecto con la previsión de que la persona a la que se refieran los hechos relatados no será en ningún caso informada de la identidad del informante o de quien haya llevado a cabo la revelación pública.

**NONAGÉSIMO PRIMERA.-** La regulación propuesta por el prelegislador no parece haber recogido en debida forma algunas de las previsiones contenidas en la Directiva en relación con los deberes de información al denunciante sobre las medidas previstas y adoptadas para la tramitación de la denuncia.

**NONAGÉSIMO SEGUNDA.-** La anterior afirmación se advera al constatar que (i) el artículo 9.1 f) de la DPI señala que «Los procedimientos de denuncia interna y seguimiento a que se refiere el artículo 8 incluirán lo siguiente: un plazo razonable para dar respuesta, que no será superior a tres meses a partir del acuse de recibo o, si no se remitió un acuse de recibo al denunciante, a tres meses a partir del vencimiento del plazo de siete días después de hacerse la denuncia» (ii) el artículo 11.2 d) de la DPI, en relación con el canal externo, establece que «Los Estados miembros velarán por que las autoridades competentes: den respuesta al denunciante en un plazo razonable, no superior a tres meses, o a seis meses en casos debidamente justificados».

**NONAGÉSIMO TERCERA.-** En el mismo sentido, en relación con los cabales internos y externos, respectivamente, el Considerando 58 de la Directiva refiere que *«Un plazo razonable para informar al denunciante no debe exceder de tres meses. Cuando todavía se esté considerando el seguimiento apropiado, el denunciante debe ser informado de ello, así como de cualquier otra respuesta que haya de esperar.»*; y el Considerando 67 que *«El seguimiento y la respuesta al denunciante deben producirse en un plazo razonable, dada la necesidad de abordar con prontitud el problema que sea objeto de denuncia, así como la necesidad de evitar la revelación pública innecesaria de información. El plazo no debe exceder de tres meses, pero podría ampliarse a seis cuando sea necesario debido a circunstancias específicas del caso, en particular la naturaleza y la complejidad del objeto de la denuncia, que puedan justificar una investigación larga.»*

**NONAGÉSIMO CUARTA.-** En mérito a todo ello, parece aconsejable que el prelegislador lleve a cabo la integración en el régimen jurídico de la información al denunciante de alguna previsión relativa a la información que debe suministrarse al mismo acerca de las medidas previstas y adoptadas para la tramitación de la denuncia en consonancia con las prescripciones contenidas en los artículos 9.1 f) y 11.2 d) y Considerandos 58 y 67 de la DPI.

**NONAGÉSIMO QUINTA.-** La regulación propuesta por el prelegislador en relación con los plazos de tramitación de las denuncias en los sistemas internos de información resulta acorde con las prescripciones contenidas en los artículos de la DPI y 24.4 de la LOPDGDD, y está en línea de coherencia con lo establecido en el artículo 9.1f) y Considerando 58 DPI. Debe recordarse aquí que, en contravención de dicho artículo de la Directiva, el artículo 8.2.g) APL prevé una extensión excepcional de tres meses de la duración de la investigación en el marco de los sistemas internos, transposición incorrecta que implica, además, cierta incoherencia entre dicho artículo 8.2 g) y el precitado artículo 32.4 APL.

**NONAGÉSIMO SEXTA.-** Sentadas las anteriores limitaciones temporales a la conservación de los datos personales incorporados a los canales de denuncias, el inciso final del artículo 32 del APL dispone, además, que las comunicaciones a las que no se haya dado curso solamente podrán constar de forma anonimizada, sin que sea de aplicación la obligación de bloqueo prevista en el artículo 32.4 de la Ley Orgánica 3/2018, de 5 de diciembre

**NONAGÉSIMO SÉPTIMA.-** En relación con esta obligación de anonimizar los datos de las denuncias, conviene precisar que la anonimización es un proceso mediante el cual los datos anonimizados se transforman en información que no permite reidentificar a la persona física a la que pertenecen, a diferencia de lo que ocurre en el proceso de seudonimización, que sí podría llegar a permitir, en un contexto determinado —de forma indirecta— llegar a saber quién es la persona física a la que pertenece la información que se le asocia.

**NONAGÉSIMO OCTAVA.-** Así el RGPD define en su art. 4.5. la seudonimización como "el tratamiento de datos personales de manera tal que ya no puedan atribuirse a un interesado sin utilizar información adicional, siempre que dicha información adicional figure por separado y esté sujeta a medidas técnicas y organizativas destinadas a garantizar que los datos personales no se atribuyan a una persona física identificada o identificable". La importancia de la distinción radica en que el RGPD establece que a la información agregada o anonimizada no le es de aplicación la normativa de protección de datos, mientras que a la seudonimizada, sí.

**NONAGÉSIMO NOVENA.–** Desde la perspectiva de la normativa que disciplina la protección de datos personales, globalmente considerada, se ha venido cuestionando la suficiencia de que los responsables de los canales de denuncias se limiten a informar a los empleados y terceros acerca de la mera existencia del canal tal y como, únicamente, exigen el anteproyecto y el citado artículo de la LOPDGDD. La cuestión estriba en determinar si el deber de información a los empleados y terceros debe extenderse o abarcar, también, la noticia sobre la recepción de una denuncia en la que se incluyan sus datos personales. Por otro lado, el citado artículo no concreta en qué momento debe proporcionarse dicha información.

**CENTÉSIMA.–** La eventual conclusión de que los titulares de los datos personales deben ser informados no solo sobre la existencia del canal de denuncias, sino, también, sobre el tratamiento de sus datos personales en relación con las concretas denuncias en las que se vean involucrados (directa o indirectamente) resulta abonada por la proyección sistemática del marco normativo regulador del deber de información en materia de protección de datos.

**CENTÉSIMO PRIMERA.–** Ello es así por cuanto el art. 13 del Reglamento (UE) 2016/679 del parlamento europeo y del consejo de 27 de abril de 2016 — aplicable a los casos en los que los datos se obtengan directamente de los interesados— y el art. 14 del mismo Reglamento —de aplicación a aquellos supuestos en los que estos no se obtengan de los interesados— exigen que los responsables del tratamiento pongan a disposición de los interesados una información muy exhaustiva sobre los tratamientos de datos que pretendan llevar a cabo (por ejemplo, indicar qué tipología de datos se tratan y a quién van a ser cedidos), de lo que cabe colegir que la mera publicidad de la existencia de un canal de denuncias, tal y como únicamente exigen los artículos de la LOPDGDD y 32.5 del APL, no agote el cumplimiento del deber de información, por lo que la adición complementaria de una referencia a la extensión del deber de información a estos extremos podría ser contemplada por el prelegislador

### H) En relación con la protección del denunciante

**CENTÉSIMO SEGUNDA.–** El apartado segundo del artículo 35 del anteproyecto establece la delimitación negativa del ámbito subjetivo de aplicación de las medidas de protección propuestas por el prelegislador al señalar que quedan expresamente excluidas de la protección prevista por la norma las personas que comuniquen o revelen: a) Informaciones contenidas en comunicaciones que hayan sido inadmitidas por alguna de las causas previstas en el artículo a) del anteproyecto (hechos carentes de toda verosimilitud o que no sean constitutivos de infracción del ordenamiento o siéndolo no afecten al interés general; comunicaciones carentes manifiestamente de fundamento; existencia, a juicio de la Autoridad Independiente de Protección del Informante, de indicios racionales de que la información se obtuvo de forma ilícita; informaciones que sean mera reproducción de otras anteriores previamente inadmitidas o debidamente investigadas). b) Informaciones vinculadas a reclamaciones sobre conflictos interpersonales o que afecten únicamente al informante y a las personas a las que se refiera la comunicación o revelación. c) Informaciones que ya estén completamente disponibles para el público, o que constituyan meros rumores. d) Informaciones que se refieran a acciones u omisiones no comprendidas en el artículo 2.

**CENTÉSIMO TERCERA.–** La expresa exclusión de la protección que el anteproyecto prevé en el apartado a) del artículo 35.1 respecto de quienes faciliten informaciones contenidas en comunicaciones que hayan sido inadmitidas por incidir sobre hechos carentes de toda verosimilitud o que no sean constitutivos de infracción del ordenamiento o siéndolo no afecten al interés general o carezcan manifiestamente de fundamento está en línea de coherencia con la caracterización como seguimiento adecuado en los términos de la Directiva objeto de trasposición que el Considerando 79 de la misma otorga a las decisiones de archivo de los procedimientos de investigación de denuncias que puedan adoptar las autoridades nacionales.

**CENTÉSIMO CUARTA.–** Y lo mismo cabe afirmar respecto de la exclusión prevista en el apartado c) del artículo 35 en relación con las informaciones que ya estén completamente disponibles para el público, o que constituyan meros rumores y la referencia establecida al respecto en el Considerando 43 de la DPI. Con todo, la expresa previsión de la exclusión de protección a las informaciones «que constituyan meros rumores» resulta redundante con la exclusión que la aplicación conjunta de los artículos 35.3 a) y 18 a) del anteproyecto establecen respecto de las denuncias que carezcan manifiestamente de fundamento

**CENTÉSIMO QUINTA.–** El prelegislador propone un concepto de represalia que se identifica con cualesquiera actos u omisiones que estén prohibidos por la ley, o que, de forma directa o indirecta, supongan un trato desfavorable que sitúe a las personas que las sufren en desventaja particular con respecto a otra en el contexto laboral o profesional, sólo por su condición de informantes, o por haber realizado una revelación pública, y siempre que tales actos u omisiones se produzcan mientras dure el procedimiento de investigación o en los dos años siguientes a la finalización del mismo o de la fecha en que tuvo lugar la revelación pública (artículo 36.2)

**CENTÉSIMO SEXTA.–** La positivización propuesta de la noción de represalia queda delimitada en sentido negativo por el inciso final del apartado segundo del artículo 36 del anteproyecto, en cuanto en él se precisa que se entienden exceptuados los supuestos en los que las acciones u omisiones puedan justificarse objetivamente en atención a una finalidad legítima y que los medios para alcanzar dicha finalidad sean necesarios y adecuados.

**CENTÉSIMO SÉPTIMA.–** Así pues el prelegislador introduce en la definición de las acciones u omisiones que pueden categorizarse como represalias una acotación temporal en cuya virtud solo se reputaran tales aquellas que se produzcan *"mientras dure el procedimiento de investigación o en los dos años siguientes a la finalización del mismo o de la fecha en que tuvo lugar la revelación pública"*.

**CENTÉSIMO OCTAVA.–** Ocurre que el artículo 5 de la DPI define la represalia como «toda acción u omisión, directa o indirecta, que tenga lugar en un contexto laboral, que esté motivada por una denuncia interna o externa o por una revelación pública y que cause o pueda causar perjuicios injustificados al denunciante». La definición propuesta por el prelegislador introduce, por tanto, una limitación temporal que restringe o acota de manera relevante el número de acciones u omisiones que pueden catalogarse como represalias a los efectos de la aplicación de la norma sin que la Directiva objeto de trasposición avale tal limitación o restricción.

**CENTÉSIMO NOVENA.–** El apartado cuarto del artículo 36 del anteproyecto pretende habilitar una extensión temporal de la protección ofrecida por la norma frente a las represalias que, como ha quedado anotado, el apartado segundo del mismo precepto refiere al periodo de tiempo que media entre la incoación del procedimiento de investigación y los dos años subsiguientes a la finalización del mismo.

**CENTÉSIMO DÉCIMA.–** Así, el artículo 36.4 del APL dispone que *"La persona que viera lesionados sus derechos por causa de su comunicación o revelación una vez transcurrido el plazo de un año a que se refiere este artículo, podrá solicitar la protección de la autoridad competente que, excepcionalmente y de forma justificada, podrá extender el periodo de protección, previa audiencia de las personas u órganos que pudieran verse afectados"*. Amén de reiterar en este punto lo anteriormente señalado sobre la incompatibilidad apreciable entre la definición de represalia contenida en la DPI y la limitación temporal que el artículo 36.2 del anteproyecto introduce al restringir o acotar las acciones u omisiones que pueden catalogarse como represalias a las que «*se produzcan mientras dure el procedimiento de investigación o en los dos años siguientes a la finalización del mismo o de la fecha en que tuvo lugar la revelación pública*», debe, además, añadirse que la referencia al "plazo de un año a que se refiere este artículo", que se contiene en el apartado 4 del precepto no se compadece con el plazo al que verdaderamente alude el apartado segundo del mismo artículo 36, que es de dos años y no de uno. Amén de lo anterior, sería igualmente conveniente que el prelegislador articulara alguna fórmula de cohonestación del ámbito temporal de aplicabilidad de la protección ofrecida con el marco normativo establecido en la Ley 36/2011, de 10 de octubre, reguladora de la jurisdicción social en relación con los plazos generales de prescripción o caducidad de las acciones previsto para las conductas o actos sobre los que se concrete la lesión del derecho fundamental o libertad pública tutelado mediante el procedimiento establecido en el capítulo XI de la Ley reguladora de la jurisdicción social.

**CENTÉSIMO DECIMOPRIMERA.–** El prelegislador ofrece un catálogo —sedicentemente establecido «a título enunciativo» de acciones consideradas como represalias a los efectos de lo previsto en la norma proyectada—; así, se consideran represalias las acciones u omisiones siguientes: a) suspensión del contrato de trabajo, despido o extinción de la relación laboral o estatutaria, incluyendo la terminación anticipada de un contrato de trabajo temporal una vez superado el período de prueba, o terminación anticipada o anulación de contratos de bienes o servicios, imposición de cualquier medida disciplinaria, degradación o denegación de ascensos y cualquier otra modificación sustancial de las condiciones de trabajo, salvo que estas medidas se llevaran a cabo dentro del ejercicio regular del poder de dirección al amparo de la legislación laboral reguladora del estatuto del empleado público correspondiente, por circunstancias, hechos o infracciones acreditadas, y ajenas a la presentación de la comunicación. b) daños, incluidos los de carácter reputacional, o pérdidas económicas, coacciones, intimidaciones, acoso u ostracismo. c) evaluación o referencias negativas respecto al desempeño laboral o profesional. d) inclusión en listas negras o difusión de información en un determinado ámbito sectorial, que dificulten o impidan el acceso al empleo o la contratación de obras o servicios. e) anulación de una licencia o permiso.

**CENTÉSIMO DECIMOSEGUNDA.–** Aun cuando, como ha quedado anotado, el prelegislador enfatiza el carácter meramente enunciativo del catálogo de acciones consideradas como represalias arriba trascrito, convendría quizá llamar la atención sobre el hecho de que el apartado e) del artículo 36.3 del anteproyecto resultaría más preciso si, en vez de referirse sólo a la anulación de licencias o permisos incluyera en la categoría de represalias, también la "denegación" de tales licencias o permisos para clarificar la protección que, en coherencia con el conjunto del texto, pretende ofrecerse en ese ámbito.

**CENTÉSIMO DECIMOTERCERA.–** Entre las medidas de protección de los informantes postuladas por el prelegislador se encuentra, asimismo, una específica previsión de inversión de la carga de la prueba en el ámbito de los procedimientos laborales ante órganos jurisdiccionales relativos a los perjuicios sufridos por los informantes en cuya virtud, una vez que el informante haya demostrado razonablemente que ha comunicado o ha hecho una revelación pública de conformidad con la norma proyectada y que ha sufrido un perjuicio, se presumirá que el mismo se produjo como represalia por informar o por hacer una revelación pública, correspondiendo en tales casos a la persona que haya tomado la medida perjudicial probar que esa medida se basó en motivos debidamente justificados no vinculadas a la comunicación o revelación pública (artículo 38.4 del anteproyecto).

**CENTÉSIMO DECIMOCUARTA.–** En relación con la expresa previsión de la inversión de la carga de la prueba a que se refiere el precepto anotado del anteproyecto, sería conveniente que el prelegislador adicionara una regla similar para los procedimientos administrativos, singularmente los sustanciados con la intervención de la Inspección de Trabajo.

## I) EN RELACIÓN CON EL RÉGIMEN SANCIONADOR

**CENTÉSIMO DECIMOQUINTA.–** Por lo que hace a las infracciones muy graves, el apartado segundo del artículo 65 del anteproyecto refiere en relación a las mismas que la Autoridad Independiente de Protección del Informante podrá acordar, adicionalmente: a) La amonestación pública. b) La prohibición de obtener subvenciones u otros beneficios fiscales durante un plazo máximo de cuatro años. c) La prohibición de contratar con el sector público durante un plazo máximo de tres años de conformidad con lo previsto en la Ley 9/2017 de 8 de noviembre, de Contratos del Sector Público, por la que se transponen al ordenamiento jurídico español las Directivas del Parlamento Europeo y del Consejo 2014/23/UE y 2014/24/UE, de 26 de febrero de 2014.

**CENTÉSIMO DECIMOSEXTA.–** El establecimiento de una sanción accesoria determinada formal, material y temporalmente como la que contempla la prohibición de obtener subvenciones u otros beneficios fiscales durante un plazo máximo de cuatro años asociada a la imposición de una sanción muy grave, resulta conforme con el artículo 13.2 de la Ley 38/2003, de 17 de noviembre, general de subvenciones, que establece que no podrán obtener la condición de beneficiario o entidad colaboradora de las subvenciones reguladas en dicha ley las personas o entidades en quienes concurra alguna de las circunstancias enumeradas, entre las que se encuentra, en el apartado h), "el haber sido sancionado mediante resolución firme con la pérdida de la posibilidad de obtener subvenciones conforme a ésta u otras leyes que así lo establezcan".

**CENTÉSIMO DECIMOSÉPTIMA.–** Ahora bien, en relación con esta previsión cabe recordar el criterio del Consejo de Estado sostenido en su Dictamen de 14 de mayo de 2018, dictado en el expediente 297/2018, conforme al cual «no existe correlación entre la medida prevista (imposibilidad de obtener una subvención, bonificación o ayudas públicas de ningún tipo) y la conducta que se pretende reprobar (actuaciones sancionadas por resolución administrativa firme por atentar, alentar o tolerar prácticas en contra de la Memoria Histórica y Democrática de Extremadura). Sin cuestionar lo condenable de estas actuaciones, su realización no justifica per se la imposición de una inhabilitación total y absoluta para su destinatario de ningún tipo de medida de fomento que pueda tener fines distintos y ajenos a los concernientes a la actuación reprobada. Debería por ello acotarse con mayor precisión el objeto y la duración de la medida referida y vincularlos de manera expresa con la actuación cuya sanción merece aquella». En línea con lo expresado por el Consejo de Estado, el precepto proyectado debería limitar la medida de privación de obtener subvenciones u otros beneficios fiscales durante un plazo máximo de cuatro años al ámbito propio regulado por la Ley, esto es, a aquellas subvenciones y beneficios fiscales vinculados a la protección de las personas que informen sobre infracciones normativas y de lucha contra la corrupción, en consonancia con lo que este Consejo tuvo igualmente ocasión de señalar en el acuerdo adoptado por el Pleno, en fecha 7 de junio de 2021, mediante el que se vino a aprobar el informe evacuado en relación con el Anteproyecto de Ley de Memoria Democrática.

Es cuanto ha de informar el Consejo General del Poder Judicial.

Lo precedente concuerda bien y fielmente con su original al que me remito, y para que conste extiendo y firmo digitalmente la presente, en Madrid a 26 de mayo de 2022.

**Jose Luis de Benito y Benítez de Lugo**
*Secretario General*

# BIBLIOGRAFÍA

Matallín Evangelio, Ángela y Fernández Hernández, Antonio. Criminal "Compliance Programs y Mapas de Riesgos". *ISBN:* 9788411305358. Editorial Tirant lo Blanch, Valencia 2023.

Donovan, Anna. "Reconceptualising corporate compliance Responsibility, freedom and the law". *ISBN:* 9781509946662. *Editorial:* Hart Publishing *Colección* Contemporary Studies in Corporate Law. Oxford. Reino Unido 2023.

Vaccaro, Antonino. "Compliance beyond Compliance Managing organizations with integrity". *ISBN:* 9788448637453. *Editorial* McGraw-Hill Interamericana de España. Madrid 2023.

Tucker, Ola M. "The flow of illicit funds. A case study approach to anti-money laundering compliance". *ISBN:* 9781647122478. *Editorial* Georgetown University Press. Washington D.C.. Estados Unidos de Norteamérica 2022.

Berruezo, Rafael. "Personas jurídicas. Teoría del delito, compliance, autoría y participación". *ISBN:* 9789915650630. Editorial B de f. Buenos Aires Argentina. 2022

Rotsch Thomas. "Derecho penal, Derecho penal económico y compliance" *ISBN:* 9788413813592. Editorial Marcial Pons, Ediciones Jurídicas y Sociales. Madrid 2022

Ruiz Gordillo, Franklin Martín. López García, Monivet Shaley. "Derecho Penal y el Compliance Program". ISBN: 9788490905913. *Editorial:* Bosch México. Barcelona 2022

Juan Carlos, Velasco Perdigones. " La responsabilidad civil del Compliance Officer". *ISBN:* 9788413916996. *Editorial:* Editorial Aranzadi. Colección Monografías Aranzadi de Derecho Civil. Pamplona. España. 2022

Lacerda da Costa Pinto, Frederico de. Lledó Benito, Ignacio. Pereira Coutinho, Francisco. "Compliance y lucha contra la corrupción en España, Portugal e Iberoamérica". *ISBN:* 9788413779881. Editorial Dykinson. Madrid. España. 2022.

Room, Stewart. "Data protection and compliance". *ISBN:* 9781780175249. *Editorial:* BCS Learning. Swindon. Reino Unido. 2022.

Leo Castela, Juan Ignacio. "El perito en Compliance. La ineludible intervención del experto en la administración de justicia penal frente a organizaciones y empresas". *ISBN:* 9788413919997. *Editorial:* Editorial Aranzadi. Colección Estudios. Pamplona. España. 2022.

Aguilera Gordillo, Rafael. "Manual de Compliance Penal en España. Régimen de responsabilidad penal de las personas jurídicas. Fundamentación analítica de base estratégica. Requisitos del Compliance Program". *ISBN:* 9788413909813. *Editorial:* Editorial Aranzadi. Pamplona. España. 2022.

Fortuny Cendra, Miguel. "Las investigaciones internas en compliance penal. Factores clave para su eficacia". *ISBN:* 9788413914282. Editorial Aranzadi. Colección Monografías Aranzadi Derecho de Empresa. Pamplona. España. 2021.

Rodríguez Morales, Alejandro J." Aspectos fundamentales del criminal compliance".ISBN: 9789564070254. *Editorial* Ediciones Jurídicas Olejnik. Colección Biblioteca de Derecho Penal y procesal Penal. Santiago de Chile. 2021.

Leo Castela, Juan Ignacio. "Gestión de riesgos legales y compliance corporativo".ISBN: 9788413973418. Editorial Tirant lo Blanch. Colección Corrupción, crimen organizado y delincuencia económica. Valencia. España. 2021.

Rodríguez García, Nicolás. " Tratado angloiberoamericano sobre compliance penal. *ISBN:* 9788413976303. Editorial Tirant lo Blanch. Colección Tratados. Valencia. España. 2021

Turienzo Fernández, Alejandro." La responsabilidad penal del compliance officer".ISBN: 9788413810201. *Editorial:* Marcial Pons, Ediciones Jurídicas y Sociales. Colección Derecho Penal y Criminología. Madrid. España.2021

Casanovas Ysla, Alain. "Guía práctica de compliance según la Norma ISO 37301:2021". *ISBN:* 9788417891374. *Editorial:* AENOR Ediciones (Asociación Española de Normalización). Madrid. España.2021.

Tejada Plana, Daniel. "Behavioral compliance: reforzando el compliance a través de la ética conductual." *ISBN:* 9788413901268. Editorial Aranzadi. Colección Monografías Aranzadi Derecho de Empresa. Pamplona. España. 2021.

Gomez Berruezo, Iñigo. "Compliance & anticorrupción. Visión práctica de la normativa internacional". *ISBN:* 978841345898. Editorial Aranzadi. Pamplona. España. 2021.

Gomez- Jara Díez, Carlos. "Compliance penal y responsabilidad penal de las personas jurídicas. A propósito de la UNE 19.601. Sistemas de gestión de compliance penal". *ISBN:* 9788413455334. Editorial Aranzadi. *Colección:* Compliance Penal y responsabilidad penal de las personas jurídicas. Pamplona. España. 2020.

Fernández Teruelo, Javier Gustavo. "Parámetros interpretativos del modelo español de responsabilidad penal de las personas jurídicas y su prevención a través de un modelo de organización o gestión (Compliance). Incluye un análisis de los modelos de responsabilidad penal de las personas jurídicas en México y Ecuador". *ISBN:* 9788413450643. Editorial Aranzadi. Colección estudios. Pamplona. España. 2020.

Santana Lorenzo, Margarita. "Guía práctica de compliance internacional". *ISBN:* 9788413468686. Editorial Aranzadi. Pamplona. España.2020.

Villegas García, María Ángeles. Encinar del Pozo, Miguel Ángel. "Lucha contra la corrupción, compliance e investigaciones internas. La influencia del Derecho estadounidense". *ISBN:* 9788413455051. Editorial Aranzadi. Pamplona. España.2020.

Rodríguez García, Nicolás. Rodríguez López, Fernando "Compliance y justicia colaborativa en la prevención de la corrupción". *ISBN:* 978841355132. Editorial Tirant lo Blanch. *Colección:* Corrupción, crimen organizado y delincuencia económica. Valencia. España.2020.

Requena, Carlos. Aparicio, Néstor. "Compliance organizacional. Gestión de riesgos". *ISBN:* 9786078615476. *Editorial* Ubijus. Ciudad de México. México. 2020.

Leon Alapont, José. "Compliance penal. Especial referencia a los partidos políticos".ISBN: 9788413551876.Editorial Tirant lo Blanch. Colección Monografías. Valencia. España. 2020.

Sánchez Sevilla, Rafael. Benítez Delgado, José. Jordà Rondón, Jacob. Viaño García, Javier. " Guía básica del compliance officer para PYMES DPT, Estatuto, Protocolo y Reglamento interno de los órganos encargados de la función de cumplimiento en la pequeña y mediana empresa". *ISBN:* 9788417852665. *Editorial:* Ediciones Carena. Colección COMPCAT. Associació Catalana Compliance. Barcelona. España. 2020.

Lopéz Lemos, Paloma. "Auditoría de los sistemas de gestión compliance. Aplicable en auditorías de sistemas según ISO 19600, ISO 37001, UNE 19601 y UNE 19602". *ISBN:* 9788417701413. *Editorial:* FC Editorial. Fundación Confemetal. Madrid. España. 2020.

Pérez-Piaya moreno, Cristina. Gollonet Teruel, Luis Angel. "Compliance en el Derecho administrativo. Políticas de cumplimiento en el sector público y en el sector privado". *ISBN:* 9788490904039. Editorial Bosch. Madrid. España. 2020.

Subirana de la Cruz, Silvia. Fortuny Cendra, Miguel. "Compliance en el sector público". *ISBN:* 9788413468136. Editorial Aranzadi. Colección Grnades Tratados. Pamplona. España. 2020.

Serrano de Nicolás, Yolanda. Conesa Alargada, Mayrata. Albalá González, Agustín. "Compliance penal para pymes según la Norma UNE 19601". *ISBN:* 9788417891008. *Editorial:* AENOR Ediciones (Asociación Española de Normalización). Madrid. España. 2020

Campos Acuña, Mª Concepción. "Guía práctica de Compliance en el sector público". *ISBN:* 9788470528118. *Editorial:* El Consultor de Los Ayuntamientos. Madrid. España. 2020.

Capdeferro Villagrasa, Oscar." Compliance urbanístico. Fundamentos teóricos, estudio de casos y desarrollo de herramientas anticorrupción". *ISBN:* 9788413089713. Editorial Aranzadi. *Colección:* Monografías Aranzadi de Derecho Penal. Pamplona. España 2020. Director/a Rodríguez-García, Nicolás. Carrizo González-Castell, Adán.

Rodríguez López, Fernando. " Corrupción, Compliance, represión y recuperación de activos". *ISBN:* 9788413366173. Editorial Tirant lo Blanch. Valencia. España. 2020.

Alcolea Cantos, Antonio. Pardo Pardo, Juana Maria. "Defensa corporativa y Compliance." *ISBN:* 9788413080475. Editorial Aranzadi. Colección Garrigues. Pamplona. España. 2019.

Gómez Colomer, Juan Luis. Madrid Boquín, Christa M. "Tratado sobre compliance penal. Responsabilidad penal de las personas jurídicas y modelos de organización y gestión". *ISBN:* 9788413361789. Editorial Tirant lo Blanch. Colección Tratados. Valencia. España. 2019.

González Gonzaléz, Francisco Oliver. "Compliance en el Tercer Sector". *ISBN:* 9788413080116. Editorial Aranzadi. Colección Estudios. Pamplona. España. 2019.

Frago Amada, Juan Antonio. "Actualidad Compliance 2019". *ISBN:* 9788413080178. Editorial Aranzadi. Colección Monografías Aranzadi de Derecho Penal. Pamplona. España. 2019.

Ribas, Xavier. Gómez Doñate, Paula. Pérez Guillamón, José Luis. "PRACTICUM-Compliance 2020". *ISBN:* 9788413092904. *Editorial:* Thomson Reuters. Colección Practicum. Barcelona. España 2019.

Puyol Montero, Javier. "Compliance y actuación procesal de las personas jurídicas". *ISBN:* 9788417788506. *Editorial* Sepin - Servicio de Propiedad Inmobiliaria. Madrid. España 2019.

Hayward, Andrew. Osborn, Tony. "The business guide to effective compliance and ethics. Why compliance isn't working - and how to fix it". *ISBN: 9780749482978. Editorial:* Kogan Page Ltd. London. Reino Unido.2019.

W.AA. "Guía de implementación de compliance para pymes. Manual práctico de implementación". *ISBN:* 9788417788360. *Editorial:* Sepin - Servicio de Propiedad. Madrid. España. 2019.

Castillo Blanco, Federico A. "Compliance e integridad en el sector público." *ISBN:* 9788413137278. Editorial Tirant lo Blanch. Colección Esfera. Todo el Derecho. Valencia. España. 2019.

Acuña, Mª Concepción. "Aplicación práctica del compliance en la contratación pública". *ISBN:* 9788413095844.Editorial Aranzadi. Colección Monografías Aranzadi de Derecho Penal. Pamplona. España.2019.

Liñan Lafuente, Alfredo. "La responsabilidad penal del compliance officer".*ISBN:* 9788413094342. Editorial Aranzadi. Colección Monografías Aranzadi de Derecho Penal. Pamplona. España. 2019.

Sector bancario. "Guía corporate compliance y protección de datos".*ISBN:* 9788413091402. Editorial Aranzadi. Pamplona. España. 2019.

Veiga Mareque, José Alejandro. Fernández Avilés, Genaro. "Compliance para pymes paso a paso. Guía para implantar un programa de compliance". *ISBN:* 9788417618278. Editorial Colex. Madrid. España. 2019.

Calvert, Tracey. "Regulation, compliance and ethics in Law Firms".*ISBN:* 9781787422285. *Editorial:* Global Law and Business". Colección Good Practices Guide. Surrey. Reino Unido.2018.

Lorenzo Aguilar, Jesús. "Compliance. La responsabilidad penal de las personas jurídicas y la mediación organizacional". *ISBN:* 9788473606363. Editorial Tébar Flores. Madrid. España.2018.

Matallín Evangelio, Angela. "Compliance y prevención de delitos de corrupción". *ISBN:* 9788491904977. Editorial Tirant lo Blanch. Valencia. España. 2018.

Navarro, Jorge. Montaner, Raquel. "El compliance officer, ¿un profesional en riesgo? Perspectiva penal, empresarial, procesal, de la fiscalía y jurisprudencial". *ISBN:* 9788416904969. *Editorial:* Profit Editorial. Barcelona. 2018.

W.AA. "Compliance. Guía práctica de planificación preventiva y plan de control de riesgos".*ISBN:* 9788491975847. Editorial Aranzadi. Pamplona. España. 2018.

Teichmann, Fabian M.Sergi, Bruno S. "Compliance in multinational corporations Business risks in bribery, money laundering, terrorism financing and sanctions". *ISBN:* 9781787568709. *Editorial* Emerald Publishing. Bingley. Reino Unido.2018.

Scharfman, Jason A. "Private equity compliance. Analysing conflicts, fees, and risks". *ISBN:* 9781119479628. Colección Wiley Finance Series.*Editorial* John Wiley & Sons, Inc. Chichester. Reino Unido. 2018.

Sector Retail."Guía corporate compliance y protección de datos". *ISBN:* 9788491975229. Editorial Aranzadi. Pamplona. España. 2018.

Neira Pena, Ana María. "La defensa penal de la persona jurídica. Representante defensivo, rebeldía, conformidad y compliance como objeto de prueba". *ISBN:* 9788491975069.Colección Grandes tratados Editorial Aranzadi. Pamplona 2018.

Prolonguista Gómez, Manuel. "Compliance Penal en España. Régimen de responsabilidad penal de las personas jurídicas. Fundamentación analítica de base estratégica. Lógica predictiva y requisitos del Compliance Program Penal". *ISBN:* 9788491971887. Editorial Aranzadi. Pamplona. España.2018.

Swammy, Sarah. McMaster, Michael. "Governance, compliance, and supervision in the capital markets". *ISBN:* 9781119380658. Colección Wiley Finance Series.Hoboken (NJ). *Editorial* John Wiley & Sons, Inc.. Estados Unidos de Norteamérica.2018

Ruiz de Lara, Manuel. "Compliance penal y responsabilidad civil y societaria de los administradores". *ISBN:* 9788490903001. Editorial Bosch. Barcelona. España. 2018.

Lledó Benito, Ignacio. "Corporate compliance. La prevención de riesgos penales y delitos en las organizaciones penalmente responsables". *ISBN:* 9788491485896. Editorial Dykinson. Madrid. España. 2018.

Ayala de la Torre, José María. "CLAVES PRACTICAS-Compliance". *ISBN:* 9788417317119. Colección Claves Prácticas. Ediciones Lefebvre. Barcelona. España. 2018.

Giménez Zuriaga, Isabel. "Manual práctico de Compliance". *ISBN:* 9788491529699. Colección Tratados y Manuales de Economía. Editorial Civitas. Madrid. España. 2018.

MEMENTO EXPERTO. "Sistemas de gestión de compliance. Normas ISO y UNE 19601". *ISBN:* 9788416924806. Colección Memento Experto.Ediciones Lefebvre. Barcelona. España.2017.

Alarcón Garrido, Antonio. "Auditor compliance. Auditorías y verificaciones". *ISBN:* 9788417009441. *Editoria* Sepin - Servicio de Propiedad Inmobiliaria. Madrid. España. 2017.

Rojas Rosco, Raúl. Moraleja, Erika. Gutiérrez Arranz, Roberto. "Compliance laboral". *ISBN:* 9788417162214. Colección Claves Prácticas. Ediciones Lefebvre. Madrid. España.2017.

Blassl, Johannes Sebastian. "Zur Garantenpflicht des Compliance-Beauftragten Zugleich ein systematisierender Beitrag zu rechtssichernden Organisationspflichten und zur Dogmatik der unechten Unterlassungsdelikte".*ISBN:* 9783631675113. Colección Europaische Hochschulschriften. *Editorial* Peter Lang. Berlin. Alemania. 2017.

Palma Herrera, José Manuel. Aguilera Gordillo, Rafael. "Compliances y responsabilidad penal corporativa". *ISBN:* 9788491523482. Editorial Aranzadi. Pamplona. España.2017.

Puyol, Javier. "Guía para la implantación del compliance en la empresa". *ISBN:* 9788490902400. Editorial Bosch. Barcelona. España. 2017.

Casanovas Ysla, Alain. "Compliance penal normalizado. El estándar UNE 19601". *ISBN:* 9788491771166. Editorial Aranzadi. Pamplona. España. 2017.

Magro Servet, Vicente. "Guía práctica sobre responsabilidad penal de empresas y planes de prevención (compliance)". *ISBN:* 9788490205839. *Editorial* La Ley. Madrid. España. 2017.

Abia González, Ricardo. Dorado Herranz, Guillermo. "Implantación práctica de un sistema de gestión de cumplimiento. Compliance management system". *ISBN:* 9788491520627. Colección Estudios. Editorial Aranzadi. Pamplona. España. 2017.

Bajo Albarracín, Juan Carlos. "Auditoría de sistemas de gestión. Compliance 31 bis CP, ISO 19600 e ISO 37001". *ISBN:* 9788491520962. Colección Estudios. Editorial Aranzadi. Pamplona. España. 2017.

W.AA. "Responsabilidad penal de las empresas y compliance program". *ISBN:* 9789563920659. Colección Biblioteca de Derecho Penal y Procesal Penal. Ediciones Jurídicas Olejnik. Santiago de Chile. Chile. 2017.

Puyol, Javier. "El funcionamiento práctico del canal de compliance "Whistleblowing". *ISBN:* 9788491434238. Colección Guías Prácticas.Editorial Tirant lo Blanch. Valencia. España. 2017.

Velasco Nuñez, Eloy. Saura Alberdi, Beatriz. "Cuestiones prácticas sobre responsabilidad penal de la persona jurídica y compliance. 86 preguntas y respuestas". *ISBN:* 9788491355632. Editorial Aranzadi. Pamplona. España.2016.

Weinstein, Stuart. Wild, Charles. "Legal risk management, governance and compliance Interdisciplinary case studies from leading experts". *ISBN:* 9781909416512. *Editorial* Globe Law and Bussiness Woking. Reino Unido.2016.

Puyol, Javier. "Criterios prácticos para la elaboración de un código de Compliance". *ISBN:* 9788491199717. Editorial Tirant lo Blanch. Valencia. España.2016.

Alarcón Garrido, Antonio. "Manual teórico-práctico del compliance officer". *ISBN:* 9788416521784. *Editorial:* Sepin Servicio de la Propiedad. Inmobiliaria. Madrid. España.2016.

Gimeno Beviá, Jordi. "Compliance y proceso penal. El proceso penal de las personas jurídicas". *ISBN:* 9788491358619. Editorial Civitas. Madrid. 2016.

Gómez Tomillo, Manuel. "Compliance penal y política legislativa. El deber personal y empresarial de evitar la comisión de ilícitos en el seno de las personas jurídicas". *ISBN:* 9788491194729. Colección Monografías. Editorial Tirant lo Blanch. Valencia. España. 2016.

Balcarce, Fabián. Berruezo, Rafael. "Criminal compliance y personas jurídicas". *ISBN:* 9789974708914. Editorial B de f. Buenos Aires. Argentina. 2016.

Criado, Rafael. "Compliance para pymes". *ISBN:* 9788491199625. Colección Abogacía práctica. Editorial Tirant lo Blanch. Valencia. España. 2016

Enseñat de Carlos, Sylvia. "Manual de compliance officer. Guía práctica para los responsables de Compliance de habla hispana". *ISBN:* 9788490999080. Editorial Aranzadi. Pamplona. España. 2016.

W.AA. "Curso experto Compliance Officer". *ISBN:* 9788490598771. Editorial Aranzadi. Pamplona. España. 2016.

W.AA. "Diccionario de compliance. Cumplimiento normativo de riesgos penales". *ISBN:* 9788461767427. *Editorial* Servicio de Estudios de MARSH España. Madrid. España. 2016.

Hodges, Christopher. "Law and corporate behaviour. Integrating theories of regulation, enforcement, compliance and ethics". *ISBN:* 9781849466530. Colección Civil Justice Systems. *Editorial* Hart Publishing. Oxford. Reino Unido. 2015.

Jackman, David. "The compliance revolution. How compliance needs to change to survive". *ISBN:* 9781119020592. Colección Wiley Finance Series. *Editorial* John Wiley & Sons, Inc. New York. Estados Unidos de Norteamérica. 2015.

Sáiz Peña, Carlos Alberto. "Compliance. Cómo gestionar los riesgos normativos en la empresa". *ISBN:* 9788490983041. Editorial Aranzadi. Pamplona. España. 2015.

Kurer, Peter. "Legal and compliance risk. A strategic response to a rising threat for global business". *ISBN:* 9780198719793. *Editorial:* Oxford University Press. Oxford. Reino Unido. 2015.

Hortal Ibarra, Juan Carlos. Valiente Iváñez, Vicente. "Responsabilidad de la empresa y compliance. Programas de prevención, detección y reacción penal". *ISBN:* 9788415276302. Colección Europa América. Editorial B de f. buenos Aires. Argentina. 2014.

Chada, Raj. Sallon, Christopher. Tate, Sam. "Bribery. A compliance handbook". *ISBN:* 9781780433288. *Editorial* Bloomsbury Publishing. London. Reino Unido. 2014.

Kruse, Bjorn "Compliance und rechtsstaat

Zur freiheit von selbstbelastung bei internal investigations". *ISBN:* 9783631653548. Colección Frankfurter Kriminalwissenschaftliche Studien. *Editorial* Peter Lang. Frankfurt. Alemania. 2014.

García Cavero, Percy. "Criminal Compliance". *ISBN:* 9786124218033. Colección Universidad de Piura. Colección Jurídica. *Editorial* Palestra Editores. Lima. Perú. 2014.

Nieto Martín, Adán. Maroto Calatayud, Manuel. "Public Compliance. Prevención de la corrupción en administraciones públicas y partidos políticos". *ISBN:* 9788490441145. Colección Marino Barbero Santos. *Editorial* Universidad de Castilla-La Mancha. Cuenca. España. 2014.

Caro Coria, Dino Carlos. Reyna Alfaro, Luis Miguel. "Compliance y prevención del lavado de activos y del financiamiento del terrorismo". *ISBN:* 9786124649905. *Editorial* Centro de Estudios de Derecho Penal Económico y de la Empresa (CEDPE). Lima. Perú. 2013.

Kuhlen, Lothar. Montiel, Juan Pablo. Ortiz de Urbina Gimeno, Iñigo." Compliance y teoría del Derecho penal" *ISBN:* 9788415948001. Colección Derecho Penal y Criminología. *Editorial* Marcial Pons, Ediciones Jurídicas y Sociales. Madrid. España. 2013.

Criminalidad de empresa y compliance. "Prevención y reacciones corporativas". *ISBN:* 9788415690184. Colección Atelier Penal. *Editorial:* Atelier. Barcelona. España. 2013.

Casanovas Ysla, Alain. "Legal compliance. Principios de cumplimiento generalmente aceptados". *ISBN:* 9788415150398. *Editorial* Difusión Jurídica. (Grupo Difusión). Madrid. España. 2013.

Agúndez, Miguel Angel. Martínez-Simancas, Julian. "Cumplimiento normativo Compliance". *ISBN:* 9788490200087. Colección Cuadernos de Derecho para Ingenieros. *Editorial* La Ley. Madrid. España. 2012.

Crawford, Adam. Hucklesby, Anthea. "Legitimacy and compliance in criminal justice". *ISBN:* 9780415671569. *Editorial:* Routledge. London. Reino Unido. 2012.

Nelson, Paul. "Capital markets Law and compliance. The implications of MiFID". *ISBN:* 9781107404663. Colección Law Practitioner Series. *Editorial* Cambridge University Press. Cambridge. Reino Unido. 2012.

Bacigalupo, Enrique. "Compliance y Derecho penal". *ISBN:* 9788499038292. Colección Monografías Aranzadi de Derecho Penal. Editorial Aranzadi. Pamplona. España. 2011.

Gruetzner, Thomas. Jakob, Alexander. "Compliance von A-Z". *ISBN:* 9783406606984. *Editorial* Verlag C.h. Beck. Munchen. Alemania. 2010.

Parker, Christine. Lehmann Nielsen, Vibeke. "Explaining Compliance. Business Responses to Regulation". *ISBN:* 9781848448858. *Editorial* Edward Arnold (Publishers) Ltd. Reino Unido. 2011.

Strothmeyer, Uta. "Compliance Risikobegrenzung und Imagevorteil". *ISBN:* 9783866531819. *Editorial:* Wissenschaftliche Verlagsgesellscha. Munchen. Alemania. 2010.